COLLECTION FOLIO

Dostoïevski

Les Possédés

I

Préface
de Marthe Robert

Traduction et notes
de Boris de Schloezer

Gallimard

PRÉFACE

Le roman de Dostoïevski Les Possédés *a suscité au cours du temps une remarquable diversité de jugements qui tient sans doute en partie au caractère déroutant de l'œuvre elle-même, mais en partie aussi à l'évolution des idées littéraires qui, d'une époque à l'autre, entraîne des changements sensibles dans la façon de considérer les textes. On ne lit plus* Les Possédés *comme on le faisait au siècle dernier, lorsque le livre qui venait de franchir la frontière russe offrait à la littérature européenne de quoi méditer longtemps sur « l'âme slave » et ses énigmes. On ne les lit plus non plus avec les yeux de Nietzsche et de Gide, qui découvraient en Dostoïevski le précurseur révolutionnaire, le créateur génial d'une nouvelle psychologie. Après avoir mis l'accent sur l'aspect purement visionnaire du roman, puis sur son contenu étonnamment prophétique, il se peut qu'à quelque cent ans de distance on soit tenté de rejoindre les lecteurs russes contemporains qui, voyant avant tout dans cette ténébreuse affaire un violent pamphlet politique, la jugeaient sublime ou péniblement rétrograde selon les données de leur propre idéologie. Il se peut également qu'on se demande comment une œuvre si évidemment mal construite, plus fantasque encore que fantastique, et contradictoire parfois jusqu'à l'extravagance, parvient à passer* communément pour un témoignage authentique, révélateur d'une vérité « éternelle » ou d'une portion de vérité historique ; quels sont en l'occurrence les liens entre l'incontestable incohérence de la description, et le pouvoir qu'on lui reconnaît non seulement de rendre la réalité, mais d'anticiper notre propre présent dans une sorte de délire prophétique ; en vertu de quel privilège ou de quelle mystérieuse magie le romancier a le don d'extravaguer sans cesser pour autant de dire vrai, de sorte qu'il peut s'abandonner à ses phantasmes les plus excessifs et faire par là même aux yeux des plus réfléchis œuvre de prophète ou de pionnier. Cette série de questions relève certes de la théorie, mais le lecteur d'aujourd'hui est en droit d'y penser toutes les fois qu'il cherche à savoir ce que recouvre la notion de « vision » ou d' « inspiration », et ce qu'elle signifie au juste quant aux rapports réels de la littérature avec la vie.

On sait que l'affabulation des Possédés repose pour l'essentiel sur un célèbre épisode de la lutte politique dans la Russie tsariste : l'affaire Nétchaïev, qui a effectivement causé dans tout le pays une stupeur horrifiée. On y retrouve donc les agissements de Nétchaïev lui-même, un émissaire de l'anarchiste Bakounine qui, envoyé en Russie pour y créer un vaste réseau de groupes révolutionnaires clandestins, sema la terreur parmi ses affiliés en se disant le chef d'un « comité central » inexistant ; l'assassinat d'Ivanov, un étudiant à l'Institut d'Agronomie de Pétersbourg qui fut « liquidé » par ses camarades à l'instigation de Nétchaïev, selon les uns parce qu'il s'apprêtait à le trahir, selon d'autres parce qu'il soupçonnait que les fameux groupes étendus censément à toute la Russie se réduisaient probablement à un seul, celui-là même dont il était membre actif ; enfin le procès des conjurés, où Dostoïevski a puisé le matériel de la deuxième et de la troisième partie de son roman, surtout en ce qui concerne le style et le contenu des

« proclamations ». Lorsque les premiers troubles éclatent à l'Université de Pétersbourg, en 1869, Dostoïevski ne réside pas en Russie, voilà deux ans qu'il est parti pour échapper à ses créanciers et qu'il erre comme une âme en peine entre l'Allemagne et l'Italie. En octobre, il est à Dresde, entièrement absorbé par le projet grandiose auquel il travaille alors et qui dans son esprit doit être son dernier mot sur les « problèmes éternels[1] ». Mais là, dans cet exil où il se sent « coupé de toute vie vivante », il reçoit la visite du jeune frère de sa femme qui, ayant fui Pétersbourg à cause des troubles universitaires, précisément, lui raconte en détail les événements auxquels il a été mêlé, en rapportant des faits troublants sur la « Vindicte du Peuple » et l'inquiétante figure de son chef. Dans le récit du jeune étudiant, les personnages du drame sont déjà tous placés : à la tête de la « Vindicte du Peuple », Nétchaïev, un meneur doué d'un extraordinaire pouvoir de séduction, qui subjugue une partie des jeunes gens en leur apprenant à tout détruire et à tout nier ; en face de lui Ivanov qui, après avoir suivi le tentateur, s'est ressaisi à temps et se prépare à le quitter, peut-être même à le dénoncer; et autour de ces deux figures, un petit groupe fanatisé, prêt pour un rien au meurtre et à la délation. Un mois plus tard, Dostoïevski apprend par les journaux l'assassinat d'Ivanov et l'arrestation de Nétchaïev, qui révèlent l'affaire au moment même où elle prend fin[2]. La nouvelle lui cause un tel choc qu'il

1. Il s'agit de *La Vie d'un grand pécheur* qui resta inachevée, mais dont le matériel a servi à former la figure de Stavroguine, celle de l'Adolescent et certains morceaux des *Karamazov*.

2. Tous les conjurés sont condamnés à mort, mais Nétchaïev réussit à s'enfuir et passe à l'étranger. Après avoir mené en Suisse et ailleurs une vie des plus mouvementées, il est extradé et retourne en prison. Il meurt dans une forte-

abandonne aussitôt La Vie d'un grand pécheur, *ouvrage auquel il tient pourtant comme à son ultime message spirituel, pour composer un pamphlet furieux contre les contempteurs de l'ordre russe — nihilistes, socialistes, anarchistes, intellectuels révolutionnaires ou simplement libéraux — qu'il considère indistinctement comme de dangereux criminels, voire comme les suppôts du mal absolu.*

L'affaire Nétchaïev n'était pour Dostoïevski qu'un chaînon particulièrement visible dans une série d'événements scandaleux — complots dirigés de l'étranger, proclamations incendiaires, attentats anarchistes contre de hauts dignitaires, l'entourage du tsar ou le tsar lui-même — qu'il imputait non pas seulement à des extrémistes poussés à bout, mais positivement à l'influence du démon. Dès 1866, il avait noté dans ses carnets quantité de faits relatifs à l'attentat de l'étudiant Karakosov contre le tsar Alexandre II, puis il s'en était inspiré pour la première version des Possédés, *que nous connaissons à l'état de plan (l'idée même du livre est donc antérieure de plusieurs années à l'affaire Nétchaïev). L'année suivante, en septembre 1867, il avait assisté au Congrès international de la Paix, à Genève, et là, horrifié par les propos violents des orateurs, et plus encore par l'atmosphère surchauffée des débats, il s'était persuadé que les révolutionnaires de toutes nuances se valaient, et que les libéraux, si raffinés, si séduisants, si bénins qu'ils eussent paru de son temps, étaient finalement les complices des crimes tout à la fois odieux et stupides commis ou prêchés par les apôtres actuels du néant. Les Biélinski, les Tourguéniev et tous les intellectuels moralement déracinés qui, trente ans auparavant, ne*

resse où il peut faire encore une fois la preuve de son irrésistible séduction : il parvient, dit-on, à recruter des adeptes jusque dans les rangs de ses gardiens. Cf. à ce sujet A. Camus : *L'Homme révolté*, Éd. Gallimard, 1951.

voyaient pas mieux à faire pour sauver le peuple russe que de penser et de vivre à la mode occidentale — c'est-à-dire en fait à l'allemande —, étaient bel et bien les pères spirituels des Nétchaïev et des Karakosov auxquels leur reniement avait frayé le chemin. Les pères ont beau ne pas se reconnaître dans les fils dévoyés qui prennent en tout le contre-pied de leur idéal, ils ont beau se récrier contre des excès qu'ils n'ont pas voulus, ils n'en sont pas moins les premiers responsables de ces aberrations mortelles qui ont nom révolution sociale, nihilisme, anarchie. Dostoïevski du moins en est profondément convaincu : l'élite intellectuelle qui, corrompue naguère par Hegel et par l'Occident, a eu la lâcheté de renier le Dieu russe en même temps que la Russie, ne pouvait engendrer que des monstres et des « démons ».

Il n'est pas douteux qu'en brodant sur ce schéma excessivement simplifié, et tendancieux à proportion de sa simplicité, Dostoïevski cherche plus ou moins consciemment à régler ses comptes avec son propre passé. Car dans sa jeunesse il était lui aussi acquis aux idées nouvelles venues d'Occident, il était l'émule passionné de ces hommes de progrès qui sont maintenant pour lui objets d'horreur et de dérision. Sans doute la conspiration de Petrachevski ne ressemblait en rien à la formidable imposture qu'a révélée le procès de Nétchaïev, mais enfin le jeune Dostoïevski y était associé, et quoiqu'il n'ait guère conspiré qu'en lisant et en répandant des ouvrages interdits, cette tentative de révolte si vite avortée l'a marqué pour la vie. Non seulement parce qu'il l'a expiée durement par des années de souffrance et d'humiliation au bagne, mais parce que le châtiment, s'il ne l'a pas lavé de ses péchés, l'a guéri du moins en lui montrant toute l'étendue de son ignominie. Puni par le tsar, qui incarne au suprême degré la puissance paternelle avec laquelle il ne cesse de s'expliquer ; conduit en outre par la promiscuité du bagne à vivre dans sa chair la réalité du peuple russe, qui n'était jusque-là pour lui qu'abstraction et préjugé, il s'est converti à cela même qu'il avait autrefois pris pour cible, et si radicalement qu'il est devenu l'ennemi juré de tout ce qui ressemble de près ou de loin à une idée avancée. Vus sous cet angle, Les Possédés *sont certainement un acte de contrition qu'il offre au tsar et au peuple russe en réparation de ses offenses. Mais Dostoïevski en fait aussi un plaidoyer* pro domo *à peine déguisé : coupable, certes, il l'est et ne songe pas à le nier, toutefois on ne peut lui refuser les circonstances atténuantes, car il a été égaré par de faux prophètes, ses maîtres vénérés l'ont séduit en lui faisant prendre pour des idées généreuses ce qui n'était que vaine spéculation et dangereuse utopie, ils l'ont en somme attiré dans un piège où il a seulement eu le tort de tomber. Parmi ces imposteurs qu'il lui incombe maintenant de fustiger — il faut, écrit-il, les traiter « à coups de fouet » —, les uns ont disparu sans avoir eu à payer le prix de leur escroquerie intellectuelle, c'est le cas de Biélinski et surtout de Granovski, qui lui fournit le personnage de Stépane Trophimovitch ; les autres, comme Tourguéniev, jouissent en paix de leur gloire dans quelque coin d'Allemagne d'où ils proclament impunément qu'ils ont rompu tout lien avec leur pays. Mais le roman de Dostoïevski rétablira la vérité à la place des juges défaillants : morts ou vivants, les séducteurs de sa jeunesse seront pareillement démasqués dans une satire féroce, où ils feront du reste figure de fantoches plus encore que d'ennemis publics.*

Cette explosion de haine et de mépris entre pour beaucoup dans l'impression d'irréalité que laisse le récit, même et surtout là où il prétend le plus suivre l'Histoire fidèlement. Emporté par le besoin passionné de prêcher ses propres idées, en rachetant ses anciennes erreurs et en s'attaquant au passage aux réputations les mieux établies, Dostoïevski découpe dans la situation historique le schéma rudimentaire qui convient à son parti pris, ce qui est bien son droit après tout à l'intérieur d'un genre naturellement tendancieux. Seulement de cette façon il élimine le principal, c'est-à-dire tout le contexte politique et social sans quoi l'affaire Nétchaïev et toutes celles qui lui ressemblent sont proprement inintelligibles. Aussi pour compenser l'absurdité inhérente à ce vide politique complet, Dostoïevski est obligé de recourir à sa technique habituelle d'extension en profondeur, technique éprouvée qui lui permet de compliquer ses figures et de les creuser à l'infini, mais qui ici justement est ce qui compromet le plus la réussite du pamphlet. Car en coupant la société russe contemporaine de toutes ses assises concrètes et en passant sous silence les conflits violents qui sont en train de la ronger, il crée un monde « éternel » et par là même anodin, où l'injustice, la misère, la souffrance ne sont jamais que des affaires privées, ou ce qui revient à peu près au même, des épreuves mystérieuses tombées positivement du ciel. Or il est clair que dans ce monde si remarquablement dégagé des contingences politiques, et malgré les apparences si profondément inactuel, seul le fou ou le pervers peut songer à se révolter. Faute de donner à ses possédés des motifs plausibles pour se lancer dans l'action, Dostoïevski est ainsi conduit à les noircir systématiquement, et à les surcharger d'une foule de traits contradictoires qui finissent par brouiller le sens général du message. Ces gens sur qui il accumule tous les ridicules possibles et toutes les malédictions ne sont plus que des superlatifs du Mal, des symboles alourdis de tant de significations discordantes qu'ils en deviennent insignifiants et qu'on a peine à croire à leur diabolisme intégral (seul Stavro-

guine semble réellement dangereux ; il est vrai qu'il sort tout droit du vrai fond dostoïevskien, et que s'il a partie liée avec les conjurés, c'est d'assez loin et par un artifice, parce que l'auteur veut traiter à travers lui les « problèmes éternels » qui sont ses éternels problèmes personnels). A voir et à entendre Stépane Trophimovitch Verkhovensky, qui figure longtemps dans les Carnets des Possédés *sous l'identité de Granovski, on se demande comment cette charmante nullité a pu se faire un nom dans l'âpre littérature de combat où l'élite russe de 1840 cherche une image de sa future liberté ; de même Karmazinov, qui tient ici la place de Tourguéniev, est affecté d'une bêtise si insondable qu'on ne voit pas comment il a jamais pu faire œuvre d'écrivain, fût-ce au niveau le plus bas de la médiocrité; ni en quoi ce vieillard vaniteux, mais somme toute bien inoffensif, mérite d'être mis au pilori et traité « à coups de fouet ». Quant à Piotr Stépanovitch Verkhovensky, à qui revient le rôle central de Nétchaïev, on sait que comme le nihiliste lui-même il veut tout détruire « par le glaive et par le feu », mais on n'a pas la moindre idée des mobiles — humanitarisme, passion de la justice, désespoir personnel ou simplement calcul ambitieux — qui l'ont poussé un jour à pareille extrémité. Il est l'ange noir de l'anéantissement, et en tant que tel il cumule tous les vices imaginables, même ceux qui sont inconcevables ensemble chez les vivants. Il est fanatique et incroyablement léger ; calculateur et étourdi ; bavard comme une vieille femme et en même temps maniaque du secret ; dévoué à une cause ou en tout cas à un homme, Stavroguine, et doué d'un égoïsme monstrueux ; séduisant, dit-on, et apparemment dénué de tout attrait ; actif enfin par définition, mais indécis et par-dessus tout paresseux. Passe encore qu'un pareil assemblage compose un personnage improbable, du moins s'attendrait-on que cet agitateur-né, censément l'émissaire d'un chef révolutionnaire éminent, ait mieux à faire que de gaspiller son énergie auprès de dames du monde exclusivement occupées de leurs petites affaires locales ; mais pas du tout, il est entièrement disponible et passe son temps à pérorer dans les salons, où il se lie avec n'importe qui et participe à toutes sortes d'intrigues sans aucun rapport avec son but final — tout cela bien entendu au mépris des règles élémentaires de la conspiration. Étant donné le rôle essentiel que Dostoïevski lui impartit dans la démonstration de sa thèse, du moins lorsqu'il conçoit son premier projet, Piotr Stépanovitch Verkhovensky est tout bonnement un personnage impossible. Toutefois son impuissance à représenter n'importe quel personnage historique — inutile de dire qu'il n'a rien de commun avec le vrai Nétchaïev, malgré les propos authentiques que son auteur lui prête çà et là — est justement ce qui lui assure l'intérêt du lecteur, il est vrai dans un tout autre registre intellectuel et affectif. Car il n'incarne ni Nétchaïev, ni une forme de révolte politiquement définie, ni même le nihilisme pris comme philosophie ; il n'est en somme que le frère des innombrables bouffons que Dostoïevski décrit avec prédilection, l'amuseur et le singe, parfois le tentateur mesquin de ses héros maudits. Il a du reste si peu le format d'un chef qu'il cède finalement la place au beau Stavroguine, son double supérieur et aristocratique qui, lui, songe moins à la Révolution qu'aux abîmes sans fond de son âme pervertie. La série de crimes précipités que Verkhovensky commet ou laisse perpétrer à la fin ne change rien à son insigne faiblesse en tant que support de la satire politique : si vrai qu'il soit à l'intérieur du souterrain proprement dostoïevskien, il n'a pas le pouvoir de faire exécrer ou de démasquer le prétendu « démon » dont il assume le destin.*

Et pourtant... Et pourtant, les deux Verkhovensky, Stavroguine, Chatov, Kirilov, ainsi que la bande de ganaches et de détraqués qui s'agitent autour d'eux sont et restent des figures étrangement vivantes, comme on dit très approximativement pour désigner la propriété la plus énigmatique des figures de papier. Jetés dans une histoire des plus obscures, écrite par surcroît à la diable, ou, selon le mot de l'auteur lui-même, « au petit bonheur », ils accomplissent ce tour de force de vivre malgré tout, et de façon si convaincante qu'on leur passe volontiers l'incohérence de leur caractère, la noirceur systématique qui jette sur leurs débordements comme un voile d'uniformité, le manque de logique interne qui crée une disproportion gênante entre leurs actes et leurs raisons d'agir, l'inconsistance de leur métaphysique ; de même qu'on pardonne volontiers à leur auteur l'accumulation des coups de théâtre, des rencontres fortuites toujours bien préparées, des intrigues compliquées à plaisir et des secrets pathétiquement dévoilés qui constituent le matériel ordinaire du roman-feuilleton bien plus que de la satire ou du roman dit « engagé ». Car il est vrai que pour les procédés conventionnels et les poncifs romanesques, Les Possédés *peuvent parfois rivaliser avec* Les Mystères de Paris (*Eugène Sue aurait pu imaginer le mystérieux nocturne qui met en présence l'aristocrate Stavroguine et Fédka, le bagnard évadé*) *; que la pensée politique du romancier est d'une pauvreté navrante et qu'elle gâcherait tout à fait le livre si elle en était vraiment la dominante ; que ces possédés acharnés à créer « une ou deux générations de débauchés » parce qu'ils ont besoin « d'une corruption inouïe, ignoble, qui transforme l'homme en un insecte immonde, lâche, cruel et égoïste », font preuve malgré leur violence de plus de naïveté qu'il n'est permis même à un écrivain politiquement inexpérimenté ; mais il se trouve qu'ici l'abus des clichés et le parti pris qu'implique une idéologie foncièrement rétrograde n'empêchent nullement le récit de décrire des choses* vraies, ou, plus exactement, de saisir à travers la masse opaque du présent des faits encore inobservables dont seul l'avenir fera paraître la réalité. Devant la précision de certains mécanismes politiques et sociaux décrits par Dostoïevski en un temps où personne ne pouvait en avoir l'idée — le fanatisme prêt à dresser tous contre tous, par le crime et la délation, au nom d'un idéal d'harmonie universelle ; le chigalévisme, qui pour parvenir à la liberté absolue préconise carrément « le despotisme illimité » ; ou encore l'attitude d'une intelligentsia usée qui, par lâcheté ou parce qu'elle se sent coupable, rejoint le camp de ceux-là mêmes qui veulent l'anéantir, — on est tenté de se dire que les défauts les plus visibles du livre non seulement ne diminuent en rien son pouvoir de fascination, mais qu'ils se trouvent dans un rapport étroit précisément avec ce qui le hausse jusqu'à la prophétie.

Le mélange de clairvoyance et de sottise, d'incohérence et de réalisme, d'irrationalité et de vérité anticipée n'est pas en effet à considérer ici comme le résultat d'un travail bâclé, sur une œuvre qui, étant toute de polémique et presque de circonstance, devait avant tout répondre grossièrement à l'actualité. Les qualités et les défauts des Possédés ne sont nullement occasionnels, ils se retrouvent dans bien d'autres livres de Dostoïevski, encore que leur dosage puisse beaucoup varier (les défauts sont moins sensibles dans les récits courts ; et d'une façon générale ils s'atténuent partout où la fable est assez forte pour commander les idées). Aussi ne s'expliquent-ils pas par un état d'esprit momentané, mais, plus profondément, par l'organisation psychique particulière qui détermine le monde intérieur de l'écrivain, c'est-à-dire cela même qu'il fuit et cherche sans cesse à ressaisir en devenant romancier. Toute activité romanesque, on le sait, suppose une disposition exceptionnelle à rêver, donc à mettre en scène des situations ima-

ginaires dans lesquelles les idées se changent en choses vues, et les choses désirées en personnages intensément vivants. Le romancier travaille ainsi en se projetant lui-même dans une ou plusieurs créatures qui semblent nées soit de l'observation directe, soit du libre jeu de la fantaisie, mais qui en réalité sortent du tréfonds de sa propre vie pour dire à la fois ses sentiments inconscients et ses idées, les désirs qu'il se connaît et ceux qu'il doit ignorer à l'état de veille parce qu'ils sont dangereux ou inavouables à quelque degré. Or le mal dont souffrait Dostoïevski — le haut-mal, selon les médecins du temps, l'hystérie, selon un diagnostic très discuté de Freud, l'hystéro-épilepsie pour certains psychiatres contemporains — portait cette disposition à un point de paroxysme que le romancier atteint rarement dans l'état pathologique tout relatif et transitoire où il puise en général le meilleur de son inspiration. C'est pourquoi au lieu de s'incarner dans un seul héros qui deviendrait plus ou moins clairement son porte-parole — comme le fait Dickens par exemple dans David Copperfield *— ou à la rigueur de se scinder en deux pour engendrer des personnages fortement contrastés susceptibles d'une opposition significative — ce qui est souvent le cas chez Balzac —, Dostoïevski peuple ses livres d'une quantité de figures dont chacune est un morceau de son propre psychisme personnifié — un morceau indépendant et cependant rattaché aux autres par des liens indestructibles qui, très en deçà des relations humaines courantes, ont leur nécessité et même leur implacable logique (de là le sentiment particulièrement fort que donnent ses personnages d'être positivement collés les uns aux autres : ils véhiculent une humanité diffuse, tenace, visqueuse même, qui l'emporte toujours en fin de compte sur leurs tendances irrépressibles au morcellement et à la destruction). A l'intérieur de cet univers chaotique où tout se passe au seuil de* *l'inconscient, dans le demi-jour d'une conscience torturée et lucide à proportion de ses tourments, les crimes, les violences et les passions exacerbées se déchaînent sans aucun frein, les hommes et les femmes paraissent fous, ou malades, ou en quelque manière hors de leurs gonds, et la mort semble être leur seul but sensé. Toutefois ces personnages qui agissent en impulsifs détraqués, au mépris des lois ordinaires du temps et de la raison, ne sont point si incohérents qu'on ne puisse retrouver leur vérité dans la trame profonde du récit, là où ils fonctionnent non pas comme des personnes inventées, mais comme les fantômes diaboliques, comme les « démons » dont l'auteur a quelque motif de se croire possédé.*

On comprend dès lors pourquoi Piotr Stépanovitch Verkhovensky n'a rien de commun avec Nétchaïev, bien que celui-ci lui fournisse la plupart de ses idées et le plus gros de son programme. Il est formé avec le désir d'anéantissement que Dostoïevski se connaît dans les replis de sa volonté de puissance infinie. Sa devise : « anéantir tout par tous » suffit à le classer parmi les diables de second ordre en qui le romancier démasque le côté bouffon et stupide de sa propre mégalomanie. L'homme qui depuis toujours rêve d'être Dieu — il le notait déjà dans ses carnets d'enfant — se voit ici sous les traits d'un ridicule esprit du mal qui, tout nuisible qu'il est pour les autres et finalement pour lui-même, n'en occupe pas moins l'échelon le plus bas dans la hiérarchie des valeurs spirituelles. Il est vrai que Piotr Verkhovensky n'est pas le seul à pouvoir revendiquer la qualité de « double » de l'auteur : il y a des doubles à tous les échelons et même il n'y a guère qu'eux dans ce roman de la sauvagerie et de l'orgueil dément.

C'est en cela que réside la raison d'être de tous ces agités dont les faits et gestes sont si confus qu'une folie généralisée les rendrait à peine plausibles. Voyez par exemple

Kirilov qui, au niveau superficiel du pamphlet dont le roman prétend tirer sa première justification, n'est pas seulement un malade de corps et d'esprit, comme l'exige son rôle de victime d'une métaphysique mal digérée, mais véritablement un défi à toutes les lois de la psychologie. Pourquoi se lie-t-il avec des gens qu'il méprise et dont il ne partage ni les passions, ni les idées ? Pourquoi conclut-il un pacte avec eux puisque leur cause ne signifie rien pour lui et que, ayant décidé de se donner la mort, il a déjà rompu avec le monde entier ? Pourquoi les laisse-t-il exploiter son suicide et en déterminer eux-mêmes l'heure exacte, alors qu'en se tuant il veut précisément donner la preuve de sa « divine » liberté ? On l'ignore jusqu'au bout et Dostoïevski ne se soucie pas de l'expliquer, car l'homme n'existe qu'en fonction du « s'anéantir soi-même pour devenir Dieu » — pendant de l' « anéantir tout par tous » de Verkhovensky — en quoi se résume entièrement sa philosophie. Si faux qu'il soit dans l'ordre de la vraisemblance romanesque, il est d'une insoutenable vérité dans l'ailleurs de désirs et de phantasmes à quoi se borne son existence : il appartient de bout en bout au « sous-sol » infernal où Dostoïevski enferme ses doubles pour « devenir Dieu » par leur entremise, pour les châtier de leur échec autant que de leur sacrilège, et se décharger sur eux d'une part au moins de son infinie culpabilité.

Dans la couche du récit où se nouent les fils d'une vie intérieure menacée, chaque personnage représente l'un des dangers graves, l'une des tentations par quoi Dostoïevski est sans cesse porté aux extrêmes du désir et de la pensée. Son autre double, Chatov, a beau essayer de conclure un compromis entre ces forces obscures déchaînées qui, quoiqu'ayant toutes pour fin une volonté mégalomaniaque de détruire, se livrent apparemment combat pour des buts opposés ; il a beau abjurer son ancien idéal, humilier son orgueil, et se laisser abattre comme un chien par les « démons » qu'il a su démasquer, Dostoïevski ne découvre à travers lui que l'intellectuel instable, indécis, capable de brûler pour des idées qu'il n'a pas, incertain de celles qu'il a et conduit par là même à de continuels reniements. Aussi irresponsable en politique que maladroit dans les affaires de la vie, Chatov ne peut être le vrai héros du roman, si fort que son vagabondage idéologique et son masochisme le rapprochent de l'auteur tel que nous le connaissons par sa biographie. Il doit céder le pas à Stavroguine, le séducteur irrésistible, le prince des ténèbres hissé par son orgueil au-delà du bien et du mal, le surhomme taré et noble malgré tout en qui Dostoïevski se donne la jouissance raffinée de commettre les crimes les plus vils. Image du grand pécheur dont l'âme reflète à l'infini les jeux gratuits de la perversité, Stavroguine permet au romancier de s'abandonner aux sombres beautés de la transgression absolue, c'est-à-dire de séduire toutes les femmes sans en aimer aucune, d'être partout fauteur de scandales inouïs, à l'occasion violenteur de petites filles et même incendiaire par personne interposée — tout cela sans révolte, ni raison, ni passion, avec un désespoir glacé d'archange déchu qui l'accule finalement au suicide. Cette figure conventionnelle à force d'outrances fait certes basculer le pamphlet dans une sphère spirituelle où il achève de perdre sa dernière vraisemblance. Mais si son apparition tardive au cours de l'action compromet un peu plus l'unité déjà précaire du récit, elle a du moins le mérite de remettre Les Possédés *sur leur vrai terrain : celui d'une subjectivité constamment aux aguets, acharnée à se traquer elle-même jusque dans les recoins de ses mensonges et à démonter sans répit le mécanisme de ses illusions, mieux que ne le ferait le plus impartial des témoins.*

Ainsi en voulant raconter une histoire véridique fondée

sur certains faits d'une brûlante actualité, Dostoïevski raconte une toute autre histoire, dont il est le principal et en un sens peut-être l'unique sujet. Mais ici l'échec du pamphlet est paradoxalement la chance du roman, car en descendant au plus profond de lui-même pour donner corps aux fantômes terrifiants d'où lui viennent pêle-mêle obsessions, impulsions meurtrières et désir éperdu de rédemption, il fait de la subjectivité extrême où il se tient l'instrument même de l'objectivité, et c'est à ce retournement total qu'il doit son don spécial de prophétie ou d'extra-lucidité. Prophète cependant, Dostoïevski ne l'est pas du tout dans Les Possédés *parce qu'il aurait la prescience de l'avenir, il ne pressent rien du tout et se trompe lourdement lorsqu'il se risque à des prédictions (car enfin il annonce à la Russie juste le contraire de ce qui lui est arrivé : bien loin de s'exterminer eux-mêmes et de rendre par là le peuple à sa primitive « sainteté », ceux qu'il appelle les « démons »* [1] *ont bel et bien triomphé). Non, il n'est*

1. Le titre russe du roman est littéralement *Les Démons.* Il s'explique par les deux textes assez mal accordés que Dostoïevski a mis en épigraphe : deux quatrains de Pouchkine, tirés d'un poème intitulé également *Les Démons,* puis le fameux passage de saint Luc dans lequel on voit Jésus exorciser un possédé. Dans le poème de Pouchkine, l'accent est mis sur les démons eux-mêmes (« *Combien sont-ils, où galopent-ils ?...* »), tandis que dans saint Luc on insiste évidemment sur l'homme, le possédé délivré par Jésus, et sur la guérison qui fait passer dans un troupeau de porcs toute la virulence du mal humain. De là l'ambiguïté du titre, qui peut se rendre en français de deux façons : littéralement, ce qui laisse de côté l'idée évangélique que le démoniaque ne se confond pas avec le démon et que le mal peut en être chassé, idée centrale sur quoi Dostoïevskï s'appuie pour prophétiser la purification de la Russie ; ou bien par *Les Possédés,* si l'on tient compte uniquement du texte de

clairvoyant que parce qu'une organisation psychique particulièrement labile le met de plain-pied avec l'outre-monde de la conscience, où la part la plus obscure du futur est en effet toujours en voie de formation ; et la justesse de sa vision, s'il lui arrive de se vérifier, n'a jamais de cause plus mystérieuse que sa terrible intimité avec les profondeurs du vivant.

Marthe Robert.

saint Luc en supposant avec quelque raison que Dostoïevski y attachait la plus grande importance (il le cite une seconde fois dans le corps même du récit).

LETTRE DE F. M. DOSTOÏEVSKI

AU GRAND-DUC HÉRITIER
au sujet des *Possédés*.

La lettre suivante avait été adressée par F. M. Dostoïevski au tsarévitch Alexandre Alexandrovitch, qui devint plus tard Alexandre III. Alexandre Alexandrovitch avait alors 28 ans. Il avait exprimé au cours d'une conversation avec le procureur général du Saint-Synode, K. P. Pobiédonostsev, le désir de savoir comment l'auteur des *Possédés* comprenait son œuvre. Au début de 1873, une édition de cet ouvrage venant de paraître, F. M. Dostoïevski lui envoya le volume en l'accompagnant de cette lettre où il expose son opinion sur les causes du mouvement révolutionnaire russe.

Votre Altesse Impériale,

Seigneur très gracieux,

Accordez-moi l'honneur et la joie de présenter mon travail à votre attention. C'est presque une étude historique, par laquelle j'ai voulu expliquer la possibilité dans notre étrange société de phénomènes aussi monstrueux que le mouvement Nétchaïev. Mon opinion est que ce phénomène n'est pas fortuit ni isolé. Il est une conséquence directe de l'immense rupture entre toute notre formation intellectuelle et les fondements primitifs, originaux de la vie russe. Même les représentants les plus doués de notre civilisation pseudo-européenne sont depuis longtemps convaincus qu'il est absolument criminel pour nous, Russes, de songer à notre originalité. Le plus effroyable de tout est qu'ils ont absolument raison, car du moment qu'avec fierté nous nous sommes nommés des Européens, nous avons renoncé par là même à être des Russes. Troublés et épouvantés par la distance qui nous sépare de l'Europe dans notre développement intellectuel et scientifique, nous avons oublié que, dans le tréfonds et les aspirations de l'esprit russe, nous tenons inclus en nous, en tant que Russes, et à la condition que notre civilisation reste originale, la faculté d'apporter peut-être au monde une lumière nouvelle. Nous avons oublié, dans l'ivresse de notre humiliation, cette loi historique immuable, que sans l'orgueil de notre propre signification mondiale, en tant que nation, nous ne pourrons jamais être une grande nation ni laisser après nous le moindre apport original pour le profit de l'humanité. Nous avons oublié que toutes les grandes nations ont manifesté leurs immenses forces précisément parce qu'elles étaient si « orgueilleuses » d'elles-mêmes, et qu'elles ont servi le monde, qu'elles lui ont apporté chacune ne serait-ce qu'un rayon de lumière, précisément parce qu'elles restaient fièrement, inébranlablement, et toujours *avec orgueil*, elles-mêmes.

Avoir actuellement et exprimer de telles pensées signifie se condamner à un rôle de paria. Et pourtant les propagateurs les plus importants de notre non-originalité nationale, se sont, les premiers et avec horreur, détournés de l'affaire Nétchaïev. Nos Bélinsky et nos Granovsky ne croiraient pas, si on le leur disait, qu'ils sont les pères directs des Nétchaïevtsy. C'est cette parenté, cette permanence de l'idée qui se développe en passant des pères aux fils que j'ai voulu exprimer dans mon œuvre. Je n'y ai pas, de loin, réussi, mais j'ai travaillé avec soin.

L'espoir me flatte et m'anime que vous, Seigneur, héritier d'un des trônes les plus hauts du monde, appelé à être le guide et le maître de la terre russe, vous avez peut-être considéré avec quelque attention ma tentative, faible, je le sais, mais consciencieuse, de représenter, avec les moyens de l'art, l'un des maux les plus dangereux de notre civilisation actuelle, civilisation étrange, sans naturel ni originalité, mais qui dirige jusqu'à présent la vie russe.

Permettez-moi, Seigneur très gracieux, de me déclarer, avec le sentiment d'un respect et d'une reconnaissance sans limites, votre très fidèle et très dévoué serviteur,

Fiodor Dostoïevski.

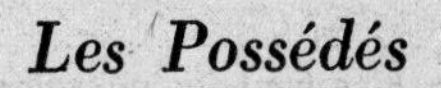
Les Possédés

Que le diable m'emporte, nulle trace de route !
Nous sommes perdus, qu'allons-nous faire ?
Le démon nous entraîne à travers champs
Et nous fait tourner en rond.

. . . .

Combien sont-ils, où galopent-ils ?
Pourquoi chantent-ils si plaintivement ?
Portent-ils en terre quelque gnome
Ou bien marient-ils une sorcière ?

A. Pouchkine.

Or, il y avait là un grand troupeau de pourceaux qui paissait dans la montagne. Les démons supplièrent Jésus de leur permettre d'entrer dans ces pourceaux ; et il le leur permit. Étant donc sortis de cet homme, ils entrèrent dans les pourceaux ; le troupeau se précipita dans le lac, du haut de la falaise, et il s'y noya. Ceux qui le faisaient paître, voyant ce qui était arrivé, s'enfuirent et répandirent la nouvelle dans la ville et dans la campagne. Alors les gens sortirent pour voir ce qui s'était passé ; et, quand ils furent arrivés auprès de Jésus, ils trouvèrent l'homme, de qui les démons étaient sortis, assis aux pieds de Jésus, habillé et dans son bon sens ; et ils furent saisis de crainte. Les témoins de l'événement leur racontèrent comment le démoniaque avait été délivré.

Saint Luc, VII, 32-36.

PREMIÈRE PARTIE

CHAPITRE PREMIER

EN GUISE D'INTRODUCTION : QUELQUES DÉTAILS BIOGRAPHIQUES SUR LE TRÈS HONORABLE STÉPANE TROPHIMOVITCH VERKHOVENSKY

I

Ayant entrepris de décrire les événements étranges qui se sont déroulés récemment dans notre ville, où, jusqu'ici, il ne s'était jamais rien passé de remarquable, mon inexpérience m'oblige à remonter assez haut en arrière et à donner quelques détails biographiques sur Stépane Trophimovitch Verkhovensky, un homme très respectable et de grand talent. Ils serviront d'introduction à l'histoire que je me propose de conter, et qui est encore à venir.

Je le dirai tout franchement : Stépane Trophimovitch a toujours joué parmi nous un rôle très particulier, et, en quelque sorte, civique, et ce rôle, il l'aimait jusqu'à la passion, à tel point, je crois, qu'il n'aurait pu vivre sans lui. Je ne songe certes pas à le comparer à un acteur en scène, que Dieu m'en garde! d'autant plus que je le tiens en haute estime. C'était chez lui plutôt affaire d'habitude, ou, pour mieux dire, de goût, goût très noble en somme et qui l'avait porté dès son enfance vers une attitude civique. Il trouvait grand plaisir, par exemple, à sa situation de « persécuté » et d' « exilé ». Ces deux termes auréolés d'un prestige en quelque sorte classique, l'avaient séduit une fois pour toutes ; le rehaussant progressivement dans sa propre estime, ils avaient fini par le placer à ses yeux sur une sorte de piédestal élevé et fort agréable pour son amour-propre. Un roman satirique anglais du siècle dernier nous raconte qu'un certain Gulliver, de retour du pays des Lilliputiens qui n'avaient que deux pouces de haut, s'était tellement accoutumé à se considérer comme un géant, qu'en traversant les rues de Londres il criait involontairement aux passants et aux cochers qu'ils prissent garde de ne pas se faire écraser, s'imaginant qu'il était toujours un géant parmi des nains. Aussi l'injuriait-on et se moquait-on de lui ; et les cochers, gens grossiers, cinglaient le géant de coups de fouet. Mais était-ce juste de leur part ? L'habitude n'est-elle pas toute-puissante ? Elle avait amené Stépane Trophimovitch à une situation à peu près analogue qui, cependant, revêtait en son cas des formes plus puériles, plus inoffensives si l'on peut s'exprimer ainsi, car c'était un excellent homme au fond.

Je pense que vers la fin de sa vie, tout le monde l'avait complètement oublié, mais il eût été injuste de dire que son nom n'avait jamais été connu. Sans contredit, il avait fait partie pendant un temps d'une célèbre pléiade de grands esprits, et pendant un temps — rien qu'une toute petite minute du reste — son nom fut prononcé par nombre de gens quelque peu pressés, presque à la suite de ceux de Tchadaev, de Bélinsky, de Granovsky et de Herzen [1] qui venait alors de débuter à l'étranger. Mais à peine commencée, la carrière de Stépane Trophimovitch tourna court par suite d' « un tourbillon de circonstances » pour ainsi dire. Or il se trouva plus tard qu'il n'y avait eu ni « tourbillon », ni « circonstances », tout au moins dans ce cas. C'est maintenant seulement, ces jours derniers, que j'ai appris à ma grande stupéfaction, mais de source certaine, que non seulement Stépane Trophimovitch n'avait pas été exilé dans notre province comme on le croyait communément, mais qu'il n'avait jamais été soumis à aucune surveillance. Ce que c'est que l'imagination! Il fut sincèrement convaincu toute sa vie qu'on le craignait dans les hautes sphères, que les moindres de ses pas étaient notés, et que chacun des trois gouverneurs qui avaient administré notre province au cours de ces vingt dernières années, nous arrivait prévenu contre lui et muni d'instructions spéciales le concernant. Si l'on eût essayé de démontrer à l'excellent Stépane Trophimovitch que ses craintes étaient vaines, il en aurait été certainement très vexé. Et cependant, c'était un homme fort intelligent et très doué, un homme de science même en quelque sorte ; bien qu'en science... Pour tout dire, il n'avait pas fait grand'chose, il n'avait même rien fait du tout en science. Mais chez nous, en Russie, le cas est fréquent parmi les hommes de science.

A son retour de l'étranger, il fut nommé à l'une des chaires de l'Université où il brilla d'un certain éclat vers 1850. Mais il ne fit que quelques conférences, sur les Arabes, si je ne me trompe ; il soutint en outre, avec succès, une thèse sur l'importance politique et économique que commença à acquérir la petite ville de Hanau, entre 1413 et 1428, et sur les circonstances particulières et encore peu claires qui empêchèrent son développement. Cette thèse habile blessa au vif les slavophiles, et valut immédiatement à son auteur des inimitiés nombreuses et acharnées. Plus tard, — quelque temps après qu'il eut déjà perdu sa chaire, — Stépane Trophimovitch (pour se venger en quelque sorte et montrer quel homme on avait perdu en lui) publia dans une revue progressiste où l'on traduisait Dickens et prônait George Sand, les débuts d'une étude extrêmement fouillée sur les raisons de la noblesse morale de je ne sais plus quels chevaliers à une certaine époque ; ou quelque chose d'approchant. Quoi qu'il en soit, l'auteur développait à cette occasion des pensées très élevées. On raconta plus tard que la suite de cette étude avait été aussitôt interdite et que la revue progressiste eut même des ennuis pour en avoir publié la première partie. Il se peut : tout n'était-il pas possible à cette époque ? Mais il est bien plus probable qu'il ne se passa rien de tel, et que l'auteur lui-même renonça par paresse à terminer son œuvre. Quant à son cours sur les Arabes, il dut le suspendre parce que quelqu'un (l'un de ses ennemis réactionnaires évidemment) intercepta une lettre de Stépane Trophimovitch adressée à je ne sais qui, et relatant certains incidents ; à la suite de quoi on exigea de lui des explications. On affirmait aussi, mais je ne sais si l'histoire est exacte, que vers la même époque on avait découvert à Pétersbourg une vaste association d'une trentaine de personnes dirigée contre la morale et l'État, et qui avait failli renverser tout le régime social. On disait que la dite association se préparait même à traduire Fourier. Comme par un fait exprès, on saisit en même temps, à Moscou, un poème que Stépane Trophimovitch avait écrit à Berlin, six ans auparavant, au temps de sa première jeunesse, et dont des copies se trouvaient entre les mains de deux amateurs de poésie et d'un étudiant. Ce poème est maintenant sur ma table : Stépane Trophimovitch m'en a offert l'an dernier un exemplaire autographe, orné d'une dédicace et magnifiquement relié en maroquin rouge. L'ouvrage, bien qu'étrange, n'est pas dénué de poésie ; il n'est même pas sans talent. A cette époque (entre 1830 et 1840 pour être plus exact) on cultivait beaucoup ce genre-là. Je me sens assez embarrassé pour raconter son sujet car, à vrai dire, je n'y comprends rien. C'est une sorte d'allégorie à la fois lyrique et dramatique et qui rappelle la seconde partie de Faust. Cela débute par un chœur de femmes, auquel succède un chœur d'hommes, puis un chœur de je ne sais quelles puissances, et la scène se termine par l'hymne des âmes qui n'ont pas encore vécu, mais qui ont un vif désir de vivre. Tous ces chants sont fort confus ; il s'agit de je ne sais quelle malédiction, traitée du reste non sans une nuance de détachement ironique. Soudain la scène change et l'on assiste à une « Fête de la vie », où les insectes eux-mêmes se mettent à chanter ; puis apparaît une tortue qui prononce quelques paroles sacramentelles en latin, et, si je m'en souviens bien, un minéral, chose essentiellement inanimée, se met à chanter lui aussi. En général, tout le monde chante sans discontinuer, et si l'on parle, c'est pour se disputer sans savoir pourquoi, mais toujours sur un ton noble et élevé. Ensuite, la scène change de nouveau : dans un endroit sauvage un jeune homme se promène parmi les rochers en cueillant des herbes qu'il suce ; à la question d'une fée qui lui demande pourquoi il suce ces herbes, il répond que sentant en lui un excès de forces vitales, il cherche l'oubli et le trouve dans le suc des herbes, mais que son principal désir est de perdre au plus vite la raison (désir superflu, peut-être bien). Puis apparaît un jeune homme d'une beauté inouïe monté sur un cheval noir et suivi d'une multitude de gens de toutes les nationalités. L'adolescent représente la mort à laquelle aspirent tous les peuples. Enfin, dans la dernière scène on voit la tour de Babel ; des athlètes l'achèvent en chantant l'hymne du nouvel espoir ; et quand ils atteignent le faîte, le seigneur — disons, de l'Olympe — prend comiquement la fuite, et l'humanité, qui sait maintenant de quoi il retourne, s'empare de son trône et commence aussitôt une vie nouvelle. Et c'était ce poème qu'on avait considéré en son temps comme dangereux ! L'an dernier je proposai à Stépane Trophimovitch de le publier, vu qu'il était parfaitement anodin de nos jours, mais Stépane Trophimovitch repoussa ma proposition avec un mécontentement visible. Mon opinion que son poème n'avait rien de dangereux lui déplut fort ; et c'est à cela même que j'attribue la froideur qu'il me témoigna pendant deux longs mois. Or nous apprîmes que tandis que je proposais de publier le poème en Russie, on le faisait paraître *là-bas*, c'est-à-dire à l'étranger, dans un recueil révolutionnaire, à l'insu bien entendu de Stépane Trophimovitch. Celui-ci en fut extrêmement effrayé au premier moment ; il se précipita chez le gouverneur et écrivit à Pétersbourg une lettre justificative pleine de noblesse, qu'il me lut deux fois mais n'expédia jamais, ne sachant à qui l'adresser. Bref, tout un mois il fut très inquiet ; et cependant, je suis convaincu que dans les replis secrets de son âme il se sentait extrêmement flatté. C'est tout juste s'il ne dormait pas avec l'exemplaire du recueil qu'on lui avait envoyé ; le jour il le cachait sous son matelas, et ne permettait même pas à sa servante de faire le lit. Avec tout cela il gardait un air fier, bien qu'il fût dans l'attente d'on ne sait quel télégramme. Aucun télégramme ne vint. C'est alors qu'il se réconcilia avec moi ; ce qui témoigne de l'extrême bonté de son cœur doux et sans rancune.

II

Je ne prétends nullement qu'il n'ait jamais souffert pour ses idées ; mais je suis maintenant tout à fait convaincu qu'il aurait parfaitement pu continuer à discourir sur ses Arabes, à condition de fournir les explications nécessaires ; mais blessé dans son amour-propre, il s'était aussitôt persuadé, une fois pour toutes, que sa carrière était définitivement brisée par le « tourbillon des circonstances ». A dire vrai, la cause réelle de ce changement de carrière fut une proposition que lui fit par deux fois, et sous une forme très délicate, Varvara Pétrovna Stavroguine, une riche propriétaire, la femme d'un lieutenant-général. Elle demanda à Stépane Trophimovitch de se charger, en tant qu'ami et pédagogue (et, bien entendu, à de brillantes conditions), de l'éducation de son fils unique. La première fois, Stépane Trophimovitch reçut cette proposition étant encore à Berlin, alors qu'il venait de perdre sa première femme. Il avait épousé celle-ci, une demoiselle quelque peu évaporée de notre province, au temps de son insouciante jeunesse, et il paraît qu'il n'avait pas été heureux avec cette personne, d'ailleurs charmante, faute de pouvoir subvenir à son entretien, et aussi pour d'autres raisons d'un caractère plus délicat. Ils se séparèrent, et elle mourut trois ans plus tard, à Paris, lui laissant un petit garçon de cinq ans, « fruit d'un premier amour plein de joie et sans nuage », laissa échapper devant moi Stépane Trophimovitch, un jour qu'il était d'humeur mélancolique. L'enfant fut aussitôt envoyé en Russie, et mis entre les mains de je ne sais quelles tantes éloignées, quelque part en province. Ayant décliné à cette époque l'offre de Varvara Pétrovna, notre Stépane Trophimovitch se remaria bientôt (après un an de veuvage), et sans nécessité aucune semblait-il, avec une petite Berlinoise quelque peu taciturne. D'ailleurs, d'autres raisons encore avaient motivé son refus : tenté par la renommée d'un professeur célèbre à cette époque, lui aussi voulut déployer ses ailes d'aigle. Il partit donc pour occuper cette chaire à laquelle il se préparait depuis longtemps. Plus tard, les ailes brûlées, il se souvint naturellement de la proposition que, naguère, il avait déjà déclinée non sans hésitation. La mort soudaine de sa seconde femme, après moins d'un an de mariage, arrangea tout, grâce à l'amitié ardente et en quelque sorte « classique », si l'on peut s'exprimer ainsi, que lui témoigna Varvara Pétrovna. Il se précipita dans les bras de cette amitié, et le cours de son existence se trouva ainsi réglé pour plus d'une vingtaine d'années. J'ai dit qu'il « se précipita dans les bras », mais Dieu préserve le lecteur de toute pensée équivoque à ce sujet ! Cette expression ne doit être prise que dans un sens élevé, moral. Un lien spirituel extrêmement subtil unit pour la vie ces deux êtres si remarquables.

Stépane Trophimovitch accepta cette place de précepteur d'autant plus volontiers que la propriété, très petite, que lui avait laissée sa première femme, se trouvait tout à côté de Skvoréchniki, le superbe domaine suburbain des Stavroguine dans notre province. De plus, libéré de ses lourdes occupations universitaires, Stépane Trophimovitch pouvait se consacrer dans le recueillement de son cabinet de travail à la science, et enrichir la littérature nationale d'ouvrages profonds. Ces ouvrages restèrent à l'état de projet ; en revanche, tout le reste de sa vie, c'est-à-dire pendant plus de vingt ans, il put « se dresser, tel un reproche incarné, devant sa patrie », selon l'expression du poète :

Tel un reproche incarné,
. . . .
Tu te dressais devant ta patrie,
Libéral idéaliste.

Le personnage dont parlait le poète avait peut-être le droit de garder toute sa vie, s'il le voulait, cette pose, du reste fort fastidieuse. Mais notre Stépane Trophimovitch n'était à vrai dire qu'un imitateur à côté de ces gens-là. De plus, rester constamment debout était trop fatigant pour lui, et il se couchait assez souvent sur le flanc ; pourtant, — il faut lui rendre cette justice, — même sur le flanc il n'en continuait pas moins à garder une attitude de reproche ; et du reste, c'était encore assez bon pour la province. Vous auriez dû le voir au cercle, quand il s'asseyait pour faire sa partie de whist. Tout son aspect disait : « Ah, ces cartes! Oui, je joue aux cartes avec vous! cela est-il digne de moi ? Mais à qui la faute ? qui a brisé ma carrière ? qui m'a réduit à cette partie de whist ? Ah, périsse la Russie! » Et d'un air digne il jouait atout.

Il faut dire qu'il aimait passionnément les cartes, et avait à ce sujet (les derniers temps surtout) de fréquentes et fort désagréables discussions avec Varvara Pétrovna, d'autant plus qu'il perdait continuellement. Je reviendrai encore là-dessus, du reste. Pour le moment, j'indique seulement que Stépane Trophimovitch avait une conscience sensible (parfois tout au moins) ; aussi était-il souvent mélancolique. Pendant les vingt années de son amitié avec Varvara Pétrovna, il sombrait régulièrement trois ou quatre fois par an dans ce que nous appelions entre nous la « tristesse civique » (Varvara Pétrovna aimait beaucoup ce terme), ou pour parler plus simplement : le spleen. Plus tard, il lui arriva de se plonger non seulement dans la « tristesse civique », mais aussi dans le « champagne », bien que Varvara Pétrovna, très sensible sous ce rapport, s'efforçât toujours de le préserver des basses inclinations. Il avait besoin d'une bonne d'enfant d'ailleurs, car il se montrait parfois bien étrange : au plus fort de son accès de « tristesse civique », il éclatait soudain d'un rire des plus vulgaires. Il lui arrivait même à certains moments de s'exprimer sur son propre compte non sans humour. Or Varvara Pétrovna ne craignait rien tant que le ton humoristique. C'était une nature classique, un mécène qui n'agissait que mû par des mobiles supérieurs. Cette grande dame exerça durant vingt ans une influence capitale sur son pauvre ami; il conviendrait donc de lui consacrer quelques instants.

III

Il est des amitiés étranges : toujours prêts à s'entre-dévorer, deux amis passent ensemble toute leur vie, incapables de se séparer. Il leur est véritablement impossible de se séparer : celui des deux qui par caprice romprait le lien qui les unit, serait le premier à en tomber malade et peut-être même à en mourir. Je sais pertinemment qu'à plusieurs reprises, et parfois même après s'être livré avec Varvara Pétrovna aux effusions les plus intimes, celle-ci partie, Stépane Trophimovitch se dressait sur son divan et se mettait à donner de grands coups de poing sur le mur. Ce n'est point une métaphore, car il lui arriva même une fois d'en faire tomber du plâtre. Peut-être me demandera-t-on comment j'ai pu apprendre de tels détails ? Et si j'en ai moi-même été témoin ? Si Stépane Trophimovitch a pleuré maintes fois sur mon épaule tout en me dépeignant avec un grand luxe d'expressions ce qui se passait au fond de son cœur ? (Et que ne racontait-il pas alors!) Mais voici ce qui se passait presque toujours après ces crises de larmes : dès le lendemain, il était prêt à s'accuser d'ingratitude ; il me faisait appeler d'urgence ou bien accourait chez moi, uniquement pour m'annoncer que Varvara Pétrovna était « un ange de noblesse et de délicatesse », et lui, tout le contraire. Non content de s'accuser ainsi devant moi, il racontait tout à Varvara Pétrovna dans des lettres fort éloquentes, lui avouant que pas plus tard que la veille par exemple, il avait dit à une tierce personne qu'elle le gardait par vanité, était jalouse de sa science, de ses talents, le haïssait, mais craignait de montrer cette haine de peur qu'il ne la quittât, ce qui compromettrait sa réputation de mécène. Il lui confessait en conséquence qu'il se méprisait et avait résolu de mourir de mort violente ; il n'attendait plus qu'un dernier mot d'elle, qui devait décider de tout, etc. ; toujours dans le même genre. On peut se représenter d'après cela ce que devaient être parfois les crises nerveuses du plus innocent des enfants quinquagénaires. J'ai eu l'occasion une fois de lire l'une de ces lettres, écrite à la suite d'une querelle qui, si insignifiante qu'elle fût au début, avait fini par s'envenimer. Cette missive m'épouvanta, et je le suppliai de ne pas l'envoyer.

« Impossible... c'est plus honnête... mon devoir... Je mourrai si je ne lui avoue pas tout, absolument tout », me répondit-il comme en délire. Et la lettre fut expédiée.

C'était en cela que différaient les deux amis : Varvara Pétrovna n'aurait jamais envoyé de telles lettres. Il faut dire d'ailleurs qu'il adorait écrire ; il lui écrivait même lorsqu'ils habitaient tous deux la même maison, et jusqu'à deux fois par jour quand il avait ses crises nerveuses. Je sais de source sûre qu'elle lisait ces missives avec la plus grande attention, même s'il y en avait deux par jour et, la lecture finie, les déposait dans une petite cassette où elle les gardait toutes, classées et annotées. Et de plus, elle les rangeait soigneusement dans sa mémoire. Puis, après avoir laissé toute une journée son ami sans un mot de réponse, elle le revoyait le lendemain comme si de rien n'était, comme si rien de particulier ne s'était passé la veille. Progressivement, elle finit par le dresser si bien que lui-même n'osait plus faire allusion à ce qui s'était passé entre eux, et se contentait de la regarder de temps en temps dans les yeux. Mais elle n'oubliait rien, tandis que lui oubliait parfois beaucoup trop vite ; encouragé par le calme de Varvara Pétrovna, il lui arrivait souvent le jour même, s'il venait des amis, de rire et de badiner en buvant du champagne. Quels regards empoisonnés ne devait-elle pas lui jeter dans ces moments-là ! et lui, il ne s'apercevait de rien. Ce n'est qu'une semaine après parfois, ou bien un mois ou même six mois après que, se rappelant soudain quelque expression de sa lettre, puis la lettre tout entière avec tous les détails, il rougissait de honte et se tourmentait à tel point qu'il en attrapait la dysenterie. Ces singuliers accès, analogues à la cholérine, apparaissaient dans certains cas comme l'aboutissement ordinaire de ses troubles nerveux : c'était là une des particularités de son organisme.

Il est hors de doute que Varvara Pétrovna éprouvait souvent pour lui un véritable sentiment de haine ; mais il est une chose dont Stépane Trophimovitch ne se rendit jamais compte, c'est qu'elle avait fini par le considérer comme son fils, comme sa création, et en quelque sorte son invention personnelle ; il était devenu la chair de sa chair, et si elle le gardait et l'entretenait, ce n'était certes pas seulement parce qu'elle « enviait ses talents ». Comme elle devait se sentir offensée par de telles suppositions ! Elle nourrissait pour lui un amour ardent, auquel se mêlaient dans le fond de son cœur une haine de tous les instants, de la jalousie et du mépris. Elle veillait sur chacun de ses pas, et ne cessa pendant vingt-deux ans de le soigner et de le dorloter ; elle eût passé des nuits entières sans sommeil si sa réputation de savant, de poète ou de citoyen avait couru le moindre danger. Elle l'avait « inventé », et avait été la première à croire à son invention. Il était en quelque sorte son rêve le plus cher... Mais en retour, elle exigeait beaucoup de lui à vrai dire, parfois même une entière servitude. Et avec cela, elle était rancunière à l'extrême. A ce propos, voici deux petits faits.

IV

Un jour (c'était à l'époque où l'on commençait à parler de la prochaine libération des paysans, et où la Russie, soudain pleine de joie, s'apprêtait à renaître), Varvara Pétrovna reçut la visite d'un Pétersbourgeois de passage chez nous, d'un baron, qui avait de très hautes relations et était au courant de ce qui se passait dans les milieux les plus influents. Varvara Pétrovna appréciait fort les visiteurs de ce genre, car depuis la mort de son mari elle perdait peu à peu les relations qu'elle avait eues dans le grand monde ; vers la fin même, elle les perdit complètement. Le baron passa une heure chez elle et prit le thé en compagnie de Stépane Trophimovitch qu'elle avait invité tout exprès pour l'exhiber. Le baron le connaissait par ouï-dire, ou fit tout simplement mine d'en avoir entendu parler, mais pendant le thé il ne lui accorda pas grande attention. Bien entendu, Stépane Trophimovitch savait parfaitement se conduire ; il avait d'excellentes manières. Quoique d'origine assez humble, il avait eu la chance d'être élevé dès son enfance dans une famille noble de Moscou, et avait donc reçu une bonne éducation ; aussi parlait-il le français comme un Parisien. Le baron devait ainsi comprendre, dès le premier coup d'œil, de quelles gens Varvara Pétrovna s'entourait, même dans sa retraite provinciale. Il n'en fut rien cependant. Le baron ayant déclaré que les bruits qui commençaient à circuler au sujet de la grande réforme étaient parfaitement exacts, Stépane Trophimovitch ne put y tenir, et cria tout à coup « Hourra! » en faisant un geste qui devait exprimer son enthousiasme. Ce cri fut lancé d'une voix modérée, et même non sans une certaine élégance. Il se peut même que l'enthousiasme eût été calculé et le geste étudié devant le miroir, une demi-heure avant le thé. Mais sans doute Stépane Trophimovitch ne le réussit-il pas. Aussi le baron se permit-il un léger sourire pour glisser aussitôt cependant une phrase des plus courtoises sur l'émotion fort compréhensible de tous les cœurs russes devant le grand événement. Il prit congé bientôt après et, en partant, n'oublia pas de tendre deux doigts à Stépane Trophimovitch. Revenue au salon, Varvara Pétrovna garda le silence pendant quelques minutes en faisant semblant de chercher quelque chose sur la table ; soudain, elle se tourna vers Stépane Trophimovitch et toute pâle, les yeux étincelants, elle murmura entre ses dents serrées :

« Je ne vous le pardonnerai jamais! »

Le lendemain elle se conduisit avec lui comme si de rien n'était, et depuis ne lui fit aucune allusion à cet incident. Mais treize ans plus tard, elle le lui rappela à une minute tragique, et lui en fit reproche, de nouveau toute pâle, exactement comme elle l'était treize ans auparavant. Cette phrase — « Je ne vous le pardonnerai jamais! » — Varvara Pétrovna ne la dit à son ami que deux fois en toute sa vie. La première fois qu'il l'entendit, ce fut encore bien avant la visite du baron. L'incident est si caractéristique et eut, me semble-t-il, une si grande importance dans la vie de Stépane Trophimovitch que je me décide à le relater.

C'était en 1855, au printemps, au mois de mai, bientôt après que l'on eut reçu à Skvoréchniki la nouvelle de la mort du lieutenant-général Stavroguine, vieillard insouciant et léger qui trépassa des suites d'un dérangement d'estomac en se rendant en Crimée où il avait été nommé dans l'armée active. Varvara Pétrovna prit le deuil ; mais son affliction ne pouvait être très profonde, car pour cause d'incompatibilité d'humeur elle vivait depuis quatre ans complètement séparée de son mari à qui elle servait une pension. (Le général appartenait à la plus haute noblesse et avait de grandes relations, mais il ne possédait que cent cinquante âmes et son traitement ; toute la fortune, ainsi que Skvoréchniki, appartenait à Varvara Pétrovna, fille unique d'un riche fermier des eaux-de-vie.) Néanmoins, la soudaineté de cette mort la bouleversa, et elle se retira dans la solitude ; Stépane Trophimovitch ne la quitta pas, bien entendu.

Le printemps était dans toute sa force ; les merisiers se couvraient de fleurs, les soirées étaient splendides. Les deux amis se réunissaient tous les soirs dans le jardin et, assis sous une tonnelle jusque fort avant dans la nuit, ils se confiaient mutuellement leurs sentiments et leurs pensées. Ils vivaient là des minutes véritablement poétiques. Sous l'impression du changement survenu dans son existence, Varvara Pétrovna se montrait plus loquace que de coutume. Elle cherchait pour ainsi dire à atteindre le cœur de son ami. Cela dura ainsi plusieurs soirs de suite. Mais une pensée étrange illumina soudain l'esprit de Stépane Trophimovitch : « Cette veuve inconsolable n'a-t-elle pas des vues sur lui ? Ne compte-t-elle pas sur une demande en mariage de sa part à l'expiration de l'année de deuil ? » Pensée cynique ; mais on sait que les esprits élevés, vu précisément la variété et la richesse de leurs idées, sont assez enclins parfois aux pensées cyniques. Il se mit à examiner les choses : oui, c'était bien cela, semblait-il. Il se prit à réfléchir : « Une immense fortune, il est vrai, mais... » Varvara Pétrovna, en effet, n'avait rien d'une beauté : elle était grande, osseuse, son visage jaune démesurément allongé avait quelque chose de chevalin. Tourmenté par les doutes, Stépane Trophimovitch hésitait de plus en plus, et même, par deux fois, il pleura (il pleurait assez facilement du reste). Cependant, le soir, sous la tonnelle, son visage prenait, sans qu'il le voulût, une expression quelque peu capricieuse et ironique, avec une nuance de fatuité hautaine. Ces expressions apparaissent d'ordinaire chez l'homme d'une façon imprévue, sans qu'il s'en doute, et elles se remarquent d'autant mieux qu'il s'agit d'une nature plus noble, plus élevée. Dieu sait ce qui se passait dans le cœur de Varvara Pétrovna, mais il est probable qu'il ne s'y passait rien qui pût justifier les soupçons de Stépane Trophimovitch. D'ailleurs, elle n'aurait jamais consenti à échanger contre le nom de ce dernier, si glorieux fût-il, son nom de Stavroguine. Peut-être y eut-il de sa part une sorte de jeu féminin, manifestation d'un besoin inconscient, si naturel chez la femme en certaines circonstances exceptionnelles. Du reste, je ne garantis rien : insondables jusqu'à ce jour encore sont les profondeurs du cœur féminin. Je poursuis cependant mon récit.

Il est à croire qu'elle comprit fort vite l'expression étrange du visage de son ami ; très fine, elle était bonne observatrice, et lui, il était parfois un peu trop ingénu. Mais leurs entretiens nocturnes continuèrent, toujours aussi poétiques et intéressants. Un soir, après une conversation particulièrement animée et poétique, ils se séparèrent amicalement avec une chaude poignée de main au seuil du pavillon où logeait Stépane Trophimovitch. Celui-ci y passait presque tous les étés, quittant alors la vaste et luxueuse maison de Skvoréchniki. Rentré chez lui, Stépane Trophimovitch prit distraitement un cigare et, sans l'allumer, s'arrêta, fatigué, devant la fenêtre ouverte ; il contemplait les petits nuages blancs, légers comme un duvet, qui glissaient autour de la lune, quand soudain un léger bruit le fit tressaillir et se retourner : Varvara Pétrovna qu'il avait quittée à peine quatre minutes auparavant, se tenait debout devant lui. Son visage jaune avait pris une teinte bleuâtre, ses lèvres serrées tremblaient aux commissures. Pendant une dizaine de secondes elle le fixa droit dans les yeux d'un regard dur, implacable, et tout à coup murmura d'une voix haletante :

« Je ne vous le pardonnerai jamais. »

Quand dix ans plus tard, Stépane Trophimovitch, ayant au préalable fermé les portes, me raconta à voix basse cette triste histoire, il me jura qu'il resta à tel point médusé qu'il n'entendit ni ne vit comment Varvara Pétrovna avait disparu. Comme jamais dans la suite elle ne lui fit allusion à cet incident, et comme tout continua à marcher comme par le passé, il fut toujours porté à croire qu'il avait eu une hallucination, d'autant plus que cette même nuit il tomba malade et resta souffrant pendant quinze jours, ce qui mit tout naturellement fin aux entrevues sous la tonnelle. Néanmoins, et si tenté qu'il fût de considérer cette apparition soudaine comme une hallucination, depuis lors il vécut tous les jours dans l'attente inconsciente de la suite ou, pour mieux dire, du dénouement de cet incident. Il lui était impossible de le croire terminé. Mais alors, de quel œil singulier ne devait-il pas considérer parfois son amie!

V

Varvara Pétrovna avait même imaginé pour Stépane Trophimovitch un costume auquel il resta fidèle toute sa vie. Ce costume élégant avait du caractère, et lui allait très bien : il consistait en une redingote noire à longues basques et étroitement boutonnée presque jusqu'au col ; avec cela il portait un chapeau mou à larges bords (remplacé en été par un chapeau de paille), une cravate de batiste blanche à grand nœud et à bouts flottants, et une canne à pommeau d'argent. Ses longs cheveux qui retombaient sur ses épaules étaient châtain foncé ; ils n'avaient commencé à blanchir un peu que dans les derniers temps. Il ne portait ni barbe ni moustaches. On racontait qu'il avait été très beau étant jeune. Mais je trouve qu'il gardait encore dans sa vieillesse un aspect fort imposant. Et d'ailleurs, est-on vieux à cinquante-trois ans? Mais par une sorte de coquetterie « civique », non seulement il ne cherchait pas à se rajeunir, mais semblait faire parade de son âge. Dans ce costume, grand, maigre, ses cheveux tombant sur les épaules, il rssemblait à quelque patriarche ou plutôt au portrait lithographié du poète Koukolnik [1] qui figure dans l'édition de ses œuvres publiée peu après 1830.

Surtout lorsque assis l'été sur un banc, dans le jardin, à l'ombre des lilas, un livre ouvert à côté de lui, les deux mains appuyées sur sa canne, il contemplait le soleil couchant, plongé dans de poétiques rêveries. A propos de livres, il faut dire que ces derniers temps (mais ces derniers temps seulement), il paraissait négliger la lecture. Pourtant, il lisait régulièrement les revues et les journaux que Varvara Pétrovna faisait venir en abondance ; il s'intéressait aussi aux succès de la littérature russe, tout en gardant toujours cependant une attitude digne et détachée. Un moment, il parut se passionner pour l'étude de notre politique extérieure et intérieure, mais il en eut bientôt assez et la délaissa. Je noterai aussi qu'il lui arrivait parfois d'emporter Tocqueville au jardin, tout en cachant dans sa poche un volume de Paul de Kock. Du reste, ce ne sont là que des vétilles.

A propos du portrait du poète Koukolnik, je noterai encore en passant que Varvara Pétrovna avait découvert pour la première fois cette lithographie étant enfant, à l'Institut des jeunes filles nobles de Moscou. Elle tomba aussitôt amoureuse de ce portrait, selon la coutume de toutes les pensionnaires qui s'éprennent de n'importe qui, le plus souvent de leurs professeurs, et surtout de leur maître de calligraphie et de dessin. Le plus curieux, ce n'est pas l'enthousiasme de la petite fille, mais le fait qu'à l'âge de cinquante ans, Varvara Pétrovna conservait encore cette image comme un souvenir des plus intimes, des plus précieux. Il se peut même que ce fut uniquement à cause de cela qu'elle avait imaginé pour Stépane Trophimovitch un costume quelque peu ressemblant à celui du poète. Mais ce n'est là qu'un détail insignifiant de plus.

Les premières années de son séjour chez Varvara Pétrovna, ou pour parler plus exactement, durant la première partie de ce séjour, Stépane Trophimovitch songeait encore à écrire un ouvrage de longue haleine, et il se préparait chaque jour à s'y mettre sérieusement. Mais le temps passait et il ne savait plus, semblait-il, comment s'y prendre pour commencer. Il nous répétait de plus en plus souvent : « Je suis prêt à me mettre à l'œuvre, tous mes matériaux sont réunis, mais cela ne marche pas, impossible de travailler! » et il baissait la tête avec accablement. Sans aucun doute, cette situation devait encore le rehausser à nos yeux en lui conférant le prestige d'un martyr de la science ; mais lui, il aspirait à autre chose. « On m'a oublié, laissait-il souvent échapper, personne n'a plus besoin de moi. » Cette mélancolie profonde s'empara de lui tout particulièrement vers 1860. Varvara Pétrovna comprit enfin que la situation était grave. Elle ne pouvait du reste supporter la pensée que son ami fût oublié, et que personne n'en eût plus besoin. Pour le distraire et aussi pour donner un nouveau lustre à sa renommée, elle l'emmena à Moscou où elle comptait encore quelques belles relations dans les milieux scientifiques et littéraires. Mais Moscou ne les satisfit pas.

Nous étions alors à une singulière époque : il y avait quelque chose de nouveau dans l'air, quelque chose d'étrange, qu'on ressentait partout, même à Skvoréchniki, et qui différait par trop de notre ancien calme. Des bruits divers circulaient. Pour ce qui était des faits, on les connaissait plus ou moins ; mais outre les faits, il y avait encore les idées qui les accompagnaient, et même en très grand nombre. C'était précisément cela qui troublait les esprits : impossible de s'y reconnaître et de savoir au juste ce que signifiaient toutes ces idées. Conformément à sa nature féminine, Varvara Pétrovna tenait absolument à ce qu'il y eût là quelque mystère. Elle se mit à lire elle-même les revues et les journaux, les publications étrangères interdites en Russie, et jusqu'aux proclamations révolutionnaires qui commençaient alors à faire leur apparition et qu'on lui faisait parvenir. Mais tout cela lui donna le vertige. Elle entreprit alors d'écrire à ses amis et connaissances, mais les réponses étaient rares et de moins en moins compréhensibles. Stépane Trophimovitch fut solennellement invité à lui expliquer « toutes ces idées », une fois pour toutes. Mais les explications qu'il lui fournit la laissèrent mécontente. Stépane Trophimovitch observait à l'égard de tout le mouvement contemporain une attitude hautaine et dédaigneuse. Pour lui, tout se réduisait à ce fait qu'il était oublié et qu'on n'avait plus besoin de lui. Cependant on finit aussi par se souvenir de lui ; tout d'abord dans les publications étrangères où l'on parlait de lui comme d'un malheureux exilé, puis, aussitôt après, à Pétersbourg où l'on cita son nom parmi ceux de la glorieuse pléiade. Il fut même comparé, on ne sait pourquoi, à Radichtchev [1]. Quelqu'un ensuite annonça qu'il était mort et promit de lui consacrer un article nécrologique. Stépane Trophimovitch ressuscita instantanément et prit un air important. Son attitude dédaigneuse à l'égard de ses contemporains disparut, et il ressentit soudain le désir ardent de se joindre au « mouvement », et de montrer à tous ce dont il était capable. Varvara Pétrovna retrouva sa foi et redevint extraordinairement active. Il fut décidé qu'on partirait sans plus attendre pour Pétersbourg, afin de se renseigner sur place, de juger de la situation par soi-même et, si possible, de prendre une part active au mouvement et de s'y livrer entièrement. Varvara Pétrovna déclara même qu'elle était prête à fonder une revue, et à y consacrer dorénavant toute son existence. Voyant jusqu'où allaient les choses, Stépane Trophimovitch prit un air encore plus hautain, et affecta en route à l'égard de Varvara Pétrovna un ton quasi protecteur, ce qu'elle ne manqua pas d'enregistrer aussitôt dans sa mémoire. D'ailleurs, il y avait encore un autre motif important à son voyage : elle songeait à renouveler ses hautes relations. Il lui fallait se rappeler si possible au souvenir du grand monde, ou, tout au moins, en tenter la chance. Mais le prétexte officiel du voyage était le désir qu'elle avait de revoir son fils unique qui terminait alors ses études au Lycée de Pétersbourg.

VI

Ils passèrent à Pétersbourg presque toute la saison d'hiver. Au début du grand carême cependant, tous leurs projets s'évanouirent comme une bulle de savon irisée. Leurs rêves se dissipèrent, et le gâchis général, loin de s'éclaircir, se fit encore plus intolérable. Tout d'abord, Varvara Pétrovna ne réussit pas à rétablir ses hautes relations, sinon dans une mesure insignifiante et au prix de pénibles humiliations. Elle se jeta alors à corps perdu dans les « nouvelles idées », et se mit à organiser chez elle des soirées. Elle invita des littérateurs, et on les lui amena en foule. Plus tard, ils se mirent à venir d'eux-mêmes, sans invitation ; l'un amenant l'autre. Jamais encore elle n'avait vu de tels écrivains. Ils étaient incroyablement vaniteux, mais ouvertement, comme s'ils remplissaient ainsi une sorte d'obligation. Certains d'entre eux (pas tous certes) se présentaient tout à fait ivres, et on eût dit qu'ils voyaient dans cette attitude une beauté particulière, nouvellement découverte. Ils étaient tous étrangement fiers, sans qu'on pût savoir exactement pourquoi, et chacun portait écrit sur son visage qu'il venait de découvrir un secret de la plus haute importance. Ils se disputaient continuellement et s'en glorifiaient. Il était assez difficile de déterminer au juste ce que tous ces gens avaient écrit, et cependant, il y avait là des critiques, des romanciers, des dramaturges et des satiriques qui fustigeaient les travers sociaux. Stépane Trophimovitch parvint même jusqu'au petit groupe qui dirigeait tout le mouvement. Il y avait loin de la foule des littérateurs à ces chefs, mais ceux-ci l'accueillirent très cordialement ; aucun d'eux pourtant ne le connaissait et ne savait de lui autre chose sinon qu'il « incarnait l'idée ». Il manœuvra si habilement autour d'eux, que malgré leur attitude olympienne il réussit à les faire venir une ou deux fois chez Varvara Pétrovna. Ceux-là se montraient sérieux, polis, et se tenaient parfaitement bien ; mais leur temps était trop précieux évidemment. Les autres en avaient visiblement peur. Quelques anciennes célébrités littéraires qui se trouvaient à ce moment-là à Pétersbourg, firent aussi leur apparition dans les salons de Varvara Pétrovna qui depuis longtemps entretenait avec eux des relations fort agréables. Mais à son grand étonnement, ces célébrités reconnues, indéniables, se tenaient coites ; ou bien essayaient de s'introduire dans cette nouvelle bande et la flattaient honteusement. Au début, Stépane Trophimovitch eut le vent en poupe : on se précipita sur lui et l'on se mit à l'exhiber dans les réunions littéraires. Quand il parut pour la première fois sur l'estrade à l'occasion d'une lecture publique, ce furent des applaudissements frénétiques qui durèrent cinq bonnes minutes. Dix ans plus tard il s'en souvenait encore les larmes aux yeux, moins par gratitude du reste que par une sorte de sensibilité artistique. « Je vous jure, et je suis prêt même à parier, me disait-il (mais à moi seul et en secret), que personne parmi tous ces gens ne savait absolument rien de moi. » Aveu à retenir : si au moment même, sur l'estrade, et malgré son exaltation, il avait pu entrevoir clairement la vérité, c'est qu'il avait effectivement une intelligence aiguë. Mais elle n'était pas cependant si aiguë que cela, puisque neuf ans plus tard encore, ce souvenir lui était une offense. On l'obligea à signer deux ou trois protestations collectives (contre quoi, il ne le savait même pas). Varvara Pétrovna fut également invitée à protester contre une « infamie », et signa aussi. Du reste, tout en fréquentant chez Varvara Pétrovna, la plupart de ces « gens nouveaux », on ne sait pourquoi, croyaient de leur devoir de la considérer avec mépris et une ironie non dissimulée. Stépane Trophimovitch me fit entendre plus tard, dans ses moments d'amertume, que ce fut précisément à partir de cette époque qu'elle se mit à l'envier. Elle comprenait certes qu'elle ne pouvait se lier avec ces gens-là, et néanmoins elle les recevait, poussée par une curiosité avide et cette impatience maladive propre aux femmes ; et surtout, elle était constamment dans l'attente de quelque chose d'extraordinaire. Elle parlait peu à ses réceptions, bien qu'elle eût pu prendre part à la conversation ; mais elle se contentait d'écouter. On discourait de l'abolition de la censure et du signe dur [1], de la substitution de l'alphabet latin à l'alphabet russe, de la déportation d'un tel, du dernier scandale, de l'utilité qu'il y aurait à démembrer la Russie pour la remplacer par une fédération libre, de la suppression de l'armée et de la flotte, du rétablissement de la Pologne jusqu'au Dniéper, de la réforme paysanne et des proclamations révolutionnaires, de l'abolition du droit d'héritage, de la famille, des enfants et des prêtres, des droits de la femme, de la maison de M. Kraïevsky [1], que jamais personne n'avait pu pardonner à M. Kraïevsky, etc., etc. Il était évident que cette bande de gens nouveaux comptait nombre de fripons, mais aussi beaucoup d'hommes honnêtes et même sympathiques, malgré leurs côtés assez étranges. Ces gens honnêtes étaient d'ailleurs plus incompréhensibles encore que les malhonnêtes et les brutaux ; mais on ne savait lequel des deux groupes menait l'autre. Quand Varvara Pétrovna annonça son projet de revue, on accourut en foule chez elle, mais elle se vit aussitôt traitée en face de capitaliste et d'exploiteuse. La brutalité de ces accusations n'avait d'égale que leur soudaineté. Ivan Ivanovitch Drozdov, un vieux général qui avait été l'ami et le compagnon d'armes de feu Stavroguine, homme très digne (mais à sa façon), et que nous connaissions tous dans notre province ; avec cela, extrêmement têtu et colérique, gros mangeur et ayant une peur affreuse de l'athéisme, entra en discussion à l'une des soirées de Varvara Pétrovna avec un jeune homme fort connu. Celui-ci lui lança dès les premiers mots : « Si vous parlez ainsi, c'est donc que vous êtes un général », voulant dire par là qu'il ne pouvait trouver de terme plus injurieux que ce mot de « général ». Ivan Ivanovitch se mit dans une colère terrible : « Oui, monsieur, je suis général, et même lieutenant-général, et j'ai servi mon empereur ; quant à toi, tu n'es qu'un gamin et un athée. » Scandale épouvantable naturellement! Le lendemain, la presse s'empara de l'incident, et l'on se mit aussitôt à recueillir des signatures au-dessous d'une protestation collective contre la « conduite abominable » de Varvara Pétrovna qui n'avait pas chassé immédiatement le général de chez elle. Un journal illustré publia une caricature représentant

Varvara Pétrovna, le général et Stépane Trophimovitch sous l'aspect comique d'un trio de réactionnaires. Ce dessin était accompagné de quelques vers composés à cette occasion par un poète fort connu. Je dois dire que nombre de gens ayant atteint le grade de général ont effectivement l'habitude comique de dire : « J'ai servi mon empereur »... Comme s'ils avaient un autre empereur que nous autres, simples sujets, un empereur à eux seuls.

Après cela, il était évidemment impossible de rester davantage à Pétersbourg, d'autant plus que Stépane Trophimovitch, lui aussi, subit un *fiasco* complet. N'ayant pu y tenir, il avait osé proclamer les droits de l'art. A sa dernière lecture publique il avait résolu de se lancer dans l'éloquence civique, espérant ainsi toucher les cœurs, et comptant sur le respect que devait inspirer à l'auditoire son « exil ». Il admit sans discuter que le terme de « patrie » était inutile et comique, il reconnut que la religion était néfaste, mais il déclara hautement, fermement, que « les bottes étaient inférieures à Pouchkine, et même de beaucoup » [1]. Ce fut une telle tempête de sifflets qu'il fondit en larmes sur l'estrade même. Varvara Pétrovna le ramena à la maison à moitié mort. « On m'a traité comme un vieux bonnet de coton », balbutiait-il complètement perdu. Elle le soigna toute la nuit, lui administra des gouttes de laurier-cerise, en ne cessant de lui répéter : « On aura encore besoin de vous... votre heure viendra... on reconnaîtra votre valeur... autre part... »

Le lendemain, de bon matin, Varvara Pétrovna reçut la visite de cinq littérateurs dont trois lui étaient inconnus : elle ne les avait même jamais vus. Ils lui déclarèrent d'un ton sévère qu'ils avaient examiné son projet de revue et venaient lui communiquer leur décision à ce sujet. Or Varvara Pétrovna n'avait chargé personne d'étudier et de décider quoi que ce fût concernant sa revue. D'après la décision des dits littérateurs, aussitôt la revue fondée, Varvara Pétrovna devait la céder avec tous les fonds à leur association ; après quoi elle devait rentrer à Skvoréchniki, en ayant soin d'emmener avec elle Stépane Trophimovitch qui avait vieilli et n'était plus « à la page ». Par un scrupule de délicatesse, ils consentaient à lui reconnaître la propriété de la revue et à lui envoyer chaque année un sixième des bénéfices. Le plus touchant de cette histoire était que quatre au moins de ces cinq personnages ne poursuivaient aucun but intéressé, mais intervenaient uniquement au nom de la « cause commune ».

« Nous partîmes complètement ahuris, racontait plus tard Stépane Trophimovitch. Je n'étais plus capable de comprendre, de réfléchir et ne faisais que marmotter au rythme du train, je m'en souviens :

Lev, Lev et Lev Kambeck
Lev Kambeck et Lev et Lev...

et le diable sait quoi encore... Et ainsi jusqu'à Moscou.

» C'est à Moscou seulement que je repris mes esprits ; et cependant, à quoi d'autre pouvais-je m'attendre dans cette ville! Oh, mes amis! — nous disait-il parfois comme inspiré, — vous ne pouvez vous imaginer la tristesse et la colère qui submergent votre âme quand des ignorants s'emparent de la haute idée que vous avez toujours vénérée, et la livrent dans la rue à des imbéciles comme eux! Et voilà que vous la retrouvez soudain sur le marché, méconnaissable, couverte de boue, toute brisée, privée de ses proportions, de son harmonie ; ce n'est plus qu'un jouet ridicule entre les mains d'enfants stupides. Non, de notre temps ce n'était pas ainsi et ce n'est pas ce but-là que nous poursuivions! Non, non! notre but était tout autre. Je ne reconnais plus rien... Mais notre époque renaîtra, et tout ce qui chancelle aujourd'hui retrouvera son équilibre. Sinon qu'arrivera-t-il?... »

VII

A son retour de Pétersbourg, Varvara Pétrovna expédia aussitôt son ami à l'étranger : « pour qu'il se repose ». Du reste, il leur était nécessaire de se séparer pour quelque temps ; elle s'en rendait compte. Stépane Trophimovitch partit avec joie : « C'est là que je ressusciterai! s'écriait-il. C'est là que je me mettrai enfin au travail! » Mais dès ses premières lettres il reprit son ancienne chanson : « Mon cœur est brisé, écrivait-il à Varvara Pétrovna, je ne puis rien oublier. Tout me rappelle ici, à Berlin, mon jeune temps, mes premières joies et mes premières souffrances. Où est-elle? Où sont-elles maintenant toutes les deux? Où êtes-vous, mes deux anges dont je n'ai jamais été digne? Où est mon fils, mon fils bien-aimé? Que suis-je devenu moi-même? Qu'est devenu mon ancien moi, fort comme l'acier, inébranlable comme le roc, quand aujourd'hui un *Andréieff* quelconque, un bouffon orthodoxe barbu, *peut briser mon existence en deux...* »[1], etc., etc. Pour ce qui est du fils de Stépane Trophimovitch, son père ne l'avait vu que deux fois : à la naissance de l'enfant et puis, tout récemment, à Pétersbourg, où le jeune homme se préparait à entrer à l'Université. Comme je l'ai déjà dit, l'enfant avait été élevé (aux frais de Varvara Pétrovna) chez des tantes, dans le gouvernement de O..., à sept cents verstes de Skvoréchniki. Quant à *Andréieff*, c'était tout simplement un marchand de notre ville, un boutiquier, grand original et archéologue amateur, qui collectionnait avec passion les antiquités russes, et discutait parfois avec Stépane Trophimovitch archéologie et surtout politique. Ce marchand d'allure respectable, à barbe blanche et à grosses lunettes d'argent, devait encore à Stépane Trophimovitch quatre cents roubles pour une coupe de bois sur la petite propriété de ce dernier. Bien que Varvara Pétrovna eût abondamment pourvu son ami de fonds en l'expédiant à Berlin, Stépane Trophimovitch comptait spécialement sur ces quatre cents roubles avant son départ, les destinant probablement à certaines dépenses secrètes. Aussi faillit-il en pleurer, quand Andréieff lui demanda un délai d'un mois, auquel il avait droit d'ailleurs, ayant effectué les premiers versements presque six mois à l'avance, vu la grande gêne où se trouvait à cette époque Stépane Trophimovitch.

Varvara Pétrovna lut avidement cette première lettre, souligna au crayon l'exclamation : « Où êtes-vous toutes les deux ? », nota la date et serra la missive dans sa cassette. Il faisait évidemment allusion à ses deux femmes. Le ton de la seconde lettre était autre : « Je travaille douze heures par jour (onze heures suffiraient, grogna Varvara Pétrovna), je fouille les bibliothèques, je compulse les textes et prends des notes, je cours partout, j'ai vu des professeurs. J'ai aussi renouvelé connaissance avec les excellents Doundassov. Quelle femme charmante, aujourd'hui encore, que Nadèjda Nicolaïevna ! Elle vous salue. Son jeune mari et ses trois neveux sont à Berlin. Le soir nous causons, les jeunes gens et moi, jusqu'à l'aurore. Ce sont, en quelque sorte, des soirées athéniennes, mais uniquement sous le rapport du raffinement et de l'élégance. Tout se passe très noblement : beaucoup de musique, airs espagnols, rêves de régénération humaine ; nous discutons de la beauté éternelle, de la Madone de la Sixtine, de la lumière et des ténèbres ; mais le soleil lui-même n'a-t-il pas des taches? O mon amie, mon amie noble et fidèle! Je suis vôtre et de cœur avec vous, toujours avec vous seule, *en tous pays* et jusque *dans le pays de Makar et de ses veaux* [1] dont, vous vous en souvenez, nous parlions si souvent en frissonnant avant notre départ de Pétersbourg. J'y songe maintenant avec un sourire. Ayant franchi la frontière, je me suis senti hors de danger ; sensation étrange, toute nouvelle pour moi après tant d'années... », etc., etc.

« Des bêtises tout ça, trancha Varvara Pétrovna en enfermant cette lettre dans la cassette avec les autres. Si ces « soirées athéniennes » se poursuivent jusqu'à l'aurore, il ne passe certainement pas douze heures par jour le nez dans les livres. Était-il ivre en me racontant tout cela? Et cette Doundassov qui se permet de m'envoyer ses compliments! Après tout, qu'il s'amuse... »

La phrase : « Dans le pays de Makar et de ses veaux » était la traduction libre du dicton russe : « Là où Makar n'envoie pas ses veaux ». Stépane Trophimovitch s'amusait parfois à traduire sous une forme ridicule les proverbes et dictons russes ; il aurait pu sans aucun doute les traduire de bien meilleure façon, mais il trouvait spirituel et chic en quelque sorte, de les estropier.

Son escapade ne dura pas longtemps : au bout de quatre mois, n'en pouvant plus, il accourut à Skvoréchniki. Ses dernières lettres ne consistaient qu'en tendres effusions, et étaient littéralement baignées de larmes. Il y a ainsi des êtres qui s'attachent à leur demeure comme des bichons. L'entrevue des deux amis fut profondément attendrissante. Mais deux jours plus tard, leur existence reprenait son train habituel, peut-être même en plus ennuyeux encore. « Mon ami, me disait quinze jours après Stépane Trophimovitch sous le sceau du secret, mon ami, j'ai fait une découverte affreuse... pour moi : je suis un simple parasite *et rien de plus! Mais r-r-rien de plus!* »

VIII

Ce fut ensuite une période de calme plat que presque rien ne dérangea pendant neuf ans. Les crises de nerfs et les larmes que Stépane Trophimovitch versait à intervalles réguliers sur mon épaule, ne troublaient nullement notre félicité. Je m'étonne même que Stépane Trophimovitch n'ait pas engraissé durant cette période. Mais son nez rougit quelque peu et ses manières acquirent encore plus de bienveillance. Peu à peu il s'était formé autour de lui un cercle d'amis, du reste assez restreint. Bien que Varvara Pétrovna se tînt toujours en dehors de ce cercle, nous la considérions tous comme notre dame patronnesse pour ainsi dire. Après la leçon qu'elle avait reçue à Pétersbourg, elle s'était définitivement installée dans notre province : l'hiver, elle habitait sa maison en ville, et en été, elle vivait à Skvoréchniki. Jamais son prestige ne fut aussi haut et son influence aussi forte dans notre société provinciale qu'au cours des sept dernières années, c'est-à-dire jusqu'à la nomination de notre gouverneur actuel. L'ancien gouverneur, notre doux, notre inoubliable Ivan Ossipovitch, était proche parent de Varvara Pétrovna qui naguère lui avait rendu de grands services. Aussi son épouse tremblait-elle rien qu'à l'idée de mécontenter

Varvara Pétrovna, et les hommages dont la société provinciale entourait cette dernière étaient même quelque peu excessifs. Naturellement, Stépane Trophimovitch, lui aussi, profitait de cette situation. Il était du club, perdait aux cartes d'un air majestueux, et avait conquis l'estime générale, quoique nombre de gens ne vissent en lui qu'un « savant ». Lorsque Varvara Pétrovna lui eut permis de s'installer à part, dans une autre maison, nous nous sentîmes encore plus libres. On se réunissait chez lui deux fois par semaine, et nos réunions étaient fort gaies, surtout quand il ne ménageait pas le champagne qu'on achetait chez ce même Andréieff. C'était Varvara Pétrovna qui réglait la note deux fois par an, et le jour de ce règlement était presque chaque fois le jour de la cholérine.

Le membre le plus ancien de notre petit cercle était Lipoutine, un fonctionnaire d'un certain âge, grand libéral, et qui passait en ville pour athée. Il avait été marié deux fois : sa seconde femme, jeune et jolie, lui avait apporté une dot respectable ; en plus, il était père de trois filles déjà grandes. Toute cette famille était maintenue par lui dans la crainte du Seigneur et menait une existence très retirée. Extrêmement avare, il avait réussi à acquérir sur ses appointements une petite maison et à mettre de côté quelque argent. C'était une nature trouble et inquiète ; aussi n'avait-on guère d'estime pour lui en ville, et ne le recevait-on pas dans la haute société, d'autant plus que son grade était fort modeste. En outre, il avait la réputation d'un cancanier, réputation justifiée et qui lui avait attiré de sévères corrections de la part d'un officier, et aussi d'un propriétaire foncier, respectable père de famille. Mais nous l'aimions pour son esprit aigu, sa curiosité toujours en éveil et sa gaîté caustique. Varvara Pétrovna, elle, ne l'aimait pas ; cependant, il réussissait parfois à s'introduire dans ses bonnes grâces.

Elle n'aimait pas non plus Chatov qui ne faisait partie de notre cercle que depuis un an. Chatov avait été exclu de l'Université à la suite de je ne sais quelle histoire d'étudiant. Étant enfant, il avait eu pour professeur Stépane Trophimovitch. Il était le fils d'un serf de Varvara Pétrovna, feu Pavel Fiodorov, son valet de chambre. Elle avait beaucoup fait pour le jeune homme, mais ne l'aimait pas à cause de son orgueil et de son ingratitude : elle ne pouvait lui pardonner de n'être pas venu la trouver après son exclusion de l'Université. Laissant sans réponse la lettre qu'elle lui avait alors adressée, il préféra entrer à de très mauvaises conditions comme précepteur chez un marchand qu'il accompagna à l'étranger, plutôt même en qualité de bonne d'enfant que de précepteur ; mais il avait trop envie de visiter l'Europe. Le marchand avait engagé aussi, presque à la veille du départ, une gouvernante, séduit surtout par la modicité de ses exigences. C'était une demoiselle russe d'un caractère vif et enjoué. Deux mois plus tard cependant, on la mit à la porte « à cause de ses idées trop libres ». Chatov la suivit et l'épousa peu après à Genève. Ils ne vécurent ensemble que trois semaines et se séparèrent comme des gens libres et que rien ne liait l'un à l'autre ; mais sans doute leur dénuement y était aussi pour quelque chose. Chatov erra encore longtemps seul à travers l'Europe ; et Dieu sait comment il vécut ! Il cirait les bottes dans les rues, dit-on, et fut un temps débardeur dans un port. Il y a un an enfin, il revenait chez nous, dans sa ville natale, pour s'y installer avec une vieille tante qu'il enterra au bout d'un mois. Il avait une sœur, Dacha, avec laquelle il n'entretenait que des rapports éloignés ; cette Dacha avait été élevée, elle aussi, par Varvara Pétrovna dont elle était la favorite, et chez qui elle vivait au milieu de la considération générale.

Dans notre cercle, Chatov se montrait sombre et taciturne ; parfois cependant, lorsqu'on touchait à ses convictions, il devenait soudain irritable et ne gardait plus aucune retenue dans ses paroles. « Avant de raisonner avec Chatov, il faut commencer par le lier », disait en plaisantant Stépane Trophimovitch qui l'aimait beaucoup. A l'étranger, Chatov avait renié complètement ses anciennes opinions socialistes, et s'était jeté dans l'excès contraire. C'était un de ces idéalistes russes qui, illuminés soudain par quelque immense idée, en sont restés comme éblouis, souvent pour toujours. Ils ne parviennent jamais à dominer cette idée, ils y croient passionnément, et dès lors toute leur existence n'est plus, dirait-on, qu'une agonie sous la pierre qui les a à demi écrasés. L'extérieur de Chatov correspondait parfaitement à ses convictions : il était de petite taille, gauche, large d'épaules, blond et hirsute, avec de grosses lèvres, des sourcils touffus, presque blancs, un front toujours plissé, un regard obstinément baissé, comme honteux. Quoi qu'il fît, sa tête était toujours surmontée d'une mèche de cheveux rebelles, qui se dressait toute droite.

Chatov pouvait avoir dans les vingt-sept ou vingt-huit ans. « Je ne m'étonne plus que sa femme l'ait abandonné », dit un jour Varvara Pétrovna en le considérant attentivement. Malgré son extrême pauvreté il s'efforçait d'être vêtu proprement. Il avait encore une fois refusé le secours de Varvara Pétrovna, et s'arrangeait tant bien que mal, travaillant de-ci de-là chez les marchands. Après avoir été commis dans une boutique, il fut sur le point de s'embarquer avec des marchandises sur un vapeur, mais tomba malade la veille du départ. On se représenterait difficilement la misère profonde que Chatov était capable de supporter, sans même y faire attention. Après sa maladie, Varvara Pétrovna lui envoya cent roubles en gardant l'anonymat. Il découvrit néanmoins la vérité et, réflexion faite, accepta l'argent et alla remercier Varvara Pétrovna qui l'accueillit très chaleureusement. Mais il la déçut une fois de plus : il ne resta chez elle que cinq minutes, obstinément silencieux, les yeux à terre, un sourire stupide sur les lèvres. Et soudain, au beau milieu d'une phrase de Varvara Pétrovna, il se leva, la salua gauchement, rouge de honte, heurta en passant une magnifique table à ouvrage en marqueterie qui tomba et se brisa, et sortit enfin, à demi mort de confusion. Lipoutine lui reprocha plus tard de n'avoir pas repoussé avec mépris cet argent provenant de son ancienne propriétaire, une despote, et de s'être même précipité chez elle pour la remercier.

Chatov demeurait seul tout au bout de la ville et n'aimait pas qu'on vînt le voir, fût-ce même l'un de nous. Mais il assistait régulièrement aux réunions de Stépane Trophimovitch et lui empruntait des journaux et des livres.

Il y avait encore parmi nous un certain Virguinsky, un jeune fonctionnaire qui offrait quelques traits de ressemblance avec Chatov bien qu'il apparût sous tous les rapports comme son antithèse ; mais lui aussi avait « l'instinct de famille ». Agé d'une trentaine d'années, très doux, d'un aspect pitoyable, il était fort instruit, bien qu'autodidacte. Marié et pauvre, il entretenait la tante et la sœur de sa femme. Ces deux dames ainsi que son épouse avaient, toutes trois, les idées les plus avancées qui revêtaient chez elles une forme quelque peu vulgaire : c'était précisément là ces « idées livrées à la rue », dont Stépane Trophimovitch avait eu un jour l'occasion de parler. Elles puisaient toutes leurs opinions dans les livres, et au moindre bruit qui leur parvenait des milieux progressistes de la capitale, elles étaient prêtes à les jeter par la fenêtre pour peu qu'on le leur conseillât. Mme Virguinsky exerçait la profession de sage-femme ; étant encore jeune fille elle avait longtemps habité Pétersbourg. Virguinsky, lui, était un homme d'une pureté de cœur peu commune ; j'ai rarement rencontré une âme aussi candidement passionnée. « Jamais, non, jamais je ne renoncerai à ces lumineux espoirs ! » me disait-il les yeux brillants. Il ne parlait de ces « lumineux espoirs » qu'à voix basse, avec une sorte de volupté, comme en secret. Il était de taille assez élevée, mais extrêmement mince et étroit d'épaules ; avec cela, de légers cheveux roussâtres et très clairsemés. Il accueillait avec douceur les railleries dédaigneuses de Stépane Trophimovitch à l'égard de certaines de ses opinions, mais lui faisait parfois des objections très sérieuses qui laissaient son adversaire interdit. Stépane Trophimovitch qui nous traitait d'ailleurs comme un père, se montrait envers lui très affable.

« Vous êtes tous « venus avant terme », disait-il parfois en plaisantant à Virguinsky, vous et vos pareils ; bien qu'en vous, Virguinsky, je n'aie pas observé cette étroitesse d'esprit que j'ai rencontrée à Pétersbourg *chez ces séminaristes*. Et cependant, vous aussi vous êtes « venu avant terme ». Quant à Chatov, il voudrait bien « achever son terme ».

— Et moi ? demandait Lipoutine.

— Vous, vous êtes tout simplement du juste milieu ; vous appartenez à ces gens du juste milieu qui se tirent d'affaire en toutes circonstances. »

Et Lipoutine de se fâcher.

On racontait de Virguinsky (et malheureusement c'était vrai), que moins d'un an après le mariage, sa femme lui avait soudain signifié sa « démission », lui déclarant qu'elle lui préférait Lébiadkine. Il apparut par la suite que ce Lébiadkine, installé chez nous depuis peu, était un personnage des plus louches et n'avait aucun droit au grade de capitaine en retraite dont il se parait. Il ne savait que friser sa moustache, boire et raconter les histoires les plus stupides qu'on puisse imaginer. Cet homme s'installa aussitôt, sans plus de façon, chez les Virguinsky, tout heureux de profiter du pain d'autrui ; logeant et mangeant chez eux, il finit par traiter de haut le maître de la maison. On prétendait que Virguinsky avait dit à son épouse à l'annonce de sa démission : « Mon amie, jusqu'à présent, je t'aimais seulement, et maintenant je t'estime. » Mais il est fort douteux que cette phrase digne des anciens Romains ait été effectivement prononcée ; il paraît, au contraire, que Virguinsky fondit en larmes. Une quinzaine de jours après cet événement, toute la « famille » se rendit avec quelques amis dans une forêt des environs pour y prendre le thé. Virguinsky paraissait en proie à une sorte de gaîté fiévreuse ; il dansait avec les autres, quand soudain il sauta sur l'énorme Lébiadkine qui exécutait le cancan, l'empoigna des deux mains par les cheveux, le ploya en deux et se mit à le secouer avec des cris, des pleurs et des gémissements. Le colosse, épouvanté, n'essaya même pas de se défendre et ne dit mot tant que dura la correction ; mais ensuite il protesta avec toute la violence d'un honnête homme outragé.

A genoux devant sa femme, Virguinsky implora toute la nuit son pardon, mais ne put l'obtenir parce qu'il se refusa malgré tout à faire des excuses à Lébiadkine. De plus, on lui démontra la tiédeur de ses convictions et la bêtise dont il avait fait preuve en s'agenouillant devant une femme. Peu après, le capitaine s'éclipsa et ne reparut dans notre ville qu'en ces tout derniers temps ; il était cette fois accompagné de sa sœur, et nourrissait de nouveaux desseins ; j'en reparlerai encore.

Rien d'étonnant à ce que le pauvre Virguinsky recherchât notre compagnie et aspirât à se distraire auprès de nous. Du reste, il ne nous entretenait jamais de ses affaires de famille. Une seule fois, comme nous revenions ensemble de chez Stépane Trophimovitch, il fit vaguement allusion à sa situation, mais aussitôt, me saisissant la main, il s'écria :

« Ce n'est rien... ce n'est qu'un cas particulier, cela n'entravera en rien l'œuvre commune, en rien!... »

Notre cercle accueillait aussi parfois quelques hôtes d'occasion : Liamchine par exemple, un jeune Juif, le capitaine Kartouzov, un petit vieux désireux de s'instruire... Lipoutine amena un jour un prêtre catholique condamné à la déportation, Slontzewski ; on l'accepta par principe, mais on cessa ensuite de le recevoir.

IX

Le bruit courut un moment en ville que notre cercle était un foyer de libertinage et d'athéisme ; ce bruit d'ailleurs trouva toujours un certain crédit auprès de nos concitoyens. Or tout se réduisait en réalité à un charmant bavardage libéral, parfaitement inoffensif et tout à fait dans la manière russe. Le « libéralisme noble et élevé », c'est-à-dire ne poursuivant aucun but défini, n'est guère possible qu'en Russie. Comme tout homme d'esprit, Stépane Trophimovitch éprouvait le besoin d'avoir des auditeurs ; de plus, il avait le sentiment d'accomplir un devoir supérieur en propageant ses idées. Enfin, il était si agréable de boire du champagne en bonne compagnie, tout en échangeant quelques réflexions piquantes et d'un genre bien connu sur la Russie et sur l' « esprit russe », sur Dieu en général et sur le « Dieu russe » en particulier, et en répétant pour la centième fois certaines historiettes scandaleuses qui ont traîné partout. Nous ne faisions pas fi non plus des potins de la ville, au sujet desquels nous émettions parfois des jugements sévères empreints de la plus haute moralité. Les grands problèmes humains avaient aussi leur tour : nous discutions de l'avenir de l'Europe et de l'humanité, et prédisions qu'aussitôt après sa période césarienne, la France tomberait au rang des nations de second ordre ; et nous étions persuadés que cela se produirait très simplement et dans le plus bref délai. Pour ce qui était du pape, nous lui avions déjà depuis longtemps assigné le rôle d'un simple métropolite dans l'Italie unifiée, convaincus que nous étions qu'à notre époque humanitaire d'industrie et de chemins de fer, ce problème millénaire n'avait plus aucune importance. Mais est-ce que telle n'a pas été toujours l'attitude du « libéralisme noble et élevé » russe ? Stépane Trophimovitch discourait parfois sur l'art, et fort bien, mais d'une façon quelque peu abstraite. Il évoquait aussi parfois avec tendresse et respect, mais non sans une pointe d'envie, les amis de sa jeunesse, qui tous avaient joué un rôle dans le développement de notre culture. Quand on s'ennuyait par trop, Liamchine (un petit employé des postes), excellent pianiste, se mettait à jouer du piano en imitant les grognements du cochon, les bruits de l'orage, les gémissements de l'accouchée, les cris du nouveau-né, etc. C'était uniquement pour cela qu'on l'invitait en somme. Quand on avait bu plus que de raison — cela arrivait parfois, quoique rarement — on se livrait à la joie, et il nous arriva même un soir de chanter tous en chœur la *Marseillaise*, accompagnés par Liamchine ; je ne sais du reste si cela fut très réussi.

Le grand jour du dix-neuf février [1] fut fêté par nous avec enthousiasme ; déjà longtemps à l'avance, du reste, nous vidions nos coupes en son honneur. Mais c'est déjà de l'histoire ancienne : à cette époque ni Chatov, ni Virguinsky n'étaient encore des nôtres, et Stépane Trophimovitch habitait la même maison que Varvara Pétrovna. A l'approche du grand jour, Stépane Trophimovitch s'était mis à chantonner à mi-voix les vers connus, bien qu'assez incorrects, composés probablement par quelque ancien seigneur libéral :

Les moujiks s'avancent des haches à la main,
Des choses terribles se préparent...

ou quelque chose d'approchant ; je ne me souviens pas exactement du texte. Ayant entendu chantonner ainsi son ami, Varvara Pétrovna s'écria : « Bêtises, bêtises que tout cela ! » et partit furieuse. Lipoutine, qui assistait à la scène, dit à Stépane Trophimovitch d'un ton ironique :

« Il serait vraiment dommage que dans leur joie les anciens serfs occasionnent certains désagréments à messieurs les propriétaires. »

Et son index traça une ligne autour de son cou.

« *Cher ami*, lui répondit avec bonhomie Stépane Trophimovitch, croyez bien que *cela* (et il répéta le geste de Lipoutine), ne serait d'aucune utilité ni pour les propriétaires, ni pour nous tous en général. Bien que ce soient précisément nos têtes qui nous empêchent de comprendre ce qui se passe, sans tête nous n'y parviendrions pas davantage. »

Je ferai remarquer à ce propos que nombre de gens chez nous s'imaginaient qu'il arriverait des choses extraordinaires le jour de la publication du manifeste, et précisément des choses dans le genre de celles dont parlait Lipoutine. Et dire que ces gens se posaient en hommes politiques et prétendaient connaître le peuple! Stépane Trophimovitch partageait ces craintes, semble-t-il ; si bien qu'à la veille presque du grand jour il demanda brusquement à Varvara Pétrovna de le faire partir pour l'étranger. Bref, il se sentait inquiet. Mais le grand jour passa, et au bout d'un certain temps, Stépane Trophimovitch retrouva son sourire hautain. Il développa devant nous quelques considérations remarquables sur le caractère des Russes en général, et sur celui des paysans en particulier.

« En gens pressés que nous sommes, nous avons été trop vite avec nos bons moujiks, conclut-il. Nous les avons mis à la mode, et toute une partie de notre littérature s'est jetée dessus comme sur un trésor nouvellement découvert, et s'y est consacrée pendant des années. Nous couronnions de lauriers des têtes pouilleuses. Or depuis qu'il existe, depuis un millier d'années, le paysan russe ne nous a donné que la « Kamarinskaïa [1] ». Un poète russe remarquable et non dépourvu d'esprit, en voyant pour la première fois sur la scène la grande Rachel s'écria enthousiasmé : « Je n'échangerais pas Rachel contre un moujik! » J'irai plus loin encore : je refuse d'échanger Rachel contre tous les moujiks russes. Il est temps de voir les choses comme elles sont et de ne pas mélanger notre vulgaire goudron national au *bouquet de l'impératrice.* »

Lipoutine en convint aussitôt, mais observa qu'au

nom de l'idée il était nécessaire en ce temps-là de jouer la comédie et de célébrer le moujik. Il ajouta que des dames de la haute société avaient versé des larmes abondantes à la lecture d'*Anton Gorémyka* [1], et que certaines d'entre elles étaient même allées jusqu'à écrire de Paris à leurs gérants, pour qu'à l'avenir les paysans fussent traités aussi humainement que possible.

Cependant, comme par un fait exprès on apprit bientôt que des événements fâcheux s'étaient produits dans notre province, à quinze verstes de Skvoréchniki ; et dans le premier moment d'émoi on y envoya un détachement armé. Pour le coup, l'émotion de Stépane Trophimovitch fut si forte que nous aussi nous prîmes peur. Il criait au club qu'on aurait dû envoyer un détachement plus important et faire venir par télégraphe des renforts du district voisin. Il se précipita chez le gouverneur pour lui assurer qu'il n'y était pour rien, le suppliant de ne pas le mêler à cette histoire, comme on pouvait être tenté de le faire vu son passé ; il proposa même qu'on transmît sa déclaration à qui de droit à Pétersbourg. Par bonheur, l'incident se termina rapidement et n'eut pas de suite. Mais en cette circonstance, Stépane Trophimovitch m'étonna fort.

Trois ans plus tard environ, on se mit à discourir de « nationalité » et d' « opinion publique ». Stépane Trophimovitch riait beaucoup de tout cela.

« Mes amis, nous disait-il, si notre nationalité a effectivement « pris naissance », comme l'assurent aujourd'hui les journaux, elle est encore sur les bancs de l'école, de quelque école allemande, en train de lire un livre allemand et d'ânonner son éternelle leçon d'allemand devant un maître allemand qui la met, au besoin, à genoux. Pour ce qui est de ce dernier, je l'approuve. Mais il est plus que probable qu'il ne s'est rien passé, qu'il n'y a rien de nouveau et que tout marche comme avant, c'est-à-dire à la grâce de Dieu. Et selon moi, c'est amplement suffisant pour la Russie, *pour notre sainte Russie.* Du reste, tous ces discours sur le panslavisme et les nationalités, tout cela est trop vieux pour être nouveau. En somme, la « nationalité » n'a jamais été chez nous qu'une invention de seigneurs désœuvrés et, qui plus est, de seigneurs moscovites. Je ne parle évidemment pas de l'époque du prince Igor [1]. Bref, tout cela vient de notre oisiveté ; aussi bien, tout ce qui est bon, sympathique chez nous, vient de l'oisiveté, de notre délicieuse oisiveté seigneuriale, cultivée et capricieuse! Je ne cesse de le répéter depuis des années. Nous ne savons pas vivre de notre travail. Qu'ont-ils tous à faire tant de tapage maintenant autour de je ne sais quelle « opinion publique » qui vient soi-disant de naître, qui nous est tombée brusquement du ciel, comme ça, de but en blanc ? Ne comprend-on pas que pour acquérir une opinion, il faut avant tout travailler, travailler soi-même, il faut de la pratique, de l'expérience ? On n'a jamais rien pour rien. Mettons-nous au travail, et nous pourrons avoir une opinion à nous. Or comme nous ne travaillerons jamais, ce seront les autres qui auront une opinion pour nous, ceux-là mêmes qui travaillent pour nous, c'est-à-dire encore et toujours l'Europe, encore et toujours les Allemands, nos maîtres depuis deux siècles. De plus, la Russie est un malentendu si immense que nous ne parviendrons jamais à le résoudre seuls, sans les Allemands et sans labeur. Voilà déjà vingt ans que je ne cesse de sonner le tocsin et d'appeler au travail. J'ai sacrifié toute ma vie à cet appel, et — fou que j'étais! — je croyais réussir. Je n'ai plus la foi maintenant, mais je continue de sonner et je continuerai ainsi jusqu'à la fin, jusqu'à la tombe. Je tirerai la corde jusqu'à ce que sonne l'heure de mon *Requiem.* »

Hélas! nous ne faisions que dire « amen » à ces paroles. Nous applaudissions notre maître, et avec quelle chaleur encore! Cependant, Messieurs, ce vieux bavardage russe, si intelligent, si charmant, si libéral, ne résonne-t-il pas encore aujourd'hui à nos oreilles, et même assez souvent?

Notre maître croyait en Dieu.

« Je ne comprends vraiment pas pourquoi l'on m'a fait ici une réputation d'athéisme, disait-il parfois. Je crois en Dieu, *mais distinguons :* j'y crois comme à un Être qui ne prend concience de Soi qu'en moi. Je ne peux cependant pas avoir la foi de ma servante Nastassia ou d'un seigneur quelconque qui croit à tout hasard, ou de notre charmant Chatov ; du reste, Chatov ne compte pas, Chatov croit en se faisant violence, comme un slavophile de Moscou. Pour ce qui est du Christianisme, malgré le respect sincère que je lui porte, je ne suis pas chrétien. Je suis plutôt un païen de l'antiquité, à la façon du grand Goethe ou des anciens Grecs. Ne serait-ce que ce fait que le Christianisme n'a pas compris la femme, comme l'a admirablement montré George Sand dans l'un de ses romans de génie. Quant aux exercices de piété, jeûnes, etc., je ne comprends pas pourquoi les gens se mêlent de ce qui ne les regarde pas? Nos mouchards auront beau s'agiter, je n'ai nulle envie de faire le jésuite. En 1847 Bélinsky, étant à l'étranger, écrivit à Gogol sa fameuse lettre où il lui reprochait amèrement de croire à « je ne sais quel Dieu ». *Entre nous soit dit*, je ne puis imaginer rien de plus drôle que la minute où Gogol (le Gogol d'alors) lut cette phrase, et... le reste de la lettre! Mais trêve de plaisanterie ; et puisque malgré tout nous sommes d'accord sur le fond de la question, je dirai : Voilà des hommes! Ceux-là savaient aimer leur peuple, ils savaient souffrir pour lui, ils sacrifiaient tout pour lui ; mais en même temps ils savaient, quand il le fallait, lui résister sur certains points et ne pas le flatter. Bélinsky ne pouvait pourtant pas chercher le salut dans le jeûne et les cierges !... »

Mais alors intervenait Chatov.

« Jamais ces hommes n'ont aimé le peuple, jamais ils n'ont souffert pour lui, et ne lui ont rien sacrifié, mais ils se complaisaient tout simplement à leurs propres imaginations, grommelait-il d'un air sombre, les yeux à terre et en s'agitant sur sa chaise.

— Ils n'aimaient pas le peuple ? eux ? hurlait Stépane Trophimovitch. Oh, comme ils aimaient la Russie!

— Non, ni le peuple, ni la Russie! hurlait Chatov à son tour, les yeux ardents. On ne peut aimer ce qu'on ne connaît pas, or ils ne comprenaient absolument rien au peuple russe. Tous, et vous avec eux, vous êtes passés à côté du peuple sans même le voir, et Bélinsky tout particulièrement. Sa lettre à Gogol le prouve suffisamment. Tout comme le *Curieux* de la fable de Krylov, Bélinsky n'a pas remarqué l'éléphant qui se trouvait dans le musée, n'ayant d'yeux que pour les insectes sociaux venus de France ; il n'est pas allé plus loin. Et cependant, c'était peut-être le plus intelligent de vous tous. Non seulement vous ne connaissiez pas le peuple, mais vous n'aviez pour lui que le plus abominable mépris, parce que le peuple pour vous c'était uniquement le peuple français, et même les seuls Parisiens, et vous étiez honteux de ce que le peuple russe ne leur ressemblât pas. C'est la vérité pure. Or celui qui n'a point de peuple, n'a point de Dieu. Sachez que tous ceux qui cessent de comprendre leur peuple, et n'ont plus de contact avec lui, perdent dans la même mesure la foi de leurs pères, et deviennent des athées ou des indifférents. Ce que je dis est exact. C'est un fait qu'il est facile de prouver. Voilà pourquoi vous êtes tous, nous sommes tous maintenant de vils athées ou de misérables indifférents, des rien du tout. Et vous aussi, Stépane Trophimovitch, je ne fais pas d'exception pour vous, c'est même vous que je visais tout spécialement, sachez-le! »

D'ordinaire, ayant lancé une tirade de ce genre (et cela lui arrivait souvent), Chatov empoignait son chapeau et se précipitait vers la porte, fermement persuadé que tout était fini maintenant, et que ses relations amicales avec Stépane Trophimovitch étaient rompues à jamais. Mais celui-ci parvenait à l'arrêter à temps.

« Eh bien, Chatov! si l'on se réconciliait après cet échange de gentils propos », disait-il avec bonhomie en lui tendant la main.

Gauche et pudique, Chatov n'aimait pas les effusions sentimentales ; son aspect était fruste, mais son âme, délicate, je crois. Il lui arrivait souvent de perdre le sentiment de la mesure, mais il était le premier à en souffrir. En réponse aux paroles de paix de Stépane Trophimovitch il grommelait quelques mots indistincts, dansait sur place à la façon d'un ours, puis, soudain, souriait gauchement, posait son chapeau et reprenait sa chaise, les yeux toujours fixés à terre. On apportait alors du vin, bien entendu, et Stépane Trophimovitch portait un toast de circonstance, à la mémoire par exemple de l'un de ceux qui avaient illustré la génération précédente.

CHAPITRE II

LE PRINCE HARRY. PROPOSITION DE MARIAGE

I

Il existait encore au monde un être auquel Varvara Pétrovna était attachée non moins qu'à Stépane Trophimovitch : son fils unique, Nicolaï Vsévolodovitch Stavroguine. C'était pour se charger de son éducation que Stépane Trophimovitch avait été invité à s'installer à Skvoréchniki. L'enfant avait à cette époque près de huit ans ; son père, le général Stavroguine, s'était déjà séparé de Varvara Pétrovna qui veillait donc seule sur son fils. Il faut rendre cette justice à Stépane Trophimovitch qu'il réussit à gagner l'affection de son élève. Tout son secret se réduisait à ceci, que lui-même était un enfant ; je ne le connaissais pas encore en ce temps, or il avait absolument besoin d'avoir un véritable ami auprès de lui. Aussi n'hésita-t-il pas à se faire un ami du petit Nicolaï Stavroguine, dès que celui-ci sortit de la première enfance. Ils se trouvèrent tout naturellement sur un pied de parfaite égalité. Plus d'une fois il arriva à Stépane Trophimovitch de réveiller la nuit son petit ami de dix ou onze ans, uniquement pour lui déverser ses sentiments d'amertume, ou bien pour lui révéler quelque secret domestique, sans se rendre compte combien semblable indiscrétion était déplacée. Ils se jetaient dans les bras l'un de l'autre et pleuraient. L'enfant savait combien sa mère l'aimait, mais il est peu probable qu'il eût pour elle les mêmes sentiments.

Elle ne lui adressait la parole que rarement, et, bien qu'elle le laissât assez libre, il ressentait douloureusement son regard attentif qui le suivait partout. Du reste, pour tout ce qui concernait l'instruction et le développement moral de son fils, Varvara Pétrovna s'en remettait entièrement à Stépane Trophimovitch, car elle avait en lui à cette époque une confiance absolue.

Il faut croire que pour finir le précepteur détraqua quelque peu les nerfs de son élève. Quand à l'âge de seize ans on fit entrer celui-ci au lycée, c'était un adolescent pâle et malingre, étrangement taciturne et rêveur (plus tard il acquit une vigueur physique extraordinaire). Il y a lieu aussi de croire que les amis pleuraient la nuit et se jetaient dans les bras l'un de l'autre, non pas uniquement à cause d'incidents domestiques. Stépane Trophimovitch était parvenu à toucher certaines des fibres les plus secrètes de son élève, et à éveiller en lui le pressentiment encore vague de cette tristesse sacrée qu'une âme d'élite, après l'avoir goûtée, ne consentira jamais plus à échanger contre les plaisirs ordinaires. (Il existe même des amateurs qui apprécient cette tristesse bien plus que la satisfaction la plus complète, supposé que celle-ci soit possible.) En tout cas, on fit bien de séparer, quoiqu'un peu tardivement, le pupille de son mentor.

Pendant les deux premières années de ses études au lycée, le jeune homme vint passer ses vacances à la maison. Lors du séjour à Pétersbourg de Varvara Pétrovna et de Stépane Trophimovitch, il assista à quelques-unes des soirées littéraires de sa mère, se bornant à écouter et à observer. Il parlait peu et se montrait comme par le passé doux et timide. A l'égard de Stépane Trophimovitch il conservait toujours la même attitude confiante et affectueuse, tout en observant cependant une certaine réserve : il évitait visiblement d'aborder avec lui les sujets élevés et d'évoquer le passé. Ses études terminées, il choisit, sur le désir de sa mère, la carrière militaire, et entra bientôt dans l'un des plus brillants régiments de cavalerie de la garde. Il ne vint pas se faire voir en uniforme à sa mère, et ses lettres se firent rares. Varvara Pétrovna lui envoyait de quoi vivre largement, bien que depuis l'abolition du servage les revenus de ses propriétés fussent tombés si bas qu'elle ne percevait même pas la moitié des sommes qu'elle touchait autrefois. Il est vrai que grâce à son économie elle avait amassé un assez joli capital. Elle suivait avec un grand intérêt les succès de son fils dans la haute société pétersbourgeoise : là où elle avait échoué, le jeune officier, riche et plein d'espérances, réussissait brillamment. Il renoua certaines relations auxquelles elle-même ne pouvait plus songer, et on le recevait partout avec grand plaisir. Bientôt cependant des bruits fort étranges commencèrent à parvenir aux oreilles de Varvara Pétrovna : brusquement le jeune homme s'était mis à faire une noce enragée. Non qu'il jouât cependant ou s'enivrât ; il s'agissait, disait-on, d'actes de violence, de sauvagerie : de gens écrasés par des chevaux, d'une dame de la bonne société avec laquelle il avait eu une liaison et qu'il avait ensuite publiquement outragée. Cette dernière histoire présentait un caractère particulièrement cynique, ignoble. On racontait aussi qu'il se conduisait comme un bretteur, cherchant querelle aux gens et les insultant pour le plaisir de les insulter. Ces nouvelles plongèrent Varvara Pétrovna dans l'inquiétude et l'angoisse. Stépane Trophimovitch lui assura cependant que ce n'étaient là que les élans fougueux d'une nature trop richement douée, que la mer se calmerait et que tout cela, en somme, rappelait fort la jeunesse du prince Harry qui, comme nous le représente Shakespeare, se livrait à tous les excès dans la compagnie de Falstaff, Poins et mistress Quickly. Cette fois, Varvara Pétrovna ne cria pas à son ami : « Bêtises, bêtises que tout cela ! » ainsi qu'elle en avait l'habitude ces derniers temps, mais prit ses paroles au sérieux, exigea des explications plus détaillées, et lut elle-même l'immortelle chronique avec la plus grande attention. Mais Shakespeare ne la tranquillisa pas ; la ressemblance, à son avis, n'était pas aussi frappante que le prétendait Stépane Trophimovitch. Elle attendait avec fièvre une réponse aux lettres qu'elle avait écrites pour obtenir des renseignements. Les réponses ne tardèrent pas : on apprit que le prince Harry avait eu, coup sur coup, deux duels où tous les torts étaient de son côté ; l'un de ses adversaires avait été tué, l'autre, gravement blessé ; à la suite de quoi le jeune Stavroguine passa en cour martiale. Il fut condamné à la dégradation et envoyé comme simple soldat dans un régiment d'infanterie ; et encore ses juges s'étaient-ils montrés d'une indulgence extraordinaire.

En 1863, il réussit à se distinguer ; il fut décoré et promu sous-officier, puis, après un délai étrangement court, on le réintégra dans son grade. Durant cette période Varvara Pétrovna avait expédié à Pétersbourg près d'une centaine de lettres, priant et suppliant pour son fils. Dans ces circonstances exceptionnelles, elle se décida même à certaines démarches humiliantes. Dès qu'il fut de nouveau officier, le jeune homme présenta sa démission ; il ne revint cependant pas à Skvoréchniki et cessa même complètement d'écrire à sa mère. On apprit finalement par des voies détournées qu'il était rentré à Pétersbourg, mais qu'on ne le voyait plus dans la société qu'il fréquentait auparavant. Il se cachait, semblait-il. Bientôt on découvrit qu'il vivait parmi des gens étranges, le rebut de la populace pétersbourgeoise : va-nu-pieds, petits fonctionnaires miséreux, militaires en retraite pratiquant plus ou moins honnêtement la mendicité et adonnés à l'ivrognerie ; il fréquentait, paraît-il, leurs misérables familles, passait ses jours et ses nuits dans de sombres taudis et Dieu sait encore dans quels endroits louches, et ne prenait plus aucun soin de sa personne. Apparemment, il trouvait plaisir à ce genre de vie. Il ne réclamait pas d'argent à sa mère ; du reste, il avait une petite propriété que lui avait laissée son père et qui devait lui rapporter quelque chose, si peu que ce fût. Elle était affermée, disait-on, à un Allemand originaire de la Saxe. Finalement, Varvara Pétrovna obtint à force de supplications qu'il revînt auprès d'elle, et le prince Harry fit son apparition dans notre ville. C'est alors que je pus le voir pour la première fois, car je ne l'avais jamais encore rencontré jusqu'ici.

C'était un jeune homme de vingt-cinq ans, extrêmement beau et qui, je l'avoue, me frappa dès le premier abord : je m'attendais à voir une sorte de loqueteux malpropre, sentant l'eau-de-vie, au visage marqué par la débauche ; or c'était le plus élégant des gentlemen que j'eusse jamais rencontrés, fort bien mis et dont l'attitude et les manières raffinées étaient celles d'un homme de la meilleure compagnie. Je ne fus pas le seul à en être surpris : l'étonnement fut général dans notre ville, où l'on était, bien entendu, au courant de toute la biographie de M. Stavroguine y compris des détails tels que l'on ne pouvait comprendre d'où ils provenaient. Le plus surprenant, c'est que la moitié au moins de ces renseignements se révélèrent exacts. Toutes nos dames devinrent aussitôt folles de notre nouvel hôte : elles se divisèrent en deux camps bien tranchés : les unes étaient en adoration devant lui, les autres le détestaient mortellement, mais toutes en raffolaient. Certaines d'entre elles se sentaient particulièrement attirées vers lui à l'idée que son âme devait certainement recéler quelque mystère fatal ; quelques-unes se plaisaient à voir en lui un assassin. Il se trouva qu'il était instruit et possédait même des connaissances assez étendues. Certes il n'en fallait pas beaucoup pour nous éblouir ; mais il était capable de parler des questions les plus importantes qui passionnaient les esprits à cette époque et, chose particulièrement appréciable, d'en parler avec beaucoup de bon sens. Fait curieux : tout le monde, presque dès le premier jour, le trouva très sensé. Peu loquace, il était élégant sans recherche, étonnamment modeste et en même temps plus hardi, plus sûr de lui que quiconque chez nous. Nos dandys le considéraient avec envie et s'effaçaient complètement devant lui. Je fus également frappé par son visage : ses cheveux étaient noirs, d'un noir presque exagéré ; ses yeux clairs étaient par trop clairs et sereins ; son teint, délicat, d'un blanc trop pur et d'un rose trop vif ; avec cela, des dents de perle et des lèvres de corail. Bref, un très bel homme mais qui avait aussi quelque chose de repoussant. On disait que son visage ressemblait à un masque ; que ne racontait-on pas d'ailleurs, entre autres, de son extraordinaire force physique ! Sa taille était au-dessus de la moyenne. Varvara Pétrovna le contemplait avec orgueil, mais aussi non sans une certaine inquiétude. Il vécut chez nous près de six mois, menant une existence oisive, paisible, plutôt morne, allant dans le monde quand il le fallait et observant strictement les règles de notre étiquette provinciale. Le gouverneur, un parent éloigné de son père, le recevait comme un intime. Mais quelques mois s'écoulèrent, et subitement le fauve montra ses griffes.

J'indique ici en passant que notre gouverneur, ce cher et bon Ivan Ossipovitch, ressemblait quelque peu à une vieille femme, mais il était d'excellente famille et avait de hautes relations ; c'est ce qui explique qu'il ait pu se maintenir si longtemps à son poste malgré la négligence avec laquelle il traitait les affaires administratives. Généreux et hospitalier, il aurait été mieux à sa place comme maréchal de la noblesse du bon vieux temps que comme gouverneur à une époque aussi agitée que la nôtre. On disait chez nous que ce n'était pas lui mais bien Varvara Pétrovna qui gouvernait la province. Plaisanterie méchante et cependant injuste. Du reste, on ne se montrait pas avare de mots d'esprit sur ce sujet. Au contraire, Varvara Pétrovna, au cours de ces dernières années, s'était à dessein retirée de toutes les affaires d'intérêt général (malgré la grande considération que ne cessait de lui témoigner la société tout entière), et se maintenait strictement dans les limites qu'elle s'était tracées de son plein gré. Renonçant aux buts élevés qu'elle se proposait auparavant, elle entreprit soudain de gérer ses domaines, et au bout de deux ou trois ans elle réussit à leur faire rendre à peu de chose près ce qu'ils rapportaient du temps du servage. Abandonnant ses anciennes aspirations (telles que voyages à Pétersbourg, projet de revue, etc.), elle se mit à amasser et devint avare. Stépane Trophimovitch lui-même fut éloigné et reçut la permission (que sous différents prétextes il essayait d'obtenir depuis longtemps) de louer un appartement dans une autre maison. Peu à peu, Stépane Trophimovitch se mit à la traiter de femme prosaïque ou, plus plaisamment, de « prosaïque amie ». Bien entendu, il ne se permettait de telles plaisanteries que sous une forme des plus respectueuses, et après avoir longuement guetté l'instant favorable.

Nous qui étions de son entourage, nous comprenions — et Stépane Trophimovitch y était plus sensible qu'aucun de nous — que Nicolaï Vsévolodovitch concentrait en lui tous les espoirs de sa mère, qu'il était devenu l'objet de toutes ses aspirations. Sa passion pour lui datait de l'époque de ses succès dans la société pétersbourgeoise et la nouvelle de la dégradation du jeune homme ne fit qu'accroître cette passion. Et cependant, Varvara Pétrovna avait visiblement peur de son fils et se conduisait en sa présence presque comme une esclave. On voyait qu'elle redoutait de sa part quelque chose de vague, de mystérieux, dont elle-même ne se rendait pas exactement compte ; souvent elle jetait sur Nicolas [1] des regards furtifs, mais pénétrants, comme si elle essayait de le scruter pour savoir à quoi s'en tenir... Et voilà que soudain le fauve montra ses griffes.

II

Tout à coup, sans rime ni raison, notre prince se permit à l'égard de diverses personnes deux ou trois insolences incroyables : ce qu'il y avait de particulier dans ces insolences, c'est qu'elles étaient véritablement inouïes, ne ressemblant en rien aux provocations qui ont cours d'ordinaire. C'étaient à la fois des gamineries et des vilenies que le jeune homme commettait, le diable sait pourquoi, sans aucun motif. L'un des doyens de notre club, Piotr Pavlovitch Gaganov [2], homme déjà âgé et unanimement estimé, avait pris l'innocente habitude de dire à tout propos avec assurance : « Non, je ne me laisserai pas mener par le bout du nez, moi! »

Un jour, au club, à peine venait-il, à l'issue d'une discussion, de lancer cet aphorisme devant un groupe de gens appartenant presque tous à l'aristocratie locale, que Nicolaï Vsévolodovitch qui se tenait à l'écart et n'avait pas pris part à la conversation, s'approcha soudain de Piotr Pavlovitch, le saisit fortement de ses deux doigts par le bout du nez, et lui fit faire ainsi, à sa suite, deux ou trois pas à travers la salle. Le jeune homme ne pouvait nourrir aucune animosité contre M. Gaganov. On aurait pu croire que ce n'était qu'une gaminerie, certes impardonnable, mais on affirma plus tard qu'au moment même de l' « opération », Nicolaï Vsévolodovitch avait l'air songeur, « comme s'il eût perdu la raison ». Mais ce n'est que beaucoup plus tard qu'on se remémora ce détail et qu'on y réfléchit. Sur le moment, les assistants ne retinrent que l'attitude de Nicolaï Vsévolodovitch immédiatement après l'incident, quand il comprenait parfaitement ce qu'il venait de faire, mais loin de s'en montrer troublé, souriait gaîment, méchamment, « sans le moindre repentir ». On l'entoura ; tout le monde criait. Nicolaï Vsévolodovitch se tournait, sans mot dire, à droite et à gauche, semblant considérer curieusement ces gens qui criaient. Enfin, il resta de nouveau un instant songeur (c'est du moins ce que l'on raconta plus tard), fronça les sourcils, se dirigea d'un pas ferme vers Piotr Pavlovitch et balbutia d'un air visiblement ennuyé :

« Vous m'excuserez certainement... Je ne sais vraiment pourquoi j'ai eu subitement l'envie... une bêtise... »

Ce ton négligent équivalait à une nouvelle offense. Le tapage reprit de plus belle. Nicolaï Vsévolodovitch haussa les épaules et partit.

Tout cela était parfaitement stupide, d'une vilenie préméditée, calculée, à ce qu'il semblait à première vue, et qui, par conséquent, constituait un outrage voulu à notre société tout entière. C'est ainsi précisément que tous le comprirent. Pour commencer, on décida à l'unanimité de rayer immédiatement M. Stavroguine de la liste des membres du club ; ensuite il fut convenu qu'on ferait appel au nom du club au gouverneur pour le prier de mettre à la raison, en usant de ses pouvoirs administratifs (sans attendre que l'affaire passât devant les tribunaux), le dangereux forcené, « le bretteur », et de « préserver ainsi la tranquillité des honnêtes gens de toute agression funeste ». On ajoutait à cela avec une fausse naïveté qu'il « se trouverait peut-être bien une loi quelconque pour sévir même contre M. Stavroguine ». Cette phrase était spécialement destinée à piquer le gouverneur par une allusion à Varvara Pétrovna. On épilogua là-dessus avec délices. Comme par un fait exprès, le gouverneur était absent de la ville : il s'était rendu dans une localité des environs pour tenir sur les fonts baptismaux l'enfant d'une charmante veuve que son mari mort depuis peu avait laissée dans une position intéressante. Dans l'attente de son retour qu'on savait proche, on fit à la victime, le respectable Piotr Pavlovitch, une véritable ovation ; toute la ville vint le voir ; on lui serrait les mains, on l'embrassait. On proposa même d'organiser en son honneur un banquet par souscription, et l'on ne renonça à ce projet que sur ses instances. Peut-être d'ailleurs finit-on par comprendre que le malheureux, quoi qu'il en fût, avait été tiré par le nez et que, par conséquent, il n'y avait pas lieu de le fêter avec tant d'éclat.

Comment cela s'était-il produit cependant ? Comment pareille chose avait-elle pu arriver ? Le plus curieux c'est que personne dans toute la ville n'attribua cet acte sauvage à la folie. Il faut croire donc que l'on était enclin à considérer de telles actions de la part de Nicolaï Vsévolodovitch comme normales. En ce qui me concerne, aujourd'hui encore, je me sens incapable d'expliquer le fait en dépit d'un certain événement qui se produisit bientôt après, éclaira tout, sembla-t-il, et apaisa tous les esprits. J'ajouterai encore que lorsque quatre ans plus tard j'interrogeai prudemment Nicolaï Vsévolodovitch sur l'incident du club, il me répondit en fronçant les sourcils : « Oui, je n'étais pas tout à fait bien portant alors. » Mais n'anticipons pas.

Ce qui me frappa aussi, ce fut la haine unanime qui éclata soudain contre le « forcené », le « bretteur ». On voulait absolument que son acte fût un défi prémédité, un affront fait de sang-froid à la société tout entière. Vraiment cet homme n'avait réussi à se faire bien voir de personne ; tout le monde, au contraire, s'était dressé contre lui. Et pour quelle raison en somme ? Jusqu'à cet incident il ne s'était querellé avec personne ; aucun de nous n'avait reçu de lui la moindre offense, et il se montrait toujours aussi poli qu'un gentleman d'une gravure de mode qui aurait reçu le don de la parole. Je suppose qu'on le haïssait pour son orgueil. Nos dames elles-mêmes, qui avaient commencé par l'adorer, criaient maintenant après lui encore plus fort que les hommes.

Varvara Pétrovna était bouleversée. Elle avoua plus tard à Stépane Trophimovitch qu'elle avait pressenti tout cela depuis longtemps, que durant les derniers six mois elle avait été chaque jour dans l'attente de quelque chose, et précisément « de ce genre ». Aveu remarquable de la part d'une mère. « Ça commence... », songea-t-elle en frissonnant. Le lendemain de l'incident, elle essaya, discrètement mais fermement, de s'expliquer avec son fils ; malgré la résolution dont elle faisait montre, la pauvre femme était toute tremblante. Elle n'avait pas dormi de toute la nuit et, dès le matin, elle était venue prendre conseil de Stépane Trophimovitch chez qui elle pleura même, ce qui ne lui était encore jamais arrivé devant témoins. Elle aurait voulu que Nicolas lui dît au moins quelque chose, qu'il daignât s'expliquer. Mais Nicolas, toujours si poli et si respectueux envers sa mère, commença par l'écouter d'un air sérieux, renfrogné, puis brusquement se leva, lui baisa la main, et sortit sans mot dire. Et le soir du même jour éclata comme exprès un nouveau scandale qui, bien que de beaucoup moins grave et moins extraordinaire que le précédent, porta à son comble l'indignation générale.

Ce fut cette fois notre ami Lipoutine qui s'y trouva mêlé. Il vint trouver Nicolaï Vsévolodovitch aussitôt après l'explication de ce dernier avec sa mère, et le pria instamment de lui faire l'honneur d'assister à la soirée qu'il donnait le jour même à l'occasion de l'anniversaire de sa femme. Varvara Pétrovna voyait déjà depuis longtemps avec horreur les relations vulgaires qu'entretenait son fils, mais elle n'osait pas lui en parler. Il avait déjà lié connaissance avec certains personnages infimes de notre société, et était descendu même plus bas encore... Tels étaient ses goûts. Cependant, il n'était pas encore allé chez Lipoutine jusqu'ici, bien qu'il l'eût souvent rencontré. Nicolaï Vsévolodovitch devina que Lipoutine l'invitait à cause du scandale provoqué par l'incident du club, scandale dont Lipoutine devait être ravi en sa qualité de libéral, estimant sincèrement que c'était ainsi qu'il fallait traiter les doyens du club, et que le jeune homme avait parfaitement agi. Nicolaï Vsévolodovitch éclata de rire et dit qu'il viendrait.

Il y avait foule chez Lipoutine, et si la société n'était pas fort distinguée, elle était en tout cas pleine d'entrain. Vaniteux et envieux, Lipoutine ne recevait que deux fois par an, mais alors il faisait bien les choses. Stépane Trophimovitch, le plus considérable des invités, étant malade, n'avait pu venir. On servait du thé ; les hors-d'œuvre étaient abondants ; l'eau-de-vie ne manquait pas non plus. On avait réservé trois tables pour les joueurs. Dans l'attente du souper la jeunesse se mit à danser aux sons du piano. Nicolaï Vsévolodovitch vint inviter Mme Lipoutine, une petite personne très jolie et qu'il intimidait terriblement, fit avec elle deux tours de valse, puis s'assit à côté d'elle et se mit à lui raconter des histoires amusantes qui la divertirent beaucoup. Remarquant alors combien elle était jolie quand elle riait, il la saisit tout à coup par la taille, et, devant tout le monde, la baisa deux ou trois fois à pleine bouche sur les lèvres. La malheureuse, épouvantée, s'évanouit. Nicolaï Vsévolodovitch prit son chapeau, s'approcha du mari tout confus au milieu de l'émotion générale, le considéra un instant, perdit lui-même contenance et balbutia rapidement : « Ne vous fâchez pas. » Puis il sortit. Lipoutine courut après lui dans l'antichambre, l'aida à mettre sa pelisse et le reconduisit avec force saluts jusqu'au bas de l'escalier.

Mais le lendemain, cette histoire relativement innocente eut une suite assez amusante qui valut dès lors à Lipoutine une certaine considération dont il sut tirer avantage.

Vers dix heures du matin, la servante des Lipoutine, Agaphia, une fille délurée d'une trentaine d'années, à visage rubicond, se présenta chez Mme Stavroguine de la part de son maître qui l'avait chargée d'une commission pour Nicolaï Vsévolodovitch « à lui transmettre personnellement ». Le jeune homme avait mal à la tête, mais il la reçut en présence de Varvara Pétrovna qui par hasard se trouvait là.

« Serguéï Vassiliévitch (ainsi s'appelait Lipoutine) m'a ordonné de vous présenter d'abord ses salutations, dit-elle avec volubilité, et puis de m'informer de votre santé, comment vous avez dormi et comment vous vous portez après ce qui s'est passé hier. »

Nicolaï Vsévolodovitch sourit :

« Salue ton maître et remercie-le ; dis-lui aussi de ma part, Agaphia, qu'il est l'homme le plus intelligent de toute la ville.

— Et à cela mon maître m'a commandé de vous répondre, reprit avec plus de désinvolture encore Agaphia, qu'il le sait sans vous, et qu'il vous en souhaite autant.

— Tiens, tiens! Mais comment pouvait-il savoir ce que je te dirais?

— Je ne sais pas comment, mais j'étais déjà sortie et j'avais traversé la rue, quand je l'entendis qui courait après moi, et sans chapeau encore : « Agaphia, me cria-t-il, si par hasard on te répond : « Dis à ton maître » qu'il n'y a personne d'aussi intelligent que lui dans » toute la ville », ne manque pas de répliquer : « Nous » le savons nous-mêmes et vous en souhaitons autant... »

III

L'explication avec le gouverneur eut enfin lieu. A peine notre cher Ivan Ossipovitch fut-il de retour, qu'on le mit au courant de la plainte des membres du club. Il était évident qu'il fallait faire quelque chose, mais le doux Ivan Ossipovitch se trouva fort embarrassé. Notre petit vieux si hospitalier et affable, lui aussi avait un peu peur de son jeune parent, semblait-il. Il résolut néanmoins de le pousser à présenter ses excuses au club et à l'offensé, mais en due forme et par écrit s'il le fallait ; ensuite il l'engagerait gentiment à partir, à voyager, par exemple en Italie, pour son instruction, ou autre part à l'étranger. Dans la salle où il reçut cette fois Nicolaï Vsévolodovitch (d'ordinaire, en sa qualité de parent, celui-ci circulait librement dans toute la maison), un jeune fonctionnaire très correct, Aliocha Téliatnikov, homme de confiance du gouverneur, était en train de cacheter des lettres devant une table dans un coin. Dans la pièce à côté, près d'une fenêtre voisine de la porte, un colonel gros et robuste, ami et ancien camarade d'Ivan Ossipovitch, lisait *la Voix* [1] sans prêter, bien entendu, la moindre attention à ce qui se passait dans la salle ; il tournait même le dos à la porte. Ivan Ossipovitch se mit à parler à voix basse ; ayant abordé le sujet de loin il s'embrouillait quelque peu dans des circonlocutions. Nicolas montrait un visage peu amène où l'on ne distinguait nulle trace de sentiments familiaux. Il était assis, pâle, les yeux baissés, et écoutait en fronçant les sourcils comme s'il luttait contre une douleur aiguë.

« Votre cœur est bon et noble, Nicolas, lui glissa entre autres le vieillard, vous êtes un homme instruit et avez fréquenté les milieux les plus élevés ; ici même d'ailleurs vous avez toujours eu une conduite exemplaire, faisant ainsi la joie de votre mère que nous chérissons tellement... Et voilà que maintenant votre conduite apparaît sous un jour énigmatique et dangereux pour tout le monde. Je vous parle comme un ami de votre maison, comme un parent âgé qui vous aime sincèrement, et dont les paroles ne peuvent vous froisser... Dites-moi donc ce qui vous a poussé à commettre des actions aussi sauvages qui choquent les règles et les convenances ? Que signifient ces incartades qui feraient supposer que vous avez le délire ? »

Nicolaï écoutait d'un air à la fois ennuyé et impatient. Soudain quelque chose de rusé, de railleur passa dans son regard.

« Eh bien, je vais vous dire ce qui me pousse », prononça-t-il d'un air sombre, et après avoir jeté un coup d'œil circonspect, il se pencha vers Ivan Ossipovitch. Toujours correct, Aliocha Téliatnikov s'éloigna de quelques pas vers la fenêtre ; derrière son journal le colonel toussota. Le pauvre gouverneur, mis en confiance, s'empressa de tendre l'oreille ; il était fort curieux. C'est alors que se produisit une chose tout à fait incroyable, mais en un certain sens très symptomatique. Le vieillard sentit soudain qu'au lieu de lui confier un secret intéressant, Nicolas saisissait entre les dents la partie supérieure de son oreille et la serrait assez fortement. Ivan Ossipovitch tressaillit, la respiration coupée.

« Nicolas, en voilà des plaisanteries ! » gémit-il d'une voix altérée.

Aliocha et le colonel ne comprenaient pas encore ce qui se passait ; il leur semblait de l'endroit où ils étaient que les deux hommes causaient à voix basse. Cependant le visage désespéré du vieillard les inquiétait ; aussi se regardaient-ils les yeux écarquillés, se demandant s'il fallait intervenir comme il avait été convenu, ou bien attendre encore un peu. Nicolas remarqua peut-être leur hésitation et serra davantage.

« Nicolas... Nicolas ! gémit de nouveau la victime, assez plaisanté... »

Encore un moment et le malheureux vieillard serait certainement mort de peur. Mais son bourreau lui fit grâce et lâcha son oreille. Sous le coup de l'épouvante le gouverneur resta sans mouvement une bonne minute, puis il eut une sorte d'attaque. Une demi-heure plus tard, Nicolas était arrêté, conduit en attendant au corps de garde et enfermé dans un cachot sous la surveillance d'une sentinelle. La mesure était énergique, mais notre doux gouverneur était dans une colère telle qu'il s'était décidé à en assumer la responsabilité devant Varvara Pétrovna. A la stupéfaction générale, quand celle-ci, furieuse, vint en toute hâte exiger des explications d'Ivan Ossipovitch, il refusa de la recevoir. Elle n'en revenait pas, mais elle dut rentrer à la maison sans être même descendue de voiture.

Enfin tout s'expliqua. A deux heures du matin, le prisonnier qui s'était montré calme jusqu'alors et avait même dormi, se mit tout à coup à faire du scandale : il donna de furieux coups de poing dans la porte, arracha d'un effort presque surhumain le grillage de la lucarne, et brisa la vitre en se blessant aux mains. Quand l'officier de garde accourut avec ses hommes et fit ouvrir le cachot pour s'emparer du détenu et le ligoter, il se trouva que celui-ci était en proie à un violent accès de fièvre chaude. On le transporta chez sa mère. Tout s'éclaircit. Les trois docteurs de notre ville furent d'avis que trois jours avant la crise, le malade était déjà probablement dans un état voisin du délire ; il était conscient et pouvait agir avec ruse, mais il ne disposait plus ni de sa raison ni de sa volonté, ainsi que le prouvaient les faits. Il se trouvait donc que Lipoutine avait été le premier à deviner la vérité. Sensible et délicat comme il l'était, Ivan Ossipovitch en fut tout désemparé. Chose curieuse, lui aussi avait donc cru Nicolaï Vsévolodovitch parfaitement capable de commettre en ayant toute sa raison les pires folies. Les membres du club se sentirent confus aussi ; ils se montraient surpris de n'avoir pas fait attention à ce qui sautait aux yeux et de ne s'être pas arrêtés à la seule explication plausible de ces actes extravagants. Bien entendu, il y eut aussi quelques sceptiques, mais ils se laissèrent rapidement convaincre.

Nicolas garda le lit plus de deux mois. On fit venir de Moscou en consultation un médecin renommé. Toute la ville vint présenter ses hommages à Varvara Pétrovna qui pardonna à tous. Quand, au printemps, Nicolas complètement rétabli eut accepté sans la moindre objection de partir pour l'Italie, comme le lui demandait sa mère, celle-ci l'engagea en outre à faire quelques visites d'adieu et à en profiter pour présenter ses excuses à ceux qu'il avait offensés. Le jeune homme y consentit volontiers. On apprit au club qu'il avait eu avec Piotr Pavlovitch Gaganov une explication fort courtoise et qui avait pleinement satisfait ce dernier. Au cours de sa tournée de visites, Nicolaï eut une attitude très sérieuse et même quelque peu sombre. Partout, sembla-t-il, on le reçut avec les marques de la plus vive sympathie, et cependant, les gens, on ne sait pourquoi, se montraient quelque peu gênés et paraissaient être heureux de son départ. Ivan Ossipovitch versa même quelques larmes en prenant congé de lui, mais il ne put se résoudre à l'embrasser. Il faut dire que certains d'entre nous restèrent, malgré tout, persuadés que le « misérable » s'était simplement moqué des gens et que le coup de la maladie n'était pas clair.

Stavroguine se rendit également chez Lipoutine.

« Dites-moi, lui demanda-t-il, comment vous avez pu prévoir ce que je dirais de votre intelligence et charger d'avance Agaphia de me répondre ?

— C'est fort simple, repartit Lipoutine en riant. Moi aussi je vous considère comme un homme intelligent et par conséquent je connaissais d'avance votre réponse.

— Voilà tout de même une étrange coïncidence. Mais permettez, vous me considériez donc comme un homme intelligent et non pas comme un fou en m'envoyant Agaphia ?

— Oui, comme des plus intelligents et des plus sensés ; néanmoins je faisais semblant de croire que vous n'aviez pas toute votre raison... Vous-même, du reste, vous avez aussitôt compris ma pensée et m'avez délivré par l'entremise d'Agaphia un brevet d'intelligence.

— Pourtant, sur ce point vous vous trompez un peu... J'étais effectivement... souffrant, balbutia Nicolaï Vsévolodovitch en fronçant les sourcils. Bah! s'écria-t-il, croiriez-vous par hasard que je fusse capable dans mon état normal de me jeter ainsi sur les gens ? »

Lipoutine se fit petit et ne sut que répondre. Nicolaï Vsévolodovitch pâlit légèrement, du moins à ce qu'il sembla à Lipoutine.

« En tout cas, votre tournure d'esprit est très amusante, continua Stavroguine. Pour ce qui est d'Agaphia, je comprends, bien entendu, que vous me l'avez dépêchée pour me faire un affront.

— Je ne pouvais tout de même pas vous provoquer en duel!

— Ah! oui, j'ai entendu dire que le duel n'était pas votre fort.

— Qu'avons-nous besoin de copier les Français ? dit Lipoutine en se faisant de nouveau tout petit.

— Vous êtes pour les coutumes nationales ? »

Lipoutine se rencogna encore davantage dans son fauteuil.

« Bah! bah! Mais qu'est-ce que je vois? s'écria Nicolaï Vsévolodovitch en remarquant tout à coup un livre de Considérant posé bien en vue sur la table. Seriez-vous fouriériste par hasard? Pourquoi pas, en somme? Mais n'est-ce pas une traduction du français? dit-il en riant et en frappant le livre du doigt.

— Non, ce n'est pas une traduction du français, protesta Lipoutine avec une sorte de rage. C'est une traduction de la langue universelle, commune à tous les hommes, et non pas seulement du français. Une traduction de la langue de la république sociale universelle et de l'harmonie humaine! Voilà ce que c'est!

— Diable! mais cette langue n'existe pas », repartit toujours en riant le jeune homme.

Il arrive parfois qu'un détail insignifiant frappe particulièrement notre attention et persiste longtemps dans la mémoire. J'ai encore bien des choses à dire sur M. Stavroguine ; pour le moment je tiens seulement à remarquer, ne fût-ce que pour la curiosité du fait, que de toutes les impressions que lui fournit son séjour dans notre ville, l'image qui se grava le plus profondément dans son esprit fut celle de ce petit fonctionnaire provincial, de cet être insignifiant, presque abject, despote domestique, jaloux, brutal et avare, de cet usurier qui enfermait sous clef les restes des repas et les bouts de chandelle, et qui se révélait en même temps comme un apôtre fanatique de Dieu sait quelle future « harmonie sociale », et tombait en extase devant le tableau fantastique des phalanstères de l'avenir, à la réalisation prochaine desquels, en Russie, dans notre province, il croyait comme à sa propre existence. Et cela, dans cette ville où, à force de privations, il avait acheté « une maison » et épousé en secondes noces une femme avec quelque argent, où à cent verstes à la ronde il n'y avait peut-être pas un seul individu, à commencer par lui, qui ressemblât, ne fût-ce qu'extérieurement, au futur membre de cette « république sociale universelle ».

« Dieu sait comment ces gens-là sont faits! » songeait avec étonnement Nicolaï Vsévolodovitch en se rappelant parfois ce fouriériste inattendu.

IV

Le voyage de notre prince dura plus de trois ans, si bien qu'on finit par l'oublier presque dans notre ville. Nous savions cependant par Stépane Trophimovitch qu'il avait parcouru toute l'Europe et même visité l'Égypte et Jérusalem, qu'ensuite il avait poussé jusqu'en Islande avec une expédition scientifique à laquelle il s'était fait attacher. On racontait aussi qu'il avait suivi pendant un hiver les cours d'une université allemande. Il écrivait peu à sa mère, une fois tous les six mois, ou plus rarement même encore ; mais Varvara Pétrovna ne e'en montrait pas froissée. Elle acceptait sans murmurer les relations qui s'étaient établies entre eux ; mais, bien entendu, durant ces trois ans elle n'avait pas cessé un seul jour de penser avec tristesse et inquiétude à son Nicolas et de rêver à son retour. Cependant, elle ne confiait à personne ses angoisses et ses rêves, et s'était même quelque peu éloignée de Stépane Trophimovitch. Elle bâtissait certains projets sans doute et devenait, semblait-il, encore plus avare qu'auparavant, aussi se montrait-elle de plus en plus mécontente des pertes de jeu de Stépane Trophimovitch.

Au mois d'avril de cette année, elle reçut enfin de Paris une lettre de son amie d'enfance, Prascovia Ivanovna Drozdov, veuve d'un général. Elle écrivait à Varvara Pétrovna qui l'avait complètement perdue de vue depuis près de huit ans, que Nicolaï Vsévolodovitch était devenu le familier de sa maison et le grand ami de Lisa (sa fille unique), à tel point qu'il se proposait de les accompagner cet été en Suisse, à Vernet-Montreux, bien qu'il fût reçu comme un fils dans la famille du comte K... (personnage très important à Pétersbourg), actuellement à Paris. La lettre était courte et révélait clairement son but, tout en s'en tenant strictement aux faits. Varvara Pétrovna ne réfléchit pas longtemps ; sa décision fut vite prise et à la mi-avril elle partit avec sa pupille Dacha [1] (la sœur de Chatov) pour Paris, et de là se rendit en Suisse. Elle rentra en juillet, mais seule, ayant laissé Dacha chez les Drozdov ; ces dames, au dire de Varvara Pétrovna, lui avaient promis de venir chez nous à la fin d'août.

Les Drozdov eux aussi avaient une terre dans notre province ; mais les nécessités du service du général Ivan Ivanovitch (ancien ami de Varvara Pétrovna et compagnon d'armes de son mari), les avaient toujours empêchés de vivre dans leur magnifique domaine. Après la mort du général, l'année dernière, sa veuve inconsolable était partie pour l'étranger avec sa fille dans l'intention, entre autres, de faire pendant l'été une cure de raisin à Vernet-Montreux. Dès son retour en Russie elle se proposait de s'installer définitivement dans notre province. Prascovia Ivanovna possédait aussi en ville une grande maison, inhabitée depuis de longues années et dont les volets restaient clos... Les Drozdov étaient riches. Prascovia Ivanovna, de même que son amie de pension Varvara Pétrovna, était la fille d'un fermier des eaux-de-vie de l'ancien temps ; elle aussi avait apporté à son mari une grosse dot. Le capitaine de cavalerie Touchine qu'elle avait épousé en premières noces, possédait lui-même une certaine fortune ; il n'était pas dénué non plus de talents. En mourant il laissa à sa fille unique Lisa, alors âgée de sept ans, un capital assez important. Maintenant que Lisavéta Nicolaïevna avait près de vingt-deux ans, on pouvait certainement estimer sa fortune personnelle à deux cent mille roubles, sans compter celle que devait lui laisser sa mère, car celle-ci n'avait pas eu d'enfants de son second mari. Varvara Pétrovna paraissait très satisfaite de son voyage. A son avis, Prascovia Ivanovna et elle s'étaient mises d'accord ; aussitôt rentrée, elle raconta tout à Stépane Trophimovitch et se montra fort expansive, ce qui ne lui était plus arrivé depuis longtemps.

« Hourra! » s'écria Stépane Trophimovitch en faisant claquer ses doigts.

Il était ravi, d'autant plus qu'en l'absence de son amie il avait mené une existence fort triste.

En partant Varvara Pétrovna lui avait fait des adieux peu chaleureux et s'était bien gardée de communiquer ses projets à « cette commère », craignant sans doute ses bavardages. De plus, elle était irritée contre lui, ayant appris qu'il avait perdu aux cartes une assez forte somme. Mais étant encore en Suisse, elle avait eu le sentiment qu'elle devait une compensation à son ami délaissé, qu'elle traitait depuis longtemps avec trop de rigueur. Ce brusque et mystérieux départ avait profondément atteint le cœur timoré de Stépane Trophimovitch ; celui-ci du reste, comme par un fait exprès, se trouvait alors en proie à de nombreuses difficultés. Il avait à faire face à un engagement pécuniaire important et déjà ancien, qui le tourmentait beaucoup, et qu'il lui était impossible de régler sans l'aide de Varvara Pétrovna. De plus, au mois de mai de cette année, Ivan Ossipovitch, notre bon gouverneur, avait quitté son poste ayant été obligé de démissionner dans des circonstances assez fâcheuses. L'installation du nouveau gouverneur, Andréï Antonovitch von Lembke, avait eu lieu en l'absence de Varvara Pétrovna ; ce changement modifia aussitôt d'une façon très sensible l'attitude de notre société provinciale à l'égard de Varvara Pétrovna et, par conséquent, de Stépane Trophimovitch, ainsi que ce dernier put s'en convaincre d'après certains indices désagréables mais précieux. Aussi commençait-il à prendre peur en l'absence de Varvara Pétrovna. Il craignait qu'on ne l'eût déjà dénoncé comme un homme dangereux au nouveau gouverneur. D'autre part, il apprit de source sûre que certaines de nos dames avaient résolu de ne plus voir Varvara Pétrovna. La femme du nouveau gouverneur n'était attendue que vers l'automne, mais on racontait que, bien que très orgueilleuse, c'était au moins une véritable aristocrate, très différente de notre « pauvre Varvara Pétrovna ». On ne sait comment tout le monde savait, et avec force détails encore, que Mme von Lembke et Varvara Pétrovna s'étaient déjà rencontrées dans le monde autrefois, et s'étaient séparées en ennemies ; si bien que le seul nom de l'épouse du gouverneur suffisait à mettre Varvara Pétrovna mal à l'aise. L'air triomphant de Varvara Pétrovna, l'indifférence méprisante avec laquelle elle apprit l'hostilité de ces dames et les bruits qui agitaient notre société, ranimèrent le courage de Stépane Trophimovitch et lui rendirent aussitôt sa bonne humeur. Voulant gagner les bonnes grâces de son amie, il se mit à lui décrire sous une forme humoristique l'arrivée du nouveau gouverneur.

« Vous savez sans doute, *excellente amie*, dit-il en traînant sur les mots avec afféterie, ce que c'est qu'un administrateur russe en général, et en particulier un administrateur russe tout frais émoulu, nouvellement installé dans ses fonctions... *Ces interminables mots russes !...* Mais il est peu probable que vous ayez pu savoir par expérience ce que c'est que « l'ivresse administrative ».

— L'ivresse administrative ? Qu'est-ce que cela ?

— Voilà... *Vous savez chez nous... En un mot*, installez l'individu le plus insignifiant derrière le guichet d'une gare et chargez-le de vendre n'importe quels billets, et aussitôt cette nullité se croira en droit de prendre une attitude de Jupiter *pour montrer son pouvoir*, quand vous viendrez lui acheter un billet : « Attends un peu, tu vas voir... » C'est une sorte d'ivresse administrative... *En un mot...* J'ai lu qu'un sacristain de l'une de nos églises à l'étranger... *Mais c'est très curieux...* a chassé, littéralement chassé de l'église une famille anglaise très distinguée, *des dames charmantes*, juste avant le commencement de l'office du grand carême... Vous savez, ces chants et le livre de Job... uniquement sous ce prétexte que « les étrangers qui flânent dans les églises russes y introduisent le désordre et n'ont qu'à y venir, en tout cas, en dehors des heures d'office... », tant et si bien qu'une des dames s'évanouit. Ce sacristain lui aussi avait eu un accès d'ivresse administrative, *et il a montré son pouvoir.*

— Abrégez si vous pouvez, Stépane Trophimovitch.

— M. von Lembke visite maintenant sa province. En un mot, cet Andréï Antonovitch est un Allemand russe de religion orthodoxe et un fort bel homme, j'en conviens, d'une quarantaine d'années...

— Où avez-vous pris que c'était un bel homme ? Il a des yeux de bélier.

— Oui, des yeux de bélier ; mais je concède à nos dames...

— Passons à un autre sujet, Stépane Trophimovitch,

je vous en prie. A propos, y a-t-il longtemps que vous portez des cravates rouges ?

— C'est... aujourd'hui seulement...

— Faites-vous de l'exercice ? Faites-vous chaque jour vos six verstes à pied, comme vous l'a prescrit le médecin ?

— Pas... pas toujours...

— Je le pensais bien. Je m'en doutais déjà en Suisse, s'écria-t-elle d'un ton irrité. Eh bien, ce n'est pas six verstes que vous ferez maintenant, mais dix. Vous êtes devenu non seulement vieux, mais décrépit. Votre aspect m'a frappé quand je vous ai vu tantôt, malgré votre cravate rouge... Quelle idée, une cravate rouge! Continuez donc au sujet de von Lembke si vous avez vraiment quelque chose à dire, mais terminez votre histoire, je vous en prie. Je suis fatiguée.

— *En un mot*, je voulais simplement dire que c'est un de ces administrateurs qui débutent vers la quarantaine ; ils végètent misérablement et puis, tout à coup, ils deviennent quelqu'un grâce à un mariage inattendu ou par un autre moyen tout aussi désespéré... Il est parti maintenant... mais je dois vous dire qu'on s'est empressé de lui glisser dans l'oreille que je corrompais la jeunesse et propageais l'athéisme... Il s'est immédiatement renseigné.

— Mais est-ce bien vrai ?

— J'ai déjà pris mes précautions. Quand on lui a rapporté que vous « gouverniez la province », *vous savez*, il s'est permis de dire qu' « il n'en serait plus ainsi ».

— Il a vraiment dit cela ?

— Oui, qu' « il n'en serait plus ainsi », et *avec cette morgue*... Quant à son épouse, Julie Mikhaïlovna, nous aurons l'honneur de la voir ici fin août ; elle arrive directement de Pétersbourg.

— Mais pas du tout, de l'étranger. Nous nous sommes rencontrées là-bas.

— *Vraiment ?*

— A Paris et en Suisse. C'est une parente des Drozdov.

— Quelle coïncidence extraordinaire! Elle est ambitieuse, dit-on, et a de puissantes relations...

— Des bêtises! de petites relations de rien du tout. Jusqu'à quarante-cinq ans elle était restée vieille fille, sans le sou ; puis elle a attrapé ce von Lembke et, naturellement, elle veut en faire quelqu'un maintenant. Des intrigants tous les deux.

— Et il paraît qu'elle a deux ans de plus que lui ?

— Cinq ans. Sa mère, à Moscou, balayait mon seuil avec la traîne de sa robe : elle voulait à toute force se faire inviter à mes bals du temps de Nicolaï Vsévolodovitch. Et sa fille passait des nuits entières, dans un coin, sans un danseur, le front orné d'une mouche, si bien que j'en avais pitié et lui envoyais vers trois heures du matin son premier cavalier. Elle avait déjà vingt-cinq ans, mais on continuait à la faire paraître dans le monde en robe courte, comme une petite fille. Il devenait inconvenant de les recevoir.

— Je la vois d'ici cette mouche.

— Je vous le dis, j'arrive et je tombe en plein dans une intrigue. Vous venez de lire la lettre de Mme Drozdov ; que pouvait-il y avoir de plus clair ? Or qu'est-ce que je découvre ? Voilà que cette sotte de Drozdov — elle a toujours été une sotte — me regarde d'un air interrogateur, comme pour me demander pourquoi j'étais arrivée. Vous vous figurez aisément ma surprise. Et cette Lembke qui tourne autour, et avec elle ce cousin, un neveu du vieux Drozdov. Tout m'est devenu clair alors. Bien entendu, en un clin d'œil j'ai rétabli la situation, et Prascovia est passée de nouveau de mon côté. Mais que dites-vous de cette intrigue ?

— Dont vous avez, malgré tout, triomphé. Oh ! vous êtes un Bismarck !

— Sans être un Bismarck, je suis néanmoins capable de discerner la fausseté et la sottise que je rencontre sur mon chemin. Lembke, c'est la fausseté ; Prascovia, la sottise. J'ai rarement vu une femme aussi flasque ; et avec cela, ses jambes enflent, et, par-dessus tout, elle est bonne. Que peut-il y avoir de plus stupide qu'un imbécile qui serait bon ?

— Un imbécile méchant, *ma bonne amie ;* il serait encore plus bête, repartit noblement Stépane Trophimovitch.

— Vous avez peut-être raison. Vous vous souvenez certainement de Lisa ?

— *Charmante enfant.*

— Maintenant ce n'est plus une enfant, c'est une femme, et une femme qui a du caractère. Elle est ardente et généreuse ; et ce qui me plaît en elle, c'est qu'elle résiste à sa mère, cette sotte crédule. Il y eut presque toute une histoire à cause de ce cousin.

— Bah ! mais en effet, il n'est nullement parent avec Lisavéta Nicolaïevna... Aurait-il des vues sur elle ?

— Voyez-vous, c'est un jeune officier, très peu loquace, et modeste même. Je tiens toujours à être juste. Je crois que lui-même était contre cette intrigue et ne prétendait à rien ; c'est la Lembke qui manigançait tout. Il avait beaucoup d'estime pour Nicolas. Vous comprenez, tout dépend de Lisa, or quand je les ai laissés, elle était en excellents rapports avec Nicolas qui m'a promis de venir sans faute chez nous en novembre. Donc, la Lembke est seule à intriguer, et Prascovia est tout simplement aveugle. Ne me déclare-t-elle pas que mes soupçons ne sont que de la pure fantaisie ! Je lui ai répondu tout droit qu'elle n'était qu'une sotte. Et je suis prête à le répéter au jugement dernier. Si Nicolas ne m'avait pas priée de ne pas insister pour le moment, je ne serais pas partie avant d'avoir démasqué cette femme hypocrite. Par l'entremise de Nicolas elle cherchait à acquérir les bonnes grâces du comte K... Elle voulait dresser le fils contre la mère. Mais Lise tient pour nous, et quant à Prascovia, nous nous sommes mises finalement d'accord. Vous savez, Karmazinov est son parent ?

— Comment ? Il est parent avec Mme von Lembke ?

— Mais oui, parent éloigné du reste.

— Karmazinov, l'écrivain ?

— Oui, l'écrivain. Pourquoi cela vous étonne-t-il ? Certes, lui-même se considère comme un grand homme. Il est gonflé de vanité. Elle rentrera avec lui ; pour le moment, elle fait ses embarras à l'étranger ; mais il paraît qu'elle a l'intention d'organiser ici je ne sais quelles réunions littéraires. Il vient pour un mois ; il veut vendre sa dernière terre. J'ai failli le rencontrer en Suisse ; je vous assure que je n'en avais nulle envie. J'espère du reste qu'il daignera me reconnaître, moi. Dans le temps il m'écrivait et était reçu chez nous. Je voudrais que vous vous habilliez un peu mieux, Stépane Trophimovitch. Vous vous négligez de jour en jour davantage... Oh ! que vous me tourmentez ! Que lisez-vous maintenant ?

— Je... je...

— Je comprends. Toujours la même chose : les amis, les beuveries, le club, les cartes et cette réputation d'athéisme. Cette réputation ne me plaît pas, Stépane Trophimovitch. Je ne voudrais pas qu'on vous considérât comme un athée, non je ne le voudrais pas, surtout maintenant. Certes, avant, cela ne me plaisait pas non plus, car en somme ce n'est que du bavardage. Il faut le dire enfin.

— *Mais, ma chère...*

— Écoutez, Stépane Trophimovitch, pour tout ce qui concerne les connaissances scientifiques je ne suis sans doute qu'une ignorante à côté de vous. Cependant, en revenant ici j'ai beaucoup pensé à vous et j'ai acquis une conviction.

— Laquelle ?

— C'est que vous et moi nous ne sommes pas les gens les plus intelligents qui soient au monde ; il y en a de plus intelligents.

— Voilà qui est spirituel et exact. Il y en a donc qui voient plus juste que nous et, par conséquent, nous pouvons nous tromper. C'est bien cela ? *Mais, ma bonne amie*, admettons que je me trompe ; cependant je dispose de ma liberté de conscience, droit universel, suprême. J'ai le droit de ne pas être un fanatique et un cagot si cela ne me plaît pas, mais j'encourrai naturellement la haine éternelle de nombre de gens. *Et puis, comme on trouve toujours plus de moines que de raisons*, et comme je suis entièrement de cet avis...

— Comment ? Qu'avez-vous dit ?

— J'ai dit : *On trouve toujours plus de moines que de raisons*, et comme je suis...

— Ce n'est certainement pas de vous ; vous l'avez pris quelque part sans doute ?

— C'est de Pascal.

— Je le pensais bien... que ce n'était pas de vous. Pourquoi ne vous exprimez-vous jamais de cette façon, aussi fortement et brièvement au lieu de tirer toujours en longueur ? C'est bien mieux que ce que vous disiez tantôt au sujet de l'ivresse administrative.

— *Ma foi, chère...* pourquoi ? Tout d'abord, probablement parce que je ne suis tout de même pas Pascal, *et puis*... secondement, parce que nous autres Russes nous ne savons rien exprimer dans notre langue... En tout cas jusqu'ici nous n'y sommes pas encore parvenus...

— Hum! Ce n'est peut-être pas tout à fait vrai. Du moins, vous devriez inscrire ces expressions et les retenir pour vous en servir à l'occasion... Ah! Stépane Trophimovitch, je me disposais à vous parler sérieusement, très sérieusement.

— *Chère, chère amie!*

— Maintenant que tous ces Lembke, tous ces Karmazinov... Mon Dieu, comme vous vous laissez aller! Oh! comme vous me tourmentez!... Je voudrais que ces gens-là aient de l'estime pour vous, car ils ne valent pas votre petit doigt. Or, comment vous conduisez-vous? Que verront-ils? Que leur montrerai-je? Au lieu de servir d'exemple aux autres et de garder une noble attitude, vous vous entourez d'un tas de canailles, vous avez acquis des habitudes impossibles, vous vous négligez, vous ne pouvez plus vous passer de vin ni de cartes, vous ne lisez que du Paul de Kock et votre temps se passe en bavardages. Est-il permis de se lier d'amitié avec un coquin comme votre inséparable Lipoutine?

— Pourquoi donc est-il *mon inséparable?* protesta timidement Stépane Trophimovitch.

— Où est-il en ce moment? poursuivit Varvara Pétrovna d'un ton sévère, tranchant.

— Il... il vous estime infiniment, et il est parti pour S-k, où il doit entrer en possession de l'héritage laissé par sa mère.

— Il ne fait qu'hériter, me semble-t-il. Et Chatov? toujours le même?

— *Irascible, mais bon.*

— Je ne puis souffrir votre Chatov. Il est méchant et infatué de lui-même.

— Comment va Daria Pavlovna ?

— C'est de Dacha que vous voulez parler ? Quelle idée vous est venue là ? demanda Varvara Pétrovna en le regardant curieusement. Elle va bien ; je l'ai laissée chez les Drozdov... J'ai entendu parler de votre fils en Suisse, en mal et non pas en bien.

— *Oh, c'est une histoire bien bête ! Je vous attendais, ma bonne amie, pour vous raconter...*

— Assez, Stépane Trophimovitch, laissez-moi en paix. Je suis éreintée. Nous aurons encore le temps de parler à notre aise, surtout de choses désagréables. Quand vous riez, vous répandez des jets de salive ; c'est déjà de la décrépitude. Et puis, vous riez bien étrangement maintenant... Mon Dieu, que de mauvaises habitudes vous avez prises ! Karmazinov ne viendra pas chez vous ! Et ici on est déjà prêt à faire flèche de tout bois... Avec ça, vous vous êtes maintenant révélé tel que vous êtes. Mais assez... assez, je suis fatiguée. Ayez enfin pitié d'un être humain. »

Stépane Trophimovitch « eut pitié d'un être humain » ; mais il se retira fort troublé.

V

Notre ami avait en effet acquis pas mal de mauvaises habitudes, surtout en ces derniers temps. Visiblement, il se laissait aller et négligeait de plus en plus son extérieur. Il buvait davantage, avait les larmes faciles et s'énervait à tout propos ; avec cela il se montrait exagérément sensible à la beauté. Son visage avait acquis une étrange mobilité, si bien qu'il pouvait passer instantanément de l'expression la plus solennelle à la plus comique, et même à la plus sotte. Incapable de supporter la solitude, il avait toujours besoin qu'on vînt le distraire. Il fallait lui rapporter les potins et les anecdotes qui circulaient en ville, et il exigeait continuellement du nouveau. Si personne ne venait le voir, il errait tristement de chambre en chambre, s'approchait de la fenêtre, soupirait, agitait les lèvres d'un air songeur et finalement se mettait presque à pleurnicher. Il avait continuellement des pressentiments, redoutait sans cesse quelque événement inattendu, se montrait ombrageux et prêtait attention à ses rêves.

Il passa tristement la journée et la soirée, et finit par m'envoyer chercher ; il se montra fort agité et parla longuement, mais confusément. Varvara Pétrovna savait depuis longtemps qu'il ne me cachait rien. Il m'apparut à la fin que quelque chose le troublait dont lui-même peut-être ne se rendait pas tout à fait compte. D'ordinaire, quand nous nous trouvions seuls et qu'il m'avait fait part de ses peines, bientôt après on apportait une bouteille qui nous consolait quelque peu. Cette fois, le vin manquait, et il réprimait visiblement le désir d'en faire chercher.

« Qu'a-t-elle à se fâcher toujours ? répétait-il plaintivement comme un enfant, — *Tous les hommes de génie et de progrès en Russie étaient, sont et seront toujours* des joueurs et des buveurs forcenés... Or moi, je ne suis pas si joueur et si buveur que ça... Elle me reproche de ne rien écrire... Quelle étrange idée !... Pourquoi est-ce que je reste couché ? Vous devez servir d'exemple, me dit-elle, et vous dresser devant tous comme l'image même du reproche. *Mais, entre nous soit dit*, que peut faire un homme destiné à se dresser comme l'image du reproche, sinon rester couché ? Comment ne le comprend-elle pas ? »

Et j'eus enfin l'explication de cette angoisse particulière qui le torturait ce jour-là. Au cours de cette soirée il s'était à plusieurs reprises approché de la glace pour s'y contempler longuement ; finalement il se tourna vers moi et dit avec désespoir :

« *Mon cher*, je baisse. »

Jusqu'ici en effet, jusqu'à ce jour, il avait toujours gardé la certitude, en dépit des « nouveaux points de vue » et des « nouvelles idées » de Varvara Pétrovna, qu'il continuait à jouir auprès de son amie d'un grand prestige en tant que bel homme, et non pas seulement en sa qualité d'exilé ou de savant célèbre. Cette conviction flatteuse et rassurante était enracinée en lui depuis vingt ans, et de toutes ses convictions c'était peut-être celle à laquelle il lui était le plus difficile de renoncer. Avait-il déjà ce soir-là le pressentiment de la terrible épreuve que lui préparait un prochain avenir ?

VI

J'en viens maintenant à l'événement en partie comique qui marque, à proprement parler, le début de ma chronique.

Tout à la fin d'août, les dames Drozdov arrivèrent enfin dans notre ville ; leur apparition qui fut suivie de près par celle tant attendue de leur parente, la femme du nouveau gouverneur, fit sensation dans notre société. Je reviendrai plus tard sur ces événements fort curieux ; pour le moment, je mentionnerai seulement que Prascovia Ivanovna, attendue avec impatience par Varvara Pétrovna, apporta à cette dernière une nouvelle étrange et embarrassante : Nicolas avait quitté les Drozdov dès le mois de juillet et, ayant rencontré sur le Rhin le comte K... et sa famille, il les avait suivis à Pétersbourg (N. B. : le comte K... avait trois filles à marier).

« Je n'ai rien pu tirer de Lisavéta vu son orgueil et son mauvais caractère, dit Prascovia Ivanovna, mais j'ai vu de mes yeux qu'il s'était passé quelque chose entre elle et Nicolaï Vsévolodovitch. Je ne sais pas quoi, mais il me semble, ma chère amie, qu'il vous faudrait questionner à ce sujet votre Daria Pavlovna. D'après moi, Lisa s'est sentie offensée. Je suis enchantée de vous ramener enfin votre favorite et de la remettre entre vos mains : m'en voilà débarrassée. »

Ces paroles fielleuses avaient été prononcées avec une irritation extrême. Il était visible que la « femme flasque » les avait préparées depuis longtemps en savourant à l'avance leur effet. Mais Varvara Pétrovna n'était pas femme à se laisser impressionner par les phrases sentimentales et les énigmes. Elle exigea d'un ton sévère des explications précises et complètes, et Prascovia Ivanovna baissa le ton et finit même par se livrer en pleurant aux épanchements les plus intimes. Tout comme Stépane Trophimovitch, cette dame irritable mais sentimentale ressentait continuellement le besoin d'une « amitié sincère », et son principal grief contre sa fille, Lisavéta Nicolaïevna, c'était qu' « elle ne voulait pas être une amie » pour sa mère.

Il ne ressortit nettement qu'une chose de tous ses épanchements et de ses explications, c'est qu'il était survenu, en effet, un désaccord entre Lisa et Nicolas ; mais en quoi consistait-il? Prascovia Ivanovna n'avait pu s'en rendre exactement compte. Quant aux accusations portées contre Daria Pavlovna, non seulement elle finit par y renoncer, mais elle insista auprès de

Varvara Pétrovna pour que celle-ci n'attachât aucune importance à ses paroles, dites dans un moment d' « irritation ». Bref, tout cela paraissait peu clair et même louche. D'après elle, le désaccord venait du caractère « moqueur et irascible » de Lisa ; d'autre part, « Nicolaï Vsévolodovitch, fier comme il est, n'avait pu supporter ces railleries, bien que très amoureux, et avait pris lui aussi un ton railleur ». « Peu après, ajouta Prascovia Ivanovna, nous fîmes connaissance d'un jeune homme, le neveu de votre « professeur », je crois ; du reste il porte le même nom... »

« Le fils, et non pas le neveu », corrigea Varvara Pétrovna.

Prascovia Ivanovna n'avait jamais pu retenir le nom de Stépane Trophimovitch, et l'appelait toujours « le professeur ».

« Son fils ? Je veux bien, cela m'est égal. Un jeune homme comme tout le monde, très vif, désinvolte, mais rien de particulier en somme. C'est Lisa cette fois qui fut coupable : elle fut aimable avec lui dans le but de rendre jaloux Nicolaï Vsévolodovitch. Je ne l'en blâme pas trop : c'est naturel pour une jeune fille, et même gentil. Seulement, au lieu de devenir jaloux, Nicolaï Vsévolodovitch, au contraire, se lia d'amitié avec le jeune homme, faisant l'indifférent ou celui qui ne remarque rien. Lisa en fut furieuse naturellement. Bientôt après le jeune homme partit (il était pressé, je ne sais pourquoi), et Lisa se mit à tout propos à chercher noise à Nicolaï Vsévolodovitch. Ayant remarqué que celui-ci causait parfois avec Dacha, elle devint furieuse. Quelle existence ! Or les médecins m'interdisent de m'énerver ; de plus, leur lac tant vanté avait fini par m'agacer : des maux de dents et des rhumatismes, c'est tout le plaisir que j'en ai eu. Il paraît même que c'est l'une des particularités du lac de Genève : il prédispose aux maux de dents. Et voilà que Nicolaï Vsévolodovitch reçoit une lettre de la comtesse ; il fit aussitôt ses préparatifs de départ et nous quitta le même jour. Ils se sont séparés bons amis d'ailleurs ; en le conduisant à la gare, Lisa s'est montrée même très gaie et riait tout le temps. Mais ce n'était qu'une comédie. Lui parti, elle devint songeuse, cessa complètement d'en parler et m'interdit même de toucher à ce sujet. Et je vous conseille aussi, chère Varvara Pétrovna, de ne pas aborder cette question avec Lisa ; vous risqueriez de tout gâter. Tandis que si vous gardez le silence, c'est elle qui vous en parlera la première, et vous pourrez alors en apprendre davantage. A mon avis, ils se réconcilieront, à condition que Nicolaï Vsévolodovitch arrive au plus vite, ainsi qu'il l'a promis.

— Je vais lui écrire immédiatement. Si tout s'est passé comme tu le racontes, il ne s'agit que d'une petite brouille sans importance. Bêtises que tout cela ! D'ailleurs, je connais trop bien Daria. Des bêtises !

— Pour ce qui est de Dacha, je le confesse : j'ai eu tort. Ils n'eurent entre eux que des conversations banales, et toujours à haute voix. Mais toutes ces histoires m'avaient énervée. J'ai vu du reste que Lisa la traitait de nouveau avec amitié, comme auparavant. »

Varvara Pétrovna écrivit le même jour à Nicolaï Vsévolodovitch en le suppliant de rentrer ne fût-ce qu'un mois avant la date qu'il avait fixée pour son retour. Il y avait cependant quelque chose qui ne lui était pas encore clair dans cette histoire. Elle y réfléchit toute la soirée et toute la nuit. Le point de vue de Prascovia lui paraissait trop simple, trop sentimental. « Prascovia a toujours été encline à la sensiblerie, du temps même où elle était au pensionnat », songeait-elle. « Nicolas n'est pas homme à fuir devant les moqueries d'une gamine. S'il y eut vraiment brouille entre eux, la cause en fut tout autre. Quoi qu'il en soit, cet officier est ici, elles l'ont amené avec elles et il s'est installé dans leur maison en qualité de parent. Et puis, Prascovia a battu bien promptement en retraite au sujet de Daria : elle a dû certainement garder quelque chose pour elle, quelque chose qu'elle ne voulait pas me dire... »

Le lendemain matin Varvara Pétrovna avait déjà un plan qui devait lui permettre de résoudre sur-le-champ l'une au moins des questions qui la rendaient si perplexe, plan remarquable, inattendu. Qu'avait-elle au fond du cœur quand elle le conçut ? C'est bien difficile à dire et je ne prendrai pas sur moi de tirer au clair les contradictions qu'il recélait. En ma qualité de chroniqueur, je me borne à exposer les faits tels qu'ils se sont produits, aussi exactement que possible, et s'ils paraissent invraisemblables, la faute n'en est pas à moi. Je dois attester une fois de plus pourtant qu'au matin les soupçons de Varvara Pétrovna concernant Dacha s'étaient complètement dissipés ; à vrai dire, elle ne les avait jamais pris au sérieux, car elle était trop sûre de sa pupille. De plus, il lui était impossible d'admettre que son Nicolas fût capable de tomber amoureux de... Daria. Le matin, tandis que Daria versait le thé, Varvara Pétrovna la considéra longuement, attentivement, et pour la vingtième fois peut-être depuis la veille, elle se dit avec assurance : « Des bêtises tout cela ! »

Elle fit seulement la remarque que Dacha avait l'air un peu fatiguée et qu'elle paraissait encore plus silencieuse qu'auparavant, encore plus apathique. Après le thé, selon leur habitude de toujours, elles s'installèrent à leurs broderies. Varvara Pétrovna demanda à Daria de lui faire un rapport circonstancié sur son voyage à l'étranger, sur la nature, les villes, les habitants, leurs coutumes, les arts, l'industrie, sur tout ce qu'elle avait observé. Pas la moindre question sur les Drozdov et la vie qu'elle avait menée auprès de ces dames. Assise devant une petite table à ouvrage, Dacha parlait déjà depuis une demi-heure de sa voix égale, monotone, un peu faible, quand Varvara Pétrovna l'interrompit brusquement :

« Daria, dit-elle, n'as-tu rien de particulier à me confier ?

— Non, rien du tout, répondit la jeune fille après un instant de réflexion en levant sur Varvara Pétrovna ses yeux clairs.

— Rien dans l'esprit, ni sur le cœur, ni sur la conscience ?

— Rien, répéta Dacha d'une voix sourde, mais avec une sorte de morne résolution.

— Je le pensais bien. Sache, Daria, que je ne douterai jamais de toi. Maintenant, reste bien tranquille et écoute-moi. Prends cette chaise en face de moi : je veux te voir tout entière. C'est cela... Écoute, veux-tu te marier ? »

Daria eut un long regard interrogateur, point trop étonné du reste.

« Attends, tais-toi ! D'abord, il y a une différence d'âge, très grande même. Mais tu sais mieux que tout le monde combien cela importe peu. Tu es raisonnable, et il ne doit pas y avoir d'erreur dans ton existence. Du reste, c'est encore un bel homme... Bref, il s'agit de Stépane Trophimovitch, pour qui tu as toujours eu de l'estime. Eh bien ? »

Dacha eut un regard encore plus interrogateur ; cette fois elle parut étonnée et même elle rougit.

« Attends, tais-toi, ne te presse pas. Bien que tu aies quelque argent — tu figures sur mon testament —

qu'adviendra-t-il de toi quand je serai morte, même avec de l'argent? On te trompera, on te volera ton argent, et te voilà perdue. Tandis qu'en l'épousant, tu deviens la femme d'un homme connu. Vois maintenant l'autre côté de la situation : j'ai assuré son existence, mais si je viens à mourir, qu'arrivera-t-il de lui? Mais toi étant là, j'ai confiance. Attends, je n'ai pas encore terminé : il est léger, inconstant, égoïste, il peut être cruel, il a des habitudes vulgaires, mais tu dois l'apprécier, ne fût-ce que pour cette raison qu'il y a pis. Tu ne t'imagines tout de même pas que je veux me débarrasser de toi et te livrer à quelque canaille? Mais tu l'apprécieras surtout parce que je te le demande, déclara-t-elle soudain d'un ton irrité. M'entends-tu? Qu'as-tu à faire l'obstinée? »

Dacha se taisait et l'écoutait.

« Attends encore. C'est une vieille femme, mais cela vaut mieux pour toi. Il fait pitié. Il n'est même pas digne de l'amour d'une femme. Mais il mérite d'être aimé parce qu'il est absolument sans défense, et tu dois l'aimer parce qu'il est sans défense. Tu me comprends, n'est-il pas vrai? Me comprends-tu? »

Dacha fit un signe de tête affirmatif.

« J'en étais sûre, je n'en attendais pas moins de toi. Il t'aimera, car il doit t'aimer, il devra t'aimer, il devra t'adorer! cria Varvara Pétrovna d'une voix étrangement aiguë. Du reste, il deviendra amoureux de toi sans que le devoir y intervienne. Je le connais bien. Et puis, je serai là. Ne t'inquiète pas ; je serai toujours là. Il se plaindra de toi, il te calomniera, il se confiera au premier venu, il gémira sans cesse, et il t'enverra des lettres d'une chambre à l'autre, deux lettres par jour même, et néanmoins il ne pourra vivre sans toi, et c'est là le principal. Parviens à le faire obéir ; si tu n'y parviens pas, tu n'es qu'une sotte. Il te dira qu'il va se pendre, il te menacera, mais n'en crois rien. Bavardage que tout cela ! Ne crois pas ce qu'il dit ; néanmoins, ouvre l'œil : il serait bien capable de se pendre pour de bon ; on peut s'attendre à tout avec des êtres de cette espèce. Ils se pendent, non pas parce qu'ils sont forts, mais parce qu'ils sont trop faibles. Aussi, il ne faudra jamais le pousser à bout. C'est la première règle à suivre en ménage. Rappelle-toi aussi que c'est un poète. Écoute, Dacha ! Il n'y a pas de plus grand bonheur que de se sacrifier. Et de plus, tu me feras un très grand plaisir, c'est là l'essentiel. Ne t'imagine pas qu'il vient de m'échapper une sottise : je me rends compte de ce que je dis. Je suis égoïste, sois-le aussi. Mais je ne te force nullement ; tout dépend de ta volonté ; tu agiras comme tu l'auras décidé. Eh bien, qu'as-tu à rester là ? Parle !

— Cela m'est égal, Varvara Pétrovna, s'il faut absolument que je me marie, je veux bien, dit d'un ton ferme Dacha.

— S'il faut absolument ? Quelle est cette allusion ? demanda sévèrement Varvara Pétrovna en posant sur elle un regard scrutateur. »

Daria se taisait tout en enfonçant son aiguille dans le métier.

« Tu es intelligente, mais tu viens de lâcher une bêtise. Il est vrai que je tiens absolument à te marier, mais c'est tout simplement parce que l'idée m'en est venue, et non par nécessité. Et je ne te marierai qu'avec Stépane Trophimovitch. S'il n'eût pas été là, je n'aurais même pas songé à te faire épouser quelqu'un, bien que tu aies déjà vingt ans... Alors ?

— Je ferai comme il vous plaira, Varvara Pétrovna.

— Tu consens donc. Attends, tais-toi, ne te presse

pas. Je n'ai pas encore terminé : d'après mon testament tu hérites de quinze mille roubles, mais je te les remettrai dès maintenant, aussitôt après la bénédiction nuptiale. Sur cette somme, tu lui donneras huit mille roubles ; non, pas à lui, à moi. Il a une dette de huit mille roubles et je la payerai, mais il faut qu'il sache que c'est avec ton argent. Garde bien les sept mille roubles qui te resteront, ne lui donne rien. Ne t'avise jamais de payer ses dettes ; si tu les payes, ne fût-ce qu'une fois, tu auras toujours des ennuis. Du reste, je serai là. Vous recevrez de moi pour votre entretien, douze cents roubles par an, quinze cents même, y compris les dépenses extraordinaires et, en outre, je me chargerai du logement et de la table, comme je le fais pour lui à présent. Mais vous aurez à payer la domestique. Je verserai cette pension annuelle en une seule fois, entre tes mains. Sois bonne pourtant : donne-lui de temps en temps quelque chose, et permets-lui de recevoir ses amis une fois par semaine ; s'ils viennent plus souvent, mets-les dehors. Je serai là du reste. Et quand je disparaîtrai, votre pension vous sera servie jusqu'à sa mort, tu entends ? jusqu'à *sa* mort seulement, car elle n'appartient pas à toi, mais à lui. Pour ce qui est de toi, en plus des sept mille roubles que tu recevras maintenant et que tu conserveras si tu n'es pas une sotte, je te laisserai encore par testament huit mille roubles. Mais n'attends plus rien d'autre de moi. Sache-le bien. Consens-tu ? Finiras-tu par me répondre ?

— Je vous ai déjà répondu, Varvara Pétrovna.

— Rappelle-toi que tu es entièrement libre. Tu agiras comme tu veux.

— Mais permettez, Varvara Pétrovna, est-ce que Stépane Trophimovitch vous a déjà parlé à ce sujet ?

— Non, il ne m'a rien dit, et même il ne sait rien... mais attends un peu, il va parler! »

Elle se leva brusquement et jeta sur ses épaules son châle noir. Dacha rougit de nouveau en la suivant d'un regard interrogateur. Varvara Pétrovna se tourna soudain vers sa pupille, le visage empourpré de colère, et fondit sur elle comme un épervier.

« Tu es une sotte! s'écria-t-elle. Une sotte et une ingrate! Quelle idée t'est venue donc? t'imagines-tu que je puisse te compromettre, si peu même que ce soit? Mais c'est lui qui rampera à genoux pour obtenir ta main ; il doit mourir de joie, voilà comment j'arrangerai les choses. Tu dois savoir que je ne tolérerai pas qu'on t'offense. Ou bien t'imagines-tu qu'il te prendra pour tes huit mille roubles et que je cours chez lui pour te vendre? Sotte, sotte! vous n'êtes toutes que des sottes et des ingrates! Donne-moi mon parapluie. »

Et elle courut à pied chez Stépane Trophimovitch en suivant les trottoirs humides et les passerelles de bois.

VII

Elle avait dit vrai : elle n'aurait pas toléré la moindre offense envers Daria, et en ce moment-ci tout particulièrement, elle se considérait comme sa bienfaitrice. Aussi l'indignation la plus pure, la plus noble avait brusquement soulevé son âme quand elle avait surpris, en mettant son châle, le regard inquiet et méfiant de la jeune fille. Varvara Pétrovna l'aimait sincèrement depuis toujours, et c'est pour cette raison que Prascovia Ivanovna lui avait dit en parlant de Dacha : « votre favorite ». Varvara Pétrovna avait décidé, une fois pour toutes, que « le caractère de Daria ne ressemblait en rien à celui de son frère » (Ivan Chatov), qu'elle était calme et douce, capable de se sacrifier, dévouée, extraordinairement modeste, raisonnable et, surtout, pleine de gratitude. Jusqu'ici, semblait-il, Dacha avait pleinement justifié son attente. « Il n'y aura pas d'erreurs dans cette vie », avait dit Varvara Pétrovna alors que la fillette n'avait que douze ans ; et comme cette dame s'attachait toujours avec obstination et passion à tout projet, à tout rêve, à toute idée qui l'avait séduite, elle prit immédiatement la décision d'élever Dacha comme sa propre fille. Elle lui constitua un certain capital et fit venir une gouvernante, miss Creegs, qui resta dans la maison jusqu'à ce que la jeune fille eût atteint seize ans ; puis, brusquement, on ne sait pour quelle raison, l'Anglaise fut remerciée. Varvara Pétrovna fit ensuite donner des leçons à sa pupille par des professeurs du gymnase parmi lesquels se trouvait un Français authentique ; ce dernier fut, lui aussi, congédié brusquement, presque mis à la porte. Une veuve, pauvre, de famille noble, de passage en notre ville, lui donna des leçons de piano. Mais son principal professeur fut Stépane Trophimovitch. A dire vrai, c'est lui qui découvrit le premier Dacha : il s'occupait déjà de l'instruction de cette enfant, quand Varvara Pétrovna ne faisait encore aucune attention à elle. Je le répète : les enfants avaient pour Stépane Trophimovitch une affection particulière. Lisavéta Nicolaïevna Touchine travailla avec lui à partir de huit ans et jusqu'à onze ans (bien entendu, les leçons étaient gratuites, car il n'aurait pour rien au monde accepté d'honoraires de Mme Drozdov). Lui-même adorait cette enfant charmante et lui racontait sous une forme poétique l'histoire de l'humanité, et comment s'étaient développés l'univers et la terre. Ses leçons sur l'homme primitif et les peuples sauvages étaient plus captivantes que les contes arabes. Lisa se pâmait à ses récits mais, seule à la maison, elle s'amusait à imiter très drôlement Stépane Trophimovitch. Celui-ci la surprit un jour à l'improviste. Toute confuse, Lisa se jeta dans ses bras en pleurant. Lui aussi se mit à pleurer, mais d'attendrissement. Lisa partie, Stépane Trophimovitch n'eut plus que Dacha comme élève, et quand son instruction fut confiée aux professeurs de lycée, il cessa ses leçons et peu à peu se désintéressa complètement de la fillette. Les années passèrent, et un beau jour, — c'était à table, chez Varvara Pétrovna, — il fut frappé soudain du charme de la jeune fille qui avait déjà dix-sept ans. Il se mit à causer avec elle, demeura très satisfait de ses réponses et finit par proposer de lui faire un cours détaillé d'histoire de la littérature russe. Varvara Pétrovna le remercia pour cette bonne idée ; quant à Dacha, elle fut ravie. Stépane Trophimovitch prépara son cours avec un soin tout particulier, et la première leçon, consacrée à la période la plus reculée, fut extrêmement intéressante ; Varvara Pétrovna y assistait aussi. Mais lorsque Stépane Trophimovitch en terminant annonça à son élève qu'il étudierait la prochaine fois le *Dit d'Igor* [1], Varvara Pétrovna se leva soudain et déclara que cette leçon serait la dernière. Stépane Trophimovitch fit la grimace, mais garda le silence. Dacha devint toute rouge. Les choses en restèrent là. Cette histoire se passa il y a exactement trois ans.

Le pauvre Stépane Trophimovitch était seul et ne pressentait rien. Plongé dans une songerie mélancolique, il regardait de temps à autre par la fenêtre dans l'attente de la visite de quelque ami. Mais il ne venait personne. Une petite pluie fine tombait dehors, le froid commençait à se faire sentir, il allait falloir allumer le poêle. Stépane Trophimovitch soupira. Soudain une vision terrifiante apparut devant lui : Varvara Pétrovna! par un tel temps! et à pied encore! Sa surprise fut si grande qu'il en oublia de changer de costume et la reçut tel qu'il était, vêtu de son habituel gilet rose ouaté.

« *Ma bonne amie!...* s'écria-t-il faiblement en s'avançant à sa rencontre.

— Vous êtes seul, j'en suis heureuse ; je déteste vos amis. Comme vous fumez! Seigneur, quel mauvais air! Vous n'avez pas encore pris votre thé et il est déjà plus de onze heures. Votre bonheur est dans le désordre et vous ne trouvez votre plaisir que dans la saleté. Qu'est-ce que c'est que tous ces bouts de papier déchirés sur le plancher? Nastassia, Nastassia! Que fait votre Nastassia? Ouvre les fenêtres, ma chère, les portes, les vasistas, tout au large! Nous passerons en attendant dans le salon ; je suis venue pour affaire. Mais balaie donc un peu, ne fût-ce qu'une fois dans ta vie, ma chère!

— Monsieur salit tout le temps, cria Nastassia d'une voix à la fois plaintive et irritée.

— Ton affaire est de balayer, et même quinze fois par jour, s'il le faut. Comme il est laid votre salon, ajouta-t-elle en entrant dans cette pièce. Fermez bien la porte, elle pourrait nous espionner. Il faut absolument changer ces papiers. Je vous ai pourtant envoyé un tapissier avec des échantillons ; pourquoi donc n'avez-vous rien choisi? Asseyez-vous et écoutez-moi. Asseyez-vous donc, je vous en prie! Où allez-vous comme ça? Où allez-vous?

— Je... je reviens tout de suite, cria de la chambre voisine Stépane Trophimovitch. Me voici.

— Ah! vous avez changé de costume, fit-elle en

l'examinant d'un air moqueur (il avait enfilé une redingote par-dessus son gilet de laine). Cette tenue conviendra mieux, en effet... au caractère de notre entretien. Asseyez-vous donc, je vous prie. »

Elle lui expliqua toute l'affaire d'un trait, sur un ton catégorique et convaincant. Elle fit allusion aux huit mille roubles dont il avait un besoin pressant et parla aussi du détail de la dot. Stépane Trophimovitch écarquillait les yeux et frissonnait intérieurement. Il entendait bien ce qu'elle disait, mais ne le comprenait pas très nettement. Il voulait parler, mais sa voix s'étranglait dans sa gorge. Il ne savait qu'une chose, c'est que tout se ferait comme elle le disait, que discuter et refuser était peine perdue, et qu'il était irrévocablement un homme marié.

« *Mais ma bonne amie*, pour la troisième fois et à mon âge... et avec une pareille enfant, dit-il enfin. *Mais c'est* une enfant.

— Une enfant qui a vingt ans, grâce à Dieu. Ne roulez pas vos yeux ainsi, vous n'êtes pas sur la scène. Vous êtes très intelligent et savant, mais vous ne comprenez rien à la vie, vous avez besoin d'une bonne qui soit toujours auprès de vous. Quand je mourrai, que deviendrez-vous ? C'est elle qui sera votre bonne, une bonne excellente. C'est une jeune fille modeste, ferme, raisonnable. De plus, je serai là, je ne vais pas mourir tout de suite. Elle aime la vie de famille, elle est un ange de douceur. Cette heureuse idée m'est venue en Suisse ! Me comprenez-vous quand je vous dis moi-même que c'est un ange de douceur ? s'écria Varvara Pétrovna soudain furibonde. Il fait sale chez vous, mais elle introduira l'ordre et la propreté dans votre maison qui brillera comme un miroir... Eh, vous imaginez-vous que je vais vous supplier avec de profondes révérences d'accepter un tel trésor, et énumérer tous les avantages, et faire office de marieuse ? C'est vous qui devriez implorer à genoux... Oh ! homme léger et pusillanime !

— Mais... je suis un vieillard...

— Qu'est-ce que c'est que vos cinquante-trois ans ? Cinquante ans, ce n'est pas la fin, c'est le milieu de la vie. Vous êtes un bel homme, et vous le savez bien vous-même. Vous savez aussi qu'elle vous estime. Quand je mourrai, que deviendra-t-elle ? Avec vous, elle sera peut-être tranquille, et moi aussi je serai tranquille. Vous avez une situation, un nom, un cœur aimant. Vous continuerez à recevoir la pension que je considère de mon devoir de vous servir. Vous serez son sauveur peut-être, oui, vous serez son sauveur. En tout cas, ce sera un honneur pour elle. Vous formerez son caractère, vous développerez son cœur, vous dirigerez ses pensées. Que de gens périssent aujourd'hui parce qu'ils ont été mal dirigés ! D'ici là votre ouvrage sera terminé et vous ferez de nouveau parler de vous.

— Justement, balbutia-t-il, sensible à l'habile flatterie de Varvara Pétrovna, justement je pensais à me mettre à des *Récits de l'histoire d'Espagne.*

— Vous voyez, cela tombe bien.

— Mais... et elle ? lui avez-vous parlé ?

— Ne vous inquiétez pas d'elle. Et ne soyez pas si curieux. Bien entendu, vous devrez lui demander, la supplier même de vous faire cet honneur. Vous comprenez ? Mais ne vous inquiétez pas, je serai là. Du reste, vous l'aimez... »

Stépane Trophimovitch se sentit pris de vertige ; les murs se mirent à osciller autour de lui. Une idée terrible venait de se présenter à son esprit et qu'il ne parvenait pas à maîtriser.

« *Excellente amie,* fit-il d'une voix tremblante, je...

je... n'aurais jamais pu m'imaginer que vous vous décideriez à me marier... à une autre... à une autre femme...

— Vous n'êtes pas une jeune fille, Stépane Trophimovitch ; on ne marie que les jeunes filles ; vous vous mariez vous-même, observa Varvara Pétrovna d'un ton venimeux.

— *Oui, j'ai pris un mot pour un autre. Mais... c'est égal*, dit-il en posant sur elle un regard égaré.

— Je vois bien que *c'est égal*, fit-elle, méprisante. Mon Dieu! il s'évanouit! Nastassia, Nastassia! de l'eau! »

Mais il n'eut pas besoin d'eau. Il revint à lui. Varvara Pétrovna prit son parapluie.

« Je vois que ce n'est pas le moment de vous parler de tout ça...

— Oui, oui, je suis incapable...

— Mais d'ici demain vous vous serez reposé et vous aurez réfléchi. Restez à la maison. S'il arrive quelque chose, faites-moi prévenir, fût-ce la nuit. Mais ne m'envoyez pas de lettres, je ne les lirai pas. Demain, à cette même heure, je viendrai chercher votre réponse définitive, et j'espère qu'elle sera satisfaisante. Faites en sorte que nous soyons seuls et qu'il fasse propre ici, voyez un peu tout cela! Nastassia, Nastassia! »

Naturellement, le lendemain il consentit, il lui était impossible de ne pas consentir ; il y avait là en effet une circonstance toute particulière...

VIII

La terre qu'on appelait chez nous le domaine de Stépane Trophimovitch (elle confinait à Skvoréchniki et comptait une cinquantaine d' « âmes », comme on disait anciennement), avait appartenu en réalité à sa première femme et était devenue par conséquent la propriété de leur fils, Piotr Stépanovitch Verkhovensky. Stépane Trophimovitch la gérait en tant que tuteur de l'enfant qui, devenu majeur, lui délivra une procuration en règle pour administrer le domaine. Cet arrangement était avantageux pour le jeune homme : il recevait de son père mille roubles par an pour une propriété qui, depuis la libération des paysans, n'en rapportait que cinq cents (et peut-être moins encore). Comment une pareille convention avait-elle pu s'établir, Dieu seul le sait! D'ailleurs, ce millier de roubles était envoyé annuellement par Varvara Pétrovna, sans que Stépane Trophimovitch y participât d'un copeck. Il conservait les revenus de la propriété et finit même par la dévaster complètement : il l'avait affermée à un industriel et avait vendu pour la coupe, par petits lots, à l'insu de Varvara Pétrovna, le bois qui en constituait la valeur essentielle. Il aurait pu en retirer huit mille roubles, or il n'en obtint que cinq mille. Mais il lui arrivait de perdre au club des sommes si importantes qu'il craignait de s'adresser à la bourse de Varvara Pétrovna. Quand celle-ci apprit enfin la chose, de colère elle en grinça des dents. Et voilà que Piotr Stépanovitch annonçait à son père qu'il arrivait pour s'occuper lui-même de la vente de son domaine, et le chargeait de lui trouver au plus tôt un acheteur. Noble et désintéressé comme il l'était, Stépane Trophimovitch se sentait naturellement très gêné devant *ce cher enfant* (il l'avait vu pour la dernière fois, neuf ans auparavant, à Pétersbourg, quand le jeune homme était encore étudiant). Primitivement la propriété pouvait être estimée à treize ou quatorze mille roubles ; maintenant il eût été bien difficile de trouver un acquéreur à cinq mille. Sans doute, en vertu de sa procuration, Stépane Trophimovitch avait pleinement le droit de vendre la forêt ; d'autre part, en faisant entrer en ligne de compte le revenu évidemment exagéré de mille roubles, ponctuellement versé chaque année à son fils, il pouvait se considérer comme parfaitement en règle vis-à-vis de ce dernier. Mais Stépane Trophimovitch était une nature noble et élevée ; et il lui vint une idée qui lui parut très belle : quand arrivera son fils, déposer devant lui sur la table le maximum de ce qu'on pouvait espérer obtenir du domaine, soit quinze mille roubles, puis, sans faire la moindre allusion aux sommes expédiées jusqu'alors, serrer bien fort contre sa poitrine, les larmes aux yeux, *ce cher fils* et en finir ainsi avec tous les comptes. Il avait même entrepris de décrire la scène à Varvara Pétrovna non sans de prudentes circonlocutions et lui avait fait entrevoir qu'une telle action donnerait un cachet spécial à leur amitié... à l' « idée » qui les unissait, et ferait apparaître le désintéressement et la grandeur d'âme des « pères » et, en général, de l'ancienne génération par comparaison à la légèreté d'esprit de la jeunesse engouée de socialisme. Il dit encore bien d'autres choses, mais Varvara Pétrovna laissa tomber l'entretien. Elle finit pourtant par lui déclarer sèchement qu'elle acceptait d'acheter le domaine et qu'elle en donnerait le maximum de sa valeur, c'est-à-dire six ou sept mille roubles (or on aurait pu l'avoir pour quatre mille). Quant aux huit mille roubles disparus à la suite de la vente du bois, elle n'en souffla mot.

Cela se passait un mois avant le projet de mariage. Très frappé par la réponse de son amie, Stépane Trophimovitch en demeura tout troublé. Naguère on pouvait avoir encore quelque espoir que le jeune homme ne viendrait pas (quand je dis « espoir », j'emploie une expression dont se serait servi un étranger, car Stépane

Trophimovitch, en tant que père, aurait repoussé avec indignation l'idée même d'un tel espoir). Jusqu'alors les bruits qui nous parvenaient sur le compte de Pétroucha [1] étaient plutôt étranges. Ayant terminé ses études à l'Université (c'était il y a six ans), pendant quelque temps il mena à Pétersbourg une vie oisive ; puis nous apprîmes soudain qu'il avait participé à la publication d'une proclamation révolutionnaire et se trouvait sous le coup de poursuites judiciaires. Ensuite on sut qu'il s'était installé à l'étranger, en Suisse, à Genève, d'où nous conclûmes qu'il avait pris la fuite.

« J'en suis vraiment surpris, nous disait alors Stépane Trophimovitch tout confus. Pétroucha, *c'est une si pauvre tête.* Il est bon, noble, très sensible... Et comme j'étais heureux à Pétersbourg lorsque je le comparais aux autres jeunes gens! mais *c'est un pauvre sire tout de même.* Et vous savez, tout cela provient de ce manque de maturité, de ce même sentimentalisme. Ce qui les séduit dans le socialisme, c'est son côté sentimental, idéaliste et non pas son réalisme, une certaine nuance poétique, religieuse pour ainsi dire... et qu'ils ne connaissent que par ouï-dire. Mais avec tout cela, voyez dans quelle situation il me met. J'ai tant d'ennemis ici, et *là-bas* j'en ai encore davantage. On attribuera ses fautes à la mauvaise influence de son père... Mon Dieu! Pétroucha joue les chefs! En quel temps vivons-nous! »

Mais Pétroucha ne tarda pas à envoyer son adresse en Suisse, afin qu'on continuât à lui expédier sa pension : il n'était donc pas tout à fait un émigré. Et le voici maintenant qui rentrait dans son pays après un séjour de quatre ans à l'étranger, et nous annonçait sa prochaine arrivée. Bien plus même, quelqu'un s'intéressait à lui, semblait-il. Il écrivait maintenant du Midi de la Russie où il se trouvait pour une affaire très importante, bien que d'un caractère privé. Tout cela était bel et bon, mais où prendre les sept ou huit mille roubles indispensables pour parfaire la somme que Stépane Trophimovitch voulait offrir à son fils ? Et si celui-ci se mettait à faire du tapage ? si au lieu de la touchante scène de famille on allait en venir à un procès ? Quelque chose disait à Stépane Trophimovitch que le sensible Pétroucha défendrait énergiquement ses intérêts. « J'ai observé, me glissa un jour Stépane Trophimovitch, que tous ces socialistes enragés et ces communistes sont en même temps des êtres avares, et ont des âmes d'acquéreurs, de propriétaires, si bien que plus ils sont socialistes, plus ils se montrent avides. D'où cela vient-il ? Serait-ce encore là une conséquence de leur sentimentalisme ? » J'ignore si cette observation est juste ou non ; je sais seulement que Pétroucha avait appris la vente du bois et d'autres choses encore, et Stépane Trophimovitch savait que son fils était au courant de la situation. Il m'arriva de lire les lettres de Pétroucha à son père ; il écrivait fort peu, une fois par an ou plus rarement encore. Mais dans les derniers temps, après avoir annoncé son arrivée il envoya coup sur coup deux lettres, très courtes et sèches selon son habitude, et qui ne contenaient que ses instructions. Comme depuis Pétersbourg le père et le fils, obéissant à la mode, se tutoyaient, les lettres de Pétroucha ressemblaient tout à fait à ces missives que les seigneurs adressaient anciennement aux serfs chargés d'administrer leurs domaines. Et voilà maintenant que ces huit mille roubles qui doivent lever toutes les difficultés de Stépane Trophimovitch, tombent soudain du ciel grâce à la proposition de Varvara Pétrovna, celle-ci, de plus, laissant clairement entendre qu'ils ne tomberont du ciel qu'à cette seule condition. Stépane Trophimovitch consentit naturellement.

Après le départ de son amie, il m'avait fait immédiatement chercher en ayant soin de condamner sa porte pour la journée à tous les autres. Il pleura quelque peu, bien entendu, parla longuement et fort bien, tout en s'embrouillant de temps à autre, lança par hasard un calembour et en fut très satisfait, puis il eut une légère crise de cholérine ; bref tout se passa selon les règles. Pour finir, il retira d'un tiroir le portrait de sa petite Allemande décédée depuis vingt ans, et se mit à l'invoquer d'un ton plaintif : « Me pardonneras-tu ? » En général, il paraissait complètement perdu. Pour nous consoler nous bûmes une bouteille, après quoi il ne tarda pas à s'endormir d'un profond sommeil. Le lendemain matin, il fit un nœud artistique à sa cravate et s'habilla soigneusement tout en s'arrêtant maintes fois devant la glace. Il avait parfumé son mouchoir, discrètement du reste, mais aussitôt qu'il aperçut Varvara Pétrovna par la fenêtre, il s'empressa d'en prendre un autre et cacha le premier sous l'oreiller.

« C'est parfait, approuva Varvara Pétrovna quand il eut dit qu'il consentait. Tout d'abord vous faites montre d'une noble résolution, et secondement, vous écoutez la voix de la raison que vous prenez trop rarement en considération lorsqu'il s'agit de vos affaires personnelles. Du reste, inutile de se dépêcher, ajouta-t-elle en considérant le nœud de sa cravate blanche. Gardez le secret en attendant, et je me tairai aussi. Ce sera bientôt votre anniversaire ; je viendrai avec elle. Vous organiserez un thé le soir ; mais je vous en prie, ni vin, ni hors-d'œuvre ; d'ailleurs, j'arrangerai tout cela moi-même. Invitez vos amis, nous ferons le choix ensemble. La veille, s'il le faut, vous aurez un entretien avec elle, et au cours de votre soirée nous ferons simplement allusion au mariage sans l'annoncer officiellement. Après quoi, quinze jours plus tard, la noce sera célébrée aussi modestement que possible... La cérémonie terminée, vous pourriez même partir ensemble pour quelque temps, à Moscou par exemple. Je vous accompagnerai peut-être... L'essentiel maintenant est de ne rien dire à personne. »

Stépane Trophimovitch se montra surpris ; il tenta de démontrer à son amie qu'il ne pouvait agir ainsi, qu'il lui fallait absolument avoir un entretien avec sa fiancée, mais Varvara Pétrovna, brusquement irritée, lui coupa la parole :

« Qu'avez-vous besoin de lui parler ? D'abord, il se peut que la chose ne se fasse pas...

— Comment cela ? bredouilla le fiancé abasourdi.

— Oui, je verrai encore... Du reste, tout se fera comme je vous l'ai dit ; ne vous inquiétez pas, je préparerai Dacha. Vous n'avez pas besoin de vous mêler de cela. Il sera dit et fait tout ce qu'il faut ; ce n'est pas votre affaire. Pourquoi vous préoccupez-vous de cela ? Quel serait votre rôle ? Ne venez pas et n'écrivez point. Faites comme si vous ne saviez rien, je vous prie. Je me tairai aussi. »

Ayant ainsi refusé de s'expliquer, elle sortit visiblement troublée. On eût dit que le consentement trop empressé de Stépane Trophimovitch l'avait frappée. Hélas ! celui-ci ne comprenait pas du tout la situation dans laquelle il se trouvait et il ne distinguait pas encore certains aspects de la question. Au contraire, je remarquai en lui un nouveau ton, quelque peu supérieur et désinvolte. Il faisait le fier :

« Voilà qui me plaît ! s'écria-t-il en s'arrêtant devant moi et en levant les bras au ciel. Vous avez entendu ? Elle fera si bien que je finirai par refuser. Je peux perdre patience moi aussi et... dire non. « Restez chez vous, ce

» n'est pas votre affaire! » Mais pourquoi dois-je absolument me marier en fin de compte? Uniquement parce que la fantaisie lui en est venue? Mais je suis un homme sérieux et je puis refuser de me soumettre aux caprices saugrenus d'une femme fantasque. J'ai des devoirs envers mon fils et... et envers moi-même. Je fais un sacrifice. Ne le comprend-elle pas? Peut-être ai-je consenti parce que l'existence m'ennuie et que tout m'est égal. Mais elle finira par m'irriter à tel point que tout ne me sera plus égal ; je me fâcherai, et je refuserai. *Et enfin le ridicule*... Que dira-t-on au club? Que dira... Lipoutine? « Il se peut que la chose ne se fasse pas » Qu'en dites-vous? C'est le comble ça! c'est... je ne puis trouver le mot... *Je suis un forçat, un Badinguet, un homme acculé au mur!...* »

Et en même temps, à travers toutes ces lamentations, perçait une sorte de fatuité capricieuse et insouciante. Le soir, nous bûmes encore une bouteille.

CHAPITRE III

LES PÉCHÉS D'AUTRUI

I

Huit jours s'écoulèrent, et l'affaire s'amplifia encore davantage.

Je mentionnerai en passant qu'au cours de cette malheureuse semaine, je connus des moments très pénibles ; en ma qualité de confident intime je dus, en effet, passer presque tout mon temps auprès du triste fiancé. Bien que nous n'eussions vu personne pendant toute cette semaine que nous passâmes complètement seuls, ce qui le faisait surtout souffrir, c'était la honte : il avait honte, même devant moi, et à tel point que plus il se montrait franc avec moi, plus il m'en voulait pour cela. Timoré comme il l'était, il s'imaginait que toute la ville était déjà au courant de sa situation, et craignait de se montrer non seulement aux membres du club, mais à ses amis intimes. Aussi ne sortait-il pour faire sa promenade hygiénique que le soir, quand il faisait tout à fait sombre.

Au bout de huit jours, il ne savait encore pas s'il était ou non fiancé ; quoi qu'il fît, la situation demeurait obscure. Il n'avait pu voir sa fiancée, et du reste, devait-il la considérer comme sa fiancée ? devait-il même prendre au sérieux les paroles de Varvara Pétrovna ? Celle-ci s'obstinait, on ne sait pourquoi, à ne pas le recevoir. A l'une des premières lettres de Stépane Trophimovitch (et il lui en écrivit un grand nombre), elle répondit en le priant de lui épargner, pendant quelque temps, ses visites et ses lettres, vu qu'elle était très occupée ; elle-même avait à l'informer de choses fort importantes, mais attendait pour cela de trouver une minute de libre ; *le moment venu* elle l'aviserait quand elle pourrait enfin le recevoir. Quant aux lettres, elle le prévenait qu'elle les lui renverrait sans les décacheter, les considérant comme un « pur enfantillage ». Ce billet, je l'ai lu : lui-même me le montra.

Cependant, toutes ces grossièretés et l'incertitude dans laquelle il se trouvait n'étaient rien auprès de son principal souci qui le tourmentait terriblement, sans répit. C'était à cause de lui qu'il maigrissait et perdait tout courage, et c'était de lui qu'il avait honte ; mais il ne voulait à aucun prix me le confier, préférant mentir à l'occasion et ruser comme un petit garçon. Et malgré cela il m'envoyait chercher tous les jours, incapable de rester deux heures sans me voir, ayant besoin de ma présence autant que d'air ou d'eau.

Cette façon d'agir froissait quelque peu mon amour-propre. Bien entendu, j'avais deviné depuis longtemps son grand secret et percé à jour Stépane Trophimovitch. Selon ma profonde conviction en ce temps-là, la révélation de ce secret, du principal souci de notre ami, ne lui aurait pas fait honneur ; aussi, jeune comme je l'étais alors, j'étais passablement indigné de la vulgarité de ses sentiments et de la laideur de ses soupçons. Dans mon ardeur, et aussi, je l'avoue, fatigué de mon rôle de confident, je l'accusais peut-être avec quelque exagération. J'avais même la cruauté de le pousser à m'avouer tout, et cependant je me rendais compte que certaines choses étaient difficiles à avouer. Lui aussi, de son côté, voyait clair en moi, c'est-à-dire qu'il devinait que je le perçais à jour et lui en voulais, et il était furieux de ce que je lui en voulais et le perçais à jour. Mon irritation était peut-être sotte et mesquine, mais la solitude à deux est parfois préjudiciable à la vraie amitié. Il se rendait assez bien compte de certains aspects de sa situation et la jugeait même avec beaucoup de finesse quand le point qu'il se croyait obligé de tenir secret ne se trouvait pas en jeu.

« Oh! comme elle a changé! me disait-il quelquefois en parlant de Varvara Pétrovna. Elle se montrait tout autre dans nos conversations!... Figurez-vous qu'elle savait causer alors! Pourrait-on croire qu'elle avait des idées, des idées à elle! Tout est changé maintenant. Elle dit que tout cela n'était qu'un bavardage démodé. Elle méprise le passé. Maintenant, ce n'est plus qu'un commis, un gérant, une âme endurcie... et continuellement irritée...

— Mais pourquoi est-elle irritée maintenant, puisque vous avez accepté ses exigences ? »

Il me regarda d'un œil malin :

« *Cher ami*, si je ne les avais pas acceptées, elle aurait été extrêmement fâchée, ex-trê-mement... moins toutefois qu'elle ne l'est maintenant, quand j'ai accepté. »

Ayant fait ce bon mot, il se sentit mieux et le soir nous vidâmes encore une bouteille. Mais sa bonne humeur ne dura pas longtemps, et dès le lendemain, il était plus morne et abattu que jamais.

Ce qui m'agaçait le plus cependant, c'est qu'il ne se décidait pas à aller voir, comme il aurait dû le faire, Mme Drozdov et sa fille qui venaient d'arriver et désiraient elles-mêmes, à ce qu'on nous dit, revoir Stépane Trophimovitch. Elles ne cessaient de demander de ses nouvelles, ce qui ne faisait que le tourmenter davantage. Il parlait toujours de Lisavéta Nicolaïevna avec un enthousiasme qui me surprenait. Sans doute il voyait encore en elle l'enfant qu'il avait tant aimée ; mais en outre, il se figurait, je ne sais pourquoi, qu'il trouverait auprès d'elle un apaisement à ses tourments, et qu'elle l'aiderait même à résoudre tous ses doutes. Il s'attendait à trouver en Lisavéta Nicolaïevna un être extraordinaire. Et malgré cela, il ne pouvait se décider à aller la voir, tout en ayant chaque jour l'intention de le faire. Or, de mon côté, j'avais alors le plus vif désir de lui être présenté et recommandé, et ne pouvais compter pour cela que sur Stépane Trophimovitch. Je la voyais fréquemment, dans la rue bien entendu, quand elle se promenait à cheval, en amazone (elle montait une bête superbe), accompagnée du jeune homme qu'on disait son parent, un bel officier, le neveu de feu le général

Drozdov. Ces rencontres me produisaient une impression extraordinaire. Mais mon aveuglement ne fut pas de longue durée ; je compris bientôt moi-même combien mon rêve était fantastique. Si peu qu'il dura cependant, il me troubla profondément. Il est donc facile de comprendre à quel point j'étais indigné contre mon malheureux ami en le voyant s'enfermer obstinément chez lui.

Tous les membres de notre petit cercle avaient été prévenus dès le début que pendant quelque temps Stépane Trophimovitch ne pouvait recevoir personne et qu'il les priait de ne pas le déranger. Malgré mes conseils, il avait insisté pour donner à cet avis une forme en quelque sorte officielle ; sur sa demande je fis donc le tour de tous ses amis, expliquant à chacun que Varvara Pétrovna avait chargé notre « vieux » (c'est ainsi que nous désignions entre nous Stépane Trophimovitch) d'un travail très pressé : il s'agissait de mettre en ordre une correspondance ancienne qui s'étendait sur plusieurs années ; il avait donc condamné sa porte à tout le monde sauf à moi qui l'aidais. Lipoutine fut le seul que je n'eus pas le temps de prévenir ; je remettais d'un jour à l'autre ma visite car, à vrai dire, j'avais peur d'aller le voir. Je savais d'avance qu'il ne croirait pas un mot de mes explications, et s'imaginerait aussitôt qu'elles cachaient quelque mystère ; aussitôt que j'aurais le dos tourné, il courrait aux renseignements et remplirait la ville de cancans. Tandis que je me disais tout cela, je le rencontrai par hasard dans la rue. Il se trouva qu'il avait été déjà mis au courant par nos amis que je venais de renseigner. Chose étrange, non seulement il ne se montra pas curieux et ne me questionna pas sur Stépane Trophimovitch, mais quand je commençai de m'excuser d'avoir tardé à le prévenir, il m'interrompit et changea immédiatement de conversation. A vrai dire, il avait beaucoup de choses à me raconter ; il paraissait surexcité et ravi d'avoir trouvé un auditeur. Pour commencer, il me mit au courant des nouvelles de la ville, de l'arrivée de la femme du gouverneur, et de ses « nouveaux projets », puis il me dit qu'il s'était formé au club un parti d'opposition, qu'on ne jurait partout que par les nouvelles idées qui d'ailleurs convenaient bien mal à certaines gens, et ainsi de suite... Il discourut tout un quart d'heure, et si brillamment que je ne pus me décider à l'interrompre. Je le détestais, mais je dois avouer qu'il avait le don de se faire écouter, surtout lorsqu'il donnait libre cours à sa bile. Selon moi, cet homme était par nature un mouchard. Il était toujours au courant des nouvelles les plus fraîches et des potins de notre ville, en particulier des histoires scandaleuses, et l'on s'étonnait alors de constater à quel point il prenait à cœur des choses qui ne le concernaient en rien. Il m'a toujours semblé que le trait essentiel de son caractère était l'envie. Quand le soir même je racontai à Stépane Trophimovitch ma rencontre avec Lipoutine et notre conversation, à mon grand étonnement, il se montra très ému et me posa une question étrange : « Lipoutine sait-il ou non ? » J'essayai de lui démontrer qu'il était impossible que Lipoutine fût déjà mis au courant, que personne n'avait pu lui parler du projet de Varvara Pétrovna ; mais Stépane Trophimovitch tint bon.

« Vous pouvez ne pas me croire, conclut-il d'une façon inattendue, mais je suis convaincu que non seulement il est au courant de *notre* situation dans tous ses détails, mais qu'il sait encore quelque chose de plus, quelque chose que ni vous ni moi ne savons encore, que nous ne saurons peut-être jamais ou que nous apprendrons quand il sera trop tard, quand les ponts seront coupés. »

Je ne dis mot, bien que ces paroles fussent grosses de signification. Pendant les cinq jours qui suivirent il ne fut plus fait allusion à Lipoutine ; je voyais clairement que Stépane Trophimovitch regrettait beaucoup de s'être laissé entraîner et de m'avoir révélé ses soupçons.

II

Un matin, vers onze heures (c'était sept ou huit jours après que Stépane Trophimovitch eut accepté la proposition de Varvara Pétrovna), tandis que selon ma coutume je me rendais en toute hâte chez mon malheureux ami, il m'arriva une petite aventure.

Je rencontrai Karmazinov, le « grand écrivain », comme l'appelait Lipoutine. Je lisais Karmazinov depuis mon enfance. La génération précédente et même la génération actuelle connaissent bien ses romans et ses nouvelles ; quant à moi, j'en faisais mes délices. Ils étaient la joie de mon enfance et de mon adolescence. Plus tard, mon enthousiasme se refroidit quelque peu. Les romans à thèse qu'il s'était mis à publier me plaisaient moins que ses premiers ouvrages pleins de sincérité et de poésie. Pour ce qui était de ses tout derniers livres, ils ne me disaient plus rien.

D'une façon générale, — si j'ose exprimer mon opinion sur un sujet aussi délicat —, tous ces écrivains de seconde classe qui, de leur vivant, passent d'ordinaire presque pour des génies, non seulement disparaissent brusquement et sans laisser de traces dans la mémoire quand ils meurent, mais se voient souvent délaissés et oubliés même de leur vivant, aussitôt qu'une nouvelle génération vient remplacer celle qui fit leur succès. Et cela se produit chez nous avec une soudaineté étrange :

on dirait un changement de décor au théâtre. Oh! les choses se passent en ce cas tout autrement que lorsqu'il s'agit des Pouchkine, des Gogol, des Molière, des Voltaire, de tous ces grands hommes qui prononcent des paroles neuves, originales. D'ailleurs il faut dire que vers la fin de leurs jours vénérables, ces talents de second ordre baissent ordinairement d'une façon pitoyable et se survivent à eux-mêmes sans s'en rendre compte. Il arrive alors fréquemment qu'un écrivain auquel on avait longtemps attribué des idées profondes et qui devait, croyait-on, agir puissamment sur la société, finit par se révéler tellement pauvre et si vide que personne ne regrette plus qu'il se soit si vite épuisé. Mais les petits vieux grisonnants ne le remarquent pas et se fâchent. Leur vanité, tout particulièrement vers la fin de leur carrière, atteint parfois des proportions surprenantes. Ils se prennent Dieu sait pour qui, pour des divinités tout au moins! On racontait de Karmazinov qu'il tenait à ses relations avec les gens haut placés et le monde aristocratique plus encore qu'au salut de son âme. Il vous accueille à bras ouverts, disait-on, vous flatte et vous charme par sa bonhomie, surtout s'il a besoin de vous et si vous lui avez été au préalable recommandé. Mais au premier prince, à la première comtesse, à la première personne dont il craint l'opinion, il estimera de son devoir de vous marquer le plus profond dédain, en vous écartant immédiatement comme un fétu de paille, comme une mouche. Il se figure très sérieusement que c'est là une preuve de suprême bon ton. Malgré sa force de caractère et son usage du monde, il est si furieusement vaniteux, paraît-il, qu'il lui est absolument impossible de dissimuler sa susceptibilité d'écrivain, même dans les milieux où l'on ne s'intéresse pas à la littérature. Si quelqu'un par hasard lui marque de l'indifférence, il en est si vexé qu'il en garde toujours le souvenir et cherche l'occasion de se venger.

Un an auparavant j'avais lu dans une revue un article de lui, à la fois prétentieux et naïf, où il posait au poète et au psychologue. Il décrivait le naufrage d'un vapeur près de la côte anglaise ; il avait assisté lui-même aux efforts des sauveteurs et à la mort de nombreux passagers dans les flots. Mais cet article, assez long et prolixe, avait été écrit dans le seul but de faire admirer son auteur : « Regardez-moi bien, semblait-il dire à chaque ligne. Voici ce que j'éprouvais en ces instants. Que vous importe cette mer en furie, ces rochers, ce vaisseau brisé ? Ma plume habile ne vous a-t-elle pas tracé un tableau magnifique ? Qu'avez-vous à considérer cette noyée qui serre dans ses bras son enfant mort ? Admirez-moi plutôt, moi qui n'ai pu supporter ce spectacle et m'en suis détourné. Voici que je lui tourne le dos, l'horreur me saisit, je n'ai pas la force de jeter un regard en arrière, je ferme les yeux... Tout cela n'est-il pas intéressant ? » Lorsque je fis part de mon impression à Stépane Trophimovitch, celui-ci fut d'accord avec moi.

Quand le bruit de l'arrivée prochaine de Karmazinov se répandit en ville, j'eus naturellement le plus vif désir de le rencontrer et de faire sa connaissance si possible. Je savais que je pouvais y parvenir grâce à Stépane Trophimovitch, car ils avaient été amis dans le temps. Et me voilà soudain en face de Karmazinov à un carrefour. Je le reconnus aussitôt : on me l'avait indiqué trois jours auparavant comme il passait en voiture avec l'épouse de notre gouverneur.

C'était un petit vieux à l'allure guindée (du reste, il ne devait pas avoir plus de cinquante-cinq ans), au visage poupin encadré d'épaisses boucles grises qui s'échappaient de sous un haut-de-forme et s'enroulaient autour de ses petites oreilles roses. Ce visage soigneusement rasé n'était pas très beau avec ses lèvres longues et minces qui trahissaient la ruse, avec son nez un peu charnu et ses petits yeux perçants et intelligents. Ses vêtements paraissaient usagés; il avait une sorte de pèlerine comme on en aurait porté en cette saison quelque part en Suisse ou dans l'Italie du Nord. Mais tous les menus accessoires de sa toilette, tels que boutons de manchettes, faux col, face-à-main d'écaille suspendu à un ruban noir, tout cela était, bien entendu, comme chez les gens d'une tenue irréprochable. Je suis certain qu'il doit porter en été des bottines de prunelle de couleur claire avec des boutons de nacre sur le côté. Quand je le rencontrai il était arrêté au coin d'une rue et regardait attentivement autour de lui. S'apercevant que je le considérais avec curiosité, il me demanda d'une petite voix mielleuse et cependant criarde :

« Excusez-moi, quel est le plus court chemin pour aller rue des Bœufs ?

— Rue des Bœufs ? C'est tout près d'ici, m'exclamai-je, soudain très ému. Suivez cette rue tout droit jusqu'à la deuxième rue à gauche.

— Je vous remercie beaucoup. »

Maudite soit cette minute! Je crois vraiment que j'étais intimidé et le contemplais avec adoration. Il le remarqua aussitôt et devina bien entendu que je l'avais reconnu, que je savais qui il était, que je l'avais lu et le vénérais depuis mon enfance, que je me sentais tout intimidé devant lui et le considérais avec adoration. Il sourit, me salua d'un signe de tête et s'engagea dans la rue que je venais de lui indiquer. Je ne sais pourquoi je revins en arrière pour le suivre ; je ne sais pourquoi je fis une dizaine de pas à ses côtés. Il s'arrêta de nouveau.

« Ne pourriez-vous m'indiquer la station de fiacres la plus proche ? » me demanda-t-il d'une voix perçante.

Quelle voix désagréable !

« Une station de fiacres ? La plus proche se trouve... près de la cathédrale... Il y en a toujours sur la place. » Et je faillis me précipiter à la recherche d'une voiture. Je soupçonne fort que c'était ce qu'il attendait de moi. Bien entendu, je me ressaisis au même moment et ne bougeai pas ; mais il avait remarqué mon mouvement à peine ébauché, et continuait de me regarder avec son vilain sourire. C'est alors que se produisit une chose que je n'oublierai jamais.

Il laissa tout à coup tomber un petit sac qu'il tenait dans sa main gauche. Ce n'était d'ailleurs pas un sac, mais plutôt une boîte ou, pour mieux dire, un réticule dans le genre de ceux que portaient dans le temps les dames. Je ne sais exactement ce que c'était, mais je sais que je me précipitai, me semble-t-il, pour le ramasser.

Je suis absolument sûr que je ne le ramassai pas, mais on ne pouvait se tromper sur le geste que j'avais esquissé ; il m'était impossible de le dissimuler ; je rougis comme un imbécile. Le rusé personnage tira immédiatement de ces circonstances tout ce qu'il était possible d'en tirer.

« Ne vous dérangez pas, je le ramasserai moi-même », dit-il avec grâce quand il vit que je ne me baisserais pas ; mais il ramassa son réticule comme s'il m'eût devancé, me fit de nouveau un petit signe de tête et continua son chemin me laissant complètement écrasé. En somme, c'était comme si je l'avais ramassé moi-même. Durant cinq minutes je me considérai comme déshonoré complètement et pour toujours. Mais en arrivant près de la maison de Stépane Trophimovitch, j'éclatai de rire. Notre rencontre m'apparut soudain si drôle que je résolus aussitôt de procurer un moment de distraction à notre ami et de lui raconter toute la scène en la mimant.

III

Mais à mon grand étonnement, je le trouvai cette fois complètement changé. Aussitôt qu'il m'eut vu, il se précipita, il est vrai, vers moi avec une sorte d'avidité et se mit à m'écouter, mais d'un air si égaré qu'il ne comprenait visiblement pas ce que je lui disais. Cependant, à peine eus-je prononcé le nom de Karmazinov qu'il s'emporta brusquement.

« Ne me parlez pas de lui! ne prononcez pas son nom! s'écria-t-il furieux. Tenez, voyez, lisez cela! lisez! »

Il ouvrit un tiroir et jeta sur la table trois morceaux de papier, trois billets de Varvara Pétrovna griffonnés en hâte au crayon. Le premier était de l'avant-veille, le second datait d'hier et le troisième avait été apporté une heure avant mon arrivée. Tous trois se rapportaient à Karmazinov. Dénués au fond de toute importance, ils trahissaient l'inquiétude futile et ambitieuse de Varvara Pétrovna qui craignait que Karmazinov n'oubliât de lui rendre visite. Voici le premier de ces billets (d'autres l'avaient précédé probablement) :

« S'il daigne enfin vous rendre visite aujourd'hui, pas un mot sur moi, je vous en prie. Pas la moindre allusion. Ne parlez pas de moi, ne lui rappelez pas mon existence. »

« V. S. »

Celui d'hier :

« S'il se décide enfin à vous rendre visite ce matin, il serait plus digne, me semble-t-il, de ne pas le recevoir. Tel est mon point de vue ; j'ignore le vôtre. »

« V. S. »

Enfin le dernier billet :

« Je suis sûre qu'il y a un tombereau de poussière chez vous et que la fumée de tabac y rend l'air irrespirable. Je vais vous envoyer Maria et Foma ; en une demi-heure tout sera en ordre. Ne les gênez pas, et allez à la cuisine jusqu'à ce qu'ils aient fini. Je vous envoie un tapis de Boukhara et deux vases chinois ; il y a longtemps que je voulais vous en faire cadeau. Et en plus encore, mon Teniers (pour quelque temps). Vous pouvez poser les vases sur la fenêtre, quant au Teniers, accrochez-le à droite du portrait de Goethe ; il y sera plus en évidence, la lumière y est toujours bonne le matin. S'il vient finalement, recevez-le avec la politesse la plus raffinée, mais tâchez de ne parler que de choses insignifiantes, de quelque sujet scientifique, et en faisant comme si vous vous étiez quittés la veille seulement. Pas un mot sur moi. Peut-être passerai-je vous voir un instant ce soir. »

« V. S. »

« *P.-S.* — S'il ne vient pas aujourd'hui, c'est qu'il ne viendra pas du tout. »

Cette lecture me laissa fort étonné : je ne comprenais pas qu'il se mît dans un tel état pour des choses aussi insignifiantes. Mais quand je levai sur lui un regard interrogateur, je remarquai qu'il avait profité de ma lecture pour échanger son habituelle cravate blanche contre une rouge. Son chapeau et sa canne étaient posés sur la table. Ses mains tremblaient et son visage était tout pâle.

« Je me moque pas mal de ses inquiétudes! s'écria-t-il hors de lui en réponse à mon regard étonné. *Je m'en fiche!* Elle a le toupet de s'agiter au sujet de Karmazinov, et moi, je n'obtiens pas de réponse à mes lettres. Voici une lettre qu'elle m'a renvoyée sans la décacheter, la voici, sur la table, sous ce livre, sous *l'Homme qui rit*. Que m'importe qu'elle se tourmente au sujet de Ni-co-len-ka! *Je m'en fiche et je proclame ma liberté. Au diable le Karmazinov! au diable la Lembke!* j'ai caché ses vases dans l'antichambre et ai fourré le Teniers dans la commode; et j'ai exigé qu'elle me reçoive immédiatement. Vous entendez : j'ai exigé. Je lui ai envoyé par Nastassia un bout de papier, selon sa manière, écrit au crayon et non cacheté. Maintenant j'attends. Je veux que Daria Pavlovna se déclare elle-même, à la face du Ciel ou tout au moins en votre présence. *Vous me seconderez, n'est-ce pas, comme ami et témoin?* Je ne veux pas avoir à rougir, je ne veux pas de mensonges, je ne veux pas de mystères; je n'admettrai pas de mystères dans cette affaire! Qu'on m'avoue tout, franchement, simplement, noblement, et alors... alors peut-être toute cette jeunesse sera-t-elle surprise par ma grandeur d'âme!... Suis-je un gredin, monsieur? » conclut-il tout à coup en me regardant d'un air menaçant, comme si ce fût précisément moi qui le considérais comme un gredin.

J'insistai pour qu'il bût un peu d'eau; je ne l'avais jamais encore vu dans cet état. Tout en parlant, il courait d'un bout à l'autre de la chambre; mais soudain il se planta devant moi dans une attitude arrogante.

« Croyez-vous vraiment, dit-il en me toisant des pieds

à la tête, pouvez-vous supposer que moi, Stépane Verkhovensky, je n'aurai pas suffisamment de force morale pour prendre ma besace, ma besace de mendiant, la charger sur mes épaules, passer la porte et m'en aller pour toujours si l'honneur et le grand principe de la liberté l'exigent ? Ce n'est pas la première fois qu'il arrive à Stépane Verkhovensky d'opposer la grandeur d'âme au despotisme, fût-ce même au despotisme d'une femme insensée, c'est-à-dire au despotisme le plus insultant et le plus cruel qui soit sur la terre. Mais vous venez de vous permettre de sourire à mes paroles, je crois, monsieur! Oh! vous ne croyez pas que je puisse trouver en moi assez de force morale pour aller finir mes jours chez quelque marchand en qualité de précepteur ou mourir de faim sous une haie! Répondez-moi, répondez immédiatement : le croyez-vous ou ne le croyez-vous pas ? »

Je gardai le silence. Je fis même semblant d'hésiter comme si je craignais de le froisser par une réponse négative tout en ne pouvant me décider à lui répondre oui. Il y avait dans son attitude irritée quelque chose qui m'offensait, non pas personnellement, oh, non!... Mais je m'expliquerai plus tard.

Il pâlit.

« Peut-être êtes-vous fatigué de moi, G-v (c'est mon nom), et préférez-vous ne plus venir me voir ? » prononça-t-il de ce ton glacial qui précède d'ordinaire quelque terrible explosion. Je me levai brusquement, très effrayé, mais au même instant entra Nastassia qui sans un mot tendit à Stépane Trophimovitch un bout de papier, un billet écrit au crayon. Il y jeta un regard et me le lança par-dessus la table : il ne portait que ces mots de la main de Varvara Pétrovna : « Restez à la maison. »

Stépane Trophimovitch prit sans une parole sa canne et son chapeau et sortit en hâte de la chambre ; je le suivis machinalement. Soudain des voix et un bruit de pas rapides retentirent dans le corridor. Il s'arrêta comme frappé de la foudre.

« C'est Lipoutine, et je suis perdu », chuchota-t-il en me saisissant le bras.

Au même moment Lipoutine entra dans la chambre.

IV

En quoi la visite de Lipoutine pouvait-elle le « perdre », je l'ignorais ; à vrai dire, je n'attachai pas d'importance à cette phrase que j'attribuai à ses nerfs dérangés. Cependant, sa terreur était étrange et je me promis de l'observer de près.

Le seul aspect de Lipoutine, quand il entra, marquait bien qu'il avait cette fois le droit de pénétrer dans la maison en dépit de toutes les consignes. Il amenait avec lui un monsieur que je ne connaissais pas, nouvellement arrivé dans notre ville probablement. En réponse au regard hébété de Stépane Trophimovitch frappé de stupeur, Lipoutine s'écria aussitôt :

« Je vous amène un visiteur, un visiteur remarquable. Je me permets de troubler votre solitude. M. Kirilov, ingénieur civil distingué. Et surtout, il connaît votre fils, le très respectable Piotr Stépanovitch ; il le connaît intimement, et il est chargé d'une commission pour vous. Il vient d'arriver.

— Pour ce qui est de la commission, c'est vous qui ajoutez cela, fit le visiteur d'un ton sec. Il n'y a pas la moindre commission ; mais je connais effectivement Verkhovensky. Je l'ai quitté dans le gouvernement de X... il y a dix jours. »

Stépane Trophimovitch lui tendit machinalement la

main et désigna un siège ; puis il me regarda, regarda Lipoutine, et soudain, comme s'il revenait à lui, il s'empressa de s'asseoir aussi, sans se rendre compte qu'il continuait de garder sa canne et son chapeau à la main.

« Bah! Mais vous vous prépariez à sortir! Cependant on m'avait dit que vous n'étiez pas tout à fait bien à force de travailler.

— Oui, je suis un peu malade, et je voulais aller me promener... je... » — Stépane Trophimovitch s'interrompit, jeta hâtivement canne et chapeau sur le divan et rougit.

Cependant j'examinais rapidement le visiteur. C'était un jeune homme d'environ vingt-sept ans, vêtu convenablement, brun, maigre et élancé ; son visage pâle avait un reflet terreux ; ses yeux noirs paraissaient ternes. L'air songeur et distrait, il s'exprimait d'une façon brève et saccadée, modifiant étrangement l'ordre des mots, sans trop se soucier de la grammaire ; et dès qu'il avait à prononcer une phrase un peu longue, il s'embrouillait. Lipoutine avait très bien remarqué la terreur de Stépane Trophimovitch et, visiblement, il s'en réjouissait. Il s'installa sur une chaise cannée qu'il traîna presque au milieu de la chambre afin d'être à égale distance du maître de la maison et du visiteur ; ceux-ci avaient pris place sur deux divans qui se trouvaient l'un en face de l'autre. Ses regards perçants furetaient curieusement dans tous les coins.

« Il y a longtemps... que je n'ai vu Pétroucha... Vous l'avez rencontré à l'étranger? proféra avec effort Stépane Trophimovitch.

— Ici et à l'étranger.

— Alexéï Nilytch vient de rentrer de l'étranger après quatre ans d'absence, intervint Lipoutine. Il a voyagé afin de se perfectionner dans sa spécialité, et il est arrivé chez nous dans l'espoir, d'ailleurs fondé, de prendre part à la construction de notre pont de chemin de fer. Il attend maintenant une réponse de la direction. Il a connu les Drozdov, en particulier Lisavéta Nicolaïevna, par Piotr Stépanovitch. »

L'ingénieur était assis, l'air grognon, et écoutait avec une sorte de gêne et d'impatience. Il semblait mécontent de quelque chose.

« Il connaît également Nicolaï Vsévolodovitch.

— Vraiment ? demanda Stépane Trophimovitch.

— Oui, je le connais aussi.

— Il y a longtemps... très longtemps que je n'ai vu Pétroucha, et... je trouve que j'ai si peu droit au nom de père... *c'est le mot*... Et comment l'avez-vous quitté ?

— Comme ça !... Il arrive bientôt lui-même, répondit Kirilov, désireux visiblement d'en finir. Décidément, il était fâché.

— Ah ! il arrive bientôt ! Enfin... voyez-vous, il y a si longtemps que je n'ai plus vu Pétroucha, répéta Stépane Trophimovitch, incapable de sortir de cette phrase. J'attends mon pauvre enfant, vis-à-vis duquel... Oh ! oui, je me sens si coupable. Je veux dire que quand je l'ai quitté à Pétersbourg, je... bref, je le considérais comme quelqu'un de tout à fait insignifiant, *quelque chose dans ce genre*. C'était, figurez-vous, un enfant très nerveux, sensible et... craintif. Avant de se coucher il priait en se prosternant devant l'icône et traçait des signes de croix sur son oreiller de peur de mourir pendant la nuit... *Je m'en souviens*. Aucun sens du beau, du sublime, pas le moindre germe d'une grande idée quelconque... *C'était comme un petit idiot*. Mais il me semble que je m'embrouille, excusez-moi, je... Vous m'avez surpris au moment...

— Il faisait vraiment des signes de croix sur son

oreiller ? Vous dites ça sérieusement ? s'enquit l'ingénieur soudain intéressé.

— Oui.

— Je voulais m'informer. Continuez. »

Stépane Trophimovitch interrogea Lipoutine du regard.

« Je vous remercie beaucoup de votre visite, mais j'avoue qu'en ce moment... je ne suis pas en état... Mais permettez-moi de savoir votre adresse.

— Rue de l'Épiphanie, maison Philippov.

— Ah ! c'est là aussi que demeure Chatov, observai-je involontairement.

— Justement, dans la même maison, s'écria Lipoutine. Chatov occupe la mezzanine, tandis que M. Kirilov s'est installé en bas, chez le capitaine Lébiadkine. Il connaît aussi Chatov, ainsi que son épouse. Il l'a connue de très près à l'étranger.

— *Comment!* Vous savez donc quelque chose sur le malheureux mariage *de ce pauvre ami ?* Vous connaissez cette femme ? s'exclama Stépane Trophimovitch se laissant aller à son sentiment. Vous êtes le premier parmi mes connaissances qui ayez vu cette personne, et si seulement je...

— Quelle bêtise ! coupa net l'ingénieur devenu tout rouge. Comme vous grossissez toujours ce qu'on vous dit, Lipoutine ! Je ne connais aucunement la femme de Chatov, je ne l'ai vue qu'une fois, de loin, et pas de près... Chatov, je le connais. Pourquoi brodez-vous toujours ? »

Il s'agita sur son divan, saisit son chapeau, puis le reposa et, se rasseyant, fixa Stépane Trophimovitch avec une sorte de défi dans ses yeux noirs où brilla une flamme soudaine. Je ne parvenais pas à comprendre son étrange irritation.

« Excusez-moi, reprit Stépane Trophimovitch d'un ton significatif. Il s'agit peut-être d'une affaire très délicate...

— Nullement, mais c'est honteux... ce n'est pas à vous que j'ai crié « quelle bêtise ! », c'est à Lipoutine : pourquoi exagère-t-il toujours ? Si vous l'avez pris pour vous, excusez-moi. Je connais Chatov, mais je ne connais pas du tout sa femme... pas du tout.

— J'ai compris, j'ai compris. Si j'ai insisté, c'est parce que j'aime beaucoup notre ami, *notre irascible ami*, et me suis toujours intéressé... A mon avis, cet homme a trop brusquement quitté ses anciennes idées, peut-être un peu jeunes, mais justes néanmoins. Et il profère maintenant tant de choses extravagantes sur *notre sainte Russie*, que j'attribue depuis longtemps cette transformation dans son organisme — impossible de s'exprimer autrement — à quelque crise survenue dans sa vie de famille, plus exactement, à son mariage malheureux. Moi qui connais ma pauvre Russie comme ma poche, et qui ai donné toute ma vie au peuple russe, je puis vous assurer qu'il ne connaît pas le peuple russe, et que, de plus...

— Moi aussi je ne connais pas le peuple russe... pas le temps de l'étudier, interrompit brusquement l'ingénieur en s'agitant de nouveau sur son divan. Stépane Trophimovitch ayant perdu le fil de son discours, s'arrêta net.

— Mais si, il l'étudie, je vous dis qu'il l'étudie, intervint Lipoutine. Il prépare même un article extrêmement curieux sur les causes du nombre croissant des suicides en Russie, et, en général, sur les causes qui favorisent ou réduisent le nombre des suicides. Il est arrivé à des résultats surprenants. »

Kirilov s'emporta :

« Vous n'avez pas le droit, bredouilla-t-il furieux. Ce n'est pas un article. Je ne songe pas à de telles bêtises. Je vous ai parlé confidentiellement, par hasard. Ce n'est pas un article... je ne publie pas... vous n'avez pas le droit. »

Lipoutine était visiblement ravi.

« Excusez-moi, peut-être me suis-je trompé en appelant votre travail littéraire un article. Il se contente de recueillir des observations et ne touche pas au fond de la question, à son aspect moral pour ainsi dire ; il nie même complètement la morale et est partisan du nouveau principe de la destruction universelle en vue du triomphe définitif des idées saines. Il exige plus de cent millions de têtes pour établir le règne du bon sens en Europe, bien plus qu'on n'en exigeait au dernier congrès de la paix. Sous ce rapport, Alexéï Nilytch est allé plus loin que quiconque. »

L'ingénieur écoutait avec un sourire pâle et méprisant. Pendant quelques instants nous gardâmes tous le silence.

« Tout cela est stupide, Lipoutine, reprit enfin Kirilov avec une certaine dignité. Si je vous ai raconté diverses choses, et si vous vous en êtes emparé, c'est comme il vous plaira. Mais vous n'avez pas le droit... Parce que je ne dis jamais rien à personne. Je méprise, quand on parle... Si l'on a des convictions, il m'est évident... C'est sot ce que vous avez fait... Je ne discute pas des questions qui sont résolues pour moi. Je déteste discuter, je ne discute jamais...

— Et vous faites très bien peut-être, ne put s'empêcher de dire Stépane Trophimovitch.

— Je m'excuse devant vous, mais je n'en veux à personne ici, poursuivit l'ingénieur avec une sorte de fièvre. Pendant quatre ans j'ai vu peu de gens... Pendant quatre ans j'ai fort peu parlé ; je tâchais de ne rencontrer personne, à cause de mes idées qui ne concernent personne... oui, pendant quatre ans. Lipoutine a découvert cela et il se moque. Je ne suis pas susceptible, mais son sans-gêne m'agace. Si je ne vous expose pas mes idées, conclut-il tout à coup en nous considérant tous d'un regard assuré, ce n'est pas de crainte que vous ne me dénonciez au gouvernement, nullement ; je vous en prie, n'allez pas vous imaginer de telles sottises... »

Personne de nous ne répondit à ces mots ; nous nous contentâmes d'échanger un regard rapide. Lipoutine lui-même oublia de ricaner.

« Messieurs, je le regrette beaucoup, dit Stépane Trophimovitch avec fermeté en se levant de son divan, mais je ne me sens pas très bien. Excusez-moi.

— Ah ! Cela signifie que nous devons partir ! s'exclama M. Kirilov en saisissant son chapeau. Vous avez bien fait de me le dire, car je suis oublieux. »

Il se leva, s'approcha de Stépane Trophimovitch et lui tendit la main d'un geste franc.

« Je regrette que vous soyez malade. Et moi je suis venu...

— Je vous souhaite tout le succès possible chez nous, répondit Stépane Trophimovitch en lui serrant la main avec bienveillance et sans hâte. Je comprends parfaitement qu'ayant vécu, comme vous le dites, longtemps à l'étranger, à l'écart des hommes, sans penser à la Russie, vous devez nous considérer, nous autres vrais Russes, avec étonnement ; et il est tout naturel que nous éprouvions devant vous le même sentiment. *Mais cela passera*. Il n'y a qu'une chose qui me gêne : vous voulez construire notre pont et en même temps vous déclarez que vous êtes partisan de la destruction universelle. On ne vous confiera pas la construction de notre pont.

— Quoi? Comment avez-vous dit?... Ah, diable! » s'écria Kirilov stupéfait, et il éclata brusquement d'un rire gai et franc. Son visage prit une expression enfantine qui me parut lui convenir à merveille. Lipoutine se frottait les mains, ravi de la plaisanterie de Stépane Trophimovitch. Quant à moi, je ne cessais de me demander pourquoi celui-ci avait eu si peur de Lipoutine et pourquoi il s'était écrié à sa vue : « Je suis perdu! »

V

Nous nous tenions tous sur le seuil de la porte. C'était le moment où hôtes et visiteurs échangent en hâte les paroles les plus aimables avant de se séparer à leur satisfaction mutuelle.

« S'il est maussade aujourd'hui, lança soudain négligemment Lipoutine sur le point de sortir, c'est parce qu'il vient de se disputer avec le capitaine Lébiadkine à propos de la sœur de celui-ci. Le capitaine Lébiadkine corrige chaque jour à coups de nagaïka, soir et matin, sa charmante sœur qui est folle. Alexéï Nilytch s'est même décidé à déménager dans un pavillon attenant à la maison pour ne pas assister à ces exécutions. Eh bien, au revoir!

— Sa sœur? une folle? à coups de nagaïka? s'écria Stépane Trophimovitch comme s'il eût reçu lui-même un coup de nagaïka. Quelle sœur? quel Lébiadkine? »

Sa terreur le reprit instantanément.

« Lébiadkine? c'est un capitaine en retraite; autrefois il se faisait appeler capitaine en second...

— Que m'importe son grade! De quelle sœur s'agit-il? Mon Dieu!... Vous dites Lébiadkine? Mais nous avions ici un certain Lébiadkine autrefois?

— C'est le même, c'est toujours *notre* Lébiadkine ; vous souvenez-vous, chez Virguinsky ?

— Mais celui-là écoulait de faux billets ?

— Eh bien, il est revenu, depuis près de trois semaines, et dans des circonstances toutes particulières.

— Mais c'est un gredin !

— Comme s'il ne pouvait y avoir de gredin dans notre ville ! dit Lipoutine en souriant ; ses petits yeux faux semblaient tâter Stépane Trophimovitch.

— Mon Dieu, ce n'est pas cela que je voulais dire... Pour ce qui est des gredins, je suis tout à fait d'accord avec vous, précisément avec vous. Mais ensuite, ensuite ? Que vouliez-vous dire ? Car il est certain que ce n'est pas sans intention que vous avez parlé de Lébiadkine.

— Oh ! tout cela est si peu important !... Il y a lieu de croire que ce capitaine nous avait quittés non pas à cause des faux billets, mais uniquement pour mettre la main sur sa sœur qui, dit-on, se cachait quelque part. Maintenant il l'a amenée ici. Voilà toute l'histoire. Pourquoi avez-vous l'air si effrayé, Stépane Trophimovitch ? Du reste je ne fais que répéter ses bavardages d'ivrogne ; quand il n'a pas bu, il tient sa langue. C'est un homme irascible et de très mauvais goût, bien qu'il pose à un certain chic militaire. Quant à sa sœur, elle est folle et boiteuse par-dessus le marché. Il paraît qu'elle fut séduite et que M. Lébiadkine touche régulièrement depuis de longues années un certain tribut du séducteur, en paiement en quelque sorte de l'offense qui fut faite à son honneur familial. C'est ce qui ressort, en tout cas, de son bavardage. Mais selon moi ce ne sont que paroles d'ivrogne. Il se vante, tout simplement. Les affaires de ce genre ne reviennent pas si cher que cela. Mais il est indubitable qu'il a de l'argent : il y a six semaines il allait nu-pieds, et maintenant, je lui ai vu moi-même des billets de cent roubles entre les mains. La sœur a presque chaque jour je ne sais quelles crises ; elle pousse des cris perçants, et lui, il la corrige à coups de nagaïka. Il faut apprendre le respect aux femmes, dit-il. Je ne comprends vraiment pas comment Chatov supporte cela et continue à demeurer dans la même maison. Alexéï Nilytch en a eu assez au bout de trois jours, et s'est installé dans le pavillon à côté pour fuir le bruit. Il les connaît depuis Pétersbourg.

— Est-ce vrai tout cela ? demanda Stépane Trophimovitch à l'ingénieur.

— Vous bavardez bien trop, Lipoutine, marmotta Kirilov furieux.

— Toujours des mystères, des secrets ! Qu'est-ce que c'est que tous ces mystères et ces secrets qui surgissent autour de nous ! » s'exclama Stépane Trophimovitch incapable de se contenir.

L'ingénieur fronça les sourcils, rougit, haussa les épaules et se dirigea vers la porte.

« Alexéï Nilytch lui a même arraché la nagaïka des mains, puis l'a brisée et l'a jetée par la fenêtre ; ils se sont fortement disputés à cette occasion, ajouta Lipoutine.

— Qu'avez-vous à raconter tout cela, Lipoutine ? Pourquoi ? C'est stupide, dit Kirilov en faisant aussitôt demi-tour.

— Et pourquoi cacher par modestie les mouvements généreux de son âme ? Je parle de la vôtre, je ne parle pas de la mienne.

— Comme c'est stupide... et parfaitement inutile... Lébiadkine est bête, et nul, et l'on ne peut rien en faire... il est nuisible même. Pourquoi bavarder ainsi ? Je m'en vais.

— Ah, quel dommage ! s'écria Lipoutine avec un sourire candide. Et moi qui voulais vous distraire,

Stépane Trophimovitch, en vous racontant une autre petite histoire. C'était même le but de ma visite ; mais vous l'avez déjà entendue sans doute... Ce sera pour la prochaine fois : Alexéï Nilytch est si pressé... Au revoir. Cette petite histoire concerne Varvara Pétrovna. Elle m'a bien amusé avant-hier ; ne voilà-t-il pas qu'elle me fait chercher! C'est à mourir de rire! Au revoir. »

Mais alors Stépane Trophimovitch ne voulut plus le lâcher ; il le prit par les épaules, lui fit faire demi-tour, le ramena dans la chambre et l'assit sur une chaise. Lipoutine eut même un peu peur.

« Eh bien, voici, commença-t-il en jetant à Stépane Trophimovitch un regard prudent. Un beau jour elle me fait appeler et me demande « confidentiellement » mon opinion sur Nicolaï Vsévolodovitch : est-il ou non sain d'esprit? N'est-ce pas étonnant?

— Vous êtes fou », murmura Stépane Trophimovitch. Et soudain il éclata :

« Vous savez très bien, Lipoutine, que vous n'êtes venu que pour me raconter quelque ignoble histoire de ce genre... ou pis encore... »

Aussitôt je me rappelai les soupçons de Stépane Trophimovitch : Lipoutine en savait non seulement plus long que nous au sujet de notre affaire, mais il était encore au courant de choses que nous ne saurions jamais.

« Stépane Trophimovitch, de grâce! marmotta Lipoutine jouant la terreur. Que dites-vous!

— Assez! Dites tout. Je vous prie instamment, monsieur Kirilov, de rentrer et d'assister à notre conversation, je vous en prie. Asseyez-vous. Et maintenant, Lipoutine, commencez, allez-y, et sans préambule.

— Si j'avais su que cela vous frapperait à ce point, je n'aurais même pas commencé... Mais je m'imaginais que Varvara Pétrovna vous avait déjà mis au courant.

— Vous saviez parfaitement qu'il n'en était rien. Allez-y, je vous dis!

— Mais asseyez-vous aussi, je vous en prie. Si je reste assis tandis que vous courez tout énervé à travers la chambre, je m'embrouillerai... »

Stépane Trophimovitch se contint et s'installa avec dignité dans un fauteuil. L'ingénieur fixa le plancher d'un air sombre. Lipoutine les considérait tous deux avec une jouissance intense.

« Comment parler maintenant!... je suis tout confus... »

VI

« Avant-hier je reçois la visite d'un domestique de Varvara Pétrovna : « Madame vous demande, me dit-il, » de passer chez elle demain à midi. » Imaginez-vous cela! Je quitte mes occupations et à midi précis je sonne à sa porte. On m'introduit au salon. Au bout d'une minute, elle paraît, me fait asseoir, s'assied en face de moi. Je n'en crois pas mes yeux. Vous savez bien comme elle m'a toujours traité! Elle va droit au but, selon son habitude : « Vous vous souvenez, dit-elle, qu'il y a » quatre ans, Nicolaï Vsévolodovitch, étant malade, » commit quelques actions étranges qui surprirent tout » le monde jusqu'au jour où tout s'expliqua. L'une de » ces actions vous concernait personnellement. Sur mon » désir, Nicolaï Vsévolodovitch, aussitôt rétabli, alla vous » rendre visite. Je sais d'autre part que vous aviez déjà » eu plusieurs conversations auparavant. Dites-moi » donc franchement, en tout sincérité, quelle était alors... » (elle se troubla un peu ici), quelle était votre opinion » sur Nicolaï Vsévolodovitch... Que pensiez-vous de

» lui en général... et quelle idée vous formez-vous de lui
» maintenant?... »

» Ici, elle se troubla complètement, à tel point qu'elle garda le silence une minute entière et rougit. J'en fus même fort effrayé. Puis elle reprit, et d'un ton, je ne dirai pas touchant (car ce terme ne lui convient pas), mais significatif :

« Je veux, dit-elle, que vous me compreniez bien et
» qu'il n'y ait pas de malentendu entre nous. Je vous ai
» envoyé chercher, parce que je vous considère comme
» un homme perspicace et intelligent, capable de voir les
» choses comme elles sont. Vous vous rendez compte
» aussi que c'est une mère qui s'adresse à vous (vous
» voyez quels compliments!). Nicolaï Vsévolodovitch a
» éprouvé certains malheurs au cours de son existence et
» a connu des hauts et des bas. Tout cela a pu agir sur
» l'état de son esprit. Bien entendu, je ne parle pas de
» folie, il ne peut s'agir de cela (ce fut dit avec force,
» fièrement). Mais il y a peut-être en lui une certaine sin-
» gularité dans les idées, une tendance bizarre à envisa-
» ger les choses d'un point de vue particulier. » (Ce sont les propres paroles de Varvara Pétrovna, et je ne pus m'empêcher d'être surpris, Stépane Trophimovitch, de la netteté de ses explications. Oh! c'est une dame d'une grande intelligence!) « J'ai moi-même observé en lui une
» agitation continuelle et certaines tendances étranges.
» Mais je suis sa mère, et vous êtes un étranger ; je vous
» supplie donc (oui, elle dit bien : «je vous supplie donc»),
» de me dire toute la vérité, sans y mettre de façons ; et
» si avec cela vous me promettez de ne jamais oublier
» que je vous ai parlé confidentiellement, vous pouvez
» être sûr que je serai toujours prête à vous prouver ma
» reconnaissance quand l'occasion s'en présentera. »

» Eh bien! que dites-vous de cela?

— Je suis à tel point stupéfait..., bredouilla Stépane Trophimovitch, que je ne vous crois pas...

— Non, mais remarquez, reprit Lipoutine comme s'il n'avait pas entendu la phrase de Stépane Trophimovitch, remarquez bien quelles devaient être son émotion et son inquiétude pour qu'elle daignât adresser une telle question à un homme comme moi et s'abaissât jusqu'à me demander le secret. Que signifie cela ? N'aurait-elle pas reçu quelques nouvelles inattendues de Nicolaï Vsévolodovitch ?

— Je ne sais pas... aucunes nouvelles... il y a déjà quelques jours que je ne l'ai plus vue, mais... mais je vous ferai observer, Lipoutine, marmotta Stépane Trophimovitch qui visiblement était incapable en ce moment de mettre de l'ordre dans ses idées, oui, je vous ferai observer que cela vous a été dit confidentiellement et que vous le racontez ici devant tous...

— Tout à fait confidentiellement ! Mais que Dieu me foudroie à l'instant même si... Quant à ce que je viens de dire ici, quelle importance cela a-t-il ? Nous sommes entre nous, Alexéï Nilytch n'est pas un étranger.

— Je ne partage pas votre point de vue. Sans aucun doute, nous sommes trois ici qui garderons le secret, mais c'est le quatrième, c'est vous que je redoute ; je n'ai aucune confiance en vous.

— Que dites-vous là ? Je suis plus intéressé que quiconque à garder le secret puisqu'on m'a promis une reconnaissance éternelle. Mais je voulais justement à ce propos vous signaler un fait extrêmement curieux, curieux au point de vue psychologique. Hier soir, sous le coup de ma conversation avec Varvara Pétrovna (vous pouvez aisément vous figurer l'impression qu'elle m'avait produite !), je sondai discrètement Alexéï Nilytch : Vous avez connu Nicolaï Vsévolodovitch à l'étranger et à Pétersbourg, lui dis-je ; que pensez-vous de son intelligence et de ses capacités ? Alexéï Nilytch me répondit laconiquement, selon son habitude : c'est un homme d'une intelligence subtile et d'un jugement sain. N'avez-vous pas observé cependant en lui, demandai-je, quelque tendance un peu bizarre dans les idées, quelque tournure d'esprit particulière, pour tout dire, une sorte de folie ? Bref, je répétai la question que m'avait posée Varvara Pétrovna. Eh bien! imaginez-vous qu'Alexéï Nilytch resta un moment songeur, fronça les sourcils tout comme maintenant, et dit : oui, il m'a paru parfois étrange. Remarquez bien que si certaines choses ont paru étranges même à Alexéï Nilytch, qu'est-ce que cela devait être en réalité!

— Est-ce vrai ? demanda Stépane Trophimovitch à Kirilov.

— Je préférerais ne pas parler de cela, répondit brusquement Alexéï Nilytch en relevant la tête ; ses yeux brillaient. Je prétends contester votre droit, Lipoutine : vous n'avez pas le droit de mentionner cet incident. Je n'ai nullement exprimé toute mon opinion. Je l'ai connu à Pétersbourg, mais il y a longtemps, et bien que je l'aie de nouveau rencontré maintenant, je connais très peu Nicolaï Vsévolodovitch. Je vous prie de me laisser de côté, et... tout cela ressemble beaucoup à des cancans. »

Lipoutine leva les bras au ciel comme le prenant à témoin de son innocence outragée.

« Moi, un cancanier! Pourquoi pas un espion ? Il vous est facile de critiquer les autres, Alexéï Nilytch, après avoir retiré votre épingle du jeu. Peut-être ne le croirez-vous pas, Stépane Trophimovitch, eh bien! le capitaine Lébiadkine — vous savez qu'il est bête comme... Je n'ose même pas le dire, mais vous connaissez l'expression russe [1], — le capitaine Lébiadkine donc, bien qu'il vénère son intelligence considère que Nicolaï Vsévolodovitch lui a causé du tort : « Cet homme me stu- » péfie : c'est un serpent très subtil » (je vous répète ses propres paroles). Et moi je lui dis (toujours sous l'impression de mon entrevue de la veille et déjà après ma conversation avec Nicolaï Nilytch) : « Que pensez- » vous, votre serpent très subtil n'est-il pas un peu » fou ? » Eh bien ! ce fut comme si je lui avais donné un coup de fouet : il bondit : « Oui, me répondit-il, oui... » mais cela ne peut influer... » Influer sur quoi ? Il n'acheva pas. Puis il se plongea dans une sorte de songerie mélancolique ; tant et si bien que son ivresse finit par se dissiper. Nous étions au cabaret, chez Philippov. Et au bout d'une demi-heure, le voilà qui donne un coup de poing sur la table : « Oui, s'écria-t-il, peut-être » bien qu'il est fou, mais cela ne peut influer... » Et il s'arrêta court de nouveau. Je ne vous rapporte bien entendu que l'essentiel de notre conversation ; mais la chose est parfaitement claire : interrogez qui vous voudrez, tous vous répondront de même, y compris ceux auxquels cette idée n'était jamais encore venue à l'esprit : « Oui, il est fou ; il est très intelligent, mais il se » peut aussi qu'il soit fou. »

Stépane Trophimovitch parut réfléchir profondément.

« Et comment Lébiadkine est-il au courant ?

— Quant à cela, interrogez Alexéï Nilytch qui vient de me traiter d'espion. Je suis un espion, mais je ne sais rien, tandis qu'Alexéï Nilytch sait tout et se tait.

— Je ne sais rien ou pas grand'chose, répondit l'ingénieur toujours du même ton irrité. Vous soûlez Lébiadkine pour le faire bavarder. Et moi, vous m'avez amené ici pour que je parle. Vous êtes donc un espion.

— Je ne l'ai pas encore fait boire et, du reste, lui et

tous ses secrets n'en valent pas la dépense. Je ne sais pas l'importance qu'ils ont pour vous, mais pour moi ils n'en ont aucune. C'est lui au contraire qui jette l'argent par les fenêtres, lui qui, il y a douze jours, me suppliait de lui donner quinze copecks ; c'est lui qui me régale de champagne. Mais vous me donnez une bonne idée, et si c'est nécessaire, je le soûlerai, et précisément pour savoir la vérité ; et peut-être bien que je découvrirai alors... tous vos petits secrets », répliqua soudain Lipoutine hargneux.

Stépane Trophimovitch considérait les deux adversaires, complètement dérouté. Ils se trahissaient et, qui plus est, n'essayaient même pas de le dissimuler. J'eus aussitôt l'idée que Lipoutine nous avait amené ce Kirilov uniquement dans le but de l'entraîner dans une conversation avec une tierce personne et de le faire ainsi parler, ce qui était son procédé favori.

« Alexéï Nilytch connaît très bien Nicolaï Vsévolodovitch, continua avec irritation Lipoutine, mais il le cache. Et quant au capitaine Lébiadkine, je répondrai à votre question qu'il a fait la connaissance de Nicolaï Vsévolodovitch à Pétersbourg, bien avant nous tous, il y a cinq ou six ans, au cours de cette période obscure, si l'on peut s'exprimer ainsi, de la vie de celui-ci et quand il ne songeait même pas à nous faire l'honneur de sa visite. Il faut croire que notre prince s'entourait à cette époque de gens assez bizarres. C'est alors aussi, je crois, qu'il se lia avec Alexéï Nilytch.

— Faites attention, Lipoutine ; je vous préviens que Nicolaï Vsévolodovitch comptait venir bientôt ici lui-même, et qu'il est homme à se défendre.

— En quoi cela peut-il me concerner? Je suis le premier à crier partout que c'est un homme d'une intelligence des plus subtiles et des plus cultivées, et j'ai même complètement rassuré Varvara Pétrovna à ce sujet : « Mais je ne puis répondre de son caractère », lui ai-je dit. Et Lébiadkine est entièrement de mon avis : « C'est de son caractère que j'ai eu à souffrir », me dit-il. Ah! Stépane Trophimovitch, il vous est facile de crier aux cancans et à l'espionnage après m'avoir tiré les vers du nez en faisant montre d'une curiosité extrême. Varvara Pétrovna, elle, a su mettre immédiatement le doigt sur le point sensible : « Je m'adresse à vous parce » que vous êtes personnellement intéressé à la question. » Je crois bien que j'y suis intéressé! Inutile de chercher d'autres motifs, puisque Son Excellence m'a fait une insulte personnelle que j'ai dû avaler devant toute la société. Il me semble donc que si je m'intéresse à cette affaire, c'est pour des raisons très sérieuses et non par goût pour les commérages. Aujourd'hui il vous serre la main, et le lendemain, sans rime ni raison, si la fantaisie lui en prend, il vous remercie de votre hospitalité en vous frappant au visage devant l'honorable société. Et tout cela parce qu'il s'ennuie et ne sait que faire de ses forces. Pour ces gens-là, du reste, l'essentiel, ce sont les femmes : ce sont des papillons, des coqs de village, qui volent de l'une à l'autre en agitant leurs ailes, tels des Amours antiques. Il est facile à vous, Stépane Trophimovitch, célibataire endurci, de prendre la défense de Son Excellence et de me traiter de cancanier. Mais si vous épousiez une jeune et jolie personne — ce qui pourrait fort bien vous arriver, car vous êtes encore un bel homme — il est probable que vous fermeriez votre porte au verrou à notre prince et que vous élèveriez des barricades dans votre propre maison. Je le dirai franchement : si cette demoiselle Lébiadkine qui reçoit des coups de fouet n'était pas folle et boiteuse, je croirais, ma parole! qu'elle a été victime des passions de notre prince, et que c'est en cela que consiste l'outrage subi par « l'honneur familial » de Lébiadkine, pour me servir de la propre expression du capitaine. Il est vrai que le goût raffiné de Son Excellence contredit cette hypothèse, mais bah! ce n'est pas cela qui l'arrêterait. Tous les fruits lui sont bons pour peu qu'il soit bien disposé. Vous dites que je fais des commérages, or toute la ville ne parle plus que de cela, et moi, je me contente d'écouter et de me rallier à l'opinion générale. Ce n'est pas interdit, que je sache.

— Toute la ville en parle? Mais de quoi donc?

— Pour mieux dire, c'est le capitaine Lébiadkine qui le crie sur les toits quand il est soûl, mais cela revient au même. En quoi suis-je coupable? Moi je n'en parle qu'entre amis, car malgré tout je considère que nous sommes ici entre amis, dit Lipoutine en nous regardant d'un air candide. Voici de quoi il s'agit : il paraît que Son Excellence aurait remis en Suisse à une jeune fille des plus honorables, une orpheline que j'ai l'honneur de connaître, trois cents roubles destinés au capitaine Lébiadkine. Or quelque temps après, Lébiadkine apprit par une personne non moins honorable et par conséquent digne de foi (je ne la nommerai d'ailleurs pas), qu'on lui avait expédié, non pas trois cents, mais mille roubles. Voilà donc Lébiadkine qui se met à crier partout que la jeune personne lui a volé sept cents roubles, et veut même en appeler à la police ; il en menace en tout cas la jeune fille et fait du scandale dans toute la ville.

— C'est ignoble de votre part, ignoble! s'écria l'ingénieur en se levant brusquement.

— Mais c'est vous justement, cette personne honorable et digne de foi, c'est vous qui avez avisé Lébiadkine de la part de Nicolaï Vsévolodovitch qu'il s'agissait de mille roubles et non pas de trois cents. Le capitaine me l'a dit lui-même étant ivre.

— C'est... un malheureux malentendu. Il y a eu erreur, et voilà pourquoi... Tout cela n'a aucune importance, et c'est ignoble de votre part...

— Je veux croire que cela n'a effectivement aucune importance et je suis désolé de tous ces bruits car, comme vous voudrez, cette jeune fille des plus honorables se trouve impliquée, d'une part, dans cette affaire des sept cents roubles et, d'autre part, convaincue d'intimité avec Nicolaï Vsévolodovitch. Son Excellence ne se gênera certes pas pour compromettre une noble jeune fille ou bien pour déshonorer l'épouse d'un autre, comme cela s'est produit dans mon cas. Et s'il a sous la main un homme à l'âme généreuse, il s'arrangera pour lui faire couvrir de son nom honorable les péchés d'autrui. C'est précisément ce qui m'est arrivé. C'est de moi que je parle...

— Faites attention, Lipoutine! dit Stépane Trophimovitch en se levant tout pâle de son fauteuil.

— Ne le croyez pas! ne le croyez pas! Quelqu'un s'est trompé et Lébiadkine n'est qu'un ivrogne! criait l'ingénieur bouleversé. Tout s'expliquera, mais je ne puis plus... c'est ignoble... Assez, assez! »

Il se précipita hors de la chambre.

« Eh bien! que faites-vous? Attendez-moi, je vous accompagne », s'écria Lipoutine surpris, et il courut après Alexéï Nilytch.

VII

Stépane Trophimovitch demeura un instant songeur, puis il me regarda, mais sans me voir en quelque sorte, prit son chapeau, sa canne et sortit silencieusement de la chambre. Je le suivis comme tout à l'heure. Au moment de franchir la porte cochère il remarqua ma présence et me dit :

« Ah! oui... vous pourrez servir de témoin... *de l'accident.* Vous m'accompagnerez, n'est-ce pas?

— Comment, Stépane Trophimovitch, vous allez là-bas? Songez à ce qui peut en résulter! »

S'arrêtant alors, il marmotta avec un sourire pitoyable et égaré, un sourire de honte et de désespoir, mais où je crus distinguer aussi une étrange exaltation :

« Je ne puis pourtant pas me marier pour couvrir les « péchés d'autrui »...

J'attendais ces paroles. Enfin, après une semaine entière de grimaces et d'allusions, il me révélait sa pensée secrète. Elle me mit hors de moi.

« Comment une pensée aussi malpropre... aussi basse a-t-elle pu vous venir, à vous, Stépane Verkhovensky, qui avez une intelligence si claire et un si bon cœur!... Et dire qu'elle vous est venue avant même la visite de Lipoutine! »

Il me regarda sans mot dire et continua sa route. Mais je ne voulais pas le lâcher. Je voulais témoigner de ce qui venait de se passer devant Varvara Pétrovna. Je lui aurais encore pardonné vù sa faiblesse toute féminine, s'il se fût laissé influencer par les paroles de Lipoutine, mais il était évident maintenant qu'il pensait déjà à cela bien avant Lipoutine, et que celui-ci n'avait fait que confirmer les soupçons et versé seulement de l'huile sur le feu. Il n'avait pas hésité à soupçonner la jeune fille dès le premier jour, n'attribuant les résolutions despotiques de Varvara Pétrovna qu'à son désir de couvrir au plus vite par un mariage honorable les petits péchés de son Nicolas adoré. J'avais bien envie qu'il en fût puni.

« Oh, Dieu qui est si grand et si bon! Oh! qui m'apaisera! s'écria-t-il au bout d'une centaine de pas, et il s'arrêta subitement.

— Rentrons à la maison, et je vous expliquerai tout, dis-je en lui faisant faire demi-tour.

— C'est lui! Stépane Trophimovitch, est-ce bien vous? » fit soudain, pareille à une musique, une voix jeune, gaie et fraîche.

Nous n'avions pas remarqué une jeune fille à cheval qui s'était arrêtée tout près de nous. C'était Lisavéta Nicolaïevna avec son fidèle compagnon.

« Venez donc, venez vite! nous appela-t-elle joyeusement. Je le reconnais, bien que je ne l'aie plus vu depuis douze ans, et lui... Vous ne me reconnaissez vraiment pas? »

Stépane Trophimovitch saisit la main qu'elle lui tendait et la baisa respectueusement. Il la regarda comme en adoration, incapable de prononcer une parole.

« Oui, il me reconnaît, et il est heureux. Mavriki[1] Nicolaïevitch, il est ravi de me voir. Nous sommes ici depuis quinze jours et vous ne venez pas nous voir! Comment cela se fait-il? Ma tante m'assurait que vous étiez malade et qu'il ne fallait pas vous déranger. Mais je savais bien qu'elle mentait. Je trépignais de rage, je vous injuriais, mais je tenais absolument, absolument à ce que vous fassiez le premier pas; c'est pourquoi je ne vous envoyais pas chercher. Mon Dieu! il n'a nullement changé, s'écria-t-elle penchée sur sa selle et en le considérant attentivement. C'en est même comique. Et cependant, il a des rides, beaucoup de rides autour des yeux et sur les joues, et des cheveux gris... Mais ses yeux sont toujours les mêmes. Et moi, ai-je changé? Dites, ai-je changé? Mais pourquoi donc vous taisez-vous? »

Je me rappelai à ce moment que lorsqu'on l'avait

emmenée à onze ans à Pétersbourg, elle était presque tombée malade, à ce qu'il paraît, ne cessant de pleurer et d'appeler Stépane Trophimovitch.

« Vous... je..., bredouillait-il d'une voix brisée par la joie. Je venais justement de m'écrier : « Qui m'apaisera ?... » et voilà que j'entends votre voix... Je considère cela comme un miracle, *et je commence à croire...*

— *En Dieu ? En Dieu qui est là-haut et qui est si grand et si bon ?* Vous voyez, je connais vos leçons par cœur. Si vous saviez, Mavriki Nicolaïévitch, quelle foi il m'inculquait *en Dieu qui est si grand et si bon !* Vous souvenez-vous de vos récits sur Colomb et la découverte de l'Amérique, et comment ils crièrent tous : « Terre! Terre! » Ma bonne, Aliona Frolovna, dit que je rêvai la nuit suivante tout haut, et ne cessai de crier : « Terre! Terre! » Et vous rappelez-vous comment vous me racontiez l'histoire d'Hamlet ? Et puis vous m'expliquiez aussi comment on transportait les malheureux émigrants d'Europe en Amérique. Et tout cela n'était pas vrai ; je l'ai appris plus tard. Mais comme il mentait bien, Mavriki Nicolaïevitch! cela valait mieux que la vérité! Qu'avez-vous à contempler ainsi Mavriki Nicolaïévitch ? C'est l'homme le meilleur et le plus fidèle qui soit sur la terre, et il faut absolument que vous l'aimiez tout autant que vous m'aimez. *Il fait tout ce que je veux.* Mais mon cher Stépane Trophimovitch, vous voilà donc de nouveau malheureux puisque je vous entends crier en pleine rue : « Qui m'apaisera ? » Vous êtes malheureux ? dites ?

— Maintenant je suis heureux...

— C'est ma tante qui vous fait souffrir, cette tante toujours méchante, injuste et toujours chère ? Vous souvenez-vous comment vous vous êtes jeté dans mes bras au jardin, et comment je vous ai consolé en pleurant ?

Ne vous gênez donc pas devant Mavriki Nicolaïevitch! il sait tout sur vous, absolument tout, depuis longtemps. Vous pouvez pleurer sur son épaule tant que le cœur vous en dira et il restera là sans bouger... Levez un petit peu votre chapeau, enlevez-le même tout à fait pour un instant, approchez votre tête, haussez-vous sur la pointe des pieds et je vous embrasserai sur le front comme je vous ai embrassé la dernière fois, le jour où nous nous sommes quittés. Regardez cette demoiselle qui nous admire de sa fenêtre. Eh bien! approchez-vous! encore! Dieu! comme il a blanchi. »

Et se penchant sur sa selle elle l'embrassa sur le front.

« Et maintenant, rentrez à la maison! Je sais où vous demeurez, et je vais venir chez vous, tout de suite, dans une minute. C'est moi qui vous rendrai visite la première, obstiné que vous êtes, et ensuite, il faudra que vous veniez passer toute une journée chez nous. Allez donc, préparez-vous à me recevoir! »

Elle partit au galop avec son cavalier. Nous rentrâmes. Stépane Trophimovitch s'assit sur le divan et se mit à pleurer.

« *Dieu! Dieu!* s'écria-t-il, *enfin une minute de bonheur!* »

Dix minutes plus tard, elle arriva comme elle l'avait promis, toujours accompagnée de Mavriki Nicolaïévitch.

« *Vous et le bonheur, vous arrivez en même temps*, dit Stépane Trophimovitch en se levant pour l'accueillir.

— Voici un bouquet pour vous : je viens de chez Mme Chevalier, elle a des fleurs fraîches tout l'hiver pour les jours de fête et d'anniversaire. Et voici Mavriki Nicolaïévitch ; faites connaissance, je vous en prie. Je pensais vous apporter un gâteau au lieu de bouquet, mais Mavriki Nicolaïévitch assure que ce n'est pas la mode en Russie. »

Mavriki Nicolaïévitch, un capitaine d'artillerie, devait avoir dans les trente-trois ans. C'était un grand et bel homme d'une distinction irréprochable, au visage grave et presque sévère même, à première vue ; et cependant, aussitôt qu'on le connaissait on ne pouvait manquer d'être frappé de son extrême bonté et de sa délicatesse. Il parlait peu, paraissait très maître de lui et ne recherchait pas l'amitié des gens. Plus tard on dit de lui qu'il n'était guère intelligent ; mais ce n'était pas tout à fait juste.

Je m'abstiendrai de décrire la beauté de Lisavéta Nicolaïevna dont toute la ville parlait déjà malgré les protestations de certaines de nos dames et de nos demoiselles. Quelques-unes détestaient déjà Lisavéta Nicolaïevna, lui reprochant avant tout son orgueil : les Drozdov n'avaient encore fait de visites presque à personne, et l'on s'en montrait fort froissé en ville, bien que ce retard fût tout simplement causé par le mauvais état de santé de Prascovia Ivanovna. On la détestait ensuite parce qu'elle était parente avec la femme du gouverneur, et, enfin, parce qu'elle se promenait tous les jours à cheval. Jusqu'ici il n'y avait pas encore eu d'amazones chez nous ; il était donc assez naturel que le spectacle de Lisavéta Nicolaïevna se promenant à cheval bien qu'elle n'eût pas encore fait de visites, irritât notre société. On savait pourtant que ces promenades lui avaient été conseillées par les médecins, mais on en profitait pour faire d'aigres remarques sur sa santé. Elle n'était pas bien portante en effet, et dès le premier regard on distinguait en elle une sorte d'agitation maladive, continuelle. Hélas! la pauvrette souffrait beaucoup et tout s'expliqua plus tard. Maintenant, lorsque j'évoque le passé, je ne dirai plus qu'elle était une beauté comme elle me le paraissait alors. Peut-être même n'était-elle pas jolie du tout. Grande, mince, souple, elle frappait le regard par l'irrégularité des lignes de son visage. Ses yeux se levaient vers les tempes, à la kalmouk ; avec cela, maigre, des pommettes saillantes, d'une pâleur tirant sur le bistre. Mais il y avait aussi dans ce visage quelque chose qui charmait et subjuguait, et une étrange puissance émanait de ses yeux sombres, ardents. A la voir, on se disait qu'elle devait avoir l'habitude de vaincre. Elle paraissait fière, parfois même arrogante ; j'ignore si elle pouvait être bonne, mais je sais qu'elle voulait beaucoup l'être et faisait de terribles efforts pour y parvenir. Certes elle était remplie d'aspirations généreuses et de nobles résolutions, mais elle cherchait sans y parvenir à trouver son équilibre, et tout en elle était trouble et chaotique. Peut-être se montrait-elle trop sévère pour elle-même sans trouver la force de répondre à ses propres exigences.

Elle s'assit sur le divan et son regard fit le tour de la chambre.

« Pourquoi est-ce que je me sens toujours triste en de pareils moments ? Expliquez-moi cela, vous qui êtes un savant ! Je me suis toujours figuré que je serais follement heureuse en vous revoyant et que je me souviendrais de tout, et voilà qu'il me semble que je ne suis nullement heureuse... Et cependant, je vous aime. Mon Dieu ! il a accroché mon portrait au mur. Donnez-le-moi ! Je m'en souviens ! comment donc ! »

Ce portrait de Lisa à l'âge de douze ans, une excellente miniature à l'aquarelle, avait été envoyé à Stépane Trophimovitch par les Drozdov, alors à Pétersbourg ; depuis, il n'avait plus quitté le mur de sa chambre.

« Est-il possible que je fusse si jolie étant enfant ? Est-ce vraiment mon visage ? »

Elle se leva et, le portrait à la main, se regarda dans une glace.

« Reprenez-le, vite! s'écria-t-elle en tendant le portrait à Stépane Trophimovitch. Et ne le raccrochez pas pour le moment, plus tard : je ne veux pas le voir. — Elle se rassit sur le divan. — Une vie passe, une autre commence, puis passe à son tour et fait place à une troisième... Et ainsi sans fin. Toutes les « fins » sont tranchées comme avec des ciseaux. Voyez les vieilles histoires que je vous raconte! combien elles sont vraies pourtant! »

Elle me regarda en souriant ; elle m'avait déjà lancé à plusieurs reprises de rapides coups d'œil ; mais dans son émotion, Stépane Trophimovitch avait oublié sa promesse de me présenter.

« Et pourquoi donc mon portrait est-il suspendu au-dessous de ces poignards? Pourquoi avez-vous tant de poignards et de sabres ? »

Je ne sais pourquoi Stépane Trophimovitch avait en effet accroché au mur deux yatagans croisés surmontés d'un authentique sabre circassien. En posant cette question, elle m'adressa un regard si direct que je faillis répondre, mais me retins. Stépane Trophimovitch se rendit compte enfin de la situation et me présenta.

« Je sais, je sais, dit-elle. Je suis enchantée. Maman aussi a beaucoup entendu parler de vous. Faites connaissance avec Mavriki Nicolaïévitch, c'est un excellent homme. Je me suis déjà fait une idée très drôle de vous : vous êtes bien le confident de Stépane Trophimovitch ? »

Je rougis.

« Oh! pardonnez-moi, je vous en prie; ce n'est pas ce mot-là que je voulais dire : pas drôle, mais... (Elle rougit et se troubla.) Du reste, pourquoi auriez-vous honte d'être un brave homme? Allons, Mavriki Nicolaïévitch, il est temps que nous partions. Dans une demi-heure, Stépane Trophimovitch, vous devez être chez nous. Mon Dieu! que de choses nous avons à nous dire! Maintenant c'est moi qui serai votre confidente, et vous me raconterez tout, vous comprenez : *tout.* »

Stépane Trophimovitch eut aussitôt un mouvement de recul.

« Oh! Mavriki Nicolaïévitch sait tout, ne vous gênez pas devant lui.

— Que sait-il donc?

— Mais qu'avez-vous? s'écria-t-elle stupéfaite. Ah, bah! c'est donc vrai qu'ils font de cela un secret! Je ne voulais pas le croire. Et l'on cache aussi Dacha. Ma tante ne m'a pas laissé entrer chez Dacha tout à l'heure, sous prétexte que Dacha a la migraine.

— Mais... mais comment avez-vous su...?

— Mon Dieu!... comme tout le monde. Ce n'est pas si difficile!

— Mais est-ce que tout le monde...?

— Comment donc! Maman l'a appris d'Aliona Frolovna, ma bonne; votre Nastassia est accourue le lui raconter. Vous l'avez bien dit à Nastassia, n'est-il pas vrai? Elle assure que c'est vous qui le lui avez dit.

— Je... je lui ai dit un jour..., bredouilla Stépane Trophimovitch devenu tout rouge. Mais... j'ai fait tout simplement allusion... J'étais si nerveux et malade, et puis... »

Elle se mit à rire.

« Et vous n'aviez pas votre confident sous la main, tandis que Nastassia se trouvait là. Bien entendu, cela a suffi : Nastassia connaît toutes les commères de la ville. Mais voyons! peu importe qu'on le sache! cela vaut mieux même. Ne soyez pas en retard : nous dînons de bonne heure. Ah! oui, j'oubliais, ajouta-t-elle en se rasseyant. Dites-moi, qu'est-ce que Chatov?

— Chatov? c'est le frère de Daria Pavlovna...

— Je le sais bien. Que vous êtes impatientant! interrompit-elle. Je veux savoir quel homme c'est.

— C'est un pense-creux d'ici. C'est le meilleur et le plus irascible des hommes.

— Oui, j'ai entendu dire qu'il était quelque peu étrange. Il connaît trois langues, paraît-il, entre autres l'anglais, et peut se charger de travaux littéraires. Or j'ai beaucoup de travail à lui donner : j'ai besoin d'un aide en quelque sorte, et le plus tôt serait le mieux. Pensez-vous qu'il accepte? On me l'a recommandé...

— Oh! certainement! *Et vous ferez un bienfait.*

— Il ne s'agit pas de *bienfait*; je cherche quelqu'un pour m'aider.

— Je connais assez bien Chatov, dis-je, et si vous le désirez, j'irai le voir aujourd'hui même.

— Dites-lui de venir me trouver demain, à midi. Parfait! Je vous remercie. Mavriki Nicolaïévitch, êtes-vous prêt? »

Ils partirent. Je courus immédiatement chez Chatov, bien entendu.

« *Mon ami*, dit Stépane Trophimovitch en me rattrapant sur le perron, — passez absolument chez moi vers dix ou onze heures, quand je serai de retour. Oh! je suis bien coupable envers vous!... et envers tout le monde, oui, envers tous. »

VIII

Chatov n'était pas à la maison ; et quand je repassai deux heures plus tard, il n'était pas rentré. Je retournai pour la troisième fois vers huit heures, comptant lui laisser un mot au cas où il serait encore absent. De nouveau je ne le trouvai pas. Or son logement était fermé à clef et Chatov vivait seul, sans domestique. J'eus l'idée d'aller frapper à la porte du capitaine Lébiadkine, pour m'informer de Chatov ; mais à l'étage inférieur tout était fermé aussi. A travers la porte ne parvenait aucun bruit, aucune lumière ; on eût dit la maison vide. Me rappelant ce que nous avait raconté Lipoutine, j'éprouvais une certaine curiosité. Finalement, je résolus de revenir le lendemain de bonne heure ; et d'ailleurs, je ne me faisais pas d'illusions sur l'effet qu'aurait pu produire mon billet : entêté et timide, Chatov était capable de n'y faire aucune attention. Je franchissais la porte cochère tout en maudissant mon insuccès, quand je me trouvai en face de M. Kirilov ; il rentrait chez lui, et me reconnut le premier. En réponse à ses questions, je lui racontai ce qui m'avait amené et dis que j'aurais voulu laisser un mot pour Chatov.

« Venez avec moi, me dit-il, j'arrangerai tout cela. »

Je me souvins que Kirilov, d'après les paroles de Lipoutine, avait déménagé le matin même dans un pavillon de bois qui s'élevait dans la cour. Dans ce pavillon qui était trop grand pour lui, demeurait aussi une vieille femme sourde qui tenait son ménage. C'était, je crois, une parente du propriétaire qui lui avait confié la surveillance de son immeuble, tandis que lui-même allait s'installer dans une maison neuve pour y ouvrir un restaurant. Les pièces du pavillon étaient assez propres, mais les papiers me parurent sales. Dans la chambre où nous entrâmes, le mobilier hétéroclite semblait provenir de quelque boutique de bric-à-brac : il y avait là deux tables de jeu, une commode en bois d'aulne, une grande table en bois blanc qui eût été mieux à sa place dans une chaumière ou bien dans une cuisine, des chaises et un canapé au dossier canné et garni de durs coussins de cuir. J'aperçus dans un coin une icône ancienne devant laquelle la vieille femme avait allumé une veilleuse avant notre entrée ; aux murs étaient accrochés deux grands portraits à l'huile que les ans avaient ternis : l'un était celui de l'empereur Nicolas Ier ; à en juger d'après l'aspect il devait remonter au début de son règne, — l'autre représentait je ne sais quel évêque.

Kirilov alluma une bougie et tira de sa valise, qui se trouvait dans un coin et n'avait pas encore été déballée, une enveloppe, un bâton de cire à cacheter et un petit cachet de cristal.

« Cachetez votre billet et inscrivez le nom sur l'enveloppe. »

J'objectai que cela était inutile, mais il insista. Quand j'eus terminé, je pris ma casquette.

« Je croyais que vous prendriez du thé, dit-il. J'en ai acheté. Voulez-vous ? »

Je ne refusai point. La vieille apporta bientôt le thé, c'est-à-dire une énorme théière pleine d'eau bouillante, une autre, plus petite, avec du thé très fort, deux grandes tasses en faïence grossièrement peintes, du pain blanc en morceaux dans une assiette creuse.

« J'aime le thé. La nuit. Beaucoup, dit-il. Je marche et j'en bois, jusqu'à l'aube. A l'étranger, pas commode de boire du thé la nuit.

— Vous ne vous couchez qu'à l'aube ?

— Toujours. Depuis longtemps. Je mange peu, rien que du thé. Lipoutine est rusé, mais impatient. »

Je fus surpris qu'il voulût parler. Je résolus de profiter de l'occasion.

« Ce matin, il s'est produit des malentendus fort désagréables », observai-je.

Il fronça les sourcils.

« Ce sont des bêtises. Des vétilles. Rien que des vétilles, car Lébiadkine est un ivrogne. Je n'ai rien dit à Lipoutine, je lui ai expliqué que tout cela n'avait aucune importance ; mais il a inventé Dieu sait quoi... Lipoutine a beaucoup d'imagination et il se bâtit des montagnes avec des riens. Hier j'avais confiance en Lipoutine...

— Et aujourd'hui, en moi, dis-je en riant.

— Mais vous êtes déjà au courant de tout depuis ce matin. Lipoutine est faible ou bien impatient... ou dangereux... ou envieux. »

Ce dernier mot me frappa.

« Vous avez énuméré tant de défauts qu'il n'y aurait rien d'étonnant à ce que l'un d'eux pût lui convenir.

— Ou bien tous à la fois.

— Oui, c'est peut-être vrai aussi. Lipoutine, c'est un chaos. Est-ce qu'il mentait tout à l'heure en affirmant que vous écriviez un ouvrage ?

— Pourquoi donc serait-ce un mensonge ? » répondit-il en se renfrognant de nouveau et les yeux baissés.

Je m'excusai et l'assurai que je ne songeais pas à lui tirer les vers du nez. Il rougit.

« Il disait vrai. J'écris. Mais cela n'a pas d'importance. »

Nous nous tûmes pendant une minute, et soudain il sourit de ce même sourire enfantin que j'avais déjà remarqué.

« Pour ce qui est des têtes, il a pris cette histoire dans les livres ; c'est lui qui m'en a parlé le premier, et d'ailleurs, il a mal compris. Moi je recherche seulement les raisons pour lesquelles les hommes n'osent pas se tuer. Et c'est tout. Et cela n'a pas d'importance.

— Ils n'osent pas? que dites-vous là? Y a-t-il donc si peu de suicides?

— Oui, très peu.

— Vous trouvez? »

Il ne répondit pas, se leva et se mit à marcher de long en large d'un air songeur.

« Et qu'est-ce qui retient les gens de se tuer, d'après vous? » demandai-je.

Il me regarda distraitement comme s'il essayait de se souvenir de quoi nous parlions.

« Je... je ne sais pas encore très bien. Deux préjugés nous retiennent, deux choses, rien que deux, l'une très petite, l'autre très grande. Mais la petite est grande aussi.

— Quelle est donc la petite?

— La souffrance.

— La souffrance? Est-ce si important... en un cas pareil?

— Oui, très important. Il y a deux catégories : ceux qui se tuent à cause d'une grande douleur, ou bien de rage, ou bien les fous, ou bien à cause de n'importe quoi... ceux-là se tuent brusquement. Ceux-là songent peu à la souffrance, en une minute c'est fini. Mais ceux qui raisonnent, ceux-là pensent beaucoup à la souffrance.

— Est-ce qu'il y en a qui se tuent en raisonnant?

— Beaucoup. N'étaient les préjugés, il y en aurait encore davantage, un très grand nombre, tous.

— Tous? vraiment? »

Il ne répondit mot.

« Mais n'y a-t-il pas moyen de se tuer sans souffrir?

— Imaginez-vous, dit-il en s'arrêtant devant moi, imaginez-vous une pierre de la grosseur d'une grande maison. Elle surplombe la route et vous êtes sous elle ; si elle vous tombe sur la tête, aurez-vous mal ?

— Une pierre de la grosseur d'une maison ? j'aurais peur évidemment.

— Je ne parle pas de votre peur ; mais souffririez-vous ?

— Une pierre grosse comme une montagne, un million de pouds ? Bien entendu, je ne sentirais rien.

— Et cependant, si vous vous trouviez dans cette situation, tant que vous seriez sous la pierre, vous auriez très peur d'avoir mal. Et le plus grand des savants, le plus grand des docteurs, tous, absolument tous auront très peur de souffrir. Ils sauront qu'ils ne souffriront pas, mais ils auront peur de souffrir.

— Et la seconde raison, la plus grande ?

— L'autre monde.

— C'est-à-dire le châtiment ?

— Cela importe peu. L'autre monde, uniquement l'autre monde.

— N'y a-t-il cependant pas des athées qui ne croient pas à l'autre monde ? »

Il garda le silence.

« Vous jugez peut-être d'après vous-même ?

— Chacun ne peut juger que d'après lui-même, répondit-il en rougissant. La liberté sera totale quand il sera indifférent de vivre ou de mourir. Voilà le but de tout.

— Le but ? Mais alors il se peut que personne ne veuille plus vivre ?

— Personne, prononça-t-il d'un ton ferme.

— L'homme a peur de la mort parce qu'il aime la vie, observai-je. Voilà comment je comprends les choses. Ainsi le voulut la nature.

— C'est une lâcheté et c'est là qu'est tout le mensonge! s'écria-t-il les yeux brillants. La vie est souffrance, la vie est terreur, et l'homme est malheureux. Tout n'est maintenant que souffrance et terreur. Maintenant l'homme aime la vie parce qu'il aime la souffrance et la terreur. Voilà ce qu'on a fait. La vie se présente sous l'aspect de la souffrance et de la terreur. C'est là qu'est le mensonge. Aujourd'hui l'homme n'est pas encore l'homme. Un homme nouveau viendra, heureux et fier. Celui auquel il sera indifférent de vivre ou de ne pas vivre, celui-là sera l'homme nouveau. Celui qui vaincra la souffrance et la terreur, celui-là sera lui-même Dieu. Quant à l'autre Dieu, il ne sera plus.

— Donc ce Dieu existe tout de même d'après vous.

— Il n'existe pas, mais Il est. Il n'y a pas de souffrance dans la pierre, mais il y en a dans la peur de la pierre. Dieu est la souffrance de la peur de la mort. Celui qui vaincra la souffrance et la peur, sera lui-même Dieu. Alors commencera une vie nouvelle, alors paraîtra l'homme nouveau. Tout sera nouveau... Alors on partagera l'histoire en deux périodes : du gorille à l'anéantissement de Dieu, et de l'anéantissement de Dieu...

— Au gorille ?

— A la transformation physique de l'homme et de la terre. L'homme sera Dieu et se transformera physiquement. Et l'univers se transformera, et les œuvres se transformeront, et les sentiments et les pensées. Ne croyez-vous pas que l'homme change alors physiquement ?

— S'il devient indifférent de vivre ou de mourir, tout le monde se tuera, et voilà en quoi consistera le changement peut-être.

— Cela n'a pas d'importance. On tuera le mensonge. Celui qui veut parvenir à la liberté suprême, celui-là doit avoir le courage de se tuer. Celui qui a le courage de se tuer, celui-là a percé le secret du mensonge. Il n'y a pas de plus haute liberté. Tout est là, et au-delà il n'y a plus rien. Celui qui ose se tuer, est Dieu. Chacun peut faire à présent qu'il n'y ait point de Dieu, et qu'il n'y ait rien. Mais personne encore ne l'a jamais fait.

— Des millions de gens se sont tués pourtant.

— Mais toujours pour d'autres raisons, toujours avec terreur et jamais pour cela. Jamais pour tuer la terreur. Celui qui se tuera uniquement pour tuer la terreur, celui-là deviendra à l'instant même Dieu.

— Il n'en aura peut-être pas le temps, observai-je.

— Cela ne fait rien, répondit-il doucement, avec un calme orgueil, presque avec mépris. Je regrette que vous ayez l'air de rire, ajouta-t-il au bout d'un instant.

— Et moi je m'étonne de vous voir maintenant si calme, bien que vous parliez avec chaleur, alors que ce matin vous étiez irrité.

— Ce matin ? Ce matin c'était très comique, répondit-il en souriant. Je n'aime pas à me disputer, et je ne ris jamais, ajouta-t-il mélancoliquement.

— Oui, vos nuits ne sont pas gaies. — Je me levai et pris ma casquette.

— Vous trouvez ? demanda-t-il avec un sourire un peu étonné. Pourquoi cela ? Non... je ne sais pas... — Il s'arrêta, soudain confus. — Je ne sais comment cela se passe chez les autres, et je sens que je ne puis être comme tout le monde. Tout le monde pense à une chose, et puis pense immédiatement à une autre chose. Moi je ne peux pas penser à autre chose ; toute ma vie je pense à la même chose. Toute ma vie j'ai été tourmenté par Dieu, conclut-il soudain en un élan d'étrange sincérité.

— Excusez-moi de vous demander comment il se fait que vous ne parliez pas tout à fait correctement le russe ? L'auriez-vous oublié en cinq ans à l'étranger ?

— Est-ce que je parle incorrectement ? Je ne sais

pas. Non, ce n'est pas à l'étranger. J'ai parlé toute ma vie ainsi... Cela m'est égal.

— Autre question, plus délicate encore : je vous crois quand vous me dites que vous n'aimez pas à voir les gens et que vous leur parlez fort peu ; mais pourquoi m'avez-vous parlé si volontiers ce soir?

— A vous? Ce matin, vous vous teniez si bien, et vous... Du reste, cela n'a pas d'importance... Vous ressemblez beaucoup à mon frère, beaucoup, extraordinairement, dit-il en rougissant. Il y a sept ans, il est mort. C'était l'aîné. Oui, beaucoup.

— Il a dû avoir une grande influence sur votre façon de penser.

— Non, il parlait peu ; il ne disait rien. Je remettrai votre billet. »

Il m'accompagna avec une lanterne jusqu'à la porte cochère pour la fermer derrière moi. « Il est fou, c'est évident », décidai-je en moi-même. Au moment de sortir je fis une nouvelle rencontre.

IX

A peine avais-je passé la poterne qu'une main vigoureuse me saisit à la poitrine.

« Qui est là? hurla une voix. Ami ou ennemi? Allons, avoue!

— Il est des nôtres, des nôtres! cria une voix perçante que je reconnus pour celle de Lipoutine. C'est M. G—v, un jeune homme qui a reçu une instruction classique, et est accueilli dans la meilleure société.

— Ah! voilà qui me plaît... il a donc reçu une instruction classique... Le capitaine en retraite Ignace Lébiadkine, au service du monde entier et des amis... s'ils lui sont fidèles, s'ils lui sont fidèles, les canailles! »

Le capitaine Lébiadkine, grand, gros, bien en chair, les cheveux bouclés, le visage rouge, était complètement ivre, au point qu'il se tenait à peine debout et articulait avec difficulté. D'ailleurs, j'avais déjà eu l'occasion de l'apercevoir de loin.

« Ah! et voici encore l'autre! » hurla de nouveau le capitaine à la vue de Kirilov qui était toujours là avec sa lanterne. Il leva son poing sur l'ingénieur, mais le laissa aussitôt retomber.

« Je te pardonne parce que tu es un savant. Ignace Lébiadkine, le plus instruit des...

De l'amour la bombe enflammée
Éclata dans la poitrine d'Ignace,
Et le manchot pleura de nouveau
Son bras perdu à Sébastopol.

» Je n'ai pas été à Sébastopol et je ne suis même pas manchot, mais quels vers! » bredouilla-t-il en approchant de moi sa trogne de pochard.

« Il n'a pas le temps, il n'a pas le temps ; il rentre à la maison, intervint Lipoutine. Il racontera tout demain à Lisavéta Nicolaïevna.

— Lisavéta!... clama-t-il de nouveau. Attends, ne bouge pas. Une variante :

Elle galope telle une étoile
Au milieu des autres amazones.
Elle me sourit du haut de son coursier
La charmante enfant a-ris-to-cratique.

« Cela s'appelle : « A l'amazone-étoile! » N'est-ce pas un hymne? c'est un hymne si tu n'es pas un âne. Ces imbéciles ne comprennent rien. Arrête! brailla-t-il en s'accrochant à mon pardessus malgré tous mes efforts pour lui échapper. Dis-lui que je suis le chevalier de l'honneur, tandis que Dacha... Cette Dacha, je la prendrai entre mes deux doigts... Ce n'est qu'une esclave, et elle ne doit pas se permettre... »

Sur ces mots il tomba, car je réussis à m'arracher à son étreinte. Je pris la fuite suivi de Lipoutine.

« Alexéï Nilytch le relèvera. Savez-vous ce que je viens d'apprendre de lui? dit-il d'une voix essoufflée. Vous avez entendu ses vers? Eh bien, ces vers il les a mis sous enveloppe pour les expédier demain sous sa signature à Lisavéta Nicolaïevna. Qu'en dites-vous?

— Je parie que c'est vous qui l'avez poussé à cela.

— Vous perdriez votre pari, dit Lipoutine. Il en est amoureux, amoureux comme un matou. Et vous savez! cela a commencé par de la haine. Au début, il la haïssait à tel point à cause de ses promenades à cheval qu'à peine s'il ne l'injuriait pas tout haut dans la rue. Et pas plus tard qu'avant-hier, il l'a même insultée quand elle passait. Par bonheur, elle n'entendit pas. Et voilà qu'aujourd'hui, il lui envoie des vers. Savez-vous qu'il veut se risquer à lui offrir son cœur et sa main? Sérieusement, sérieusement!

— Vous m'étonnez, Lipoutine, vous êtes toujours là à tourner autour de gredins de cette espèce, vous les dirigez! m'écriai-je furieux.

— Vous allez un peu loin, M. G—v. N'est-ce pas votre petit cœur qui frémit de peur à l'idée d'un rival, hein?

— Quoi? m'exclamai-je en m'arrêtant brusquement.

— Eh bien, puisque c'est comme ça, pour vous punir je ne vous raconterai plus rien. Et pourtant, comme vous voudriez entendre ce que j'ai encore à vous dire! Sachez pour le moment que cet imbécile n'est plus un simple capitaine en retraite, mais un propriétaire foncier, assez important même, car Nicolaï Vsévolodovitch vient de lui vendre son domaine, ses deux cents âmes d'autrefois. Je ne mens pas, Dieu m'est témoin. Je viens de l'apprendre de source tout à fait sûre. Et maintenant, tâchez un peu de vous débrouiller vous-même : je ne dirai plus rien. Au revoir. »

X

Stépane Trophimovitch m'attendait avec une impatience presque hystérique. Il était déjà rentré depuis une heure. Je le trouvai dans un état tel que, pendant cinq minutes tout au moins, je crus qu'il était ivre. Hélas! sa visite chez les Drozdov lui avait porté le coup de grâce.

« *Mon ami*, j'ai complètement perdu le fil... Lise... j'aime et j'estime toujours cet ange comme par le passé, oui, comme par le passé ; mais il me semble qu'elles m'attendaient uniquement pour apprendre quelque chose de moi, c'est-à-dire, tout simplement pour me tirer les vers du nez ; et ensuite... que Dieu vous bénisse!... Oui, c'est bien ainsi.

— Comment n'avez-vous pas honte! m'écriai-je impatienté.

— Mon ami, je suis complètement seul maintenant. *Enfin c'est ridicule.* Imaginez-vous, elles aussi sont toutes farcies de mystères. Elles m'ont aussitôt entrepris au sujet de ces histoires de nez et d'oreilles, ainsi qu'à propos de certains événements mystérieux survenus à Pétersbourg. Ce n'est que maintenant, en effet, qu'elles ont entendu parler des incidents que souleva ici Nicolas, il y a quatre ans : « Vous étiez là, vous avez tout vu, est-il vrai qu'il soit fou ? » D'où leur est venue cette idée ? Je ne comprends vraiment pas. Pourquoi cette Prascovia veut-elle à toute force que Nicolas soit fou ? Elle y tient, elle y tient absolument. *Ce Maurice*, ou comment s'appelle-t-il ?... Mavriki Nicolaïévitch, *brave homme tout de même...* Serait-ce dans son intérêt ?... Mais c'est elle qui a écrit la première de Paris à *cette pauvre amie... Enfin*, Prascovia, comme l'appelle *cette chère amie*, c'est un type, c'est l'immortelle Korobotchka de Gogol [1], mais une Korobotchka méchante, une Korobotchka batailleuse et ayant acquis des dimensions exagérées.

— Mais alors, c'est un véritable coffre ; est-elle si grande que cela ?

— Eh bien, admettons qu'elle soit encore plus petite que Korobotchka. Qu'importe ! Mais ne m'interrompez pas, la tête me tourne. Elles sont en très mauvais termes ; sauf Lisa : celle-là continue à répéter : « Tante, tante... » Mais Lisa est rusée, et il y a quelque chose là-dessous. Mystère ! Mais avec la vieille, c'est la brouille. *Cette pauvre* tante tyrannise tout le monde, il est vrai... Et puis, il y a encore la femme du gouverneur, la société locale qui ne se montre pas assez respectueuse et l' « impolitesse » de Karmazinov. Et, en plus encore, ces idées au sujet de la folie de Nicolas, *ce Lipoutine, ce que je ne comprends pas...* et... et on dit qu'elle se met des compresses de vinaigre sur la tête ; et puis, il y a encore nous autres, avec nos doléances et nos lettres... Oh ! comme je l'ai tourmentée, et en un pareil moment encore ! *Je suis un ingrat.* Figurez-vous, je rentre et je trouve une lettre d'elle, lisez-la, lisez ! Oh ! comme je me montrais peu généreux envers elle ! »

Il me tendit la lettre qu'il venait de recevoir de Varvara Pétrovna. Celle-ci avait regretté, semble-t-il, son

« Restez chez vous ». Sa lettre était polie, bien que brève et nette : elle demandait à Stépane Trophimovitch de venir chez elle le surlendemain, dimanche, à midi, et lui conseillait d'amener un de ses amis (entre parenthèses elle mentionnait mon nom). Elle promettait d'inviter de son côté Chatov en sa qualité de frère de Daria Pavlovna. « Vous pourrez obtenir d'elle une réponse définitive ; cela vous suffira-t-il ? Est-ce là cette » formalité à laquelle vous teniez tant ? »

» Remarquez cette phrase irritée à la fin au sujet de la « formalité ». La pauvre, la pauvre, l'amie de toute mon existence! Je l'avoue, cette brusque décision de mon sort m'a écrasé pour ainsi dire... Je conservais encore quelque espoir, je l'avoue ; maintenant, *tout est dit*, et je sais que c'est bien fini ; *c'est terrible*. Oh! si ce dimanche pouvait ne jamais venir, si tout pouvait aller comme par le passé : vous continueriez à venir ici, et moi...

— Ce sont les ignominies que raconte Lipoutine et ses commérages qui vous ont mis sens dessus dessous.

— Mon ami, vous venez de mettre le doigt, votre doigt amical sur un autre point douloureux. Les doigts amicaux sont en général impitoyables et parfois même ils manquent de tact ; pardon! Mais figurez-vous que j'avais presque complètement oublié tout cela, toutes ces ignominies. Ou pour mieux dire, je ne les avais pas oubliées, mais dans ma bêtise, tout le temps que j'étais chez Lisa, je m'efforçais d'être heureux, je me persuadais que j'étais heureux. Et maintenant.... Oh! maintenant je songe à cette femme si généreuse, si indulgente, si patiente envers mes détestables défauts! A vrai dire, elle n'est pas très patiente ; mais puis-je m'en plaindre, moi, avec mon sale caractère! moi qui suis un enfant capricieux, avec tout l'égoïsme d'un enfant mais sans son innocence! Elle veille sur moi depuis vingt ans comme une bonne, *cette pauvre* tante, comme l'appelle si gracieusement Lisa... Et voilà qu'au bout de vingt-cinq ans l'enfant veut se marier; il exige qu'on le marie; il écrit lettre sur lettre alors qu'elle arrose sa tête de vinaigre et... et son but est atteint : dimanche, je serai un homme marié... Ce n'est pas une plaisanterie... Qu'avais-je à insister? pourquoi ai-je écrit toutes ces lettres? Oui, j'ai oublié de vous dire : Lisa est en adoration devant Daria Pavlovna; elle le dit tout au moins. Elle dit : « *C'est un ange*, bien qu'un peu dissimulé. » Toutes les deux m'ont conseillé, même Prascovia... Non, Prascovia ne me conseillait pas. Oh! que de poison dans cette Korobotchka! D'ailleurs, à proprement parler, Lisa ne me conseillait pas non plus : « Qu'avez-» vous besoin de vous marier? Vous avez suffisamment » de jouissances intellectuelles. » Elle rit. Je lui ai pardonné ce rire, car son cœur à elle n'est pas tranquille non plus. Vous ne pouvez cependant vous passer d'une femme, me disent-elles. Le temps des infirmités approche, elle vous soignera; c'est bien comme cela qu'on dit... *Ma foi*, je ne cesse de me dire depuis que nous sommes là tous les deux, que c'est la Providence qui me l'envoie au couchant de mon existence orageuse, et qu'elle me soignera, comme on dit... *enfin* qu'elle sera utile dans mon ménage. Voyez quel désordre! Rien n'est à sa place; ce matin j'avais dit de faire la chambre, et voyez ce livre sur le plancher. *La pauvre amie* était toujours mécontente de la saleté qu'il y a chez moi... Hélas! dorénavant sa voix ne retentira plus ici! *Vingt ans!* Et... et elles aussi, je crois, ont reçu des lettres anonymes. Imaginez-vous cela! On assure que Nicolas a vendu son domaine à Lébiadkine. *C'est un monstre, et enfin*, qu'est-ce que Lébiadkine? Lisa écoute, elle écoute...

Oh! comme elle écoute! Je lui ai pardonné son rire ; j'ai vu avec quel visage elle écoutait. Et *ce Maurice*... Je ne voudrais pas être à sa place maintenant ; *brave homme tout de même*, mais un peu timide. Du reste, que Dieu le bénisse... »

Il se tut. Fatigué, désemparé, il restait assis tête basse, fixant le plancher de ses yeux las. Je profitai de son silence pour lui raconter brièvement ma visite à la maison Philippov, et je lui exprimai brièvement et sèchement qu'à mon avis la sœur de Lébiadkine (que du reste je n'avais pas vue) pouvait avoir été de quelque façon la victime de Nicolas à une certaine époque mystérieuse de la vie de ce dernier, comme s'exprimait Lipoutine, et qu'il se pouvait très bien que Lébiadkine reçût pour cette raison de l'argent de Nicolas ; il n'y avait pas autre chose. Quant aux bruits répandus sur le compte de Daria Pavlovna, ce n'étaient que des racontars, des inventions de ce gredin de Lipoutine, du moins à ce qu'assurait avec ardeur Alexéï Nilytch ; or il n'y avait aucune raison de ne pas le croire. Stépane Trophimovitch m'écoutait d'un air distrait, comme si mes paroles ne le concernaient pas. Je mentionnai aussi ma conversation avec Kirilov et ajoutai que Kirilov était peut-être fou.

« Il n'est pas fou, mais il est de ces gens qui ont des idées bornées, dit-il mollement, et comme contre son gré. *Ces gens-là supposent la nature et la société humaine autres que Dieu ne les a faites et qu'elles ne sont réellement.* On les flatte ; mais ce ne sera toujours pas Stépane Verkhovensky qui leur fera la cour! Je les ai vus à Pétersbourg dans le temps, avec cette *chère amie* (oh! comme je me montrais blessant pour elle!) et je n'ai pas eu peur de leurs injures, ni même de leurs louanges. Et il en sera toujours ainsi ; mais parlons d'autre chose...

Je crois que j'ai fait de terribles bêtises : figurez-vous que j'ai envoyé hier une lettre à Daria Pavlovna... Et je me maudis d'avoir fait cela.

— Que disiez-vous dans cette lettre ?

— Oh ! mon ami, croyez bien que mon intention était des plus généreuses. Je l'ai informée que j'avais écrit cinq jours auparavant à Nicolas, dans une très noble intention également.

— Je comprends maintenant, m'écriai-je avec emportement. Mais quel droit aviez-vous de rapprocher ainsi leurs noms ?

— Mais, mon cher, ne m'accablez pas définitivement, ne criez pas sur moi. Je suis déjà aussi plat qu'un... qu'un cafard. Et puis, je crois que j'ai très noblement agi. Admettez qu'il se soit réellement passé quelque chose... *en Suisse*... qu'il n'y ait eu même qu'un commencement... Il était de mon devoir d'interroger leurs cœurs avant tout... pour, enfin, pour ne pas courir le risque de barrer leur route au cas où... Je n'ai agi que dans une noble intention.

— Mon Dieu, comme c'est bête ce que vous avez fait là !

— Oui, c'est bête, acquiesça-t-il, avec empressement même. Vous n'avez rien dit de plus juste. *C'était bête, mais que faire, tout est dit.* Je me marie malgré tout, et même s'il s'agit de couvrir « les péchés d'autrui ». Qu'avais-je donc besoin d'écrire ? n'est-il pas vrai ?

— Vous y revenez toujours !

— Oh ! vos cris ne m'effrayeront plus. Maintenant vous avez devant vous un autre Stépane Verkhovensky ; celui que vous connaissiez est enterré. *Enfin tout est dit.* Et pourquoi criez-vous ? Uniquement parce que ce n'est pas vous qui vous mariez et qui aurez à porter certain ornement sur la tête. Vous êtes de nouveau choqué ? Mon pauvre ami, vous ne connaissez pas la femme, tandis que moi je n'ai fait autre chose que de l'étudier. « Si tu veux vaincre le monde entier, vaincs-» toi toi-même. » C'est la seule chose qu'ait bien dite Chatov, le frère de mon épouse, un autre romantique de votre espèce. Je lui emprunte volontiers cette maxime. Eh bien, me voilà prêt à me vaincre et à me marier ; or, au lieu de conquérir le monde, à quoi vais-je aboutir ? Oh ! mon ami, le mariage, c'est la mort morale de toute âme fière, indépendante. Le mariage me corrompra, il me privera de l'énergie, du courage nécessaire à mon œuvre. Nous aurons des enfants qui, de plus, ne seront peut-être pas de moi. Que dis-je ! qui ne seront certainement pas de moi. L'homme sage ne craint pas de regarder la vérité en face. Lipoutine me conseillait tout à l'heure d'élever des barricades pour me protéger contre Nicolas. Lipoutine est un sot. La femme est capable de tromper jusqu'à cet Œil qui voit tout. Lorsqu'il créa la femme, *le bon Dieu* savait certainement à quoi il devait s'attendre. Mais je suis sûr qu'elle s'est mêlée elle-même de sa propre création et qu'elle a obligé Dieu à la créer telle qu'elle est et... avec tous ses attributs. Comment admettre, en effet, que Dieu se soit mis de gaîté de cœur de pareils embarras sur le dos. Je sais que Nastassia m'en voudrait de ces idées audacieuses, mais... *enfin tout est dit.* »

Il n'aurait pas été lui-même s'il avait pu résister à la tentation de ce genre de plates plaisanteries qui avaient été si répandues parmi les libres penseurs de son temps. Pour le moment, il se consola avec un calembour ; mais cela ne dura pas.

« Oh ! si cet après-midi, ce dimanche pouvait ne jamais venir ! s'écria-t-il au comble du désespoir cette fois.

Pourquoi ne pourrait-il y avoir ne fût-ce qu'une semaine sans dimanche *si le miracle existe ?* Il ne serait cependant pas difficile à la Providence de supprimer du calendrier un dimanche pour démontrer sa puissance aux athées *et que tout soit dit.* Oh! comme je l'ai aimée! vingt ans! pendant vingt ans! et jamais elle ne m'a compris!

— Mais de qui parlez-vous donc maintenant? Moi aussi je cesse de vous comprendre, dis-je surpris.

— *Vingt ans!* Et pas une fois elle ne m'a compris! Oh! c'est cruel. Et se figure-t-elle vraiment que je me marie par peur, pour ne pas être dans le besoin? Oh! honte! Tante, tante! c'est pour toi... Qu'elle sache, cette tante, qu'elle est la seule femme que j'aie jamais adorée! Vingt ans! Elle doit l'apprendre, sinon rien ne se fera, sinon il faudra user de la force pour me traîner *sous ce qu'on appelle* la couronne du mariage. »

C'était la première fois que j'entendais cet aveu, et exprimé en des termes aussi énergiques encore. Je ne cacherai pas que j'eus très envie de rire. Mais j'avais tort.

« Je n'ai plus que lui maintenant! il est mon unique espoir! s'écria-t-il soudain en joignant les mains comme frappé d'une idée nouvelle. Lui seul désormais peut me sauver, mon pauvre petit garçon! Mais... Oh! pourquoi tarde-t-il? Oh, mon fils! Mon Pétroucha!... Bien que je ne sois pas digne du nom de père et mérite plutôt celui de tigre, cependant... *Laissez-moi, mon ami,* je vais m'étendre un peu, afin de rassembler mes idées. Je suis si fatigué, si fatigué... Et d'ailleurs, il me semble qu'il est temps pour vous aussi d'aller vous coucher. Voyez-vous? Il est minuit... »

CHAPITRE IV

LA BOITEUSE

I

Chatov ne fit pas l'obstiné cette fois : comme je l'en avais prié dans ma lettre, il se rendit le lendemain à midi chez Lisavéta Nicolaïevna. Nous y arrivâmes presque ensemble : je venais faire ma première visite à Mme Drozdov et à sa fille. Lisavéta Nicolaïevna, sa mère et Mavriki Nicolaïévitch, assis dans le grand salon, étaient en train de se chamailler. Mme Drozdov voulait que sa fille lui jouât au piano je ne sais quelle valse ; mais quand Lisavéta Nicolaïevna se fut mise à jouer, la vieille dame déclara que ce n'était pas cela du tout. Dans sa candeur, Mavriki Nicolaïévitch, prenant parti pour la jeune fille, soutint que c'était bien la valse demandée. Irritée, Prascovia Ivanovna se mit à pleurer de colère : elle avait les jambes enflées et se montrait depuis plusieurs jours fantasque et capricieuse, se disputant avec tout le monde, bien que Lisa lui fît toujours un peu peur. On fut charmé de nous voir. Lisa rougit de plaisir. « Merci », me dit-elle, évidemment pour Chatov ; elle alla vers lui en le regardant curieusement.

Chatov s'arrêta d'un air gauche sur le seuil. L'ayant remercié d'être venu, Lisa l'amena auprès de sa mère.

« C'est M. Chatov dont je vous ai parlé, voici M. G—v, un grand ami de Stépane Trophimovitch et le mien. Mavriki Nicolaïévitch a fait sa connaissance hier.

— Lequel des deux est professeur ?

— Ils ne sont professeurs ni l'un ni l'autre, maman.

— Mais si, tu m'as dit toi-même qu'il viendrait un professeur aujourd'hui. C'est celui-ci sans doute, ajouta-t-elle en désignant Chatov d'un air dégoûté.

— Je ne vous ai jamais dit qu'il y aurait un professeur aujourd'hui. M. G—v est fonctionnaire, et M. Chatov est un ancien étudiant.

— Étudiant ou professeur, il n'appartient pas moins à l'Université. Tu ne cherches qu'à discuter. Celui que nous avons vu en Suisse portait barbiche et moustaches.

— C'est le fils de Stépane Trophimovitch que maman appelle toujours professeur, dit Lisa, et elle emmena Chatov à l'autre bout du salon où ils prirent place sur un canapé.

— Quand ses jambes enflent, elle est toujours ainsi ; elle est malade, vous comprenez, murmura-t-elle à Chatov en continuant de l'examiner avec la plus vive curiosité, et en particulier la mèche qui surmontait son crâne.

— Vous êtes militaire ? me demanda la vieille à qui Lisa m'avait abandonné sans pitié.

— Non, je sers dans...

— M. G—v est un grand ami de Stépane Trophimovitch, intervint aussitôt Lisa.

— Vous êtes au service de Stépane Trophimovitch ? Lui aussi est professeur, n'est-ce pas ?

— Ah! maman, vous ne rêvez nuit et jour que de professeurs! s'écria Lisa avec dépit.

— Ceux que je vois éveillée me suffisent. Tu ne songes qu'à contredire ta mère. Vous étiez là, il y a quatre ans, lors du séjour de Nicolaï Vsévolodovitch ? »

Je répondis que j'étais là, en effet.

« Y avait-il un Anglais avec vous ?

— Non, il n'y en avait pas. »

Lisa se mit à rire.

« Eh bien! tu vois donc qu'il n'y avait pas d'Anglais ; ce n'était par conséquent qu'un mensonge. Varvara Pétrovna et Stépane Trophimovitch mentent tous deux. Ils mentent tous, du reste.

— Tante et Stépane Trophimovitch ont trouvé quelque ressemblance entre Nicolaï Vsévolodovitch et le prince Harry du *Henry IV* de Shakespeare ; et maman dit maintenant que cette histoire d'Anglais est un mensonge.

— Si Harry n'était pas ici, c'est donc qu'il n'y avait pas d'Anglais, et que Nicolaï Vsévolodovitch était seul à faire des farces.

— Je vous assure que maman le fait exprès, crut nécessaire d'expliquer Lisa à Chatov. Elle a entendu parler de Shakespeare. Je lui ai lu moi-même le premier acte d'*Othello ;* mais elle souffre beaucoup en ce moment. Maman, écoutez, midi sonne ; c'est l'heure de prendre votre potion.

— Le docteur est là », annonça la femme de chambre.

La vieille dame se leva et se mit à appeler son chien : « Zémirka, Zémirka, toi du moins tu viendras avec moi! »

Mais Zémirka, un vieux et vilain petit chien, refusa d'obéir, et se glissa sous le canapé où était assise Lisa.

« Tu ne veux pas venir? Eh bien, je n'ai pas besoin de toi. Au revoir, monsieur, je ne connais ni votre nom ni celui de votre père, dit-elle en se tournant vers moi.

— Anton Lavrentiévitch...

— Avec moi, cela n'a pas d'importance ; ce qui entre par une oreille sort par l'autre. Ne m'accompagnez pas, Mavriki Nicolaïévitch, je n'appelais que Zémirka. Grâce à Dieu, je marche encore toute seule et demain j'irai me promener. »

Elle sortit furieuse.

« Anton Lavrentiévitch, causez un peu en attendant

avec Mavriki Nicolaïévitch ; je vous assure que vous gagnerez tous deux à mieux vous connaître », dit Lisa avec un sourire amical pour Mavriki Nicolaïévitch dont le visage s'illumina sous le regard de la jeune fille. Il n'y avait rien à faire : je restai à causer avec l'officier.

II

Il se trouva, à ma grande surprise, que l'affaire pour laquelle la jeune fille avait fait venir Chatov concernait effectivement la littérature. Je m'étais imaginé, je ne sais pourquoi, qu'elle avait quelque autre but en le priant de venir. Voyant qu'ils parlaient à haute voix et ne songeaient pas à faire des cachotteries, Mavriki Nicolaïévitch et moi nous commençâmes à les écouter, et bientôt eux-mêmes nous demandèrent conseil au sujet d'un projet de Lisavéta Nicolaïevna : elle avait imaginé de faire paraître un ouvrage, selon elle, fort utile, et manquant totalement d'expérience, elle avait besoin d'un collaborateur. Je fus frappé du ton sérieux avec lequel elle se mit à développer son plan à Chatov. « Une jeune fille avancée, me dis-je ; ce n'est pas en vain qu'elle a été en Suisse. » Chatov l'écoutait attentivement, les yeux à terre et nullement étonné, semblait-il, qu'une demoiselle du monde, insouciante, s'occupât de choses qui paraissaient à première vue si peu lui convenir.

Voici en quoi consistait le projet littéraire de Lisa : il se publie en Russie, tant en province que dans les capitales, quantité de revues et de journaux qui informent régulièrement leurs lecteurs de tous les événements. L'année passe, et les journaux s'entassent dans les armoires ou bien on les jette, on les déchire, on en fait des sacs, on s'en sert pour envelopper différents objets.

Parmi les événements qu'ils ont relatés, quelques-uns ont produit une certaine sensation et les lecteurs en gardent le souvenir, mais avec les années on finit par les oublier. Bien des gens voudraient plus tard se les rappeler, mais quel travail que de rechercher au milieu de toute cette masse de papier un renseignement au sujet d'un fait qui s'est produit on ne sait où et on ne sait quand! Or, si l'on parvenait à condenser tous les faits d'une année entière en un seul ouvrage, en les classant par dates et par mois selon un certain plan et une certaine idée directrice, en y joignant une table de matières et un index, un recueil de ce genre refléterait les traits essentiels de la vie russe au cours de l'année écoulée, et cependant ces renseignements n'engloberaient qu'une faible partie des faits.

« Vous remplaceriez une multitude de journaux et de revues par quelques gros volumes, et c'est tout. »

Mais Lisavéta Nicolaïevna, tout en s'exprimant fort mal, défendit son projet avec ardeur, malgré les difficultés que devait rencontrer son exécution. Il ne s'agissait que d'un ouvrage en un volume, assurait-elle, et qui ne devait même pas être très gros. Si l'on est obligé de le rendre plus épais, il faut en tout cas qu'il soit clair : tout dépend du plan et de la façon dont les faits seront présentés. On ne pourra évidemment pas recueillir et publier tout. Les décrets et actes du gouvernement, les lois, les règlements des administrations locales, tout cela qui est très important ne pourra cependant trouver place dans l'ouvrage projeté. Il faudra limiter son choix aux événements qui caractérisent plus ou moins la vie morale du peuple russe, sa personnalité, et précisément à cette époque-ci. Rien n'est à négliger : curiosités, incendies, souscriptions publiques, actions héroïques et criminelles, discours, inondations, etc., peut-être même certains décrets du gouvernement, à condition de ne choisir que les faits qui peignent l'époque et qui seront groupés dans une intention précise et soumis à une pensée directrice ; celle-ci éclairera le tout et en fera un ensemble. Enfin, en plus de sa valeur documentaire, cet ouvrage devra offrir un certain intérêt aux amateurs de lectures légères. Ce serait en quelque sorte le tableau complet de la vie spirituelle, morale, intérieure de la Russie au cours d'une année. « Il faut que tout le monde l'achète, il faut que ce livre se trouve sur toutes les tables », insistait Lisa. « Je comprends que tout dépend du plan, et c'est pour cela que je m'adresse à vous », conclut-elle avec chaleur ; et bien que ses explications fussent obscures et incomplètes, Chatov commença à comprendre.

« Ce sera donc un ouvrage à tendance ; le choix des faits sera déterminé par une certaine tendance, murmura-t-il la tête toujours baissée.

— Nullement, il ne faut pas se placer à un point de vue particulier ; aucune nécessité de poursuivre une tendance : notre unique tendance sera l'impartialité.

— Mais une tendance, ce n'est pas si mal que cela, observa Chatov en se redressant un peu. Il est impossible d'ailleurs de s'en passer complètement puisqu'on procédera à un choix. Le choix même des faits indiquera aux lecteurs comment il faudra qu'ils les comprennent. Votre idée n'est pas mauvaise.

— Vous croyez donc qu'un tel livre est possible ? dit Lisa tout heureuse.

— Il faut examiner la question et bien y réfléchir. Il s'agit d'une œuvre immense. Impossible d'en voir immédiatement tous les côtés. Nous manquons d'expérience. Et quand nous aurons publié le premier volume, nous ne saurons pas encore grand'chose ; ce n'est peut-être qu'après plusieurs expériences de ce genre... Mais l'idée est intéressante, elle est utile. »

Il leva enfin ses yeux qui rayonnaient tant il était séduit.

« Vous avez inventé cela toute seule ? demanda-t-il à Lisa d'un ton à la fois timide et tendre.

— Inventer n'était pas difficile ; le difficile c'est le plan, répondit Lisa en souriant. Bien des choses m'échappent, et je ne suis pas très intelligente, mais je ne poursuis que ce que je vois clairement.

— Vous dites que vous poursuivez ?...

— J'ai employé un mot pour un autre ? demanda vivement Lisa.

— Non, c'est bien cela ; je n'avais rien de particulier à dire.

— Étant encore à l'étranger, je me persuadai que moi aussi je pouvais me rendre utile. J'ai de l'argent à moi, et je n'en fais rien. Pourquoi ne pourrais-je pas travailler moi aussi à l'œuvre commune ? Cette idée d'ailleurs m'est venue d'elle-même ; je ne l'ai pas cherchée, mais j'ai été heureuse de la découvrir. Cependant, je vis aussitôt que je ne pouvais me passer d'un collaborateur, car je ne sais rien faire toute seule. Bien entendu, ce collaborateur serait le coéditeur du livre. Nous sommes chacun de moitié dans l'entreprise : vous fournissez le plan et le travail, et moi, l'idée première et l'argent. Nous couvrirons bien nos frais ?

— Si nous dénichons un bon plan, le livre se vendra.

— Je vous préviens que je ne fais pas cela en vue d'obtenir des bénéfices ; mais je souhaite que le livre marche bien et je serais fière s'il nous rapportait quelque chose.

— Et moi, qu'est-ce que je fais là-dedans ?

— Mais c'est vous que j'invite comme collaborateur... de moitié avec moi. Vous imaginerez un plan.

— Comment savez-vous que je suis capable d'imaginer ce plan ?

— On m'a parlé de vous, et ici j'ai entendu... Je sais que vous êtes très intelligent, et... que vous travaillez... que vous réfléchissez beaucoup. Piotr Stépanovitch Verkhovensky m'a parlé de vous en Suisse, s'empressa-t-elle d'ajouter. C'est un homme très intelligent, n'est-il pas vrai ? »

Chatov l'enveloppa d'un regard rapide et baissa aussitôt les yeux.

« Nicolaï Vsévolodovitch, lui aussi, m'a beaucoup parlé de vous. »

Chatov rougit tout à coup.

« Du reste, voici les journaux, dit Lisa en prenant sur la chaise un paquet de journaux qui se trouvaient là, préparés. J'ai essayé de faire un certain choix entre les faits, je les ai soulignés et numérotés... Vous verrez. »

Chatov prit le paquet de journaux.

« Emportez-les, examinez-les chez vous. Où demeurez-vous ?

— Maison Philippov, rue de l'Épiphanie.

— Je sais. C'est là aussi que demeure, je crois, un certain M. Lébiadkine », dit Lisa avec précipitation.

Toujours assis, les yeux baissés, son paquet de journaux à la main, Chatov resta toute une minute sans répondre.

« Vous feriez mieux de choisir quelqu'un d'autre pour de telles besognes ; je ne peux vous être utile », prononça-t-il enfin d'une voix étrangement sourde, presque dans un murmure.

Lisa devint toute rouge.

« De quelles besognes parlez-vous ? Mavriki Nicolaïevitch! s'écria-t-elle, apportez-moi, je vous prie, la lettre de tout à l'heure. »

Je suivis l'officier jusqu'à la table.

« Regardez cela, dit-elle tout agitée en se tournant brusquement vers moi et en dépliant la lettre. Avez-vous jamais vu quelque chose de semblable ? Lisez-la à haute voix, je vous prie ; j'ai besoin que M. Chatov l'entende aussi. »

Fort surpris, je lus la missive suivante :

A la très parfaite Mademoiselle Touchine,

Très respectable Lisavéta Nicolaïevna!

Oh comme elle est charmante,
Élisavéta Touchine,
Quand avec son parent elle galope
Tandis que ses boucles jouent avec le vent
Ou bien quand à l'église elle se prosterne,
Et que la rougeur couvre son doux visage.
Alors j'aspire aux joies légales du mariage,
Et je suis ses traces en pleurant.

(*Composé par un ignorant au cours d'une discussion.*)

« Madame,

« Plus que quiconque, je regrette pour ma gloire de n'avoir pas perdu un bras à Sébastopol, car je n'y ai jamais été, et ai passé toute la guerre dans l'ignoble service de l'approvisionnement, ce que je considère comme une bassesse. Vous êtes une déesse de l'antiquité, et moi je ne suis rien, mais j'ai le pressentiment de l'infini. Considérez cela comme un poème, ce n'est rien de plus ; les vers, en somme, ce n'est qu'une bêtise, mais ils justifient ce qui serait considéré en prose comme une impertinence. Le soleil peut-il se fâcher contre un infusoire si celui-ci lui adresse un poème du fond d'une goutte d'eau, où le microscope en découvre tant ? Même le club de protection des grands animaux qui s'est fondé à Pétersbourg, dans la haute société, tout en éprouvant à juste titre de la compassion pour un chien ou un cheval, méprise le doux infusoire et n'y fait aucune allusion, parce qu'il est trop infime. Moi aussi je suis infime. L'idée d'un mariage pourrait sembler ridicule ; mais j'aurai bientôt deux cents âmes selon l'ancienne évaluation, par l'entremise d'un misanthrope que vous méprisez. Je puis vous renseigner sur bien des choses, et suis prêt même à affronter la Sibérie, car je me base sur des documents. Ne méprisez pas ma proposition. Considérez que la lettre de l'infusoire est en vers. »

« Le capitaine Lébiadkine,
votre très humble ami et qui a des loisirs. »

« Cette lettre a été écrite par un gredin et un ivrogne, m'écriai-je indigné. Je le connais.

— Je l'ai reçue hier, expliqua avec volubilité Lisa devenue toute rouge. Et je compris aussitôt qu'elle venait d'un imbécile ; je ne l'ai pas encore montrée à maman, afin de ne pas la troubler davantage. Mais s'il continue, je ne sais que faire. Mavriki Nicolaïévitch veut aller le mettre à la raison. Vous considérant comme mon collaborateur, dit-elle à Chatov, et puisque vous demeurez dans la même maison, je voulais me renseigner auprès de vous pour savoir à quoi je dois m'attendre de sa part.

— C'est un ivrogne et une canaille, murmura comme à contrecœur Chatov.

— Est-il toujours aussi bête ?

— Il n'est pas bête du tout quand il n'a pas bu.

— Je connaissais un général qui composait des vers absolument pareils, dis-je en riant.

— Rien qu'à cette lettre on voit qu'il a son idée, observa soudain le toujours silencieux Mavriki Nicolaïévitch.

— Il paraît qu'il vit avec sa sœur? demanda Lisa.

— Oui.

— Et il paraît aussi qu'il la tyrannise ; est-ce vrai? »

Chatov leva de nouveau les yeux sur Lisa, fronça les sourcils et fit un pas vers la porte en murmurant : « Cela ne me regarde pas. »

— Attendez! s'écria Lisa tout agitée. Où allez-vous donc? Nous avons encore à convenir de tant de choses!

— De quoi avons-nous à convenir? Je vous ferai savoir demain...

— Nous n'avons pas encore parlé du principal, de l'imprimerie. Croyez bien que mon projet n'est pas une plaisanterie ; je veux y travailler sérieusement, insistait Lisa de plus en plus agitée. Si nous décidons de publier cet ouvrage, où l'imprimerons-nous? C'est là le plus important ; nous n'irons pas nous installer à Moscou spécialement pour cela ; et d'autre part, on ne peut compter sur l'imprimerie d'ici pour un travail de ce genre. J'ai résolu depuis longtemps d'avoir une imprimerie à moi, sous votre nom peut-être ; je sais que maman me le permettra à condition que ce soit sous votre nom...

— Comment savez-vous que je puis m'occuper de l'imprimerie? demanda Chatov d'un air sombre.

— C'est Piotr Stépanovitch qui m'a parlé de vous en Suisse, et m'a assuré que vous étiez capable de diriger une imprimerie, connaissant bien le métier. Il voulait même me donner une lettre pour vous, mais je l'ai oubliée. »

Chatov changea de visage à ces mots (je me le rappelle maintenant). Il resta un instant silencieux, puis soudain ouvrit la porte et sortit.

Lisa se fâcha.

« C'est toujours ainsi qu'il s'en va ? » me demanda-t-elle.

Je haussai les épaules, quand Chatov reparut brusquement ; il se dirigea droit vers la table et y déposa le rouleau de journaux qu'il avait emporté.

« Je ne collaborerai pas avec vous, je n'ai pas le temps...

— Mais pourquoi ? pourquoi donc ? Vous avez l'air fâché ! » s'exclama Lisa d'une voix éplorée et suppliante.

Le son de sa voix parut le frapper. Il la considéra attentivement quelques instants, comme s'il eût voulu pénétrer jusqu'au fond de son âme.

« Non, peu importe, je ne veux pas », dit-il à voix basse.

Il sortit, cette fois pour de bon. Lisa paraissait complètement bouleversée, plus que de raison même, me sembla-t-il sur le moment.

« Il est vraiment bien étrange », observa Mavriki Nicolaïévitch.

III

« Étrange », en effet ; mais tout cela n'était pas clair et devait avoir une signification cachée. Je me refusais de prendre au sérieux ce projet d'édition ; et puis, il y avait cette lettre stupide dont l'auteur, cela n'était que trop évident, proposait de dénoncer quelqu'un avec documents à l'appui. Or personne n'en avait soufflé mot et l'on s'était mis à parler d'autre chose. Enfin, il y avait cette histoire d'imprimerie et le brusque départ de Chatov provoqué précisément par les quelques mots que Lisa avait dits à ce sujet. Tout cela me donna à penser qu'il s'était passé avant mon arrivée quelque chose que j'ignorais, que, par conséquent, j'étais de trop et que tout cela ne me regardait pas en somme. Du reste, il était l'heure de partir ; pour une première visite j'étais resté assez longtemps. Je m'approchai de Lisavéta Nicolaïevna pour lui faire mes adieux.

Elle semblait avoir oublié ma présence et se tenait toujours devant la table, plongée dans ses pensées, la tête baissée et fixant des yeux le tapis.

« Ah, vous partez aussi! au revoir, murmura-t-elle de sa voix toujours affable. Saluez de ma part Stépane Trophimovitch et dites-lui de venir me voir le plus tôt possible. Mavriki Nicolaïévitch, Anton Lavrentiévitch s'en va. Excusez maman, elle ne peut venir vous dire au revoir. »

Je sortis et j'étais déjà au bas de l'escalier quand je fus rejoint par un domestique.

« Madame vous prie de revenir...

— Madame ou Lisavéta Nicolaïevna?

— Lisavéta Nicolaïevna. »

Je retrouvai Lisa non pas dans le grand salon, mais dans la salle de réception voisine ; la porte entre celle-ci et le salon où Mavriki Nicolaïévitch se trouvait seul maintenant, était fermée.

Lisa, toute pâle, m'adressa un sourire. Elle se tenait au milieu de la chambre dans une attitude hésitante, et en proie, visiblement, à une lutte intérieure. Tout à coup, elle me prit, sans dire mot, par la main et me mena vers la fenêtre.

« Je veux *la* voir tout de suite, murmura-t-elle en fixant sur moi un regard ardent, impératif, impatient, qui n'admettait pas la moindre objection. Je veux *la* voir de mes propres yeux et je vous demande de m'aider. »

Elle paraissait hors d'elle, complètement désespérée.

« Qui donc désirez-vous voir, Lisavéta Nicolaïevna ? demandai-je effrayé.

— La sœur de Lébiadkine, cette boiteuse... Est-il vrai qu'elle boite ? »

J'étais consterné.

« Je ne l'ai jamais vue, mais on m'a dit qu'elle était boiteuse, on me l'a dit encore hier, répondis-je avec empressement et à voix basse aussi.

— Je dois la voir absolument. Pourriez-vous arranger cette entrevue pour aujourd'hui ? »

Elle me fit soudain profondément pitié.

« C'est impossible ; je ne sais même pas comment je pourrais m'y prendre. Je vais voir Chatov...

— Si vous ne parvenez pas à arranger cela pour demain j'irai moi-même chez elle, j'irai seule, car Mavriki Nicolaïévitch refuse de m'accompagner. Mon seul espoir est en vous ; je ne puis compter sur personne d'autre. J'ai sottement parlé à Chatov tout à l'heure... Je suis certaine que vous êtes un parfait honnête homme, et peut-être m'êtes-vous dévoué. Mais arrangez-moi cela ! »

Je ressentis soudain le plus violent désir de lui venir en aide.

« Voici ce que je vais faire, dis-je après un instant de réflexion. J'irai moi-même et je réussirai sûrement, *sûrement*, à la voir, je vous en donne ma parole d'honneur ; mais permettez-moi de me confier à Chatov.

— Dites-lui que c'est mon désir et que je ne puis plus attendre. Mais dites-lui aussi que je ne le trompais pas tout à l'heure. Il est peut-être parti parce qu'il est très franc, et qu'il s'est imaginé que je voulais le tromper.

Non, je n'ai pas menti, je suis réellement décidée à publier cet ouvrage et à installer une imprimerie.

— Oui, il est franc et honnête, insistai-je avec chaleur.

— Mais si la chose ne s'arrange pas pour demain, j'irai moi-même chez elle, quoi qu'il puisse arriver et quand bien même tout le monde devrait le savoir.

— Je ne puis être chez vous demain avant trois heures, observai-je en recouvrant mon sang-froid.

— Bien, je vous attends à trois heures. Je ne m'étais donc pas trompée hier, chez Stépane Trophimovitch, quand j'ai cru deviner que vous m'étiez quelque peu dévoué », dit-elle avec un sourire.

M'ayant serré précipitamment la main, elle se hâta d'aller retrouver Mavriki Nicolaïévitch.

Je sortis accablé sous le poids de ma promesse ; je ne comprenais pas ce qui venait de se produire. J'avais vu une femme au comble du désespoir, et qui ne craignait pas de se compromettre en se confiant à un homme qu'elle connaissait à peine. Son sourire caressant, dans un moment aussi grave pour elle, et le fait que selon son propre aveu elle avait remarqué mes sentiments, tout cela m'avait porté un coup au cœur ; mais je ne ressentais que de la pitié pour elle, rien que de la pitié. Ses secrets étaient devenus pour moi en quelque sorte sacrés, et si l'on avait voulu me les révéler à ce moment-là, je crois que je me serais bouché les oreilles en refusant d'entendre quoi que ce soit. Je pressentais quelque chose cependant... Mais je ne savais vraiment pas comment je m'y prendrais pour accomplir ma promesse. Il y a plus même : je ne savais pas encore au juste ce que l'on attendait de moi ; je devais arranger une entrevue, mais quelle entrevue ? et comment m'y prendre pour les faire se rencontrer ? Tout mon espoir était en Chatov ;

et pourtant j'étais sûr d'avance qu'il ne m'aiderait point. Néanmoins je me précipitai chez lui.

IV

Je ne le trouvai à la maison que vers huit heures du soir. A mon grand étonnement il y avait du monde chez lui : Alexéï Nilytch et un monsieur que je connaissais à peine, un certain Chigaliov, le beau-frère de Virguinsky.

Ce Chigaliov se trouvait dans notre ville depuis près de deux mois, si je ne me trompe ; je ne sais d'où il venait. On disait qu'il avait publié un article dans une revue avancée de Pétersbourg. Virguinsky nous avait un jour présentés l'un à l'autre dans la rue. De ma vie je n'ai vu un visage humain aussi morne, aussi maussade, aussi lugubre même. On eût dit qu'il attendait la destruction du monde, et non pas dans un temps plus ou moins éloigné, selon des prophéties qui pouvaient ne pas s'accomplir, mais d'une façon tout à fait précise, après-demain par exemple, exactement à dix heures vingt-cinq du matin. C'est à peine si nous échangeâmes deux mots lors de cette première rencontre, nous contentant de nous serrer la main comme deux conspirateurs. J'avais été surtout frappé par ses oreilles d'une dimension anormale, longues, larges, épaisses et qui s'écartaient étrangement de sa tête. Ses mouvements étaient lents et gauches. Si Lipoutine s'imaginait qu'un jour ou l'autre on parviendrait peut-être à organiser un phalanstère dans notre province, Chigaliov, lui, connaissait la date et l'heure où cet événement aurait lieu. Il me produisit une impression sinistre, et je fus surpris de le rencontrer chez Chatov, d'autant plus que celui-ci n'aimait guère les visites.

En montant l'escalier, je les entendais déjà parler très fort, tous les trois à la fois ; ils paraissaient se disputer. Mais aussitôt que j'entrai, ils se turent. Ils se disputaient debout, mais à ma vue ils se rassirent, de sorte que je dus m'asseoir aussi. Pendant trois bonnes minutes un silence stupide régna dans la pièce. Bien que Chigaliov m'eût reconnu, il fit semblant de ne pas me connaître, non point par hostilité mais sans raison aucune certainement. Alexéï Nilytch et moi nous nous saluâmes de loin, en silence, et, je ne sais trop pourquoi, sans nous serrer la main. Chigaliov se mit à me regarder d'un air sévère, mécontent, naïvement convaincu que je finirais par me lever et m'en aller. Enfin Chatov se leva et les autres en firent autant. Ils sortirent sans prendre congé ; mais sur le seuil, Chigaliov dit à Chatov qui les accompagnait :

« Rappelez-vous que vous devez nous rendre compte.

— Je me moque de tout cela, et je ne dois de comptes à personne, répliqua Chatov, et il ferma derrière eux la porte au crochet.

— Les imbéciles », dit-il en me regardant, et il eut un sourire qui ressemblait à une grimace.

Il semblait en colère et je fus surpris qu'il m'eût parlé le premier. D'ordinaire, quand je venais le voir (ce qui arrivait très rarement), il s'asseyait dans un coin d'un air renfrogné et me répondait avec mauvaise humeur ; il ne s'animait qu'au bout d'un certain temps ; alors il parlait volontiers. Mais en vous reconduisant, il prenait de nouveau son air maussade et vous ouvrait la porte avec la mine de quelqu'un qui parvient enfin à se débarrasser d'un ennemi personnel.

« J'ai pris du thé chez cet Alexéï Nilytch, dis-je. Je crois que l'athéisme l'a rendu fou.

— L'athéisme russe s'est toujours contenté de calembours, grogna Chatov en remplaçant par une nouvelle bougie celle qui achevait de se consumer.

— Non, Kirilov ne me semble pas un faiseur de calembours. Il ne parvient même pas à s'exprimer simplement ; à plus forte raison est-il incapable de plaisanteries.

— Ce sont des hommes de carton. Leur pensée est servile ; c'est de là que provient tout, observa tranquillement Chatov. Il s'assit sur une chaise dans un coin, les deux mains étalées sur ses genoux.

— Il y a aussi de la haine dans tout cela, prononça-t-il après un instant de silence. Ils seraient horriblement malheureux si la Russie se transformait soudain, et même conformément à leurs idées, et devenait tout à coup extraordinairement riche et prospère. Ils n'auraient plus personne à haïr, ils n'auraient plus personne sur qui cracher, ils ne trouveraient plus rien à railler. Tout cela se réduit à une immense haine contre la Russie, à une haine animale qui imprègne leur organisme... Et il ne s'agit nullement pour eux de cacher leurs larmes sous un sourire [1]. Jamais parole plus fausse ne fut prononcée en Russie! s'écria-t-il presque avec rage.

— Dieu sait ce que vous dites là! — Je me mis à rire.

— Et vous, vous n'êtes qu'un « libéral modéré », dit Chatov en souriant à son tour. Vous savez, reprit-il, je crois que j'ai lâché une bêtise en parlant de leur « pensée servile ». Vous allez sans doute me dire : « C'est toi qui es un fils de serf, moi je n'ai jamais été domestique. »

— Je n'ai jamais songé à rien de semblable... Qu'est-ce que vous racontez!

— Ne vous excusez pas, je n'ai pas peur de vous. Je n'étais que le fils d'un serf dans le temps, mais à présent, me voici laquais à mon tour, tout comme vous. Notre libéral russe est, avant tout, un laquais, toujours en quête de bottes à cirer.

— Quelles bottes? que signifie cette allégorie?

— Une allégorie?... Vous voulez rire... Stépane Trophimovitch a raison de dire que je suis sous une pierre, écrasé, mais non à mort, et que j'essaye en vain de me relever. Sa comparaison est bonne.

— Stépane Trophimovitch assure que votre point faible ce sont les Allemands, observai-je en riant. Quoi qu'il en soit, nous leur avons chipé quelque chose.

— Oui, vingt copecks; mais nous leur avons donné cent roubles de notre argent. »

Nous restâmes silencieux une bonne minute.

« C'est en Amérique qu'il a attrapé cela.

— Qui donc? Attrapé quoi?

— Je parle de Kirilov. Nous y avons passé quatre mois étendus côte à côte dans une cabane.

— Comment? Vous avez été en Amérique? Jamais vous n'en avez parlé.

— Pourquoi en parler? Il y a deux ans, risquant nos derniers sous, nous sommes partis à trois pour les États-Unis sur un bateau d'émigrants, « pour goûter de la vie de l'ouvrier américain et nous rendre compte *par notre propre expérience* de l'état d'un homme qui se trouve dans les conditions sociales les plus pénibles. » Voilà quel était le but de notre voyage.

— Mon Dieu! m'exclamai-je en riant. Il n'était pas besoin d'aller en Amérique. Pour procéder à cette expérience, vous auriez mieux fait de vous rendre dans notre province à l'époque des travaux agricoles.

— Nous sommes entrés là-bas comme ouvriers chez un exploiteur. Nous étions six Russes : des étudiants, des propriétaires fonciers arrivés tout droit de leurs domaines, et même des officiers, tous dans le même but grandiose. On a travaillé, on a sué, on a peiné à en crever, et finalement, Kirilov et moi nous sommes partis, malades, n'en pouvant plus. Le patron nous trompa en nous payant notre salaire : au lieu des trente dollars qui étaient convenus, il m'en paya huit seulement et quinze à Kirilov. Il nous arriva aussi plus d'une fois d'être battus. C'est alors que nous sommes restés sans travail, Kirilov et moi, et avons passé quatre mois couchés côte à côte dans une cabane. Il ruminait ses idées, moi, les miennes.

— Est-il possible que votre patron vous ait battus ? en Amérique ? Je m'imagine combien vous ragiez !

— Pas le moins du monde. Au contraire, nous convînmes immédiatement avec Kirilov que « nous autres Russes nous n'étions que de petits enfants à côté des Américains, et qu'il fallait être né en Amérique, ou, tout au moins, y vivre depuis longtemps pour atteindre au niveau des Américains. » Je vous dirai plus : quand on nous faisait payer un dollar pour un objet qui ne valait qu'un sou, nous payions avec plaisir, avec ravissement même. Nous étions ravis de tout : du spiritisme, de la loi de Lynch, des revolvers, des vagabonds. Un jour, en voyage, un individu plonge sa main dans ma poche, en retire ma brosse à cheveux et se met à se coiffer. Eh bien, Kirilov et moi, nous nous sommes contentés d'échanger un coup d'œil : nous décidâmes que l'individu avait très bien agi et que cela nous plaisait beaucoup.

— Ce qui est étrange, c'est que chez nous de telles idées passent de la théorie dans la pratique, remarquai-je.

— Des hommes de carton, je vous le dis, répéta Chatov.

— Cependant, traverser l'océan sur un bateau d'émigrants, aller dans un pays inconnu dans le but de « se rendre compte par soi-même », etc., il y a là vraiment quelque chose de grand, de généreux... Mais comment vous en êtes-vous tirés?

— J'ai écrit en Europe à quelqu'un qui m'a envoyé cent roubles. »

En parlant, Chatov regardait obstinément à terre, ainsi qu'il le faisait toujours, même lorsqu'il s'emballait. A ce moment pourtant il leva la tête :

« Voulez-vous savoir le nom de cet homme?

— Qui était-ce?

— Nicolaï Stavroguine. »

Il se leva brusquement, se dirigea vers sa table à écrire en bois de tilleul et fit mine de chercher quelque chose. On disait chez nous, sans entrer d'ailleurs dans de plus amples détails, que la femme de Chatov avait eu, deux ans auparavant, une liaison à Paris avec Nicolaï Stavroguine ; c'était donc à l'époque du séjour de Chatov en Amérique, et, du reste, après qu'elle eut quitté son mari à Genève. « Si c'est ainsi, me dis-je, qu'est-ce qui l'a poussé à me lancer le nom de Stavroguine et à s'étendre sur cette histoire? »

« Je ne l'ai pas encore remboursé, dit-il en se tournant de nouveau vers moi. Il me regarda fixement, puis alla se rasseoir dans son coin et me demanda brusquement d'une voix toute changée :

— Vous êtes venu certainement pour affaire, que désirez-vous? »

Je me mis aussitôt à lui raconter toute l'histoire dans l'ordre chronologique des faits, et ajoutai que la première émotion calmée, je me trouvais encore plus embarrassé qu'auparavant : je comprenais qu'il s'agissait d'une chose très importante pour Lisavéta Nicolaïevna et j'étais fermement décidé à lui venir en aide, mais le malheur était que non seulement je ne savais comment m'y prendre pour tenir ma promesse, mais que je ne me rendais même pas exactement compte de ce que je lui avais promis. Pour finir, je l'assurai encore une fois que Lisavéta Nicolaïevna n'avait pas voulu le tromper, que l'idée d'une tromperie ne lui était même pas venue à l'esprit, qu'il y avait eu un simple malentendu et qu'elle était désolée de son brusque départ.

Il m'écouta très attentivement.

« Peut-être ai-je commis une gaffe en effet, selon mon habitude... Si elle n'a pas compris la raison de mon départ, eh bien... tant mieux pour elle. »

Il se leva, s'approcha de la porte, l'ouvrit et se mit à écouter dans l'escalier.

« Vous tenez à voir cette personne vous-même ?

— Oui, mais comment arranger cela ? m'écriai-je ravi.

— Eh bien ! allons-y tout simplement, tant qu'elle est seule. Quand il rentrera, il la battra s'il apprend que nous sommes venus. Je vais souvent la voir en cachette, et ce matin j'ai rossé Lébiadkine qui avait recommencé à la battre.

— Que dites-vous là ?

— Mais oui, je l'ai traîné par les cheveux ; il voulait même se jeter sur moi, mais il eut peur, et nous en restâmes là. S'il rentre ivre, il s'en souviendra, je le crains, et la battra pour se venger. »

Nous descendîmes sans plus tarder.

V

La porte des Lébiadkine était fermée, mais non à clef, et nous entrâmes librement. Leur logement se composait de deux vilaines petites pièces aux murs enfumés dont les papiers sales tombaient littéralement en lambeaux. C'était là que Philippov avait tenu, quelques années auparavant, sa taverne, avant de déménager dans un autre local. En partant il avait fermé toutes les pièces sauf deux où s'étaient installés Lébiadkine et sa sœur, et dont l'ameublement se composait d'un vieux fauteuil sans bras, de bancs et de tables de sapin. Dans la deuxième chambre, il y avait cependant dans un coin un lit sous une couverture de coton où couchait Mlle Lébiadkine ; quant au capitaine, en rentrant chez lui le soir, il tombait comme une masse sur le plancher, sans se déshabiller le plus souvent. Tout était sale, humide, couvert de détritus. Une grosse loque mouillée gisait au beau milieu de la première chambre, et tout à côté traînait dans une flaque d'eau un vieux soulier éculé. Personne visiblement ne s'occupait ici du ménage ; on n'allumait jamais les poêles, on ne faisait jamais de cuisine ; les Lébiadkine, dit Chatov, ne possédaient même pas de samovar. Le capitaine se trouvait en arrivant dans la plus profonde misère, et les premiers temps il mendiait de porte en porte, comme nous l'avait raconté Lipoutine. Mais aussitôt qu'il eut reçu de l'argent, il se mit à boire, perdit complètement la tête et ne songea pas à son ménage bien entendu.

Mlle Lébiadkine que je voulais tant voir, était assise, paisible et silencieuse, sur un banc devant une table dans un coin de la seconde chambre. Elle ne nous adressa pas la parole quand nous entrâmes ; elle ne fit même pas un mouvement. Chatov me dit que la porte d'entrée n'était jamais fermée à clef, et qu'une nuit elle était même restée toute grande ouverte. A la terne lumière d'une mince bougie plantée dans un chandelier de fer, je distinguai une femme d'une maigreur maladive, âgée peut-être d'une trentaine d'années ; elle était vêtue d'une vieille robe de cotonnade foncée qui laissait à découvert son long cou ; ses rares cheveux bruns étaient tordus sur sa nuque en un chignon pas plus gros que le poing d'un enfant de deux ans. Elle nous regarda d'un air assez gai. En plus du chandelier, elle avait devant elle sur la table un petit miroir comme on en trouve chez les paysans, un vieux jeu de cartes, un recueil de chansons dépenaillé et un petit pain blanc dans lequel elle avait dû mordre une ou deux fois. Il était visible que mademoiselle Lébiadkine usait de fards et se teignait les lèvres. Ses sourcils qu'elle avait suffisamment longs, minces et fournis, étaient passés au noir. En dépit du blanc qui le recouvrait, son front haut et étroit était marqué de trois longues rides. Je savais qu'elle boitait, mais cette fois elle ne se leva pas en notre présence. Autrefois, au temps de sa première jeunesse, ce visage amaigri avait pu être agréable ; et ses yeux gris, doux et caressants étaient encore beaux. Leur regard paisible, presque joyeux, avait une expression sincère et rêveuse. Cette joie sereine que reflétait également son sourire, me surprit après tout ce que je savais des violences de son frère et des coups de nagaïka qu'elle avait à supporter. Au lieu du dégoût pénible et craintif que l'on ressent d'ordinaire auprès de ces malheureuses créatures, j'éprouvai, au premier moment, chose étrange, presque du plaisir à la regarder, et ce sentiment ensuite ne fit place qu'à la pitié et nullement au dégoût.

« Vous voyez, c'est ainsi qu'elle reste assise des journées entières, toute seule, sans bouger ; elle se tire les cartes ou bien se regarde dans la glace, dit Chatov en me la désignant du seuil de la porte. Son frère ne lui donne même pas à manger ; de temps à autre la vieille femme qui fait le ménage de Kirilov lui apporte quelque nourriture par charité. Je ne comprends pas comment on la laisse ainsi seule avec une bougie.

— Bonjour, Chatouchka [1], dit Mlle Lébiadkine d'un ton affable.

— Je t'amène un visiteur, Maria Timophéïevna, annonça Chatov.

— Honneur au visiteur. Qui m'as-tu amené ? Il me semble que je ne le connais pas. » Elle me regarda attentivement à la lumière de la bougie, puis se retourna vers Chatov, et pendant tout le reste de la conversation, ne fit pas plus attention à moi que si je n'eusse pas été à côté d'elle.

« Tu t'ennuyais sans doute de te promener seul de long en large dans ta chambrette ? demanda-t-elle en riant et en découvrant ainsi deux rangées de dents magnifiques.

— Oui, je m'ennuyais, et puis je voulais te dire bonjour. »

Chatov approcha un banc de la table, s'assit et me fit asseoir à côté de lui.

« J'ai toujours grand plaisir à causer ; mais tu me fais rire, Chatouchka : on dirait vraiment un moine. Depuis quand ne t'es-tu pas peigné ? Viens plus près, je vais te peigner, dit-elle en tirant un petit peigne de sa poche. Je suis sûre que tu n'as pas démêlé tes cheveux depuis la dernière fois que je t'ai peigné.

— Je n'ai même pas de peigne, répondit en riant Chatov.

— Vraiment ? Alors je te donnerai le mien ; pas celui-ci, mais un autre. Fais-m'y penser. »

Elle se mit à le peigner de l'air le plus sérieux ; elle traça même une raie de côté, puis se recula un peu pour mieux juger de l'effet et remit le peigne dans sa poche.

« Sais-tu ce que je te dirai, Chatouchka ? Tu es peut-être un homme sensé, et cependant tu t'ennuies. Je vous regarde tous et je m'étonne : je ne comprends pas comment les gens peuvent s'ennuyer. La tristesse n'est pas l'ennui. Moi, je suis gaie.

— Même quand ton frère est là ?

— Tu parles de Lébiadkine ? C'est mon domestique. Qu'il soit ici ou non, cela m'est indifférent. Je lui crie : « Lébiadkine, apporte-moi de l'eau ! — Lébiadkine, apporte-moi mes souliers ! » Et il les apporte. C'est bien mal de ma part, mais parfois je ne peux m'empêcher d'en rire.

— C'est bien ainsi que les choses se passent, me dit Chatov toujours à haute voix et sans se gêner. Elle le traite comme un laquais, et je l'ai entendue crier de mes propres oreilles : « Lébiadkine, apporte-moi de l'eau ! » Et elle riait. La seule différence, c'est qu'il ne lui apporte pas d'eau, mais la bat. Cependant, elle n'a pas peur du tout de lui. Elle a des crises nerveuses, presque chaque jour, qui lui troublent la mémoire, de sorte qu'elle oublie ce qui vient de se passer et confond les jours et les heures. Vous croyez qu'elle se rappelle comment nous sommes entrés ? Peut-être se le rappelle-t-elle, mais elle a déjà tout arrangé à sa façon et nous prend certainement pour d'autres gens, bien qu'elle se souvienne que je suis « Chatouchka ». Ne soyez pas surpris que je parle tout haut : elle cesse immédiatement d'écouter ceux qui ne s'adressent pas directement à elle et se jette alors à corps perdu dans ses rêveries. Elle s'y jette, c'est bien le mot. Elle restera là à rêver huit heures de suite, sans bouger. Vous voyez ce petit pain : peut-être n'en a-t-elle mangé qu'une seule bouchée depuis le matin et ne le terminera-t-elle que demain. La voilà maintenant qui se met à se tirer les cartes...

— Oui, Chatouchka, je me tire tout le temps les cartes, mais elles ne m'apprennent rien de bon, intervint tout à coup Maria Timophéïevna qui avait saisi le mot « cartes » ; elle étendit la main gauche vers le petit pain (ayant probablement entendu aussi qu'on parlait de pain), le prit sans le regarder, le tint quelques instants dans sa main, puis, son attention détournée par la conversation, elle le reposa d'un geste machinal sur la table sans y avoir goûté.

— Elles me disent toujours la même chose : un voyage, un méchant homme, une trahison, une maladie mortelle, une lettre de je ne sais qui, une nouvelle inattendue. Des mensonges que tout cela, je pense. Et toi, Chatouchka, qu'en dis-tu ? Si les hommes mentent, pourquoi les cartes ne mentiraient-elles pas aussi ? — Elle brouilla brusquement les cartes. — C'est ce que je disais à la mère Prascovia, une femme respectable qui venait se faire tirer les cartes dans ma cellule en cachette de la Mère Supérieure. Elle n'était pas la seule d'ailleurs. Elles sont là toutes à soupirer, à hocher la tête, à discuter, et moi je ris : « D'où voulez-vous que » vous arrive une lettre, mère Prascovia, lui dis-je, vous » qui depuis douze ans n'en avez pas reçu une seule ? » Sa fille et son gendre étaient partis pour la Turquie et n'avaient plus donné signe de vie depuis douze ans. Or voilà que le lendemain soir, je prends le thé chez la Mère Supérieure (elle était d'une famille princière) ; il y avait là aussi une dame, une dame très imaginative, et un petit moine du mont Athos, un drôle de bonhomme à mon avis. Eh bien, figure-toi, Chatouchka, que ce petit moine avait apporté de Turquie, le matin même, une lettre à la mère Prascovia, une lettre de sa fille ; le valet de carreau avait dit vrai : c'était bien une nouvelle inattendue. Nous étions là à boire le thé, quand le moine de l'Athos dit à la Mère Supérieure : « La bénédiction de Dieu est certainement sur votre

» monastère, vénérée Mère Supérieure, car il recèle entre
» ses murs un trésor très précieux. — Quel trésor?
» demanda la Supérieure. — La bienheureuse Mère
Lisavéta », répondit le moine. Or cette Mère Lisavéta
vivait dans une cage de sept pieds de long et de cinq
pieds de haut, encastrée dans le mur ; elle était là,
derrière des barreaux de fer, depuis seize ans, vêtue,
été comme hiver, uniquement d'une chemise de chanvre
qu'elle piquait parfois de brindilles de paille ; toujours
silencieuse, pas une seule fois depuis seize ans elle ne
s'était peignée ni lavée. L'hiver, on lui donnait une peau
de mouton, et chaque jour on lui passait à travers les
barreaux une croûte de pain et une cruche d'eau. Les
pèlerins la contemplaient en soupirant et en s'exclamant, et déposaient leurs sous dans une sébile. « En voilà
un trésor! » répondit la Supérieure (elle était fâchée,
car elle détestait Lisavéta). « Lisavéta ne s'est enfermée
» que par méchanceté ; ce n'est qu'obstination de sa
» part et simulation. » Cela ne me plut pas, car je
songeais alors à me cloîtrer moi aussi. « Selon moi, dis-je, Dieu et la nature, c'est la même chose. — Voyez-
» vous cela! » s'écrièrent-ils tous. La Supérieure se mit
à rire, dit je ne sais quoi à voix basse à la dame, puis
m'appela auprès d'elle et me parla gentiment ; la dame,
elle, me donna un ruban rose. Veux-tu que je te le
montre? Le moine se mit à me faire tout un sermon,
si doucement, si humblement et aussi avec tant d'intelligence sans doute, que je restai là à l'écouter. « As-tu
» compris? me demanda-t-il. — Non, répondis-je, je
» n'ai rien compris, et laissez-moi tranquille. » Et depuis
lors, ils me laissèrent tranquille, Chatouchka. Vers le
même temps, une vieille femme (elle faisait pénitence
au couvent pour avoir prophétisé), me chuchota en
sortant de l'église : « La Mère de Dieu, qu'est-ce selon

» toi ? — La Mère est l'Espérance du genre humain,
» répondis-je. — Oui, c'est bien ainsi, dit-elle. La
» Mère de Dieu est notre mère à tous, la terre humide,
» et cette vérité contient une grande joie pour les
» hommes. Et chaque souffrance terrestre, chaque larme
» terrestre est pour nous une joie ; et quand tu auras
» trempé la terre de tes larmes jusqu'à un pied de pro-
» fondeur, tout ne sera plus que joie pour toi et plus
» jamais, plus jamais tu ne connaîtras la souffrance,
» ainsi qu'il a été prédit. » Mon cœur conserva cette parole. Depuis, chaque fois que je me mets à prier et me prosterne, j'embrasse la terre, je l'embrasse et je pleure. Et voici ce que je te dirai, Chatouchka : il n'y a rien de mauvais dans ces larmes, et même si tu ne souffres pas, elles couleront uniquement de joie. Elles couleront d'elles-mêmes ; c'est comme je te le dis. J'allais quelquefois sur les bords du lac : notre monastère était d'un côté, de l'autre, se dressait notre montagne pointue, c'est ainsi qu'on l'appelait. Je montais sur cette montagne, je me tournais face à l'Orient, je tombais à terre, et je pleurais, je pleurais, et je ne me souvenais plus de rien alors, je ne savais plus rien. Je me levais ensuite, je me retournais et je voyais le soleil qui se couchait, immense, splendide, glorieux. Aimes-tu à regarder le soleil, Chatouchka ? C'est si beau et si triste !... Je me retournais de nouveau vers l'Orient, et l'ombre de notre montagne courait sur le lac, rapide comme une flèche, étroite et longue, jusqu'à l'île qui se trouvait sur le lac ; et cette île de pierre, elle la coupait exactement en deux ; et aussitôt qu'elle l'avait coupée en deux, le soleil disparaissait et tout s'éteignait. Alors je me sentais toute triste, alors la mémoire me revenait soudain et j'avais peur de l'obscurité, Chatouchka. Mais ce que je pleurais surtout, c'était mon enfant...

— Mais as-tu eu vraiment un enfant? demanda en me poussant légèrement du coude Chatov qui n'avait cessé de l'écouter attentivement.

— Comment donc! Il était petit, tout rose, avec des ongles minuscules. Et toute ma peine venait de ce que je ne parvenais pas à me rappeler si c'était un garçon ou une fille. Tantôt il me semblait que c'était un garçon, tantôt, une fille. Et aussitôt que je l'eus mis au monde, je l'enveloppai dans de la dentelle et de la batiste que je nouai avec des rubans roses, et je le couvris de fleurs ; puis je priai et l'emportai sans le baptiser à travers la forêt ; et j'avais peur de la forêt, je tremblais de terreur. Je pleurais surtout de l'avoir mis au monde sans connaître mon mari.

— Peut-être en avais-tu un, de mari? demanda prudemment Chatov.

— Tu me fais rire, Chatouchka, avec tes raisonnements. Peut-être bien que j'ai eu un mari : mais à quoi cela m'avance-t-il puisque c'est comme si je n'en avais jamais eu? Voilà une énigme pas bien difficile, devine-la! dit-elle avec un sourire railleur.

— Où donc as-tu porté ton enfant?

— A l'étang. »

Chatov me donna de nouveau un coup de coude.

« Et si tu n'avais jamais eu d'enfant, si tout cela n'était que du délire, hein?

— Tu me poses une question difficile, Chatouchka, répondit-elle d'un ton pensif et sans paraître surprise. Je ne puis rien te dire à ce propos ; peut-être n'ai-je jamais eu d'enfant en effet. Je pense que c'est simple curiosité de ta part. Quoi qu'il en soit, je ne cesserai pas de le pleurer ; je n'ai tout de même pas rêvé? — De grosses larmes brillèrent dans ses yeux. — Chatouchka, Chatouchka, est-ce vrai que ta femme t'a abandonné?

s'écria-t-elle soudain en posant les deux mains sur les épaules de Chatov et en le considérant avec compassion. Ne te fâche pas ; moi aussi j'ai un poids sur le cœur. Sais-tu, Chatouchka, j'ai fait un rêve : il était de nouveau près de moi, il me faisait signe, il m'appelait : « Ma » petite chatte, disait-il, ma petite chatte, viens vite! » Cette « petite chatte » me ravit plus que tout le reste : il m'aime, pensai-je.

— Peut-être bien viendra-t-il un jour, murmura Chatov.

— Non, Chatouchka, ce n'était qu'un rêve ; il ne viendra jamais. Tu connais la chanson :

Je n'ai nul besoin d'un palais,
Cette cellule me suffit
Pour vivre et sauver mon âme,
Et prier Dieu pour toi.

» Ah! Chatouchka, mon cher Chatouchka! pourquoi ne m'interroges-tu jamais?

— Je sais que tu ne me diras rien, c'est pour cela que je ne t'interroge pas.

— Oui, je ne dirai rien ; je ne dirai rien, même si l'on devait me couper la gorge, reprit-elle vivement. Même si l'on devait me brûler. Et quoi que je dusse souffrir, je me tairai, les gens n'en sauront rien.

— Tu le vois bien. Chacun a ses secrets, dit Chatov en baissant encore la voix, la tête de plus en plus penchée.

— Mais si tu le demandais bien fort, peut-être que je te le dirais. Oui, peut-être que je te le dirais, répéta-t-elle avec exaltation. Pourquoi ne me le demandes-tu pas? Insiste, Chatouchka, supplie-moi, et je te le dirai peut-être. Fais que je consente à parler... Chatouchka, Chatouchka! »

Mais Chatouchka se taisait. Pendant une bonne minute personne ne dit mot. Des larmes coulaient lentement le long des joues fardées de la boiteuse ; ses mains reposaient toujours sur les épaules de Chatov, mais elle ne le regardait plus.

« Que m'importe tout cela en somme, dit Chatov. Et d'ailleurs, ce serait péché que d'insister. » — Il se dressa brusquement. — « Allons, levez-vous! » — Il retira le banc sur lequel nous étions assis et le reporta à l'endroit où il était auparavant.

« Quand il reviendra, il ne faut pas qu'il se doute de notre visite ; pour nous, il est temps de partir.

— Ah! c'est de mon laquais que tu parles! s'écria Maria Timophéïevna en éclatant de rire. Tu as peur de lui. Eh bien, adieu mes bons amis. Mais écoutez un instant ce que je vais vous dire. Tout à l'heure ce Nilytch est venu avec Philippov, le propriétaire, qui a une grande barbe rousse, juste au moment où mon laquais venait de se jeter sur moi. Et voilà le propriétaire qui l'empoigne et se met à le traîner par la chambre, et l'autre qui crie : « Je ne suis pas coupable! je souffre par la faute d'un autre! » Le croiras-tu? tous tant que nous étions là, on se roula à terre de rire.

— Maria Timophéïevna! Ce n'est pas le rouquin barbu, c'est moi qui l'ai arraché de toi tout à l'heure et l'ai traîné par les cheveux ; quant au propriétaire, il est venu faire ici du tapage avant-hier, et tu as tout confondu.

— Attends un peu... Oui, j'ai confondu... c'était peut-être bien toi, en effet. A quoi bon discuter d'ailleurs! Que ce soit l'un ou l'autre qui le traîne par les cheveux, que lui importe en somme, dit-elle en riant.

— Partons », fit soudain Chatov en me poussant. La porte cochère a grincé. S'il nous trouve ici il la battra.

En effet, à peine étions-nous au haut de l'escalier que nous entendîmes le cri d'un ivrogne et une tempête de jurons. M'ayant fait entrer dans sa chambre, Chatov ferma la porte à clef.

« Il vous faudra attendre un peu avant de vous en aller si vous voulez éviter un scandale. L'entendez-vous crier comme un cochon qu'on égorge ; il a buté contre le seuil probablement ; c'est chaque fois la même histoire. »

Malgré nos précautions le scandale éclata.

VI

Chatov se tenait près de la porte et écoutait ce qui se passait dans l'escalier ; soudain il fit un saut en arrière.

« Le voilà qui arrive! je le savais bien, murmura-t-il rageusement. Nous en avons peut-être jusqu'à minuit maintenant. »

La porte retentit sous de violents coups de poing.

« Chatov! Chatov! ouvre la porte! hurla le capitaine. Chatov, mon ami!

Je viens te souhaiter une bonne journée,
Et te dire que le soleil s'est levé,
Et que sous sa lumière ardente
Les forêts frémissent embrasées.
Je veux te dire aussi que je suis éveillé,
Que le diable t'emporte...
Qui, éveillé, complètement éveillé...
Sous les branches...

» Comme qui dirait sous les verges... Ha-ha-ha!

Chaque oiseau demande à boire...
A boire... je ne sais ce que je boirai...

» Que le diable emporte du reste cette stupide curiosité! Chatov, te rends-tu compte combien la vie est belle?

— Ne répondez pas, me glissa Chatov.

— Ouvre, je te dis! Comprends-tu qu'il y a au monde quelque chose de supérieur aux coups de poing... Il y a de nobles instants dans la vie de l'humanité... Chatov, je suis bon, je te pardonne... Chatov, au diable les proclamations! hein! »

Silence.

« Comprends-tu, âne que tu es, que je suis amoureux! j'ai acheté un frac, regarde-le, le frac de l'amour, quinze roubles. L'amour d'un capitaine exige des raffinements... Ouvre! hurla-t-il soudain en se remettant à taper du poing sur la porte.

— Va-t'en au diable! vociféra à son tour Chatov.

— Esclave! vil esclave! Et ta sœur aussi n'est qu'une esclave... une v... voleuse!...

— Et toi, tu as vendu ta sœur!

— Tu mens! je paye pour un autre, et il suffirait d'un mot de ma part pour... Comprends-tu qui elle est?

— Eh bien, qui est-elle? demanda Chatov en s'approchant de la porte.

— Es-tu capable de le comprendre?

— Dis toujours, je comprendrai après.

— Je n'ai pas peur de le dire. Je n'ai jamais peur de parler devant les gens!...

— Non, tu n'oseras certainement pas, railla Chatov en me faisant signe d'écouter.

— Je n'oserai pas, dis-tu?

— A mon avis, tu n'oseras pas.

— Je n'oserai pas?

— Parle si tu n'as pas peur des verges de ton

maître... Tu es un lâche, tout capitaine que tu es.

— Je... je... elle... elle est..., bredouilla le capitaine d'une voix tremblante d'émotion.

— Eh bien ? » dit Chatov, l'oreille contre la porte.

Il y eut un silence qui dura bien une demi-minute.

« Gre-din ! hurla enfin le capitaine qui battit aussitôt en retraite en soufflant comme un samovar et en butant à chaque marche.

— Non, il est trop rusé, et bien qu'ivre, il ne se trahira pas.

— Que signifie cela ? » demandai-je.

Chatov haussa les épaules, ouvrit la porte et se mit à écouter dans l'escalier ; il écouta longtemps et descendit même quelques marches. Enfin il rentra.

« On n'entend rien ; il ne l'a pas battue. Il a dû s'endormir comme une masse. Il est temps que vous partiez.

— Écoutez, Chatov, que dois-je conclure de tout cela ?

— Ce que vous voulez », répondit-il d'un ton las et dégoûté, et il s'assit à sa table de travail.

Je m'en allai. Une idée invraisemblable s'emparait de plus en plus de mon esprit. Je pensai avec angoisse au lendemain.

VII

Ce « lendemain », c'est-à-dire le dimanche où devait se décider irrévocablement le destin de Stépane Trophimovitch, fut l'une des journées les plus importantes qu'eut à enregistrer ma chronique. Ce fut une journée de surprises qui nous permit de débrouiller certaines énigmes, mais nous en posa de nouvelles, une journée qui nous fournit des explications surprenantes, mais accrut encore la confusion générale. Comme s'en souvient le lecteur, le matin, à la demande de Varvara Pétrovna, je devais accompagner Stépane Trophimovitch dans la visite qu'il allait faire à son amie, et à trois heures de l'après-midi il me fallait déjà être chez Lisavéta Nicolaïevna pour lui dire... je ne savais trop quoi, et pour l'aider... je ne savais comment. Or les événements prirent une tournure que personne n'aurait pu prévoir. Bref, ce fut une journée de coïncidences extraordinaires.

Pour commencer, lorsque Stépane Trophimovitch et moi nous nous présentâmes chez Varvara Pétrovna à midi précis, ainsi qu'elle nous l'avait demandé, nous ne la trouvâmes pas à la maison : elle n'était pas encore rentrée de la messe. Mon pauvre ami se trouvait dans une disposition d'esprit telle que cette circonstance le bouleversa : il se laissa tomber presque sans force sur un fauteuil dans le salon. Je lui offris un verre d'eau, mais il refusa d'un air digne, bien qu'il fût tout pâle et que ses mains tremblassent. Je noterai en passant que son costume était cette fois extrêmement élégant : une chemise de batiste blanche brodée (presque une chemise de bal), une cravate blanche, un chapeau de castor tout neuf, des gants neufs couleur paille ; avec cela, un soupçon de parfum. A peine avions-nous pris place que le valet de chambre introduisit Chatov ; lui aussi, évidemment, avait reçu une invitation en due forme. Stépane Trophimovitch fit mine de se lever pour lui serrer la main ; mais nous ayant regardés tous deux attentivement, Chatov s'assit dans un coin sans même nous faire un signe de tête. Stépane Trophimovitch me lança de nouveau un coup d'œil épouvanté.

Quelques minutes s'écoulèrent ainsi dans un silence complet. Stépane Trophimovitch se mit à me parler à voix basse, mais je ne parvins pas à comprendre ce qu'il disait ; il était dans une telle agitation du reste qu'il ne put achever et se tut. Le valet de chambre rentra pour mettre de l'ordre sur la table et surtout, je pense, pour voir ce que nous faisions.

« Alexéï Égorytch, lui demanda Chatov d'une voix forte, savez-vous si Daria Pavlovna est sortie avec elle ?

— Varvara Pétrovna s'est fait conduire seule à la cathédrale ; quant à Daria Pavlovna, elle est restée dans sa chambre : elle n'est pas tout à fait bien portante », répondit Alexéï Égorytch d'un ton solennel et en appuyant sur chacun de ses mots.

Mon pauvre ami me lança de nouveau un coup d'œil inquiet, si bien que je finis par me détourner. Soudain nous entendîmes le roulement d'une voiture près de la porte cochère, et un bruit confus dans la maison nous apprit que Varvara Pétrovna était de retour. Nous nous levâmes tous trois en hâte, mais une nouvelle surprise nous attendait encore : la maîtresse de la maison ne rentrait pas seule, ainsi qu'en témoignait le bruit de pas de plusieurs personnes ; tout cela était bien étrange puisqu'elle-même avait fixé l'heure de notre entrevue. Les pas étaient précipités, comme si l'on arrivait en courant ; ce ne pouvait être Varvara Pétrovna... Et soudain celle-ci s'engouffra, pour ainsi dire, dans le salon, haletante et extraordinairement émue. Elle était suivie, à quelque distance, par Lisavéta Nicolaïevna qui s'avançait beaucoup plus tranquillement, et tenait par la main Maria Timophéïevna Lébiadkine. Si j'avais vu ce tableau en rêve, je n'y aurais pas cru un instant.

Pour expliquer cette apparition surprenante, il faut que je remonte quelque peu en arrière, et que je raconte l'extraordinaire aventure survenue à Varvara Pétrovna à sa sortie de l'église.

Ce jour-là, presque toute la ville, — c'est-à-dire la

haute société, — s'était rendue à la cathédrale. On savait que pour la première fois depuis son arrivée chez nous, la femme du gouverneur assisterait à la messe. Je signalerai à ce propos que d'après les bruits qui couraient, elle était libre penseuse et partageait les « nouvelles idées ». Toutes nos dames savaient également qu'elle porterait une toilette luxueuse et d'une suprême élégance ; aussi, étaient-elles toutes habillées richement cette fois et avec une grande recherche. Seule Varvara Pétrovna était vêtue de noir, ainsi qu'elle l'était toujours depuis quatre ans. Elle alla occuper sa place habituelle, au premier rang, à gauche, et un valet de pied en livrée déposa devant elle un coussin de velours pour les génuflexions ; bref tout s'était passé comme à l'ordinaire. On remarqua cependant que durant tout l'office elle pria avec une ardeur extraordinaire ; on assura plus tard, lorsqu'on se rappela tous les détails, qu'elle avait même les yeux pleins de larmes. La messe terminée, notre archiprêtre, le père Paul, se mit à prononcer un sermon solennel. On aimait et l'on appréciait beaucoup ses sermons ; on aurait même voulu que le père Paul les publiât, mais il ne pouvait s'y résoudre. Cette fois le sermon dura longtemps.

Il n'était pas encore terminé quand une dame descendit de voiture près de la cathédrale ; c'était un de ces vieux drojkis de louage où les femmes ne pouvaient s'asseoir que de côté en se tenant à la ceinture du cocher, et étaient secouées à chaque cahot comme un brin d'herbe agité par le vent. On peut encore voir de ces drojkis dans notre ville. De nombreuses voitures et des gendarmes se tenant devant le porche, le fiacre s'était arrêté au coin de la place ; ayant mis pied à terre, la dame tendit au cocher quatre copecks en argent.

« Eh bien, Vania [1], serait-ce trop peu ? s'écria-t-elle

en voyant qu'il faisait la grimace. C'est tout ce que j'ai, ajouta-t-elle plaintivement.

— Allons, que Dieu te bénisse! nous n'avions pas convenu du prix», dit le cocher en haussant les épaules, et il la considéra d'un air de dire : « Ce serait péché que de te peiner » ; puis il glissa sa bourse de cuir sous sa houppelande et partit, accompagné des plaisanteries des cochers qui se trouvaient là. Accompagnée, elle aussi, par des plaisanteries et soulevant sur son passage la curiosité générale, la nouvelle venue se fraya un chemin vers les portes de l'église parmi les voitures et les valets de pied qui attendaient la sortie de leurs maîtres. Il y avait en effet quelque chose d'étrange et de surprenant dans l'apparition soudaine d'une personne de ce genre dans la rue, au milieu de la foule. Elle était d'une maigreur maladive et boitait ; outrageusement fardée, le cou nu, elle ne portait ni fichu ni manteau, n'ayant pour tout vêtement qu'une vieille robe sombre, et cependant cette journée de septembre, bien qu'ensoleillée, était froide, et il faisait du vent. Elle n'avait pas de chapeau, et dans ses cheveux tordus en un chignon minuscule était piquée une rose en papier dans le genre de celles dont on orne les chérubins de cire à la fête des Rameaux. J'avais précisément remarqué la veille chez Maria Timophéïevna, sous les icônes, un de ces chérubins couronnés de roses. Pour comble, bien que la dame s'avançât les yeux modestement baissés, elle ne cessait de sourire d'un air gai et malicieux. Si elle se fût encore un peu attardée, peut-être ne lui aurait-on pas permis d'entrer, mais elle réussit à pénétrer dans la cathédrale et finit par se faufiler insensiblement en avant.

Bien que le père Paul continuât encore de parler et que la foule qui remplissait l'église l'écoutât avec une attention recueillie et silencieuse, quelques personnes jetèrent à la dérobée des regards curieux et surpris sur l'inconnue. Celle-ci tomba à genoux et inclina jusqu'à terre son visage maquillé ; elle resta longtemps ainsi en pleurant abondamment, semblait-il ; mais s'étant relevée, elle se remit rapidement et retrouva sa gaîté. Elle promena ses regards avec un plaisir visible sur les visages qui l'entouraient, et sur les murs de la cathédrale, examinant avec une attention particulière certaines de ces dames, se haussant même pour mieux voir sur la pointe des pieds, et une ou deux fois elle eut un petit rire étrange, aigu. Cependant, le sermon avait pris fin et l'archiprêtre présenta la croix aux fidèles. La femme du gouverneur s'en approcha la première, mais elle s'arrêta lorsqu'elle n'en fut plus qu'à deux pas, montrant ainsi qu'elle désirait céder la première place à Varvara Pétrovna qui, elle, s'avançait droit vers la croix comme s'il n'y eût personne devant elle. L'extrême déférence de la femme du gouverneur cachait évidemment une intention ironique ; tout le monde le comprit ainsi, et Varvara Pétrovna non moins que les autres certainement, mais faisant semblant de ne remarquer personne, elle baisa la croix avec une dignité imperturbable et se dirigea immédiatement après vers la sortie. Son valet de pied ouvrait le passage devant elle, bien que tout le monde reculât d'avance pour la laisser passer. Mais à la sortie, sous le porche même, un groupe de gens lui barra un instant le chemin ; elle s'arrêta, et soudain un être étrange, la femme à la rose de papier, fendant la foule, tomba à genoux devant Varvara Pétrovna ; celle-ci, difficile à troubler, surtout en public, la considéra d'un air imposant et sévère.

Je m'empresse d'indiquer ici, le plus brièvement possible, que si en ces dernières années Varvara Pétrovna était devenue, disait-on, regardante et un peu avare même, cependant il lui arrivait parfois d'être assez large, surtout lorsqu'il s'agissait d'œuvres de charité. Elle était membre d'une société de bienfaisance de la capitale. Lors de la dernière grande famine, elle avait envoyé cinq cents roubles au comité central de secours aux affamés, et l'on en avait beaucoup parlé chez nous. Enfin, dans les tout derniers temps, encore avant la nomination du nouveau gouverneur, elle avait conçu le projet d'un comité de dames qui devait venir en aide aux femmes en couches les plus pauvres de la ville et de la province. On lui reprochait fortement d'être ambitieuse, mais l'ardeur bien connue de Varvara Pétrovna et sa persévérance faillirent triompher de tous les obstacles ; le comité était presque organisé déjà, et le projet primitif prenait de plus en plus d'extension dans l'esprit plein d'enthousiasme de la fondatrice : elle songeait déjà à organiser un comité analogue à Moscou et à étendre, peu à peu, son champ d'action à toute la Russie. Mais le changement de gouverneur mit fin à tous ses plans : la femme du nouveau gouverneur avait, paraît-il, déjà émis dans le monde certaines observations mordantes, et qui plus est, parfaitement justes et sensées sur le caractère peu pratique d'un comité de ce genre, observations qu'on s'empressa, bien entendu, de répéter en les amplifiant à Varvara Pétrovna. Dieu seul connaît le fond des cœurs, mais je pense que Varvara Pétrovna s'arrêta sous le porche de la cathédrale non sans un certain plaisir : elle savait que la femme du gouverneur suivie de toutes les dames allait passer à l'instant : « Qu'elle voie donc que je fais fi de ce qu'elle peut penser et dire au sujet de ma charité qu'elle trouve vaine et ambitieuse. Voilà pour vous tous ! »

« Qu'y a-t-il, ma chère ? que désirez-vous ? » demanda

Varvara Pétrovna en considérant attentivement la femme agenouillée devant elle. Celle-ci la contempla d'un regard à la fois confus, craintif et plein d'adoration, puis soudain se mit à rire de son même petit rire aigu.

« Que veut-elle ? qui est-elle ? insista Varvara Pétrovna en promenant sur les gens qui l'entouraient un regard impérieux et interrogateur. Personne ne répondit.

« Vous êtes malheureuse ? Vous avez besoin qu'on vous aide ?

— J'ai besoin... Je suis venue..., bredouilla la « malheureuse » d'une voix entrecoupée par l'émotion. Je suis venue simplement pour vous baiser la main... » — Elle se remit à rire. Avec un regard candide, ce regard des enfants qui vous caressent pour obtenir quelque faveur, elle fit mine de prendre la main de Varvara Pétrovna, mais comme saisie de peur, elle eut soudain un mouvement de recul.

« Vous n'êtes venue que pour cela ? » dit Varvara Pétrovna avec un sourire de pitié ; mais aussitôt elle sortit de sa poche son porte-monnaie de nacre, en retira un billet de dix roubles et le tendit à l'inconnue. Celle-ci le prit. Varvara Pétrovna paraissait très intéressée par la jeune femme qu'elle ne considérait évidemment pas comme une mendiante ordinaire.

« As-tu vu ? elle lui a donné dix roubles, fit une voix dans la foule.

— Votre main, je vous en prie », balbutia la « malheureuse » tout en serrant entre les doigts de la main gauche le coin du billet de dix roubles que le vent agitait. Varvara Pétrovna fronça légèrement les sourcils et tendit sa main d'un air grave, presque sévère. L'inconnue la baisa avec respect. Une sorte d'extase brilla dans son regard plein de gratitude. Ce fut juste à ce moment que la femme du gouverneur parut sous le porche, suivie d'une foule de dames et de hauts fonctionnaires. Elle fut obligée de s'arrêter ; les autres en firent autant.

« Vous tremblez. Vous avez froid ? » demanda tout à coup Varvara Pétrovna, et rejetant son manteau qu'un valet de pied rattrapa au vol, elle ôta de ses épaules un châle noir de grande valeur, et en entoura de ses propres mains le cou nu de l'inconnue toujours agenouillée.

« Mais levez-vous donc, levez-vous donc, je vous en prie ! »

La jeune femme se leva.

« Où vivez-vous ? Se peut-il que personne ne sache où elle vit ? »

Varvara Pétrovna regarda de nouveau autour d'elle avec impatience. Mais ce n'étaient plus les mêmes visages que tout à l'heure : elle se trouvait entourée de connaissances, de gens du monde qui observaient cette scène, les uns avec un étonnement sévère, les autres, avec une curiosité maligne et l'espoir ingénu de quelque scandale ; certains même commençaient déjà à ricaner.

Il se trouva enfin un brave homme pour répondre à la question de Varvara Pétrovna :

« Je crois qu'elle s'appelle Lébiadkine, dit un de nos marchands les plus estimés, Andréieff ; il portait des lunettes, avait une barbe blanche, s'habillait à la russe et se coiffait d'un chapeau cylindrique qu'il tenait en ce moment à la main. Elle demeure chez Philippov, rue de l'Épiphanie.

— Lébiadkine ? chez Philippov ? j'en ai entendu parler en effet... Je vous remercie, Nikone Sémionytch ; mais qui est ce Lébiadkine ?

— Il se fait appeler capitaine ; il faut dire que c'est un homme louche. Celle-ci est sa sœur sans doute. Elle a probablement trompé sa surveillance, ajouta Andréieff en baissant la voix et en regardant Varvara Pétrovna d'un air significatif.

— Je vous comprends. Je vous remercie, Nikone Sémionytch. Vous êtes madame Lébiadkine, ma chère ?

— Non, je ne suis pas madame Lébiadkine.

— Alors c'est votre frère qui est Lébiadkine ?

— Oui, mon frère est Lébiadkine.

— Voici ce que je vais faire, ma chère : je vais vous emmener avec moi et de chez moi on vous reconduira à la maison. Voulez-vous venir avec moi ?

— Oh oui, je veux bien! s'écria Mlle Lébiadkine en joignant les mains.

— Ma tante, ma tante! prenez-moi avec vous! » fit soudain la voix de Lisavéta Nicolaïevna. Elle était venue à la messe avec la femme du gouverneur, tandis que Prascovia Ivanovna faisait sur l'ordre du médecin une promenade en voiture, emmenant avec elle Mavriki Nicolaïévitch pour se distraire. Lisa quitta brusquement la femme du gouverneur et se précipita vers Varvara Pétrovna.

« Tu sais que je suis toujours heureuse de te voir, ma chérie ; cependant, que dira ta mère ? commença d'un air majestueux Varvara Pétrovna, mais elle s'arrêta toute troublée à la vue de l'agitation de Lisa.

— Ma tante, ma tante, il faut absolument que j'aille avec vous, insista Lisa en embrassant Varvara Pétrovna.

— *Mais qu'avez-vous donc, Lise ?* demanda la femme du gouverneur avec une surprise marquée.

— Excusez-moi, ma chère cousine, je vais chez ma

tante », lança Lisa à sa *chère cousine* désagréablement surprise, en l'embrassant en hâte.

« Et dites aussi à maman qu'elle vienne immédiatement me rejoindre chez ma tante ; maman en avait la ferme intention du reste, elle-même m'en avait parlé tout à l'heure, mais j'ai oublié de vous prévenir, disait avec volubilité Lisa. Excusez-moi, ne soyez pas fâchée, *Julie... chère cousine...*, ma tante, je suis prête !

» Si vous ne me prenez pas avec vous, je courrai derrière votre voiture en criant », murmura-t-elle avec désespoir à l'oreille de Varvara Pétrovna ; heureusement encore, personne ne l'entendit. Varvara Pétrovna recula brusquement d'un pas et fixa un regard pénétrant sur la jeune fille complètement éperdue. Ce regard décida de tout : elle résolut d'emmener Lisa avec elle.

« Il faut mettre fin à tout cela, laissa-t-elle échapper. Bien, je t'emmène avec plaisir, Lisa, à condition naturellement que Julie Mikhaïlovna y consente, ajouta-t-elle en se tournant d'un air franc et digne vers la femme du gouverneur.

— Oh ! certainement, je ne veux pas la priver de ce plaisir, d'autant plus que moi-même, balbutia Julie Mikhaïlovna, devenue soudain extrêmement aimable, moi-même... je sais combien fantasque est cette petite tête volontaire (la femme du gouverneur eut un sourire délicieux).

— Je vous remercie beaucoup, dit Varvara Pétrovna avec un salut affable et majestueux.

— Et cela m'est d'autant plus agréable, continua Julie Mikhaïlovna dans une sorte de ravissement et en rougissant même de plaisir et d'émotion, que Lisa est poussée non seulement par le désir d'être avec vous, mais aussi par un sentiment si beau, si élevé, si je puis dire... un sentiment de compassion (elle regarda la « malheureuse ») ... et... et sous le porche même de l'église...

— De telles paroles vous font honneur », approuva généreusement Varvara Pétrovna. Julie Mikhaïlovna lui tendit la main avec élan, et Varvara Pétrovna effleura volontiers cette main de ses doigts. L'impression générale fut excellente ; les visages rayonnaient de plaisir ; quelques-uns souriaient, mais d'un sourire doucereux et flatteur.

Bref, toute la ville vit clairement que ce n'était point Julie Mikhaïlovna qui avait dédaigné jusqu'ici Varvara Pétrovna, négligeant de lui rendre visite, mais Varvara Pétrovna, au contraire, « qui avait tenu à distance Julie Mikhaïlovna alors que celle-ci se serait précipitée chez Mme Stavroguine même à pied si elle avait eu seulement l'assurance d'être reçue ». Du coup, le prestige de Varvara Pétrovna remonta très haut.

« Prenez place, ma chère », dit Varvara Pétrovna en indiquant à Mlle Lébiadkine la voiture qui venait de s'arrêter devant la cathédrale. La « malheureuse » courut joyeusement vers la calèche où le valet de pied l'aida à monter.

« Comment, vous boitez! » s'écria Varvara Pétrovna qui parut effrayée et devint toute pâle (on remarqua son effroi, mais personne n'en comprit la cause).

La voiture partit. La maison de Varvara Pétrovna était toute proche de la cathédrale. Lisa me raconta plus tard que durant les trois minutes du trajet, Mlle Lébiadkine rit sans arrêt de son rire hystérique, tandis que Varvara Pétrovna se tenait immobile, « comme plongée dans un sommeil magnétique », selon la propre expression de Lisa.

CHAPITRE V

LE SERPENT SUBTIL

I

Varvara Pétrovna tira le cordon d'une sonnette et se laissa tomber dans un fauteuil près de la fenêtre.

« Asseyez-vous ici, ma chère », dit-elle à Maria Timophéïevna en lui désignant une chaise au milieu de la chambre, auprès d'une grande table ronde. Stépane Trophimovitch, qu'est-ce que cela signifie? Regardez cette femme, oui, regardez-la, qu'est-ce que cela signifie?

« Je... je... », bredouilla Stépane Trophimovitch.

Mais un domestique entra.

« Une tasse de café, tout de suite, le plus vite possible. Qu'on ne dételle pas les chevaux.

— *Mais chère et excellente amie, dans quelle inquiétude...!* s'écria Stépane Trophimovitch d'une voix mourante.

— Ah! vous parlez français! vous parlez français! on voit tout de suite qu'on se trouve dans le grand monde! » s'écria Maria Timophéïevna en battant des mains et en se préparant, toute ravie, à assister à une conversation en français. Varvara Pétrovna la considéra presque avec terreur.

Nous gardions le silence dans l'attente de ce qui allait se passer. Chatov ne levait pas la tête ; quant à Stépane Trophimovitch, il paraissait bouleversé comme si tout cela eût été de sa faute ; des gouttes de sueur lui perlaient aux tempes. Je jetai un coup d'œil sur Lisa (elle était assise dans un coin, presque à côté de Chatov). Son regard scrutateur passait de Varvara Pétrovna à la boiteuse et vice versa ; un sourire contractait ses lèvres, mais un sourire mauvais ; Varvara Pétrovna le remarqua. Cependant Maria Timophéïevna paraissait ravie : elle examinait avec un plaisir manifeste et sans le moindre embarras le beau salon de Varvara Pétrovna, les meubles, les tapis, les tableaux aux murs, les fresques du plafond, le grand crucifix de bronze qui se dressait dans un coin, la lampe de porcelaine, les albums, les bibelots posés sur la table.

« Comment! te voilà aussi Chatouchka! s'écria-t-elle. Figure-toi que je te vois depuis longtemps ; mais je me disais : non, ce n'est pas lui, comment serait-il ici? »

Elle rit gaiement.

« Vous connaissez cette femme? demanda Varvara Pétrovna en se tournant vivement vers Chatov.

— Oui, je la connais, marmotta Chatov en s'agitant sur sa chaise.

— Que savez-vous d'elle? un peu plus vite, je vous en prie.

— Que vous dire? — Il eut un sourire vague, peu en rapport avec la situation. — Vous voyez vous-même...

— Qu'est-ce que je vois? Mais dites donc quelque chose!

— Elle demeure dans la même maison que moi... avec son frère... un officier...

— Eh bien? »

Chatov hésita.

« Il ne vaut pas la peine d'en parler », bredouilla-t-il enfin ; et il retomba dans son mutisme, le visage tout rouge de l'effort qu'il venait de faire.

« Évidemment, on ne peut s'attendre à rien d'autre de vous », fit Varvara Pétrovna indignée. Elle voyait clairement que nous savions tous quelque chose, mais que nous avions peur et tâchions d'éluder ses questions, bref, qu'il y avait un secret.

Le domestique entra et lui présenta sur un petit plateau d'argent la tasse de café qu'elle avait commandée, mais sur un signe d'elle, il se dirigea vers Maria Timophéïevna.

« Vous aviez froid tout à l'heure, ma chère ; buvez vite ce café, il vous réchauffera.

— *Merci* », dit Maria Timophéïevna en prenant la tasse, et soudain elle éclata de rire à l'idée qu'elle venait de dire *merci* au domestique. Mais ayant rencontré le regard sévère de Varvara Pétrovna, elle eut peur et déposa la tasse sur la table.

« Seriez-vous fâchée, tante ? balbutia-t-elle non sans un certain enjouement.

— Quoi ? s'exclama Varvara Pétrovna ; elle tressaillit et se redressa dans son fauteuil. Je ne suis pas votre tante. Que vouliez-vous dire ? »

Surprise par cette brusque colère, Maria Timophéïevna eut un mouvement de recul et se mit à trembler comme si elle avait la fièvre.

« Je... je... je croyais que c'était ainsi qu'il fallait vous appeler, bredouilla-t-elle en considérant Varvara Pétrovna les yeux écarquillés. C'est ainsi que vous appelait Lisa.

— Qu'est-ce que c'est encore que cette Lisa ?

— Mais cette demoiselle que voici. » Maria Timophéïevna la désigna du doigt.

« Comment ! elle est déjà Lisa pour vous ?

— Vous-même l'avez appelée ainsi tout à l'heure, dit Maria Timophéïevna en s'enhardissant un peu. J'ai vu en rêve une jolie demoiselle toute pareille », ajouta-t-elle en souriant comme si elle pensait à autre chose.

Varvara Pétrovna réfléchit un instant et se calma un peu ; même elle sourit légèrement aux dernières paroles de Maria Timophéïevna. Ayant aperçu ce sourire, celle-ci se leva, et en boitant, s'approcha d'elle d'un air timide.

« Prenez-le, j'ai oublié de vous le rendre, excusez mon impolitesse, dit-elle en enlevant de ses épaules le châle noir dont l'avait enveloppée Varvara Pétrovna.

— Remettez-le immédiatement et gardez-le pour toujours. Allez, asseyez-vous, buvez votre café, et, je vous en prie, n'ayez pas peur de moi, ma chère, calmez-vous. Je commence à vous comprendre.

— *Chère amie*... se permit d'intervenir Stépane Trophimovitch.

— Ah, Stépane Trophimovitch, la situation est déjà assez compliquée sans vous ; vous au moins vous devriez m'épargner... Tirez le cordon de cette sonnette, je vous en prie, à côté de vous. »

Il se fit un silence. Elle promenait sur nous tous un regard irrité et soupçonneux. Entra Agacha, sa femme de chambre préférée.

« Mon châle à carreaux, que j'ai acheté à Genève. Que fait Daria Pavlovna ?

— Elle ne se sent pas très bien, Madame.

— Monte auprès d'elle et demande-lui de venir. Ajoute que je la prie instamment de venir, même si elle n'est pas bien portante. »

Au même instant nous entendîmes comme tout à l'heure un bruit insolite de pas et de voix, et, soudain, sur le seuil de la chambre parut, haletante et l'air égaré, Prascovia Ivanovna que soutenait Mavriki Nicolaïévitch.

« Ah, mon Dieu! Je n'en puis plus! Lisa, folle que tu es, voilà comment tu traites ta mère! cria-t-elle d'une voix aiguë, exprimant dans ce cri, selon la coutume des êtres faibles et irritables, toute la colère qui s'était accumulée en elle.

— Varvara Pétrovna, je viens chercher ma fille. »

Varvara Pétrovna lui jeta un regard en dessous, se souleva un peu et dit en dissimulant à grand'peine sa contrariété :

« Bonjour, Prascovia Ivanovna, je t'en prie, assieds-toi. Je savais bien que tu viendrais. »

II

Pour Prascovia Ivanovna il ne pouvait y avoir rien d'inattendu dans cet accueil. Varvara Pétrovna avait toujours traité son ancienne amie de pension despotiquement et, sous le couvert de l'amitié, presque avec mépris. Ce jour-là pourtant, la situation paraissait exceptionnelle. Ainsi que je l'ai déjà indiqué incidemment, depuis quelques jours la rupture était presque complète entre les deux dames ; cependant les causes de cette rupture étaient encore mystérieuses pour Varvara Pétrovna, ce qui la vexait tout particulièrement. Mais le principal était que Prascovia Ivanovna prenait maintenant à son égard une attitude étrangement hautaine. Bien entendu, Varvara Pétrovna en était profondément blessée ; d'autre part, des bruits étranges commençaient à lui parvenir, bruits très vagues et qui, pour cette raison, l'irritaient au plus haut point. Varvara Pétrovna avait une nature droite et fière, batailleuse même. Elle ne détestait rien tant que les accusations indirectes et les insinuations, et préférait toujours la guerre ouverte. Quoi qu'il en fût, depuis cinq jours, c'est-à-dire depuis la dernière visite que Varvara Pétrovna avait faite à « cette Drozdov », d'où elle était rentrée toute troublée et irritée, ces dames ne s'étaient plus revues. Je puis dire sans crainte de me tromper qu'en entrant maintenant, Prascovia Ivanovna était naïvement persuadée que Varvara Pétrovna devait avoir peur d'elle : cela se voyait clairement à l'expression de son visage. Or à peine Varvara Pétrovna avait-elle quelque motif de supposer qu'on pût la croire humiliée, qu'aussitôt le démon de l'orgueil s'emparait d'elle.

Comme beaucoup d'êtres faibles qui se laissent molester longtemps sans élever la moindre protestation, quand enfin l'occasion favorable s'en présentait Prascovia Ivanovna se ruait à l'attaque avec une violence extrême. De plus, elle n'était pas bien portante et la maladie la rendait, bien entendu, encore plus irritable. J'ajouterai enfin que si une querelle avait éclaté entre les deux amies, notre présence ne les aurait pas beaucoup gênées : on nous considérait comme appartenant à la famille et aussi un peu comme des inférieurs. Ce n'est pas sans inquiétude que je me fis immédiatement cette réflexion. En entendant la voix criarde de Prascovia Ivanovna, Stépane Trophimovitch qui ne s'était pas rassis depuis l'arrivée de Varvara Pétrovna, se laissa tomber sans force sur sa chaise, et chercha mon regard d'un air désespéré. Chatov s'agita sur son siège et grommela quelque chose entre les dents. Je crus qu'il allait se lever et partir. Lisa fit mine aussi de se lever, mais elle se rassit aussitôt sans même prêter aux cris de sa mère l'attention qu'exigeaient les circonstances. Et ce n'était nullement le fait de sa « mauvaise tête », mais d'une pensée absorbante qui manifestement l'envahissait tout entière. Elle regardait droit devant elle presque distraitement et avait même cessé de s'intéresser à Maria Timophéïevna.

III

« Ah! enfin je m'assieds! s'écria Prascovia Ivanovna en s'installant avec l'aide de Mavriki Nicolaïévitch dans un fauteuil près de la table. Si je n'avais pas eu mal aux jambes, je ne me serais pas assise chez vous, ma chère », ajouta-t-elle d'une voix brisée.

Varvara Pétrovna leva légèrement la tête et appuya avec une expression douloureuse les doigts de sa main droite contre sa tempe qui la faisait manifestement souffrir (*tic douloureux*).

« Pourquoi cela, Prascovia Ivanovna? Pourquoi ne t'assoirais-tu pas chez moi? Feu ton mari a toujours eu pour moi la plus grande amitié, et nous avons joué avec toi à la poupée en pension. »

Prascovia Ivanovna agita ses mains.

« C'est bien ce que j'attendais. Chaque fois que vous vous préparez à me faire des reproches, vous évoquez nos souvenirs de pension. C'est votre tactique. A mon avis, ce ne sont que de belles phrases. Je la déteste, votre pension.

— Il me semble que tu es de bien mauvaise humeur. Comment vont tes jambes? Tiens, voici le café, prends-en, je t'en prie, et cesse de te fâcher.

— Vous me traitez comme un petit enfant. Je n'en veux pas de votre café. »

Elle écarta d'un geste irrité le domestique qui lui présentait une tasse de café. (Du reste, personne ne but de café excepté Mavriki Nicolaïévitch et moi ; Stépane Trophimovitch en prit une tasse, mais il la laissa sur la table sans y toucher. Maria Timophéïevna eût bien voulu en prendre une seconde tasse et elle tendit même la main vers le plateau, mais à la réflexion, elle refusa d'un air digne, visiblement satisfaite de son geste.)

Varvara Pétrovna eut un sourire contraint.

« Tu te seras encore imaginé quelque chose, ma chère Prascovia Ivanovna, et c'est avec cette idée que tu es entrée ici. Tu as toujours vécu au milieu de tes imaginations. Tu te fâches quand je parle de notre pension, mais te souviens-tu qu'en rentrant de vacances, tu affirmais à toute la classe que le hussard Chablykine t'avait demandée en mariage? Mme Lefébure t'a immédiatement convaincue de mensonge. Et cependant ce n'était pas un mensonge ; cette histoire, tu l'avais imaginée simplement pour te distraire. Eh bien, dis-nous, qu'y a-t-il maintenant? Qu'as-tu encore imaginé? De quoi es-tu mécontente?

— Et vous, vous étiez amoureuse du pope qui nous enseignait le catéchisme. Voilà pour vous, puisque vous êtes si rancunière. Ha, ha, ha! »

Elle éclata d'un rire amer qui dégénéra en un accès de toux.

« Ah! tu n'as donc pas oublié l'histoire du pope... », dit Varvara Pétrovna en lui jetant un regard haineux.

Son visage tourna au vert. Soudain Prascovia Ivanovna se redressa d'un air digne.

« Je ne suis pas d'humeur à rire en ce moment, ma chère. Pourquoi avez-vous mêlé ma fille à vos scandales au vu et au su de toute la ville? C'est pour le savoir que je suis venue.

— Mes scandales? s'exclama Varvara Pétrovna soudain menaçante.

— Maman, moi aussi je vous demande de vous modérer, dit Lisavéta Nicolaïevna.

— Comment as-tu dit? » fit la « maman » qui se préparait à se répandre en cris et en lamentations, mais s'arrêta net devant le regard flamboyant de sa fille.

« Comment pouvez-vous parler de scandales, maman ? dit Lisa devenue toute rouge. Je suis venue de mon propre mouvement et avec la permission de Julie Mikhaïlovna parce que je voulais connaître l'histoire de cette malheureuse, et lui être utile.

— « L'histoire de cette malheureuse! » répéta avec un rire mauvais Prascovia Ivanovna. Qu'as-tu à te mêler de ces « histoires » ? Nous en avons assez de votre despotisme, ma chère! — Elle se tourna rageusement vers Varvara Pétrovna. — Je ne sais si c'est vrai, mais on assure que vous faites marcher toute la ville au doigt et à l'œil ; maintenant, c'est bien fini! »

Varvara Pétrovna se tenait toute droite, pareille à une flèche prête à s'élancer de l'arc. Elle fixa longuement Prascovia Ivanovna d'un regard sévère.

« Remercie Dieu, Prascovia, qu'il n'y ait ici que des amis, dit-elle enfin avec un calme effrayant. Tu as prononcé beaucoup de paroles inutiles.

— Je n'ai pas peur de l'opinion publique, moi. C'est vous qui sous le couvert de l'orgueil tremblez devant le monde. Si ce sont des amis, tant mieux pour vous.

— Serais-tu devenue plus intelligente en ces huit jours ?

— Non, il ne s'agit pas de cela ; c'est la vérité tout simplement qui a éclaté cette semaine.

— Quelle vérité ? Écoute, Prascovia Ivanovna, ne m'irrite pas, explique-toi immédiatement, je te le demande sérieusement : qu'est-ce que c'est que cette vérité, qu'entends-tu par là ?

— Mais la voilà cette vérité! Elle est là devant vous! » s'écria Prascovia Ivanovna en désignant du doigt Maria Timophéïevna avec cette résolution désespérée qui ne se soucie plus des conséquences, préoccupée qu'elle est uniquement de frapper un grand coup. Maria Timophéïevna qui ne cessait de l'examiner avec une curiosité amusée, éclata d'un rire joyeux à la vue du doigt que la visiteuse furibonde tendait vers elle, et se trémoussa gaîment sur son siège.

« Seigneur Jésus! Ils sont tous devenus fous! » s'écria Varvara Pétrovna et, toute pâle, elle se laissa aller dans son fauteuil.

Elle devint même si pâle qu'elle nous fit peur. Stépane Trophimovitch fut le premier à se précipiter vers elle ; je m'approchai également. Lisa se leva aussi, mais s'arrêta aussitôt. Mais la plus effrayée de nous tous fut Prascovia Ivanovna : elle poussa un cri, se leva tant bien que mal et gémit d'une voix larmoyante :

« Varvara Pétrovna, ma petite mère, pardonnez-moi ma stupidité et ma méchanceté. Mais qu'on lui apporte donc de l'eau!

— Ne geins pas, Prascovia Ivanovna, je t'en prie! Et écartez-vous, messieurs, de grâce! je n'ai pas besoin d'eau, déclara Varvara Pétrovna d'une voix ferme bien que sourde ; ses lèvres étaient toutes décolorées.

— Varvara Pétrovna, mon amie, reprit Prascovia Ivanovna qui s'était un peu calmée. J'ai prononcé des paroles inconsidérées, il est vrai, mais j'ai été mise hors de moi par des lettres anonymes dont me bombardent je ne sais quelles canailles. Ils n'ont qu'à les adresser à vous, puisque c'est de vous qu'il s'agit. Moi, j'ai une fille et j'en suis responsable. »

Varvara Pétrovna l'écoutait attentivement en ouvrant de grands yeux. Au même instant, une petite porte s'ouvrit sans bruit, et Daria Pavlovna entra dans la chambre. Elle s'arrêta, et nous regarda tous, frappée du trouble que montraient nos visages. Il est probable qu'elle ne distingua pas au premier moment Maria Timophéïevna dont personne ne lui avait signalé la présence.

Stépane Trophimovitch fut le premier à s'apercevoir de son entrée silencieuse ; il fit un geste, rougit et annonça, on ne sait trop pourquoi, d'une voix forte : « Daria Pavlovna ! » si bien que tous les regards se tournèrent à la fois vers la jeune fille.

« Comment ! c'est cela votre Daria Pavlovna ! s'écria Maria Timophéïevna. Eh bien, Chatouchka, ta sœur ne te ressemble pas. Comment mon laquais peut-il traiter d'esclave une telle beauté et l'appeler Dachka ! »

Cependant Daria Pavlovna s'était approchée de Varvara Pétrovna ; mais, surprise par l'exclamation de Maria Timophéïevna, elle se retourna brusquement, s'arrêta et fixa sur l'infirme un long regard.

« Assieds-toi, fit Varvara Pétrovna avec un calme menaçant. Plus près, comme ça. Tu peux voir cette femme en restant assise. La connais-tu ?

— Je ne l'ai jamais vue, répondit Dacha d'une voix douce ; puis elle ajouta après un instant de silence : Ce doit être la sœur infirme d'un certain Lébiadkine.

— Moi aussi, ma chérie, je vous vois pour la première fois, bien que je fusse curieuse depuis longtemps de vous connaître, car chacun de vos gestes révèle une parfaite éducation, s'écria Maria Timophéïevna au comble du ravissement. Pour ce qui est de mon laquais et de ses injures, serait-il possible qu'une personne aussi charmante et bien élevée que vous, fût capable de lui voler de l'argent ? Car vous êtes charmante, oui, charmante, c'est moi qui vous le dis ! conclut-elle ravie en agitant ses mains.

— Comprends-tu quelque chose à tout cela ? interrogea Varvara Pétrovna avec une dignité altière.

— Oui, je comprends tout...

— Qu'est-ce que c'est que cet argent ?

— Il s'agit probablement de l'argent que, sur la

demande de Nicolaï Vsévolodovitch, en Suisse, je me suis chargée de remettre à M. Lébiadkine, au frère de cette personne. »

Il se fit un silence.

« C'est Nicolaï Vsévolodovitch lui-même qui t'a demandé de remettre cet argent ?

— Il désirait beaucoup faire parvenir de l'argent, trois cents roubles en tout, à M. Lébiadkine, et comme il ne connaissait pas son adresse, mais savait seulement qu'il devait venir ici, il m'a confié cette somme pour que je la remette à ce Lébiadkine à son arrivée dans notre ville.

— Et quel est cet argent qui aurait disparu ? que signifiaient les paroles de cette femme tout à l'heure ?

— Je n'en sais rien ; le bruit m'est parvenu, en effet, que M. Lébiadkine racontait partout que je ne lui avais pas remis tout l'argent, mais je ne comprends pas ses discours. On m'a donné trois cents roubles et je les lui ai envoyés. »

Daria Pavlovna avait complètement retrouvé son sang-froid. Je dois dire d'ailleurs qu'en général il était difficile de surprendre cette jeune fille et de la troubler, quoi qu'elle pût ressentir en son for intérieur. Elle avait répondu à toutes les questions avec précision. Sans se hâter, d'une voix douce et égale, sans qu'il subsistât la moindre trace de sa première émotion, sans le moindre embarras qui pût faire croire qu'elle se sentît coupable. Varvara Pétrovna qui ne l'avait pas quittée des yeux pendant cet interrogatoire, réfléchit un instant.

« Du moment, déclara-t-elle d'un ton ferme en s'adressant manifestement à nous tous bien qu'elle ne regardât que Dacha, du moment que Nicolaï Vsévolodovitch ne s'est même pas adressé à moi et a jugé bon de te confier cette affaire, c'est qu'il avait ses raisons pour agir ainsi.

Et je considère que puisqu'on me les cache, je n'ai pas le droit de chercher à les connaître. Mais le seul fait que tu aies pris part à cette affaire me rassure pleinement sur ces raisons, sache-le bien, Daria. Mais vois-tu mon enfant, par ignorance du monde, si pures que fussent tes intentions, tu pouvais commettre une imprudence : cette imprudence, tu l'as commise en entrant en relations avec un gredin. Les bruits qu'il a répandus te le prouvent bien. Mais je vais me renseigner sur lui, et puisque c'est à moi de te défendre, je saurai te protéger. A présent, il faut mettre un terme à tout cela.

— Ce qu'il y aurait de mieux à faire quand il viendra, intervint vivement Maria Timophéïevna en s'agitant sur sa chaise, ce serait de l'envoyer à l'office. Qu'il joue là aux cartes avec les domestiques pendant que nous serons ici à boire notre café. Du reste, on pourrait lui en envoyer une tasse, mais je le méprise profondément, dit-elle avec un hochement de tête significatif.

— Oui, il faut en finir, répéta Varvara Pétrovna après avoir attentivement écouté Maria Timophéïevna. Stépane Trophimovitch, sonnez, je vous prie. »

Stépane Trophimovitch sonna, puis, soudain, s'avança tout ému, le visage cramoisi :

« Si... si je..., bredouilla-t-il dans une sorte de fièvre, d'une voix bégayante, si... j'ai entendu cette histoire ignoble, ou plutôt cette calomnie... c'est avec indignation que... *Enfin c'est un homme perdu et quelque chose comme un forçat évadé...* »

Il s'arrêta court. Varvara Pétrovna le toisa en plissant les paupières. Alexéï Égorytch entra, toujours solennel.

« La calèche, commanda Varvara Pétrovna. Et toi, Alexéï Égorytch, prépare-toi à ramener chez elle Mlle Lébiadkine ; elle t'indiquera elle-même où elle demeure.

— M. Lébiadkine l'attend déjà depuis quelque temps

en bas ; il a beaucoup insisté pour que je l'annonce.

— C'est impossible, Varvara Pétrovna, intervint très alarmé Mavriki Nicolaïévitch qui avait jusqu'ici gardé un silence imperturbable. Permettez-moi de vous dire que ce n'est pas un homme que l'on puisse recevoir en société... c'est... c'est un homme impossible, Varvara Pétrovna.

— Faites attendre, dit Varvara Pétrovna à Alexéï Égorytch qui disparut aussitôt.

— *C'est un homme malhonnête, et je crois même que c'est un forçat évadé ou quelque chose dans ce genre*, balbutia Stépane Trophimovitch, mais il rougit et s'interrompit de nouveau.

— Lisa, il est temps de partir, proféra Prascovia Ivanovna d'un ton dégoûté en se levant de son fauteuil. Elle paraissait regretter de s'être traitée de sotte dans son émoi. Pendant l'interrogatoire de Daria Pavlovna, elle avait déjà repris son air hautain et dédaigneux. Mais ce qui me frappa le plus ce fut l'expression de Lisavéta Nicolaïevna : depuis que Daria Pavlovna était entrée, il y avait dans son regard une flamme de haine et de mépris vraiment trop visible.

— Attends une minute, Prascovia Ivanovna, je t'en prie, dit Varvara Pétrovna toujours avec le même calme exagéré. Assieds-toi : j'ai l'intention de tout dire, et toi tu as mal aux jambes. C'est cela, je te remercie. Tout à l'heure, je me suis emportée et j'ai laissé échapper quelques paroles irritées. Excuse-moi. J'ai agi sottement et je suis la première à le reconnaître car j'aime la justice en toutes choses. Tu étais certainement hors de toi aussi quand, tout à l'heure, tu as fait allusion à je ne sais quelles lettres anonymes. Toute missive de ce genre ne mérite que le mépris, du fait même qu'elle n'est pas signée. Si tu penses différemment, tant pis pour toi. Si j'étais à ta place en tout cas, je ne ferais pas attention à ces ignominies, je ne me salirais pas. Toi, tu t'es salie. Mais puisque tu as commencé, je suis obligée de te dire que moi aussi j'ai reçu, il y a six jours, une lettre anonyme burlesque. Je ne sais quel gredin me prévient que Nicolaï Vsévolodovitch est devenu fou et que je dois craindre une boiteuse, « qui est appelée à jouer un grand rôle dans mon existence ». Je me souviens de cette expression. A la réflexion, et comme je sais que Nicolaï Vsévolodovitch a beaucoup d'ennemis, je fis appeler un personnage d'ici, l'un de ses ennemis les plus dissimulés, les plus rancuniers, les plus méprisables, et, au bout d'un instant de conversation, je compris qui était l'auteur de la lettre anonyme. Si tu as été *à cause de moi* poursuivie ou, comme tu viens de le dire, « bombardée » de lettres anonymes, je suis la première à regretter, bien entendu, d'en avoir été la cause innocente. Voilà tout ce que j'avais à te dire en manière d'explication. Je vois avec peine que tu es fatiguée et toute bouleversée. D'autre part, je suis tout à fait décidée à *faire entrer* cet individu suspect au sujet duquel Mavriki Nicolaïévitch s'est exprimé en termes quelque peu impropres, disant qu'on ne pouvait le *recevoir*. Lisa, tout particulièrement, n'a rien à faire ici. Viens près de moi, Lisa, mon enfant, que je t'embrasse encore une fois. »

Lisa traversa la chambre et s'arrêta en silence devant Varvara Pétrovna ; celle-ci l'embrassa, lui prit les mains, la repoussa un peu pour mieux la voir, et la contempla avec émotion ; puis elle fit un signe de croix sur la jeune fille et l'embrassa de nouveau.

« Allons, adieu, Lisa (il y avait presque des larmes dans sa voix). Sache bien que je ne cesserai jamais de t'aimer, quoi que puisse te réserver le destin... Que Dieu soit avec toi. J'ai toujours béni Sa Volonté... »

Elle voulut encore ajouter quelque chose, mais se ressaisit et se tut. Lisa regagnait sa place, toujours silencieuse et comme dans une sorte de rêve, quand, arrivée devant sa mère, elle s'arrêta brusquement et lui dit d'une voix douce mais où perçait une résolution de fer :

« Je ne pars pas encore, maman, je reste pour le moment chez ma tante.

— Mon Dieu! qu'est-ce encore que cela! » gémit Prascovia Ivanovna en joignant les mains dans un geste d'angoisse. Mais Lisa ne lui répondit pas ; elle sembla même ne pas l'avoir entendue. Elle se rassit dans son coin, le regard toujours perdu dans le vide.

Une expression d'orgueil et de triomphe illumina le visage de Varvara Pétrovna.

« Mavriki Nicolaïévitch, j'ai un grand service à vous demander : allez, je vous prie, jeter un regard sur cet homme en bas, et s'il y a la moindre possibilité de le *laisser entrer*, amenez-le ici. »

Mavriki Nicolaïévitch s'inclina et sortit. Au bout d'une minute il rentra avec M. Lébiadkine.

IV

J'ai déjà parlé de l'aspect de ce personnage : un grand et massif gaillard d'une quarantaine d'années, à la chevelure bouclée, au visage rouge et bouffi, dont les joues flasques tremblaient à chacun des mouvements de sa tête ; ses petits yeux injectés n'étaient pas dénués de ruse. Il avait des moustaches et des favoris ; sa pomme d'Adam, très charnue, saillait d'une façon assez désagréable. Ce qui me frappa le plus en lui, c'est qu'il portait cette fois un frac et du linge propre. « Il y a des gens chez qui le linge propre est presque une inconvenance », avait répondu Lipoutine un jour que Stépane Trophimovitch lui reprochait en plaisantant la négligence de sa mise. Le capitaine avait aussi des gants noirs ; il en tenait un à la main, tandis que l'autre, le gauche, qu'il n'avait pu réussir à boutonner, serrait étroitement, sans la recouvrir entièrement cependant, sa grosse patte dans laquelle il tenait un chapeau rond tout neuf et brillant. Il se trouvait donc que le « frac d'amour » dont le capitaine avait parlé la veille à Chatov, existait réellement. Tout cela, c'est-à-dire le frac et le linge propre, il se l'était procuré sur le conseil de Lipoutine (comme je l'appris par la suite), en vue de certains projets mystérieux. Il était aussi hors de doute qu'il était venu chez Varvara Pétrovna (en voiture de louage), à l'instigation et avec l'aide de quelqu'un. Cette idée ne lui serait jamais venue à l'esprit, et seul, il n'aurait pas été capable de se décider et de faire sa toilette en trois quarts d'heure, en supposant même qu'il eût eu immédiatement connaissance de la scène qui s'était déroulée sous le porche de la cathédrale. Il n'était pas ivre, mais hébété, comme le sont les gens brusquement revenus à eux après plusieurs jours de soûleries ininterrompues. Il eût suffi, semblait-il, de le secouer une ou deux fois légèrement par les épaules pour qu'il retombât aussitôt dans son ivresse.

Il entra dans le salon presque en courant, mais trébucha dès le seuil sur le tapis. Maria Timophéïevna se tordit de rire. Il lui jeta un regard féroce et se dirigea d'un pas rapide vers Varvara Pétrovna.

« Je suis venu, madame! lança-t-il d'une voix claironnante.

— Monsieur, dit Varvara Pétrovna en se redressant dans son fauteuil, faites-moi le plaisir de vous asseoir là-bas sur cette chaise. Vous pouvez vous faire aussi bien entendre de là, et moi il m'est plus commode de vous regarder d'ici. »

Le capitaine s'arrêta net en regardant devant lui d'un air stupide ; il fit demi-tour cependant, et s'assit sur la chaise qui lui avait été désignée, tout près de la porte. L'expression de son visage révélait un manque total d'assurance, mais aussi une certaine insolence et une sorte d'irritation contenue. Il avait affreusement peur, cela se voyait bien ; mais il souffrait dans sa vanité, et il était facile de prévoir que son amour-propre blessé pouvait, à l'occasion, le pousser à quelque incartade, malgré sa lâcheté. Il craignait visiblement de bouger, se rendant compte de sa gaucherie. On sait que la plus grande souffrance des personnages de ce genre qui par quelque hasard miraculeux s'introduisent dans la bonne société, vient de ce qu'ils ne savent que faire de leurs mains et ne cessent d'y penser. Le capitaine resta comme pétrifié sur sa chaise, son chapeau et ses gants à la main, son regard stupide rivé au visage sévère de Varvara Pétrovna. Il aurait bien voulu, peut-être, voir ce qui se passait autour de lui, mais il n'osait s'y décider. Trouvant sans doute l'attitude du capitaine extrêmement comique, Maria Timophéïevna eut un nouvel accès de rire ; mais il ne broncha pas. Varvara Pétrovna, impitoyable, le tint ainsi longtemps, toute une minute, sous son regard inquisiteur.

« Avant tout, je voudrais apprendre votre nom de vous-même, prononça-t-elle enfin d'un ton posé et significatif.

— Capitaine Lébiadkine, clama le capitaine. Je suis venu, madame... — Il s'agita sur sa chaise.

— Permettez, l'interrompit Varvara Pétrovna. Cette malheureuse personne qui m'a tant intéressée, est-elle vraiment votre sœur ?

— Oui, ma sœur, madame, qui a échappé à ma surveillance, car elle est dans une position... »

Il s'arrêta court, son visage s'empourpra.

« Ne me comprenez pas mal, madame..., bredouilla-t-il. Je ne songe pas à salir ma sœur... Dans une position, cela ne signifie pas une position qui... une position compromettante pour la réputation... Ces derniers temps... »

Il s'interrompit brusquement.

« Monsieur! fit Varvara Pétrovna en relevant la tête encore plus haut.

— Voici ce que je veux dire... — Il se frappa le front du doigt. Il y eut un silence.

— Il y a longtemps qu'elle souffre de cela ? demanda Varvara Pétrovna d'une voix lente.

— Madame, je suis venu pour vous remercier de la générosité que vous lui avez témoignée sous le porche, à la russe, en frère...

— En frère ?

— Non, pas en frère... mais uniquement en ce sens que je suis le frère de ma sœur, madame. Et croyez bien, madame, reprit-il en se hâtant, et il devint de nouveau tout rouge, croyez bien que je ne suis pas aussi mal élevé que cela peut sembler à première vue dans votre salon. Ma sœur et moi, nous ne sommes rien, madame, en comparaison des splendeurs que nous voyons ici. De plus, nous avons des ennemis, des calomniateurs. Mais pour ce qui est de sa réputation, madame, Lébiadkine a sa fierté, et... et... je suis venu pour vous remercier... Voici l'argent, madame! »

Parlant ainsi il tira de sa poche son portefeuille, y saisit une liasse de billets et se mit à les compter de ses doigts tremblants avec une sorte de rage impatiente. On voyait qu'il voulait au plus vite expliquer quelque chose, et à vrai dire la nécessité s'en faisait senitr ; mais se rendant lui-même compte probablement que son attitude en ce moment le rendait encore plus ridicule, il perdit complètement la tête ; l'argent refusait de se laisser compter, ses doigts ne lui obéissaient pas et, pour comble de honte, un billet de trois roubles glissa de son portefeuille et tomba sur le tapis.

« Voici vingt roubles, madame! s'écria-t-il en se levant brusquement, sa liasse à la main, le visage en sueur de confusion. A ce moment, il aperçut le billet tombé à terre ; il se baissa pour le ramasser, mais eut honte on ne sait pourquoi de ce mouvement, et dit avec un geste dédaigneux :

— Pour vos gens, madame, pour le domestique qui le ramassera, qu'il se souvienne de ma sœur!

— Je ne puis admettre cela, protesta aussitôt Varvara Pétrovna non sans une certaine frayeur.

— En ce cas... » — Il se baissa de nouveau, ramassa le billet, rougit violemment, fit quelques pas vers Varvara Pétrovna et lui tendit l'argent qu'il venait de compter.

« Qu'est-ce que cela? s'écria-t-elle très effrayée cette fois ; elle eut même un mouvement de recul dans son fauteuil. Mavriki Nicolaïévitch, moi et Stépane Trophimovitch, nous nous avançâmes tous trois vers elle.

— Calmez-vous! calmez-vous! je ne suis pas fou! Je vous jure que je ne suis pas fou! clamait le capitaine en se tournant à droite et à gauche.

— Si, monsieur, vous avez perdu la raison.

— Madame, ce n'est pas du tout ce que vous supposez. Je ne suis évidemment qu'un chaînon insignifiant... Oh! madame! riche est votre demeure, et pauvre est la demeure de Maria l'Inconnue, ma sœur, née Lébiadkine, mais que nous appellerons *pour le moment* Maria l'Inconnue, pour le moment, madame, pour le moment seulement, car Dieu lui-même n'admettra pas qu'il en soit toujours ainsi! Madame, vous lui avez donné dix roubles, et elle a accepté, mais parce que c'est *vous* qui les lui avez donnés. Vous entendez, madame! Maria l'Inconnue n'accepterait de l'argent de personne au monde, car son grand-père, officier d'État-Major, tué au Caucase sous les yeux d'Ermolov [1], en tressaillirait de honte dans sa tombe ; mais de vous, madame, de vous, elle acceptera tout. Mais d'une main elle accepte, et de l'autre, c'est vingt roubles qu'elle vous tend en guise de souscription en faveur de l'un des comités de bienfaisance de la capitale dont vous êtes membre... Ainsi que vous l'avez annoncé vous-même dans le *Journal de Moscou*, vous avez ici un registre pour les souscriptions, et n'importe qui peut s'inscrire... »

Le capitaine s'arrêta ; il soufflait bruyamment comme s'il venait d'accomplir quelque grand exploit. Toute cette tirade au sujet du comité de bienfaisance avait été probablement préparée d'avance ; peut-être même fut-elle rédigée par Lipoutine. Le capitaine transpirait encore plus abondamment : des gouttes de sueur lui coulaient littéralement le long des tempes. Varvara Pétrovna le considérait attentivement.

« Ce registre, dit-elle d'un ton sec, se trouve toujours en bas, chez mon portier. C'est là que vous pouvez inscrire votre offrande si vous le désirez. Je vous prie donc de ranger vos billets et de ne pas les brandir devant moi. Je vous prie aussi de regagner votre place. C'est cela. Je regrette beaucoup, monsieur, de m'être trompée sur le compte de votre sœur et de lui avoir fait l'aumône, puisqu'elle est si riche que ça. Il n'y a qu'une chose que je ne comprends pas : pourquoi n'acceptera-t-elle jamais rien de personne sauf de moi ? Vous avez tellement insisté là-dessus, que je veux que vous vous expliquiez nettement.

— Madame, c'est un secret que j'emporterai dans ma tombe, répondit le capitaine.

— Pourquoi cela ? demanda Varvara Pétrovna d'une voix cette fois moins assurée.

— Madame! madame!... »

Il se tut d'un air sombre, baissa les yeux et appuya sa main droite sur son cœur. Varvara Pétrovna attendait sans le quitter du regard.

« Madame! clama-t-il, me permettez-vous de vous poser une question, rien qu'une question, mais ouvertement, franchement, à la russe, du fond de l'âme ?

— Dites.

— Avez-vous souffert dans la vie, madame ?

— Ce qui signifie tout simplement que vous avez souffert ou que vous souffrez encore par la faute de quelqu'un.

— Madame! madame! — Il se leva de nouveau d'un mouvement brusque, sans même s'en rendre compte probablement, et se frappa la poitrine. — Ici, dans ce cœur, il s'est accumulé tant de choses que Dieu lui-même en sera surpris quand tout se révélera au Jugement Dernier.

— Hum! vous vous exprimez fortement.

— Madame, je parle peut-être sur un ton trop irrité...

— Ne vous en préoccupez pas, je saurai quand il faudra vous arrêter.

— Puis-je vous poser encore une question, madame ?

— Faites.

— Peut-on mourir uniquement parce qu'on a une âme trop noble ?

— Je ne sais ; je ne me suis jamais posé cette question.

— Vous ne savez pas, vous ne vous êtes jamais posé

cette question! s'écria-t-il avec une ironie pathétique. Eh bien, s'il en est ainsi,

Tais-toi, cœur sans espoir!

Il se frappa violemment la poitrine.

Il marchait maintenant de long en large dans la chambre. Le trait distinctif de ces gens, c'est qu'ils sont absolument incapables de dissimuler leurs désirs, mais sont possédés du besoin irrésistible de les exprimer, immédiatement, dans toute leur laideur. Quand ils se trouvent dans une société qui n'est pas la leur, ils commencent d'ordinaire par se sentir gênés, mais aussitôt qu'on les y a laissé prendre pied, ils deviennent insolents. Le capitaine s'emballait déjà ; il marchait à grands pas en agitant les bras, n'écoutait plus les questions qu'on lui posait et parlait de lui-même avec une telle volubilité que la langue lui fourchait parfois ; alors, sans achever sa phrase il en commençait une autre. Il faut dire aussi qu'il avait probablement déjà bu un coup ce matin. De plus, il y avait là Lisavéta Nicolaïevna ; pas une fois il ne regarda de son côté, mais la présence de la jeune fille devait certainement lui tourner la tête. Du reste, ceci n'est qu'une supposition de ma part. Quoi qu'il en fût, Varvara Pétrovna devait avoir ses raisons pour surmonter son dégoût et écouter un pareil individu. Prascovia Ivanovna, elle, tremblait de peur tout en ne comprenant pas très bien de quoi il s'agissait, me sembla-t-il. Quant à Stépane Trophimovitch, il tremblait aussi, mais parce qu'il était enclin, au contraire, à comprendre trop de choses. Mavriki Nicolaïévitch gardait l'attitude d'un homme prêt à intervenir pour protéger tout le monde. Lisa, toute pâle, ne quittait pas le capitaine de ses yeux grands ouverts. Chatov était assis toujours dans la même pose. Le plus étrange, c'est que Maria Timophéïevna avait non seulement cessé de rire, mais était devenue affreusement triste. Accoudée à la table, elle suivait d'un regard rêveur et mélancolique son frère qui pérorait. Seule, Daria Pavlovna me parut complètement calme.

« Stupides allégories que tout cela, dit Varvara Pétrovna qui commençait à perdre patience. Vous n'avez pas répondu à ma question : « Pourquoi ? » J'insiste pour avoir une réponse.

— Je n'ai pas répondu à votre « pourquoi »? Vous attendez une réponse à votre « pourquoi »? répéta le capitaine en clignant de l'œil. Ce petit mot, « pourquoi ? », est répandu dans tout l'univers depuis le premier jour de la création, madame, et la nature entière crie sans cesse à son Créateur : « Pourquoi ? » Et la réponse se fait attendre depuis sept mille ans. Est-ce au seul capitaine Lébiadkine à répondre pour tout le monde ? Serait-ce juste, madame ?

— Tout cela ce sont des bêtises qui n'ont rien à voir avec la question, s'écria Varvara Pétrovna de plus en plus en colère. Ce sont des allégories. De plus, vous vous permettez de vous exprimer d'une façon trop pompeuse, ce que je considère comme une insolence.

— Madame, reprit le capitaine sans l'écouter. Je voudrais m'appeler Ernest, or je dois me contenter du nom grossier d'Ignace. Pourquoi cela, selon vous ? Je voudrais être le prince de Montbard, et je ne suis que Lébiadkine, qui vient de « cygne ». Pourquoi cela ? Je suis poète, madame, poète dans l'âme, et je pourrais toucher mille roubles de l'éditeur ; or, je suis obligé de vivre dans une étable. Pourquoi ? Pourquoi ? Madame ! selon moi la Russie n'est qu'un jeu de la nature, rien de plus.

— Ne pouvez-vous vraiment vous exprimer d'une façon plus précise?

— Je puis vous réciter une pièce de vers, le *Cafard*, madame.

— Hein!...

— Madame, je ne suis pas encore fou. Je le serai, je le serai certainement, mais je ne le suis pas encore. Madame, un de mes amis, un homme des plus *ho-norables*, a écrit une fable de Krylov [1], intitulée le *Cafard;* me permettez-vous de la réciter?

— Vous voulez réciter une fable de Krylov?

— Non, pas une fable de Krylov, madame, mais une fable de moi, de ma propre composition. Croyez bien, madame, soit dit sans vous offenser, que je ne suis pas à tel point inculte et dépravé que je ne sache pas que la Russie possède un grand fabuliste, Krylov, à qui le Ministre de l'Instruction publique a élevé un monument dans le Jardin d'Été pour que les enfants jouent autour. Vous me demandez, madame, « pourquoi? » La réponse est inscrite dans cette fable, en lettres de feu :

— Lisez votre fable.

— Un cafard vivait en paix,
Un cafard de naissance.
Un jour il tomba dans un verre
Plein de mouches à l'agonie...

— Seigneur! Qu'est-ce que cela?

— Cela veut dire que lorsqu'en été les mouches tombent dans un verre, expliqua hâtivement le capitaine en agitant les bras et avec l'impatience irritée d'un auteur interrompu au moment le plus pathétique, elles périssent ; le dernier des imbéciles comprend cela.

Ne m'interrompez pas, ne m'interrompez pas, vous allez voir... (il continuait d'agiter les bras).

Le cafard prit peu de place,
Mais les mouches se révoltèrent :
Notre verre est bien trop plein !
Crièrent-elles à Jupiter.
Mais tandis qu'elles protestaient,
Nikiphore passa par là,
Un vieillard très honorable...

Ici, j'ai dû m'arrêter, mais ce n'est rien, je vais vous raconter l'histoire, poursuivit avec volubilité le capitaine. Nikiphore prend le verre et, malgré les protestations des mouches, jette au bac à ordures toute la compagnie, mouches et cafard, ce qui aurait dû être fait depuis longtemps. Mais remarquez, madame, remarquez, que le cafard ne se plaint pas. Voilà ma réponse à votre « pourquoi ? » s'écria-t-il d'un air triomphant : « Le cafard ne se plaint pas ! » Pour ce qui est de Nikiphore, il représente la Nature », ajouta-t-il précipitamment, et il se remit à marcher dans la chambre d'un air très satisfait.

Varvara Pétrovna devint furieuse.

« Et qu'est-ce que c'est que cet argent, permettez-moi de vous demander, que vous auriez dû recevoir de Nicolaï Vsévolodovitch, et qu'on ne vous aurait pas remis ? Vous avez osé accuser à ce propos une personne appartenant à ma famille.

— Calomnie ! hurla le capitaine en levant la main d'un geste tragique.

— Non, ce n'est pas une calomnie.

— Madame, on se trouve parfois placé dans des circonstances qui vous obligent à supporter le déshonneur de votre propre famille plutôt que de proclamer hautement la vérité. Lébiadkine ne dira jamais un mot de trop, madame. »

Il était comme aveuglé. Il était comme en extase. Il sentait son importance. Il se croyait tout permis évidemment. Il avait envie d'offenser quelqu'un et de commettre quelque vilenie pour montrer à tous sa puissance.

« Stépane Trophimovitch, veuillez sonner, je vous prie, demanda Varvara Pétrovna.

— Lébiadkine est rusé, madame! — Il cligna de l'œil avec un sourire mauvais. — Il est rusé. Mais lui aussi a son point faible, lui aussi a sa passion. Cette passion, c'est... c'est la bonne bouteille des hussards chantée par Denis Davydov [1]. Quand il a cette bouteille à la main, madame, il peut lui arriver d'envoyer une lettre en vers, une lettre admirable, mais que, par la suite, il voudrait bien reprendre au prix de toutes les larmes de son corps, car elle détruit son sentiment du beau. Mais l'oiseau s'est envolé, impossible de le rattraper. Dans cet état, madame, Lébiadkine a pu parler d'une jeune fille honorable, en donnant libre cours à la noble indignation de son âme révoltée par l'injustice, ce dont ces calomniateurs ont profité. Mais Lébiadkine est rusé, madame. Et c'est en vain que le guette un loup féroce qui ne cesse de lui verser à boire, et attend qu'il se découvre à la fin : Lébiadkine ne parlera pas, et, au fond de la bouteille, le loup ne trouve que la ruse de Lébiadkine au lieu du secret tant attendu. Mais assez! Oh! assez! madame, votre splendide demeure pourrait appartenir au plus noble des êtres, mais le cafard ne proteste pas. Remarquez-le, remarquez-le bien! Il ne proteste pas. Reconnaissez sa grandeur d'âme! »

A ce moment on entendit un coup de sonnette en bas, et presque aussitôt nous vîmes entrer Alexéï

Égorytch qui avait tardé à paraître à l'appel de Stépane Trophimovitch. Le vieux et solennel serviteur paraissait étrangement ému.

« Nicolaï Vsévolodovitch est arrivé. Il vient ici », annonça-t-il en réponse au regard interrogateur de Varvara Pétrovna.

Je vois encore l'attitude de celle-ci à cet instant : elle devint toute pâle et ses yeux étincelèrent. Puis elle se redressa dans son fauteuil, l'air résolu. Du reste, nous étions tous stupéfaits. La brusque arrivée de Nicolaï Vsévolodovitch que l'on n'attendait que dans un mois, nous frappa non seulement par sa soudaineté, mais aussi par sa coïncidence, en quelque sorte fatale, avec la minute présente. Le capitaine lui-même resta figé au milieu de la chambre, bouche bée et fixant un regard stupide sur la porte.

Et voilà que dans la pièce voisine, qui était très grande, retentirent des pas rapides, des petits pas pressés : quelqu'un arrivait en courant. Ce quelqu'un fit irruption dans le salon ; mais ce n'était pas Nicolaï Vsévolodovitch, c'était un jeune homme que nous ne connaissions pas.

V

Je m'arrête ici pour un instant afin d'esquisser en quelques traits ce personnage apparu si brusquement.

C'était un jeune homme de vingt-sept ans à peu près, d'une taille un peu au-dessus de la moyenne, à la chevelure blonde clairsemée mais assez longue, à la moustache et à la barbiche rares et floconneuses. Il était habillé convenablement et même à la mode, mais sans élégance. A première vue, il paraissait gauche et quelque peu voûté, mais il n'était nullement voûté et se tenait en réalité avec désinvolture. On pouvait le prendre pour un original, et cependant tout le monde trouva par la suite qu'il avait de bonnes manières et parlait d'une façon très sensée.

On n'aurait pu dire qu'il était laid, et cependant son visage ne plaisait à personne. Sa tête aplatie sur les côtés et allongée vers l'arrière, faisait paraître son visage très aigu. Le front était haut et étroit ; les traits, menus ; les yeux, perçants ; le nez, petit et pointu ; les lèvres, longues et minces. A l'expression de son visage on aurait pu le croire faible et maladif ; or ce n'était nullement le cas. Ses joues sous les pommettes étaient marquées de plis secs qui lui donnaient l'aspect d'un homme relevant d'une maladie grave, et cependant, il était bien portant, robuste et même n'avait jamais été malade.

Sa démarche, ses mouvements étaient toujours précipités, et pourtant il ne se hâtait nulle part. Rien, semblait-il, ne pouvait le déconcerter ; quelles que fussent les circonstances et où qu'il fût, il restait toujours pareil à lui-même. Il était très satisfait de soi, mais ne s'en rendait pas compte.

Il parlait avec volubilité, mais en même temps avec une grande assurance et sans chercher ses mots. Malgré sa précipitation, ses idées étaient nettes, précises et bien définies, et ce trait frappait particulièrement ses auditeurs. Sa prononciation était extraordinairement claire, ses paroles tombaient comme de gros grains uniformes, toujours soigneusement choisies et préparées d'avance pour toutes les occasions. Au début cela plaisait, mais ensuite on se sentait agacé, et précisément par cette articulation trop nette, par ce débit rapide et régulier. On finissait par se figurer qu'il devait avoir une langue d'une forme toute particulière, une langue extraordinairement mince et longue, munie d'une pointe effilée, d'un rouge vif et toujours en mouvement.

Tel était le jeune homme qui tomba comme une bombe au milieu du salon, et il me semble maintenant encore qu'il s'était déjà mis à parler dans la pièce voisine et entra au milieu d'une phrase. Il se planta immédiatement devant Varvara Pétrovna.

« Imaginez-vous, Varvara Pétrovna, dit-il précipitamment, j'entre et je crois le trouver ; il aurait dû être ici depuis un quart d'heure. Il y a une heure et demie qu'il est arrivé. Nous étions ensemble chez Kirilov. Il est parti, il y a une demi-heure, pour se rendre directement ici et il m'a dit de venir aussi un quart d'heure plus tard...

— Mais qui donc? qui vous a dit de venir ici? demanda Varvara Pétrovna.

— Mais Nicolaï Vsévolodovitch! Comment, vous ne saviez pas encore qu'il était arrivé? Ses bagages cependant doivent être déjà là, depuis longtemps! Pourquoi ne vous a-t-on pas prévenue? C'est donc moi qui vous apporte cette nouvelle! On pourrait l'envoyer chercher. Du reste, il va arriver d'un instant à l'autre, et je crois qu'il sera fort satisfait de cette réunion qui correspond à ses désirs et, autant que je puisse en juger, à certains de ses projets. — En parlant ainsi, il regarda autour de lui et fixa avec une attention particulière le capitaine Lébiadkine. — Ah! Lisavéta Nicolaïevna, comme je suis heureux de vous rencontrer dès mon arrivée ; je suis vraiment content de serrer votre main, dit-il en courant vers Lisa pour prendre la main que celle-ci lui tendait en souriant gaîment. Et je vois que la très respectable Prascovia Ivanovna n'a pas oublié, elle non plus, son « professeur », et n'est même plus fâchée contre lui comme elle l'était en Suisse. Et comment vont vos jambes,

Prascovia Ivanovna? Les médecins suisses avaient-ils raison de vous conseiller l'air du pays natal?... Comment? des compresses, dites-vous? Cela doit vous faire beaucoup de bien. Mais comme j'ai regretté, Varvara Pétrovna (il se tourna de nouveau vers la maîtresse de la maison), de n'avoir pu vous voir à l'étranger et vous présenter personnellement mes respects; de plus, j'avais tant de choses à vous communiquer... J'avais prévenu, il est vrai, mon « vieux », mais je crois que, selon son habitude...

— Pétroucha, s'écria Stépane Trophimovitch, revenu brusquement de sa stupéfaction. Il joignit les mains et s'élança vers son fils. *Pierre, mon enfant!* et moi qui ne t'ai pas reconnu! Il le serra dans ses bras, et des larmes coulèrent sur son visage.

— Allons, ne t'agite pas, ne t'agite pas! Assez! je t'en prie, marmotta Pétroucha en tâchant de se débarrasser de l'étreinte de son père.

— J'ai été coupable envers toi, toujours, toujours!

— Assez! nous parlerons de cela plus tard. Je savais bien que tu ferais des histoires. Allons, un peu plus de tenue, je t'en prie.

— Pense un peu qu'il y a dix ans que je ne t'ai vu.

— Raison de plus pour ne pas se laisser aller...

— Mon enfant!

— Oui, tu m'aimes, je te crois... Mais enlève tes mains. Tu vois bien que tu gênes les autres... Ah, voici Nicolaï Vsévolodovitch! allons, tiens-toi tranquille, je t'en prie. »

En effet, Nicolaï Vsévolodovitch, entré silencieusement, s'était arrêté pour un moment sur le seuil du salon et nous considérait tous d'un regard calme.

De même que quatre ans auparavant, quand je l'avais vu pour la première fois, je fus immédiatement frappé de son aspect. Je n'avais pas oublié son visage ; mais il y a des physionomies qui, chaque fois qu'on les revoit, semblent révéler quelque trait nouveau que l'on n'avait pas encore remarqué jusque-là, bien qu'on les connaisse depuis longtemps. Il paraissait n'avoir pas changé depuis quatre ans : il était toujours aussi élégant, toujours aussi grave ; sa démarche, ses gestes étaient empreints de la même dignité, et il semblait presque aussi jeune. Son léger sourire était toujours aussi affable et froid et on y lisait la même assurance. Il avait encore le même regard sévère, pensif et quelque peu distrait. Bref, j'aurais pu croire que nous nous étions quittés la veille. Une chose cependant me frappa : on le trouvait beau avant, mais son visage, en effet, « ressemblait à un masque », pour employer l'expression de certaines de nos dames. Cette fois, au contraire, il m'apparut aussitôt, je ne sais pourquoi, beau d'une beauté parfaite, incontestable ; personne, certes, n'aurait pu dire maintenant que son visage ressemblait à un masque. Cela provenait-il de ce qu'il avait un peu pâli et un peu maigri aussi ? Ou bien quelque pensée nouvelle illuminait-elle son regard ?

« Nicolaï Vsévolodovitch! s'écria Varvara Pétrovna toute droite dans son fauteuil en l'arrêtant d'un geste impérieux. Nicolaï Vsévolodovitch! »

Mais pour expliquer la terrible question qui suivit ce geste et cette exclamation, question que j'aurais même jugée impossible de la part de Varvara Pétrovna, je prierai le lecteur de se rappeler le caractère de cette dame, et combien elle se montrait impulsive en certaines circonstances. Malgré sa force d'âme et le sens pratique et, pour ainsi dire, domestique qu'elle possédait, il y avait des moments dans sa vie où elle se laissait complètement emporter par la violence de son tempérament et ne connaissait plus de frein. Il faut aussi tenir compte de ce fait que la minute où nous étions pouvait être l'un de ces instants critiques qui concentrent soudain en eux, tels une lentille, tout le passé, tout le présent et peut-être même tout l'avenir d'une existence. Je dois encore rappeler en passant la lettre anonyme dont elle venait de parler avec tant d'irritation à Prascovia Ivanovna tout en taisant, me semble-t-il, l'essentiel de son contenu. Cette lettre était peut-être la vraie raison de la question qu'elle posa brusquement à son fils.

« Nicolaï Vsévolodovitch! répéta-t-elle en détachant chaque mot d'une voix forte et chargée de menaces, je vous prie de me dire immédiatement, sans quitter votre place, s'il est vrai que cette infirme, cette boiteuse, — la voici, là, regardez-la bien! — est votre femme légitime? »

Je ne me rappelle que trop bien cet instant. Nicolaï Vsévolodovitch ne sourcilla point et regarda fixement sa mère. Rien n'apparut sur son visage. Finalement, il sourit d'un sourire indulgent, et, sans un mot, se dirigea vers sa mère d'un pas tranquille, lui prit la main, la porta respectueusement à ses lèvres et la baisa. Et tel était son ascendant irrésistible sur sa mère que même alors, elle n'osa retirer sa main, se contentant de le regarder interrogativement ; mais toute son attitude disait que si cette incertitude durait un instant de plus, elle ne pourrait la supporter.

Mais il se taisait. Ayant baisé la main de sa mère, il nous parcourut encore une fois du regard et s'avança du même pas tranquille vers Maria Timophéïevna. Il est très difficile de décrire le visage des gens à certains moments. Je me souviens, par exemple, que Maria Timophéïevna se leva toute frémissante de peur à sa rencontre et joignit les mains comme pour l'implorer ; je me souviens en même temps du ravissement qui brillait dans son regard, un ravissement frénétique qui la défigurait en quelque sorte, un ravissement presque trop fort pour un être humain. Peut-être y avait-il lutte en elle entre les deux sentiments, la peur et le ravissement. Mais je me rappelle que je m'approchai vivement d'elle (je n'étais pas loin) : il m'avait semblé qu'elle allait se trouver mal.

« Vous ne devez pas rester ici », lui dit-il d'une voix caressante, mélodique, et il y avait dans ses yeux une lueur de tendresse extraordinaire. Il se tenait devant elle dans une attitude pleine de respect, et chacun de ses gestes témoignait de la sincère déférence qu'il lui portait. La pauvrette bégaya d'une voix entrecoupée :

« Est-ce que je puis... ici, maintenant... m'agenouiller devant vous ?

— Non, en aucune façon, répondit-il avec un sourire si magnifique qu'elle eut un petit rire joyeux. De la même voix mélodieuse et persuasive, comme s'il s'adressait à un enfant, il ajouta gravement :

— Songez que vous êtes une jeune fille, et que, tout en étant votre ami dévoué, je ne suis cependant qu'un étranger pour vous, je ne suis ni votre mari, ni votre père, ni votre fiancé. Donnez-moi votre main et partons. Je vous accompagnerai jusqu'à la voiture, et, si vous le permettez, je vous ramènerai chez vous. »

Elle l'écouta attentivement et pencha la tête d'un air songeur.

« Partons », dit-elle enfin en soupirant et elle lui tendit la main.

Mais à ce moment il se produisit un petit malheur. Elle avait dû probablement faire un faux mouvement et s'appuyer sur sa jambe malade. Quoi qu'il en fût, elle tomba de côté sur un fauteuil ; si ce fauteuil ne s'était trouvé là, elle aurait glissé à terre. Nicolaï Vsévolodovitch la soutint, passa son bras sous le sien, puis la tenant fermement, il la conduisit avec précaution vers la porte. Elle était manifestement confuse de sa chute, car elle rougit et parut toute décontenancée. Les yeux baissés et sans dire un mot elle le suivit en boitant fortement et presque suspendue à son bras. C'est ainsi qu'ils disparurent à nos yeux. Je vis que Lisa, qui s'était brusquement levée de sa chaise au moment où ils sortaient, les suivit d'un regard fixe jusqu'à ce qu'ils eussent passé le seuil. Alors elle se rassit en silence, mais le visage contracté par une grimace de dégoût comme si elle eût touché un reptile.

Tant que cette scène avait duré, nous étions tous restés muets de stupeur ; on aurait entendu voler une mouche ; mais à peine Maria Timophéïevna et Nicolaï Vsévolodovitch furent-ils sortis, que tout le monde se mit à parler à la fois.

VI

Du reste, on parlait moins que l'on ne s'exclamait. J'ai un peu oublié l'ordre dans lequel se déroulèrent les événements, car tout cela fut assez confus. Stépane Trophimovitch cria en français je ne sais quoi, en joignant les mains ; mais Varvara Pétrovna avait d'autres soucis en tête. Mavriki Nicolaïévitch lui-même prononça quelques mots d'une voix haletante. Mais le plus agité de tous était Piotr Stépanovitch. En faisant de grands gestes il s'efforçait de convaincre Varvara Pétrovna, mais je fus long à saisir de quoi il s'agissait. Il se tournait aussi vers Prascovia Ivanovna et vers Lisa, et dans son agitation lança même quelques mots à son père. Bref, il se démenait beaucoup. Varvara Pétrovna, toute rouge, se leva de son siège et cria à Prascovia Ivanovna : « As-tu entendu ? As-tu entendu ce qu'il vient de dire ? » Mais celle-ci n'en pouvait plus et se contenta de murmurer quelque chose en agitant la main. La pauvre avait ses propres préoccupations : elle se tournait à chaque instant vers Lisa et la regardait avec terreur ; cependant, elle n'osait même pas songer à se lever et à partir avant que sa fille ne donnât le signal du départ. Quant au capitaine, il aurait voulu s'esquiver, je le remarquai bien. Depuis l'arrivée de Nicolaï Vsévolodovitch il paraissait en proie à la terreur. Mais Piotr Stépanovitch le saisit par le bras et l'empêcha de filer.

« C'est indispensable, c'est indispensable », répétait-il avec volubilité à Varvara Pétrovna en s'efforçant de la convaincre. Il se tenait debout devant elle qui avait déjà repris place dans son fauteuil et l'écoutait, je me le rappelle, avidement. Il était parvenu à ses fins et avait réussi à retenir son attention.

« C'est indispensable. Vous voyez vous-même, Varvara Pétrovna, qu'il y a là un malentendu. La situation paraît étrange, or elle est claire comme de l'eau de roche et simple comme bonjour. Je comprends parfaitement que personne ne m'a chargé de raconter cette histoire et que je parais peut-être ridicule en en prenant l'initiative. Mais tout d'abord, Nicolaï Vsévolodovitch n'attache aucune importance à l'affaire, et ensuite, il y a des cas où il est difficile à l'intéressé lui-même d'expliquer sa conduite ; il faut qu'un tiers s'en charge : il lui sera plus facile d'exposer certains faits délicats. Croyez bien, Varvara Pétrovna, qu'on ne peut blâmer Nicolaï Vsévolodovitch de n'avoir pas répondu à votre question par des explications complètes ; et cependant, toute cette affaire vaut à peine qu'on en parle. Je la connaissais déjà quand j'étais à Pétersbourg. Du reste, elle ne peut que faire honneur à Nicolaï Vsévolodovitch si l'on tient à se servir de ce terme si vague — « l'honneur... »

— Vous voulez dire que vous avez été témoin d'un certain incident qui a provoqué ce... malentendu? demanda Varvara Pétrovna.

— Témoin et acteur, s'empressa de rectifier Piotr Stépanovitch.

— Si vous me donnez votre parole d'honneur que votre récit ne blessera pas les sentiments de Nicolaï Vsévolodovitch qui ne m'a jamais rien caché... et si vous êtes sûr qu'en agissant ainsi vous lui êtes agréable...

— Je n'en doute pas, et c'est pour cela que je suis heureux de vous fournir ces explications. Je suis convaincu qu'il aurait insisté lui-même pour que je parle. »

L'insistance que mettait ce monsieur tombé du ciel à vouloir nous raconter les affaires d'autrui était assez étrange et peu conforme aux usages ; mais il avait pris Varvara Pétrovna à l'hameçon en la touchant à un endroit particulièrement sensible. En ce temps je ne connaissais pas encore le caractère de ce personnage et encore moins ses desseins.

« On vous écoute, dit Varvara Pétrovna d'un ton prudent et réservé, gênée quelque peu de sa condescendance.

— L'histoire n'est pas longue ; en somme, ce n'est même pas une anecdote. Du reste, n'ayant rien de mieux à faire, un romancier aurait pu en fabriquer un roman. C'est un cas intéressant. Je suis certain que Prascovia Ivanovna et Lisavéta Nicolaïevna m'écouteront avec intérêt, parce qu'il y a dans toute cette affaire nombre de choses sinon merveilleuses, tout au moins étranges. Il y a cinq ans, Nicolaï Vsévolodovitch connut à Pétersbourg ce monsieur, oui, ce même monsieur Lébiadkine qui se tient là bouche bée et qui, si je ne me trompe, voudrait bien être loin en ce moment. Excusez-moi, Varvara Pétrovna. Je ne vous conseille d'ailleurs pas de vous esquiver, monsieur le commis en retraite du service du ravitaillement (vous voyez que je vous connais bien). Nicolaï Vsévolodovitch et moi nous sommes parfaitement au courant de vos agissements ici, dont vous aurez à rendre compte, ne l'oubliez pas. Je m'excuse encore une fois, Varvara Pétrovna. A cette époque-là, Nicolaï Vsévolodovitch appelait cet individu son Falstaff, ce qui signifie (crut-il bon d'expliquer) un personnage *burlesque* dont tout le monde se moque et qui n'a rien contre cela pourvu qu'il puisse en tirer quelque argent. En ce temps-là, Nicolaï Vsévolodovitch menait à Pétersbourg une existence « ironique » pour ainsi dire ; je ne trouve pas d'autre mot pour la définir, car il n'est pas homme à s'abandonner au désespoir et, d'autre part, il dédaignait de s'occuper de quoi que ce fût. Je parle exclusivement de cette époque-là, Varvara Pétrovna. Ce Lébiadkine avait une sœur, celle-là même qui était ici il y a un instant. Le frère et la sœur n'avaient pas un coin à eux et logeaient tantôt chez les uns tantôt chez les autres. Lui, toujours vêtu de son uniforme, errait sous les arcades des boutiques et arrêtait les passants, les mieux mis, bien entendu ; tout ce qu'on lui donnait, il le portait au cabaret. Quant à la sœur, elle vivait à la façon des oiseaux du bon Dieu ; elle aidait les pauvres gens et on la nourrissait. Je vous fais grâce de la description de cette existence à laquelle Nicolaï Vsévolodovitch avait pris goût par « excentricité ». Je ne parle que de cette époque, Varvara Pétrovna ; et pour ce qui est de ce terme d' « excentricité », il lui appartient : c'était sa propre expression. Il ne me cache pas grand-chose. Mademoiselle Lébiadkine, qui n'avait que trop l'occasion de le voir à cette époque, fut frappée par son aspect. C'était en quelque sorte un diamant sur le fond sordide de son existence. Mais la description des sentiments n'est pas mon fort, aussi je passe là-dessus. Cependant, il se trouva de méchantes gens pour se moquer d'elle et cela la rendit toute triste. En général, on la raillait constamment, mais auparavant elle ne s'en apercevait même pas. Déjà alors elle n'avait pas toute sa tête à elle, mais pas au même point que maintenant. Il y a lieu de supposer que, grâce aux soins d'une bienfaitrice quelconque, elle reçut, étant enfant, une vague éducation. Nicolaï Vsévolodovitch ne lui accordait jamais la moindre attention ; il passait son temps à jouer au whist avec de vieilles cartes toutes graisseuses à un quart de copeck le point, en compagnie de je ne sais quels petits fonctionnaires. Une fois, cependant, qu'on se moquait de la pauvrette, il saisit au collet, sans plus ample explication, l'un de ces fonctionnaires et le jeta par la fenêtre du premier étage. Ce n'était nullement un mouvement d'indignation chevaleresque à la vue de l'innocence outragée ; toute l'opération s'accomplit sous les rires et les huées de l'assemblée, et Nicolaï Vsévolodovitch rit encore plus que les autres. Quand il se trouva que l'incident n'aurait pas de suite fâcheuse, on se réconcilia autour d'un bol de punch. Mais « l'innocence outragée » n'oublia pas, elle. Naturellement, cela finit par ébranler définitivement ses facultés intellectuelles. Je le répète, je ne sais pas décrire les sentiments ; mais ici tout se passait dans son imagination ; or, comme à dessein, Nicolaï Vsévolodovitch ne cessait de surexciter cette imagination. Au lieu de rire de Mlle Lébiadkine comme les autres, à la surprise générale, il se mit à la traiter avec respect. Kirilov qui assistait à cela (un original, Varvara Pétrovna, et d'une franchise extraordinaire ; vous le verrez peut-être, car il est ici maintenant), Kirilov donc, qui ne dit jamais rien, cette fois s'emporta et dit à Nicolaï Vsévolodovitch, je m'en souviens bien, qu'il avait tort de traiter Mlle Lébiadkine comme une marquise, car elle en perdait complètement la tête. Il faut que je vous dise que Nicolaï Vsévolodovitch tenait Kirilov en une certaine estime. Que pensez-vous qu'il lui répondit ? « Vous croyez, monsieur Kirilov, que je me moque » d'elle, mais vous vous trompez : je la respecte réelle- » ment, car elle vaut mieux que nous tous. » Et cela fut prononcé d'un ton très sérieux. Or, depuis deux mois qu'il la connaissait, il ne lui avait jamais dit autre chose que « bonjour » ou « au revoir ». Je me rappelle parfaitement qu'elle en arriva à le considérer presque comme son fiancé, un fiancé qui n'osait pas l'enlever parce qu'il avait beaucoup d'ennemis et craignait d'avoir des difficultés du côté de sa famille ou quelque chose de ce genre-là. Comme on en riait ! Pour finir, lorsque Nicolaï Vsévolodovitch dut quitter Pétersbourg pour venir ici, il prit ses dispositions pour assurer à la pauvre fille une pension annuelle, une pension assez importante même, je crois ; quelque chose comme trois cents roubles si pas plus. Mettons que ce n'était de sa part qu'un caprice, qu'une fantaisie, comme peut en avoir un homme prématurément fatigué de l'existence. Admettons même que Kirilov eût raison et qu'il ne s'agissait que d'une expérience d'un homme blasé qui voulait voir jusqu'où l'on pouvait mener une infirme à moitié folle. « Vous avez choisi exprès, disait Kirilov, la dernière » des créatures, une infirme, objet de moqueries et de » mauvais traitements, et qui, de plus, se meurt pour » vous d'un amour comique, et vous vous êtes mis

» sciemment à lui tourner la tête uniquement pour voir » ce qu'il en résulterait. » Mais faut-il rendre un homme responsable de toutes les idées folles qui peuvent passer par la tête d'une femme, avec laquelle, notez-le bien, cet homme n'a jamais échangé deux phrases? Il y a des choses, Varvara Pétrovna, dont non seulement on ne peut pas parler d'une façon sensée, mais qu'on ne peut même pas essayer de traiter sérieusement. Mettons que ce fut une « excentricité » de la part de Nicolaï Vsévolodovitch, c'est tout ce qu'on peut dire de cette histoire. Or, voyez un peu ce qu'on en a fait!... Je suis jusqu'à un certain point au courant de ce qui se passe ici, Varvara Pétrovna. »

Le narrateur s'interrompit brusquement et fit mine de se tourner vers Lébiadkine, mais Varvara Pétrovna l'arrêta. Elle était en proie à une exaltation extraordinaire.

« Vous avez fini? demanda-t-elle.

— Non, pas encore. Pour tirer l'affaire au clair, il me faut encore poser quelques questions à ce monsieur, si vous le permettez... Vous allez voir de quoi il s'agit, Varvara Pétrovna.

— Assez, plus tard, arrêtez-vous un instant, je vous en prie. Ah! comme j'ai bien fait de vous laisser parler!

— Et remarquez bien, Varvara Pétrovna, reprit vivement Piotr Stépanovitch, qu'il était absolument impossible à Nicolaï Vsévolodovitch de vous donner toutes ces explications en réponse à votre question, un peu trop catégorique peut-être.

— Oh oui, beaucoup trop!

— Et n'avais-je pas raison de dire qu'il y a des circonstances où les explications nécessaires peuvent être fournies plus aisément par un tiers que par le principal intéressé?

— Oui, oui... Mais il est un point sur lequel vous vous êtes trompé et continuez à vous tromper, je le constate avec regret.

— Vraiment ? de quoi s'agit-il ?

— Voyez-vous... Mais prenez donc place, Piotr Stépanovitch.

— Comme il vous plaira... J'avoue que je suis fatigué. Merci. »

Il approcha aussitôt un fauteuil et s'assit de façon à se trouver entre Varvara Pétrovna d'un côté, Prascovia Ivanovna de l'autre, tout en faisant face au capitaine Lébiadkine qu'il ne quittait pas des yeux.

« Vous vous trompez en appelant cela de l' « excentricité ».

— Oh ! si ce n'est que cela...

— Non, non, non, attendez un peu, l'arrêta Varvara Pétrovna visiblement prête à se lancer dans un discours très long et pathétique. Aussitôt qu'il s'en aperçut, Piotr Stépanovitch devint tout oreilles.

— Non, ce n'était pas de l'excentricité, c'était quelque chose de bien plus élevé, quelque chose de sacré pour ainsi dire, je vous assure. Il s'agit d'un homme fier qui a été de bonne heure blessé par la vie, et en est arrivé à la considérer avec « ironie », selon votre excellente explication. Bref, c'est le prince Harry comme l'avait si admirablement surnommé Stépane Trophimovitch, et ce surnom eût été exact si cet homme ne ressemblait encore davantage à Hamlet, à mon avis tout au moins.

— *Et vous avez raison*, intervint Stépane Trophimovitch d'un ton pénétré.

— Je vous remercie, Stépane Trophimovitch, je vous remercie tout particulièrement de votre confiance inébranlable en Nicolas, dans la grandeur de son âme et de son destin. Cette confiance, vous l'avez ranimée en moi quand je perdais courage.

— *Chère, chère...* — Stépane Trophimovitch s'avança vers Varvara Pétrovna, mais s'arrêta aussitôt, jugeant qu'il serait dangereux de l'interrompre.

— Si Nicolas avait eu auprès de lui, continua Varvara Pétrovna d'une voix chantante, un doux Horatio, si grand dans son humilité, — encore une de vos belles expressions, Stépane Trophimovitch, — peut-être eût-il été depuis longtemps délivré du « triste démon de l'ironie » qui n'a jamais cessé de le tourmenter (ce « démon de l'ironie », c'est encore l'une de vos trouvailles, Stépane Trophimovitch). Mais Nicolas n'a jamais eu d'Horatio ni d'Ophélie. Il n'a eu que sa mère ; mais que pouvait une mère à elle seule, et dans de telles circonstances ? Vous savez, Piotr Stépanovitch, je commence maintenant à comprendre qu'un être comme Nicolas ait pu vivre dans ces bas-fonds que vous venez de nous décrire. Je me représente avec une telle netteté l' « ironie » de cette existence (comme elle est juste votre expression !), la soif insatiable de contrastes qu'il porte en lui, le fond lugubre de ce tableau sur lequel il se détache comme un diamant, selon votre comparaison, Piotr Stépanovitch. Et voilà qu'il rencontre dans ce milieu une créature abreuvée d'outrages, une infirme à moitié folle et qui cependant est peut-être pleine des plus nobles sentiments !

— Hum ! admettons...

— Et après cela, vous vous étonnez qu'il ne se moque pas d'elle comme tous les autres ! Oh ! les hommes ! Vous ne comprenez pas pourquoi il prend sa défense et l'entoure de respect « comme si elle était une marquise ». (Ce Kirilov doit admirablement connaître les hommes bien qu'il n'ait pas compris Nicolaï !)

Si vous voulez, c'est de ce contraste qu'est venu tout le mal. Si la malheureuse s'était trouvée dans un milieu différent, peut-être ne se serait-elle jamais abandonnée à des rêveries aussi folles. Une femme, oui, seule une femme est capable de comprendre ces choses-là, Piotr Stépanovitch! Et comme il est regrettable que... non pas que vous ne soyez pas une femme en général, mais que vous ne puissiez le devenir pour un moment, afin de comprendre...

— Vous voulez dire en somme que plus cela va mal, plus on aspire à autre chose. Je comprends, Varvara Pétrovna, je comprends. C'est comme dans la religion : plus la vie est pénible à l'homme, plus le peuple est opprimé et misérable, plus il rêve aux récompenses du paradis ; et si cent mille prêtres s'en mêlent en attisant ces rêves et en spéculant dessus, alors... Je vous comprends, Varvara Pétrovna, soyez tranquille...

— Ce n'est pas tout à fait cela. Mais dites-moi, Piotr Stépanovitch : pour apaiser les rêves auxquels s'abandonnait ce malheureux organisme (pourquoi Varvara Pétrovna employa-t-elle ici ce terme d'organisme, je ne puis le comprendre), Nicolas devait-il se moquer d'elle aussi et la traiter comme la traitaient ces petits fonctionnaires ? Est-il vraiment possible que vous refusiez d'admettre la profonde compassion et ce noble frémissement de tout l'organisme avec lesquels Nicolas répondit sévèrement à Kirilov : « Je ne me moque pas d'elle ? » Grande et sainte réponse...

— *Sublime*, murmura Stépane Trophimovitch.

— Et notez qu'il n'est nullement aussi riche que vous le supposez ; ce n'est pas lui, c'est moi qui suis riche, et à cette époque il ne me demandait rien.

— Je comprends, je comprends tout cela, Varvara

Pétrovna, dit Piotr Stépanovitch non sans une certaine impatience.

— C'est tout à fait moi. Je me reconnais dans Nicolas. Je reconnais cette jeunesse, ces transports violents, ces explosions... Et si jamais nous faisions plus ample connaissance, Piotr Stépanovitch, ce que je souhaite sincèrement pour ma part, d'autant plus que je vous ai de si grandes obligations, alors vous comprendrez peut-être...

— Croyez bien que moi aussi de mon côté..., murmura Piotr Stépanovitch d'un ton saccadé.

— Vous comprendrez alors cet élan qui vous entraîne dans votre aveuglement généreux vers un homme indigne de vous sous tous les rapports, un homme qui ne vous comprend pas, qui ne cesse de vous torturer, et à faire de cet homme, envers et contre tous, l'incarnation de votre idéal, de vos rêves, en concentrant sur lui toutes vos espérances, en l'aimant, en l'adorant, sans savoir pourquoi, et peut-être précisément parce qu'il en est indigne... Si vous saviez comme j'ai souffert, Piotr Stépanovitch! »

Stépane Trophimovitch, l'air inquiet, essaya d'attraper mon regard, mais je me détournai à temps.

« Et tout dernièrement encore, oui, tout dernièrement... Oh! que je suis coupable vis-à-vis de Nicolas!... Vous ne pouvez vous figurer à quel point ils m'ont tourmentée, tous, tous, ennemis, canailles et amis. Ceux-ci plus encore que les ennemis. Quand j'ai reçu la première lettre anonyme, vous ne me croirez peut-être pas, Piotr Stépanovitch, mais je n'ai pas eu le courage de traiter par le mépris toutes ces ignominies... Jamais, jamais, je ne me pardonnerai ma faiblesse!

— J'ai déjà eu vent de ces lettres anonymes, dit Piotr Stépanovitch en se ranimant tout à coup, et j'en découvrirai les auteurs, soyez tranquille.

— Vous ne pouvez vous imaginer les intrigues qu'on a ourdies autour de nous! Notre pauvre Prascovia Ivanovna en a souffert aussi ; et dans quel but la tourmentait-on, elle? J'ai été peut-être coupable vis-à-vis de toi aujourd'hui, ma chère Prascovia Ivanovna, ajouta Varvara Pétrovna dans un élan d'émotion qui n'allait pas cependant sans une certaine satisfaction ironique.

— Laissons cela, marmotta Prascovia Ivanovna comme à regret. A mon avis, il vaudrait mieux en finir avec tout cela. On n'a déjà que trop parlé... » Elle lança de nouveau un coup d'œil timide sur Lisavéta Nicolaïevna, mais celle-ci regardait Piotr Stépanovitch.

« Quant à cette pauvre créature, à cette folle qui a tout perdu pour ne conserver que son cœur, j'ai l'intention maintenant de l'adopter, s'écria Varvara Pétrovna. C'est mon devoir et je le remplirai. A partir d'aujourd'hui je la prends sous ma protection.

— Et ce sera très bien de votre part, en un certain sens, s'écria Piotr Stépanovitch de nouveau reparti. Excusez-moi, je n'ai pas fini tout à l'heure, et c'est précisément de cette « protection » que je voulais vous parler. Imaginez-vous qu'aussitôt après le départ de Nicolaï Vsévolodovitch (je reprends mon récit au point où je m'étais arrêté), ce monsieur, ce M. Lébiadkine que vous voyez là, s'est figuré qu'il avait le droit de disposer entièrement de la pension de sa sœur ; et il en disposa si bien qu'elle n'en vit pas un sou. Je ne sais pas au juste comment Nicolaï Vsévolodovitch avait arrangé les choses au début, mais un an plus tard, ayant appris ce qui se passait, il fut obligé de prendre d'autres dispositions. Encore une fois, je ne suis pas au courant des détails, il vous les racontera lui-même ; tout ce que je sais, c'est que la personne qui l'intéressait fut installée dans un couvent éloigné, très confortablement du reste, mais sous une surveillance amicale. Vous me comprenez ? Or, que pensez-vous qu'imagina M. Lébiadkine ? Il s'efforça par tous les moyens de découvrir où l'on avait caché la source de ses revenus, c'est-à-dire sa sœur. Quand il y parvint — il y a peu de temps de cela — il la retira du monastère, en invoquant je ne sais quels droits, et l'amena directement ici. Ici, il ne lui donne pas à manger, il la bat, il la tyrannise de toutes les façons. Ayant reçu une somme assez importante de Nicolaï Vsévolodovitch, il se met à boire et, en guise de remerciement, il brave son bienfaiteur, le poursuit de folles exigences et le menace des tribunaux si la pension n'est pas versée directement entre ses mains. Il considère donc le don librement consenti de Nicolaï Vsévolodovitch comme une sorte de tribut; Imaginez-vous cela ? Monsieur Lébiadkine, *tout* ce que je viens de dire est-il vrai ? »

Le capitaine qui jusque-là se tenait silencieux, les yeux baissés, fit deux pas en avant et rougit violemment.

« Piotr Stépanovitch, vous m'avez traité cruellement, prononça-t-il d'une voix saccadée.

— Cruellement ? que signifie cela ? Mais permettez, nous remettrons cette question de cruauté à plus tard ; pour le moment je vous demande seulement de répondre à ma première question : *tout* ce que je viens de dire est-il vrai ou non ? Si vous trouvez que c'est faux, rien ne vous empêche de le déclarer séance tenante.

— Je... Vous savez vous-même, Piotr Stépanovitch... », commença à bredouiller le capitaine, mais il s'arrêta court. Il faut dire que Piotr Stépanovitch était assis dans un fauteuil, les jambes croisées, tandis que M. Lébiadkine se tenait debout devant lui, dans une attitude respectueuse.

Les hésitations du capitaine paraissaient fortement déplaire à Piotr Stépanovitch ; la colère convulsa brusquement son visage.

« Songeriez-vous vraiment à faire quelque déclaration ? demanda-t-il en lui jetant un regard significatif. En ce cas, allez-y ; on attend.

— Vous savez vous-même, Piotr Stépanovitch, que je ne puis rien dire.

— Non, je ne le sais pas. C'est même pour la première fois que j'entends parler d'un empêchement de ce genre. Pourquoi ne pouvez-vous rien dire ? »

Le capitaine se taisait, les yeux baissés.

« Permettez-moi de me retirer, Piotr Stépanovitch, dit-il enfin d'un ton résolu.

— Pas avant que vous n'ayez répondu à ma première question : *tout* ce que j'ai dit est-il vrai ?

— Oui, répondit le capitaine d'une voix sourde, et il leva les yeux sur son bourreau. Son front était couvert de sueur.

— *Tout* est vrai ?

— Oui, tout.

— N'avez-vous rien à ajouter ? rien à rectifier ? Si vous trouvez que nous sommes injustes, dites-le ; protestez, exprimez tout haut votre mécontentement.

— Non, je n'ai rien à ajouter.

— Avez-vous menacé Nicolaï Vsévolodovitch dernièrement ?

— C'était... c'était plutôt l'effet du vin, Piotr Stépanovitch. — Il redressa soudain la tête. — Piotr Stépanovitch, si l'honneur de la famille et la honte imméritée crient vers le ciel, alors l'homme est-il encore coupable ? vociféra-t-il en s'oubliant de nouveau.

— Et maintenant, n'êtes-vous pas pris de vin, monsieur Lébiadkine ? demanda Piotr Stépanovitch en lui lançant un regard pénétrant.

— Je... non, je n'ai pas bu.

— Que signifient donc ces phrases sur l'honneur de la famille et la honte imméritée ?

— Je ne faisais allusion à personne, je ne voulais offenser personne. Il ne s'agissait que de moi-même..., balbutia le capitaine en s'effondrant de nouveau.

— Il me semble que vous avez été froissé des expressions dont je me suis servi en parlant de vous et de votre conduite. Vous êtes trop susceptible, monsieur Lébiadkine. Mais attendez un peu, je n'ai pas encore commencé à parler au vrai sens du mot de votre conduite. Je commencerai bientôt à en parler. Oui, il se peut que je commence à en parler, mais je n'ai encore rien dit en somme. »

Lébiadkine tressaillit et regarda Piotr Stépanovitch d'un air hagard.

« Piotr Stépanovitch, c'est maintenant seulement que je me réveille.

— Hum ! et c'est moi qui vous ai réveillé ?

— Oui, Piotr Stépanovitch, et j'ai dormi pendant quatre ans sous un ciel chargé d'orage. Puis-je enfin me retirer, Piotr Stépanovitch ?

— Oui, à moins que Varvara Pétrovna ne juge nécessaire... »

Mais celle-ci s'empressa de faire un geste de dénégation.

Le capitaine salua, fit deux pas, s'arrêta, posa la main sur son cœur, voulut dire quelque chose, ne le dit pas et se précipita vers la porte, où il se trouva brusquement en face de Nicolaï Vsévolodovitch. Celui-ci s'effaça pour le laisser passer. Le capitaine se fit soudain tout petit et resta comme pétrifié, les yeux fixés sur le jeune homme, tel un lapin devant un boa constrictor. Nicolaï Vsévolodovitch attendit un instant, puis l'écarta d'un léger mouvement de la main et entra dans le salon.

VII

Il était gai et parfaitement calme. Peut-être venait-il de lui arriver quelque chose de fort agréable et dont nous ne nous doutions pas. En tout cas, il paraissait particulièrement satisfait.

« Me pardonneras-tu, Nicolas ? » dit Varvara Pétrovna, et dans son impatience elle se leva vivement à sa rencontre.

Mais Nicolas éclata de rire.

« Je le pensais bien! s'écria-t-il avec bonhomie. Je vois que vous êtes déjà au courant de tout. Et moi, je songeais en voiture : il aurait fallu leur raconter une petite histoire quelconque ; ce n'est pas bien d'être parti comme cela... Mais lorsque je me rappelai que Piotr Stépanovitch était resté auprès de vous, je ne me souciai plus de rien. »

Tout en parlant il nous examinait rapidement.

« Piotr Stépanovitch nous a raconté une ancienne histoire pétersbourgeoise, un épisode de la vie d'un être fantasque, s'écria Varvara Pétrovna avec exaltation, d'un être capricieux et déraisonnable, mais toujours noble dans ses sentiments, toujours chevaleresque...

— Chevaleresque ? Vous en êtes là ? Du reste, je suis très reconnaissant cette fois à Piotr Stépanovitch pour sa précipitation (il échangea avec ce dernier un rapide coup d'œil). Il faut que vous sachiez, maman, que Piotr Stépanovitch réconcilie toujours tout le monde, c'est son rôle, sa maladie, sa marotte, et je vous le recommande tout particulièrement sous ce rapport. Je m'imagine quelle histoire il a dû vous raconter! Il n'est jamais à court, et sa tête est une véritable chancellerie. Notez qu'en sa qualité de réaliste, il ne peut mentir, et que la vérité lui est plus chère que le succès... à part certains cas spéciaux, bien entendu, où le succès lui est plus cher que la vérité (parlant ainsi il ne cessait de regarder autour de lui). Vous voyez donc clairement, maman, que ce n'est pas à vous de me demander pardon, et que, si quelque folie fut commise, c'est à moi qu'en incombe la responsabilité ; cela montre, en fin de compte, que je suis réellement fou... Il faut bien soutenir sa réputation... »

Sur ces mots il embrassa tendrement sa mère.

« En tout cas, l'affaire est close maintenant ; on l'a racontée et, par conséquent, on ne peut plus y revenir, ajouta-t-il, et une note nouvelle, dure et sèche, résonna dans sa voix. Varvara Pétrovna entendit cette note, mais son exaltation ne tomba pas, bien au contraire.

— Je ne t'attendais pas avant un mois, Nicolas.

— Je vous expliquerai tout, maman, bien entendu ; mais pour le moment... »

Il se dirigea vers Prascovia Ivanovna.

C'est à peine si celle-ci tourna la tête vers Nicolaï Vsévolodovitch ; et cependant, son apparition, une demi-heure auparavant, l'avait complètement abasourdie. Mais elle avait d'autres motifs d'agitation maintenant : au moment où le capitaine s'était trouvé nez à nez avec Nicolaï Vsévolodovitch, Lisa avait commencé à rire, d'abord silencieusement, puis de plus en plus fort. Elle était devenue toute rouge. Le contraste entre cette gaîté et son air sombre de tout à l'heure était frappant. Tandis que Nicolaï Vsévolodovitch causait avec Varvara Pétrovna, elle avait par deux fois fait signe à Mavriki Nicolaïévitch comme si elle eût voulu lui dire quelque chose à voix basse ; mais à peine celui-ci se penchait-il vers elle que Lisa éclatait d'un rire bruyant ; de sorte qu'on aurait pu croire qu'elle riait précisément du pauvre Mavriki Nicolaïévitch. Il était visible, du reste, qu'elle s'efforçait d'étouffer son rire ; elle portait constamment son mouchoir à ses lèvres. Nicolaï Vsévolodovitch lui dit bonjour de l'air le plus innocent et le plus franc.

« Excusez-moi, je vous prie, répondit-elle précipitamment. Vous... vous avez déjà vu sans doute Mavriki Nicolaïévitch... Mon Dieu! il n'est pas permis d'être aussi grand, Mavriki Nicolaïévitch! »

Et de rire. Mavriki Nicolaïévitch était d'une taille élevée, mais nullement exagérée.

« Y a-t-il longtemps... que vous êtes arrivé? » bredouilla-t-elle en s'efforçant de se dominer ; elle paraissait même confuse, mais ses yeux étincelaient.

« Il y a deux heures à peu près, répondit Nicolas en la regardant avec attention. Je dois dire que son attitude était extrêmement réservée et polie, mais que cette politesse mise à part, il montrait un visage complètement indifférent et même apathique.

— Et où habiterez-vous?

— Ici. »

Varvara Pétrovna, elle aussi, considérait attentivement Lisa, mais une idée la frappa soudain.

« Où étais-tu donc, Nicolas? Où as-tu passé ces deux heures? demanda-t-elle. Le train arrive à dix heures.

— J'ai tout d'abord conduit Piotr Stépanovitch chez Kirilov. Je l'avais rencontré à Matvéïévo (à trois stations de chez nous), et nous avons fait route dans le même wagon.

— J'attendais à Matvéïévo depuis l'aube, intervint immédiatement Piotr Stépanovitch. Les dernières voitures de notre train avaient déraillé dans la nuit ; il s'en est fallu de peu qu'on eût les jambes cassées.

— Les jambes cassées ! s'écria Lisa. Maman, maman ! et nous qui voulions aller à Matvéïévo la semaine dernière ! Nous aurions eu les jambes cassées...

— Seigneur ! dit Prascovia Ivanovna en se signant.

— Maman ! maman ! ma chère maman ! Ne vous effrayez pas si je me casse les jambes. Cela peut facilement m'arriver, puisque vous dites vous-même que je galope à cheval comme une folle. Mavriki Nicolaïévitch, continuerez-vous à m'accompagner quand je serai infirme ? — Elle se mit de nouveau à rire. — Si cela arrive, je ne permettrai à personne d'autre que vous de m'accompagner, soyez-en sûr. Admettons que je ne me casse qu'une jambe... Allons, soyez aimable, dites-moi donc que vous considérerez comme un bonheur...

— Être infirme, en voilà un bonheur ! observa Mavriki Nicolaïévitch d'un air sérieux.

— En revanche, vous me conduirez toujours, vous seul, personne d'autre !

— Même en ce cas, ce sera toujours vous qui me conduirez, Lisavéta Nicolaïevna.

— Mon Dieu ! il a voulu faire un jeu de mots ! s'écria Lisa presque avec effroi. Mavriki Nicolaïévitch, je vous défends de vous lancer dans cette voie. Mais comme vous êtes égoïste ! Je suis persuadée pourtant, et ceci est à votre honneur, que vous vous calomniez ; au contraire, vous ne cesserez alors de m'assurer qu'ayant perdu une jambe, je n'en suis devenue que plus délicieuse. Je ne vois qu'une difficulté, mais elle est insurmontable : vous êtes beaucoup trop grand, et moi, quand je n'aurai plus qu'une jambe, je deviendrai toute petite ; comment pourrez-vous me conduire par le bras ? Nous ferons un couple ridicule. »

Un rire nerveux la secoua. Ses plaisanteries et ses allusions étaient assez plates, mais elle ne songeait évidemment pas à faire de l'effet.

« Une crise de nerfs, me chuchota Piotr Stépanovitch. Un verre d'eau, vite ! »

Il avait deviné juste. Une minute plus tard, tout le monde s'agitait ; on apporta de l'eau. Lisa serrait sa mère dans ses bras, lui couvrait le visage de baisers, pleurait sur son épaule, puis, se rejetant en arrière et la considérant en face, elle se remettait à rire. Prascovia Ivanovna se mit à pleurnicher à son tour. Varvara Pétrovna se hâta de les emmener toutes deux dans ses appartements par la petite porte par laquelle était entrée Daria Pavlovna. Mais leur absence ne dura pas longtemps ; elles nous rejoignirent au bout de quelques minutes...

Je cherche à me rappeler maintenant tous les détails de la fin de cette mémorable matinée. Je me souviens que lorsque nous restâmes seuls, sans les dames (sauf Daria Pavlovna qui n'avait pas quitté sa place), Nicolaï Vsévolodovitch fit le tour de notre société et serra la main à chacun de nous, exception faite pour Chatov toujours assis dans son coin, la tête de plus en plus penchée. Stépane Trophimovitch entama avec Nicolaï Vsévolodovitch une conversation fort spirituelle, mais celui-ci le quitta précipitamment pour se diriger vers Daria Pavlovna. A mi-chemin cependant il fut arrêté par Piotr Stépanovitch et entraîné presque de force vers la fenêtre où ce dernier se mit à lui parler à voix basse. Il s'agissait probablement de quelque chose de très important à en juger par l'expression de son visage et ses gestes. Nicolaï Vsévolodovitch l'écoutait d'un air distrait, apathique, avec un sourire de commande ;

puis il fit un mouvement d'impatience et parut vouloir se débarrasser de son interlocuteur. Il s'éloigna de la fenêtre au moment où les dames rentraient. Lisa se rassit à sa place et Varvara Pétrovna insista pour qu'elle attendît une dizaine de minutes avant de sortir, l'air du dehors étant trop vif pour ses nerfs malades. Varvara Pétrovna qui s'empressait autour de la jeune fille avec une sollicitude marquée, s'assit à côté d'elle. Piotr Stépanovitch accourut aussitôt auprès de Varvara Pétrovna et entama avec elle une conversation animée. C'est alors que Nicolaï Vsévolodovitch se dirigea enfin de son pas paisible vers Daria Pavlovna, qui, à son approche, s'agita sur sa chaise, puis se leva, manifestement confuse, les joues en feu.

« On peut vous féliciter, je crois... ou bien est-ce trop tôt encore ? » dit-il, et une expression étrange passa sur son visage.

Dacha lui répondit quelques mots que je ne parvins pas à saisir.

« Excusez mon indiscrétion, continua-t-il en élevant la voix. Mais vous savez que j'ai été expressément avisé. Le saviez-vous ?

— Oui, je le sais.

— J'espère cependant que mes félicitations ne gâteront rien, reprit-il en riant, et si Stépane Trophimovitch...

— Pourquoi ces félicitations ? à quel sujet ? intervint tout à coup Piotr Stépanovitch. De quoi vous félicite-t-on, Daria Pavlovna ? Tiens, tiens ! ne s'agirait-il pas de vos fiançailles ? Votre rougeur prouve que j'ai deviné juste. Et en effet, à quel autre sujet pourrait-on féliciter nos charmantes et vertueuses demoiselles ? Eh bien, acceptez également mes félicitations si j'ai deviné et payez votre pari : rappelez-vous que vous avez parié en Suisse que vous ne vous marieriez jamais... Ah oui, à propos de Suisse... A quoi est-ce que je pense! c'était pourtant une des raisons de mon voyage, et voilà que j'allais l'oublier : dis-moi, demanda-t-il en se tournant vivement vers son père, et toi, quand pars-tu pour la Suisse ?

— Moi... en Suisse ? s'écria Stépane Trophimovitch surpris et confus.

— Comment ? Tu ne pars pas ? Tu te maries aussi cependant... Tu me l'as écrit...

— Pierre!... s'exclama Stépane Trophimovitch.

— Eh bien quoi, Pierre!... Vois-tu, je suis arrivé tout exprès pour te déclarer que je n'avais rien contre cela, puisque tu tenais tellement à connaître mon opinion le plus vite possible. Et s'il faut te « sauver » (continua-t-il précipitamment), comme tu l'écrivais en me suppliant d'accourir à ton secours, je suis à ton service. Est-il vrai qu'il se marie, Varvara Pétrovna ? — il se tourna rapidement vers elle. — J'espère que je ne suis pas indiscret. Lui-même m'écrit que toute la ville est au courant, qu'on le félicite de tous côtés, à tel point que pour éviter ces félicitations il ne sort plus que la nuit. J'ai la lettre dans ma poche. Mais, le croirez-vous, Varvara Pétrovna ? je n'y ai rien compris. Dis-moi seulement une chose, Stépane Trophimovitch : dois-je te féliciter ou bien te « sauver » ? Vous ne le croirez pas! Il se montre enchanté, puis, deux lignes plus bas il sombre dans le désespoir. Pour commencer, il me demande pardon ; il est vrai qu'ils sont tous comme cela... Et cependant, il faut bien le dire : dans toute sa vie, pensez donc! il ne m'a vu que deux fois, et encore par hasard ; et voilà que maintenant, à la veille de se marier pour la troisième fois, il s'imagine qu'il risque de manquer à je ne sais quelles obligations paternelles qu'il a envers moi, et il me supplie à mille verstes de distance de ne pas me fâcher et de lui accorder mon consentement. Ne te froisse pas, je t'en prie, Stépane Trophimovitch, tu appartiens à ton époque ; mais j'ai des idées larges et je ne te juge pas. Cela te fait honneur même, etc. Mais le principal, c'est que je ne comprends pas le principal : il s'agit dans ta lettre de je ne sais quels « péchés commis en Suisse ». « Je me » marie, écris-tu, à cause des péchés ou pour les péchés » d'un autre »... Je ne me souviens pas très bien. Bref, il s'agit de « péchés ». « La jeune fille, dit-il, est une » perle, un diamant. » Et naturellement, « il n'en est pas » digne ». C'est le style de sa génération. Mais par suite de je ne sais quels péchés ou circonstances, il est obligé « de ceindre la couronne des mariés et de partir pour » la Suisse ». Par conséquent, « abandonne tout et accours » me sauver ». Comprenez-vous quelque chose à tout cela ? Mais... mais à l'expression de vos visages je vois (en parlant ainsi il regardait autour de lui avec un sourire innocent, la lettre à la main)... que selon mon habitude j'ai commis une gaffe... par la faute de ma sotte franchise ou, comme dit Nicolaï Vsévolodovitch, de ma précipitation. Je croyais que nous étions ici entre amis, c'est-à-dire parmi tes amis, Stépane Trophimovitch, tes amis, car moi je suis un étranger pour vous, et je vois... je vois que vous savez tous quelque chose et que ce quelque chose, je ne le sais pas. »

Il continua de regarder autour de lui.

« Stépane Trophimovitch vous a écrit textuellement qu'il se mariait « pour couvrir les péchés d'un autre, » péchés commis en Suisse », et que vous deviez le « sauver » ? C'étaient ses propres expressions ? » demanda » Varvara Pétrovna en s'avançant vers lui. Son visage était jaune, il grimaçait, ses lèvres tremblaient.

« C'est-à-dire que... S'il y a quelque chose que je

n'ai pas bien compris, reprit Piotr Stépanovitch (il parlait de plus en plus vite, et faisait semblant d'être très alarmé), c'est à lui la faute, naturellement ; pourquoi écrit-il de cette façon ? Voici la lettre. Ses lettres sont interminables, Varvara Pétrovna, et il n'arrête pas d'écrire. Depuis deux ou trois mois, je recevais lettre sur lettre, et j'avoue qu'il m'arrivait parfois de ne pas les lire jusqu'au bout. Pardonne-moi cet aveu, Stépane Trophimovitch, mais tu dois convenir que bien qu'elles fussent à mon nom, tu les écrivais surtout pour la postérité, de sorte que cela doit t'être indifférent... Allons, allons, ne te fâche pas, il n'y a pas à se gêner entre nous. Mais cette lettre, Varvara Pétrovna, cette lettre-là, je l'ai lue jusqu'au bout. Ces « péchés », ces « péchés d'autrui », ce sont, sans aucun doute, nos propres petits péchés, des péchés très innocents, je parie, mais autour desquels nous avons bâti toute une histoire qui nous a permis de faire appel aux plus nobles sentiments ; c'est même précisément en vue de cela que nous l'avons bâtie, cette histoire. C'est que, voyez-vous, il y a quelque chose qui cloche dans nos comptes ; il faut bien le confesser. Nous avons un grand faible pour les cartes, comme vous le savez... Du reste, ceci est de trop, oui, de trop, excusez-moi, je suis bavard, mais je vous jure qu'il m'a fait peur, Varvara Pétrovna, et que j'étais prêt à le « sauver ». Je finis même par me sentir coupable. Mais est-ce que je lui mets le couteau sur la gorge ? Suis-je un créancier impitoyable ? Il parle aussi dans sa lettre d'une certaine dot... Mais, voyons ! est-ce que tu te maries vraiment, Stépane Trophimovitch ? Il se peut aussi que tout cela se réduise à de belles phrases ; ce serait assez dans ta manière... Ah ! Varvara Pétrovna, je suis sûr que vous me jugez mal en ce moment, et justement à cause de ma façon de parler...

— Au contraire, au contraire, je vois que vous êtes à bout de patience, et pour cause sans doute », répondit d'un ton irrité Varvara Pétrovna.

Elle avait écouté avec une joie mauvaise le bavardage « candide » de Piotr Stépanovitch qui jouait manifestement un rôle. (Lequel ? je ne le savais pas encore, mais il était évident qu'il jouait la comédie, et même d'une façon beaucoup trop appuyée.)

« Au contraire, continua-t-elle, je vous suis très reconnaissante d'avoir parlé ; sans vous je n'aurais rien su. Mes yeux se sont ouverts pour la première fois depuis vingt ans. Nicolaï Vsévolodovitch, vous avez dit tout à l'heure que vous aussi vous aviez été expressément informé de ce mariage. Stépane Trophimovitch vous aurait-il écrit aussi dans le même style ?

— J'ai reçu de lui une lettre tout à fait anodine, et... et... très noble...

— Vous hésitez, vous cherchez vos expressions. C'est assez. Stépane Trophimovitch, j'attends de vous un très grand service, dit-elle en se tournant brusquement vers lui, les yeux étincelants. Faites-moi le plaisir de nous quitter à l'instant et de ne plus jamais repasser le seuil de ma maison. »

Je prie le lecteur de se rappeler sa récente « exaltation » qui, d'ailleurs, ne s'était pas encore dissipée. Il faut dire aussi que Stépane Trophimovitch était bien coupable. Mais ce qui me stupéfia par-dessus tout, ce fut la dignité de son attitude aussi bien devant les « révélations » de Pétroucha qu'il n'essaya même pas d'interrompre, que devant la « malédiction » de Varvara Pétrovna. Où puisa-t-il cette force d'âme ? Je compris seulement qu'il avait été profondément blessé dès le premier moment par l'accueil de Pétroucha et spécialement par la façon dont celui-ci avait mis fin à ses embrassades. C'était une douleur profonde et *réelle* cette fois, tout au moins à ses yeux, pour son cœur. Mais à cette douleur venait se joindre encore une autre : la conscience d'avoir agi lâchement. Il me l'avoua plus tard en toute franchise. Or, une douleur *réelle*, incontestable, peut rendre parfois sérieux et courageux, ne fût-ce que pour peu de temps, l'homme le plus léger, le plus insouciant. Bien plus même, une vraie douleur est capable de donner de l'intelligence à un imbécile, toujours pour un temps, naturellement. C'est l'une des caractéristiques de la douleur. S'il en est ainsi, on imagine les changements qui pouvaient se produire dans un homme tel que Stépane Trophimovitch. Il s'agit alors d'une transformation totale, mais, bien entendu, temporaire.

Il s'inclina avec dignité devant Varvara Pétrovna sans proférer un mot (qu'aurait-il pu faire d'autre d'ailleurs ?) et se dirigea vers la porte, mais il ne put s'empêcher de s'arrêter devant Daria Pavlovna. Celle-ci le pressentait, semble-t-il, car, tout effrayée, et, comme si elle avait hâte de le prévenir, elle dit d'une voix haletante en lui tendant la main :

« Je vous en prie, Stépane Trophimovitch, ne dites rien (son visage exprimait la souffrance)... Soyez certain que j'ai toujours pour vous le même respect... et que je vous estime comme avant... et conservez une bonne opinion de moi, Stépane Trophimovitch, j'y tiens beaucoup. »

Stépane Trophimovitch la salua profondément.

« Tu es libre, Dacha. Tu sais bien que c'est à toi qu'appartient la décision dans cette affaire. Tu étais toujours libre et tu l'es encore, et tu le seras toujours, conclut Varvara Pétrovna d'un ton solennel.

— Bah ! Je comprends tout maintenant ! s'écria Piotr Stépanovitch en se frappant le front. Me voilà dans une belle posture! Daria Pavlovna, excusez-moi, je vous prie. Vois un peu ce que tu m'as fait faire, ajouta-t-il en se tournant vers Stépane Trophimovitch.

— Pierre, tu pourrais me parler autrement; ne trouves-tu pas, mon ami? dit à mi-voix et avec une grande douceur Stépane Trophimovitch.

— Ne crie pas, je t'en prie, dit Pierre en agitant les bras. Crois-moi, tout cela vient de tes vieux nerfs malades, et il ne sert à rien de crier. Tu aurais dû savoir que je mettrais immédiatement la conversation sur ce sujet, comment donc n'as-tu pas eu l'idée de me prévenir? »

Stépane Trophimovitch le fixa d'un regard pénétrant.

« Pierre, toi qui es si bien au courant de ce qui se passe ici, est-il vraiment possible que tu n'aies rien su, rien entendu de cette affaire?

— Quoi? les voilà bien les gens! Nous sommes donc non seulement un vieil enfant, mais encore un méchant enfant! Varvara Pétrovna, entendez-vous ce qu'il dit? »

Tout le monde se mit à parler à la fois ; mais c'est alors que se produisit un événement auquel personne certes ne pouvait s'attendre.

VIII

Avant tout, il faut que je dise que depuis deux ou trois minutes Lisavéta Nicolaïevna paraissait reprise par son agitation : elle échangeait à voix basse de rapides propos avec sa maman et avec Mavriki Nicolaïévitch. Son visage était à la fois inquiet et résolu. Elle finit par se lever, manifestement pressée de partir, et fit un signe impatient à sa mère que Mavriki Nicolaïévitch aida à quitter son fauteuil. Mais il était dit qu'elles ne partiraient pas avant d'avoir tout vu jusqu'au bout.

Chatov, qu'on avait complètement oublié dans son coin (tout près de Lisavéta Nicolaïevna), et qui probablement ne savait pas lui-même pourquoi il restait là et ne partait pas, soudain se leva, et, traversant toute la chambre d'un pas lent mais ferme, se dirigea vers Nicolaï Vsévolodovitch en le regardant bien en face. Celui-ci le vit approcher de loin et sourit légèrement ; mais lorsque Chatov fut arrivé près de lui il cessa de sourire.

Quand Chatov, toujours silencieux, s'arrêta devant lui sans le quitter des yeux, tout le monde se rendit compte qu'il se passait quelque chose et se tut, même Piotr Stépanovitch. Lisa et sa mère s'arrêtèrent interdites au milieu du salon. Quelques secondes s'écoulèrent ainsi. L'étonnement dédaigneux que reflétait le visage de Nicolaï Vsévolodovitch fit place à la colère ; il fronça les sourcils, et, tout à coup...

Tout à coup, Chatov leva son long bras pesant et frappa de toute sa force Nicolaï Vsévolodovitch en pleine figure. Stavroguine oscilla sous le choc.

Chatov avait frappé d'une façon particulière et non pas comme il est convenu de gifler (s'il est permis de s'exprimer ainsi) : non pas avec la paume, mais avec le poing ; et ce poing était gros, lourd, osseux, couvert de poils roux et de taches de rousseur. Si le coup eût atteint le nez, celui-ci aurait été brisé ; mais il avait porté sur la joue, glissant sur le coin gauche des lèvres et sur les dents supérieures, qui se mirent aussitôt à saigner.

Un cri bref retentit, poussé, si je ne me trompe, par Varvara Pétrovna ; je ne m'en souviens pas au juste, car il se fit de nouveau un silence absolu : nous étions comme pétrifiés. Toute la scène d'ailleurs ne dura pas plus d'une dizaine de secondes.

Mais il se passa terriblement de choses durant ces dix secondes.

Je dois rappeler au lecteur que Nicolaï Vsévolodovitch était de ces natures qui ne connaissent pas la peur. Dans un duel il était capable de soutenir, avec le plus grand sang-froid, le feu de son adversaire pour le viser ensuite et le tuer avec une tranquillité féroce. Si quelqu'un l'eût souffleté, il me semble qu'il n'aurait pas provoqué l'agresseur en duel, mais l'aurait tué sur-le-champ. Oui, il était de ces natures qui tuent en se rendant compte de leur acte et non dans l'aveuglement de la colère. Je crois même qu'il n'avait jamais connu ces accès de fureur qui nous enlèvent toute possibilité de réflexion. Dans les crises de rage qui s'emparaient de lui parfois, il parvenait toujours à rester maître de sa volonté et se rendait donc compte qu'en tuant un homme autrement qu'en duel, il ne pouvait échapper au bagne. Mais cette idée ne l'aurait nullement empêché de tuer l'insulteur et cela, sans la moindre hésitation.

Ces derniers temps, j'ai beaucoup étudié le caractère de Nicolaï Vsévolodovitch et, grâce à un concours particulier de circonstances, j'ai appris sur lui, à l'heure où j'écris, nombre de faits. Je le comparerais volontiers à certains personnages du temps passé dont le souvenir légendaire subsiste encore parmi nous. On raconte, par exemple, que le décembriste [1] L—n recherchait toute sa vie le danger, qu'il savourait cette sensation devenue pour lui un véritable besoin ; étant jeune, il se battait en duel pour un oui ou pour un non. En Sibérie, il chassait l'ours n'ayant pour toute arme qu'un couteau, et s'amusait à poursuivre dans les forêts les forçats évadés qui, soit dit en passant, sont plus dangereux encore que les ours. Il est hors de doute que ces personnages légendaires connaissaient la peur, peut-être même l'éprouvaient-ils avec une force particulière, car autrement ils auraient mené une existence beaucoup plus paisible et n'auraient pas converti la sensation du danger en un besoin de leur nature. Ce qui les exaltait évidemment, c'était de vaincre cette peur. La joie de la victoire et la sensation que leur force n'avait pas de limites, voilà ce qui les ravissait. Avant sa déportation en Sibérie, ce même L—n avait connu la faim et s'était trouvé dans la nécessité de gagner son pain à la sueur de son front, uniquement parce qu'il refusait, les jugeant injustes, de se soumettre aux exigences de son père, un homme riche. Il concevait donc la lutte pour la vie sous les aspects les plus divers, et avait appris à connaître sa résistance et sa force de caractère, non pas seulement à la chasse à l'ours et dans les duels.

Mais tout cela se passait il y a bien longtemps, et la nature nerveuse, tourmentée et désaxée des hommes d'aujourd'hui n'éprouve même plus le besoin de ces sensations simples et fortes que recherchaient les gens remuants et actifs du bon vieux temps. Nicolaï Vsévolodovitch aurait peut-être considéré ce L—n de haut, il l'aurait peut-être même traité de fanfaron et de petit coq batailleur, mais à part lui, en se gardant d'exprimer ce jugement à voix haute. Il aurait tué son adversaire en duel, il aurait affronté un ours au besoin, il se serait défendu contre un brigand avec tout autant de succès et tout autant de courage que L—n, mais sans y prendre le moindre plaisir, avec indolence, paresseusement et même avec ennui, comme lorsqu'on obéit à une nécessité désagréable. Cependant, Nicolaï Vsévolodovitch était beaucoup plus cruel et méchant que L—n ; mais sa méchanceté était froide, calme, pour ainsi dire *raisonnable*, et, par conséquent, la plus répugnante et la plus terrible qui soit. Je le répète encore une fois : je le considérais alors et je le considère encore maintenant (quand tout est fini, en somme), comme un homme qui, s'il eût reçu un soufflet ou toute autre injure équivalente, aurait immédiatement et sans le provoquer en duel, tué son agresseur.

Et cependant, en ce cas il agit d'une façon toute différente qui nous stupéfia tous.

A peine se fut-il redressé après avoir si honteusement fléchi sous le coup, à peine le bruit ignoble et en quelque sorte humide de la gifle eut-il cessé de résonner à nos oreilles, que Nicolaï Vsévolodovitch saisit des deux mains Chatov par les épaules ; mais aussitôt, presque au même instant, il retira ses mains et les mit derrière son dos. Il se taisait, regardait Chatov et devenait blanc comme un linge. Mais chose étrange, on eût dit que son regard peu à peu s'éteignait, et au bout d'une dizaine de secondes ses yeux étaient déjà froids et — je ne mens pas, j'en suis certain, — calmes. Seulement, il était devenu effroyablement pâle. Bien entendu, j'ignore ce qui se passait en lui : je ne voyais que l'extérieur. Il me semble que si un homme eût été capable d'empoigner une barre de fer rougie au feu et de la tenir serrée dans sa main pour éprouver sa force, et si cet homme, après avoir lutté pendant dix secondes contre la douleur épouvantable, eût fini par en triompher, il aurait éprouvé, j'imagine, quelque chose de semblable à ce que Nicolaï Vsévolodovitch endura pendant ces dix secondes.

Chatov fut le premier à baisser les yeux, et il était visible qu'il les baissa parce qu'il y fut contraint ; ensuite il fit lentement demi-tour et se dirigea vers la porte, mais d'un pas différent de celui de tout à l'heure. Il s'en allait sans bruit, le dos voûté, la tête rentrée dans les épaules et comme s'il réfléchissait profondément. Je crois même qu'il murmura quelques mots. Il avançait avec précaution, s'appliquant à ne rien heurter, à ne rien renverser. Arrivé près de la porte, il l'entrebâilla à peine, de sorte qu'il dut se glisser presque de côté pour sortir. Comme il sortait, je remarquai tout particulièrement la touffe de cheveux qui se hérissait sur son crâne.

Alors, précédant tous les autres, retentit un cri terrible. Je vis Lisavéta Nicolaïevna saisir sa maman par l'épaule et Mavriki Nicolaïévitch par le bras, et faire de violents efforts pour les entraîner à sa suite hors de la chambre, mais elle poussa soudain un cri et tomba de tout son long, évanouie. Il me semble que j'entends encore le choc de sa nuque contre le tapis.

DEUXIÈME PARTIE

CHAPITRE PREMIER

LA NUIT

I

Une semaine s'écoula. Maintenant que tout est fini, à l'heure où j'écris cette chronique, nous connaissons la vérité, mais alors nous l'ignorions ; aussi, bien des choses nous paraissaient-elles fort étranges. Les premiers temps, Stépane Trophimovitch et moi nous nous enfermâmes chez nous, nous contentant d'observer les événements de loin, non sans crainte. Je sortais cependant de temps à autre et rapportais à mon ami, comme par le passé, les nouvelles que je parvenais à recueillir et dont il n'aurait pu se passer.

Il va sans dire que les bruits les plus étranges circulaient en ville au sujet du soufflet, de l'évanouissement de Lisa et des autres événements de ce mémorable dimanche. Et cela nous étonnait beaucoup : comment ces faits avaient-ils été connus si rapidement et jusque dans leurs moindres détails ? Aucun de ceux qui y avaient assisté ne pouvait avoir intérêt à les ébruiter, semblait-il. Quant aux domestiques, ils n'avaient rien vu. Lébiadkine seul aurait pu parler. Non pas tant par méchanceté (il était sorti terrifié, or la crainte tue la haine), que pour le plaisir de bavarder. Mais dès le lendemain, Lébiadkine et sa sœur avaient disparu sans laisser de traces : ils étaient partis de chez Philippov et personne ne savait où ils se trouvaient. J'essayai de m'informer de Maria Timophéïevna auprès de Chatov, mais il s'était enfermé chez lui. Je crois qu'il ne mit pas le pied dehors durant cette semaine, renonçant à toutes ses occupations en ville. En tout cas, il ne voulut pas me recevoir. Je montai chez lui le mardi et frappai à sa porte. N'obtenant pas de réponse et certain qu'il se trouvait chez lui, je frappai encore une fois. Alors j'entendis du bruit, comme s'il sautait à bas de son lit, et il s'approcha à pas lourds de la porte et cria : « Chatov n'est pas à la maison. » Je n'avais plus qu'à m'en aller.

Stépane Trophimovitch et moi, nous finîmes par admettre (cette supposition nous effrayait par son audace, mais nous nous encouragions mutuellement à l'adopter), que l'auteur des bruits qui circulaient en ville ne pouvait être que Piotr Stépanovitch. Cependant celui-ci affirma un peu plus tard à son père qu'à sa propre surprise, toute l'histoire avait immédiatement couru de bouche en bouche, en particulier au club, et que le gouverneur et sa femme la connaissaient dans tous ses détails. Mais le plus étrange, c'est qu'ayant rencontré Lipoutine lundi soir, j'appris qu'il était déjà parfaitement au courant de tout ce qui s'était passé ; il avait donc été informé l'un des premiers.

Nombre de dames (et même parmi les plus haut placées), se montraient fort intriguées par l' « énigmatique boiteuse » ; c'était ainsi que l'on désignait Maria Timophéïevna. Quelques-unes auraient même bien voulu faire sa connaissance ; les gens qui s'étaient empressés de faire disparaître les Lébiadkine avaient donc agi fort à propos. C'était cependant l'évanouissement de

Lisavéta Nicolaïevna qui préoccupait surtout les esprits ; cet incident ne concernait-il pas Julie Mikhaïlovna, la femme du gouverneur, parente et protectrice de la jeune fille ? Que ne racontait-on pas ! Ces bavardages étaient, du reste, favorisés par le mystère dont s'entouraient les acteurs du drame : les deux maisons restaient closes. Lisavéta Nicolaïevna, assurait-on, avait la fièvre chaude ; et on en disait autant de Nicolaï Vsévolodovitch, en inventant encore divers détails répugnants tels que dents cassées, visage meurtri, etc. On répétait même sous le sceau du secret que les choses n'en resteraient pas là, que Stavroguine n'était pas homme à pardonner une telle offense et qu'il tuerait certainement Chatov, mais d'une façon mystérieuse, comme dans une « vendetta » corse. Cette idée séduisait les esprits ; mais la plupart de nos jeunes élégants n'écoutaient ces potins qu'avec une indifférence dédaigneuse, bien entendu affectée. En général, l'ancienne hostilité contre Nicolaï Vsévolodovitch se manifestait de nouveau et très violemment ; même parmi les gens sérieux et rassis qui l'accusaient, sans savoir au juste de quoi en somme. On chuchotait qu'il avait déshonoré Lisavéta Nicolaïevna et qu'il y avait eu une intrigue entre eux en Suisse. Les gens prudents se tenaient sur la réserve sans doute, mais écoutaient les bavards avec plaisir. D'autres bruits étranges circulaient encore ; on ne les répétait qu'entre soi, prudemment ; je ne les mentionne que pour avertir le lecteur, en vue de le préparer aux événements qui suivirent. Certains assuraient en prenant un air grave (Dieu sait où ils avaient puisé ces informations), que Nicolaï Vsévolodovitch était chargé d'une mission spéciale, que par l'entremise du comte K... il était entré en relations à Pétersbourg avec des personnages très importants, qu'il occupait même un haut poste. Quand les gens sérieux et réservés souriaient à ces propos, indiquant avec raison qu'un homme qui provoquait des scandales et qui, pour ses débuts chez nous, recevait un soufflet, ne ressemblait guère à un haut fonctionnaire, on leur faisait remarquer à voix basse que Stavroguine occupait une situation non officielle mais confidentielle en quelque sorte, et qu'en ce cas sa mission exigeait qu'il ressemblât aussi peu que possible à un fonctionnaire. Cette remarque produisait un certain effet : on n'ignorait pas que le zemstvo [1] de notre province avait déjà à maintes reprises attiré l'attention de la capitale. Ces bruits ne persistèrent pas du reste ; ils s'évanouirent dès que Nicolaï Vsévolodovitch réapparut parmi nous. Mais je tiens à faire observer qu'à l'origine de tous ces racontars se trouvaient quelques phrases haineuses bien que peu explicites, lancées un jour au club par Artémi Pavlovitch Gaganov, capitaine en retraite de la garde. Ce Gaganov, arrivé depuis peu de Pétersbourg, gros propriétaire foncier de notre district et homme du meilleur monde, était le fils de feu Pavel Pavlovitch Gaganov que Nicolaï Vsévolodovitch avait, quatre ans auparavant, traité de si grossière façon, ainsi que je l'ai rapporté au début de mon récit.

Toute la ville sut que Julie Mikhaïlovna s'était rendue chez Varvara Pétrovna qui lui avait fait dire qu'étant indisposée, elle ne pouvait la recevoir. On apprit aussi que deux jours plus tard, Julie Mikhaïlovna avait envoyé prendre des nouvelles de Mme Stavroguine, et que, d'autre part, elle assumait partout la « défense » de celle-ci. Ce terme de « défense » devait être pris, bien entendu, dans son sens le plus élevé, autrement dit, le plus vague. Elle accueillit d'un air sévère et froid les premières allusions qu'on s'empressa de lui faire aux événements du dimanche ; aussi, en sa présence, n'osat-on plus remettre la conversation sur ce sujet. On finit donc par admettre que Julie Mikhaïlovna était non seulement au courant de toute l'histoire, mais qu'elle en connaissait le sens mystérieux et les plus petits détails, et qu'elle y avait même pris une certaine part. Je note à ce propos qu'elle commençait déjà alors à jouir parmi nous de cette influence à laquelle elle aspirait, et se voyait déjà très « entourée ». Une partie de la société lui reconnaissait une intelligence pratique et du tact... Nous y reviendrons plus tard... C'était à sa protection pour une grande part qu'étaient dus les rapides succès de Piotr Stépanovitch dans notre société, succès qui surprenaient vivement Stépane Trophimovitch.

Peut-être les exagérions-nous du reste. Pour commencer, dans les quatre jours qui suivirent son arrivée, Piotr Stépanovitch fit la connaissance de tout le monde. Il était apparu dans notre ville le dimanche, or le mardi suivant, je le vis déjà passer dans la calèche d'Artémi Pavlovitch Gaganov, un personnage orgueilleux, irascible et vaniteux, en dépit de ses manières mondaines, et avec qui, vu son caractère, il était difficile de s'entendre. Piotr Stépanovitch fut également très bien accueilli chez le gouverneur et sa femme, et devint presque aussitôt de leurs intimes et l'enfant gâté, en quelque sorte, de la maison. Il dînait presque tous les jours chez Julie Mikhaïlovna, que d'ailleurs il avait déjà connue en Suisse.

Cependant, le rôle qu'il jouait dans cette maison semblait assez étrange. En effet, on le disait révolutionnaire dans le temps ; je ne sais si c'est vrai, mais on assurait qu'il avait pris part à l'étranger à divers congrès et collaboré à certaines publications subversives ; « on pourrait même le prouver d'après les journaux de l'époque », comme me le dit avec irritation Aliocha Téliatnikov, aujourd'hui, hélas! petit fonctionnaire retraité, mais qui avait été le favori de l'ancien gouverneur. Le fait était là cependant : à son retour dans son aimable patrie, l'ex-révolutionnaire n'avait rencontré aucune difficulté ; il y avait même trouvé un accueil fort aimable. Ne pouvait-on pas en conclure que les bruits qui avaient couru sur son compte étaient faux? Lipoutine me glissa un jour dans l'oreille que Piotr Stépanovitch avait fait des aveux complets, à ce qu'on disait, et reçu l'absolution après avoir livré différents noms. Ayant ainsi racheté ses erreurs, il avait promis de persévérer dans la bonne voie. Je rapportai cette phrase venimeuse à Stépane Trophimovitch, et elle le rendit tout songeur, bien qu'à ce moment il fût incapable de rassembler ses idées. On apprit plus tard que Piotr Stépanovitch était muni, en arrivant chez nous, de lettres de recommandation signées de noms très respectables ; l'une d'elles, adressée à Julie Mikhaïlovna, venait de sa marraine, une vieille dame mariée à l'un des plus hauts personnages de la capitale. Cette dame écrivait à Julie Mikhaïlovna que le comte K..., ayant fait la connaissance de Piotr Stépanovitch par l'intermédiaire de Stavroguine, l'avait reçu avec bienveillance, et le considérait « comme un jeune homme plein de mérites malgré ses erreurs passées ». Julie Mikhaïlovna tenait énormément aux rares relations qu'elle entretenait au prix de maints efforts avec les personnes haut placées ; aussi la lettre de la vieille dame lui avait-elle fait le plus grand plaisir. Néanmoins, son attitude à l'égard de Piotr Stépanovitch nous paraissait fort étrange. Ne lui permettait-elle pas de traiter son mari avec une familiarité dont M. von Lembke se plaignait amèrement?... Mais je reviendrai encore là-dessus. Je note encore pour mémoire que l'illustre Karmazinov, lui aussi, témoigna immédiatement une grande bienveillance à Piotr Stépanovitch et l'invita à venir le voir. Un tel empressement de la part d'un homme aussi vaniteux blessa Stépane Trophimovitch plus encore que tout le reste. Mais je me l'expliquai aisément : Karmazinov faisait la cour au nihiliste vu les relations que celui-ci entretenait avec la jeunesse révolutionnaire des deux capitales. L'illustre écrivain avait une peur maladive de cette jeunesse, s'imaginant, dans son ignorance, qu'elle tenait entre ses mains l'avenir de la Russie ; aussi la flattait-il bassement, d'autant plus qu'elle ne lui accordait aucune attention.

II

Piotr Stépanovitch passa deux fois chez son père, et, à mon grand regret, justement quand je n'y étais pas. La première fois ce fut quatre jours après leur rencontre chez Varvara Pétrovna, et encore n'était-ce que pour le règlement des comptes relatifs au domaine de Piotr Stépanovitch. Cette affaire se termina sans bruit : Varvara Pétrovna se chargea de tout ; elle remboursa le jeune homme, mais acquit le domaine bien entendu, se contentant d'informer Stépane Trophimovitch que la question était définitivement réglée. Son homme de confiance, Alexéï Égorovitch, lui apporta un papier à signer, et Stépane Trophimovitch le signa en silence et avec une grande dignité. Je dois dire à propos de dignité que je ne reconnaissais plus notre « vieux » : il se tenait tout autrement qu'auparavant ; devenu étrangement silencieux, depuis dimanche il n'avait pas écrit une seule lettre à Varvara Pétrovna, ce qui naguère m'eût semblé miraculeux. Mais ce qui me surprenait surtout, c'était son calme. Il avait pris une décision définitive et s'y ancrait obstinément ; de là venait son calme. Il avait son idée, et il restait là, à attendre les événements. Au début, du reste, il se sentit malade ; le lundi il eut une crise de cholérine. Il faut dire aussi qu'il continuait à ne pouvoir se passer des nouvelles que je lui apportais ; mais aussitôt qu'abandonnant les faits j'abordais le fond de la question et risquais quelques hypothèses, il me faisait signe de me taire. Cependant, les deux entrevues qu'il eut avec son fils l'impressionnèrent douloureusement, mais elles ne purent ébranler sa résolution. Piotr Stépanovitch parti, il s'allongeait sur son divan la tête entourée d'une serviette imbibée de vinaigre, tout en conservant néanmoins une attitude calme et digne.

Parfois cependant il me permettait de parler ; il me semblait même que la mystérieuse résolution qu'il avait prise commençait à faiblir et qu'il se laissait séduire par de nouvelles idées ; cette hésitation ne durait qu'un instant, mais je tiens à la signaler. Je soupçonne qu'il avait envie à ces moments de sortir de son isolement, de lancer un défi, de livrer une dernière bataille.

« *Cher*, je pourrais les disperser tous », laissa-t-il échapper jeudi soir, après la seconde visite de Piotr Stépanovitch. Il était étendu sur son divan, la tête entourée d'une serviette, et ne m'avait pas encore adressé la parole de toute la journée.

« Fils, fils chéri », etc. Je conviens que toutes ces expressions sont stupides et dignes d'une cuisinière. Je le reconnais moi-même maintenant. Je ne lui ai donné ni à boire ni à manger ; il n'était encore qu'un enfant à la mamelle quand je l'ai expédié de Berlin, par la poste, dans le gouvernement de V... Et ainsi de suite... J'en conviens. « Tu ne t'es pas occupé de moi, me dit-il, tu » m'as expédié par la poste, comme un colis, et de plus,

» tu m'as dépouillé ici. » Mais malheureux, lui criai-je, bien que je t'aie expédié par la poste, mon cœur n'a jamais cessé de saigner pour toi! *Il rit.* Mais j'en conviens, j'en conviens... oui, par la poste », ajouta-t-il comme en délire.

« *Passons*, reprit-il cinq minutes plus tard. Je ne comprends pas Tourguéniev. Son Bazarov [1] est un être fictif, qui n'a jamais existé. N'ont-ils pas été les premiers à le répudier, déclarant qu'il ne ressemblait à rien? Ce Bazarov est un mélange incompréhensible de Nozdriov [2] et de Byron. *C'est le mot!* Regardez-les comme ils se roulent par terre en poussant des glapissements de joie comme de jeunes chiens au soleil. Ils sont heureux, ils triomphent. Qu'ont-ils à faire avec Byron? Et quelle platitude avec cela! quel amour-propre vulgaire et irritable, que de bassesse dans ce besoin *de faire du bruit autour de son nom*, sans remarquer que *son nom*... Mon Dieu, quelles caricatures! Est-il possible, lui criai-je, que tel que tu es, tu prétendes t'offrir aux hommes à la place du Christ? *Il rit. Il rit beaucoup, il rit trop.* Il a un sourire étrange. Sa mère n'avait pas ce sourire. *Il rit toujours.* »

Il y eut de nouveau un silence.

« Ils sont rusés ; ils s'étaient concertés dimanche, lança-t-il soudain.

— Oh! sans aucun doute! m'écriai-je saisissant la balle au bond. Ils s'étaient mis d'accord ; leur comédie était cousue de fil blanc, et ils l'ont très mal jouée.

— Je ne parle pas de cela. Savez-vous qu'ils ont fait exprès de la jouer si mal afin que ceux qui devaient la voir, la voient. Comprenez-vous?

— Non, je ne comprends pas.

— *Tant mieux, passons.* Je suis très irrité aujourd'hui.

— Pourquoi aussi avez-vous discuté avec lui?

— *Je voulais convertir.* Riez donc de moi! *Cette pauvre tante,* elle entendra de belles choses! Oh, mon ami! me croirez-vous si je vous dis que je me suis senti patriote tout à l'heure? Du reste, je me suis toujours senti Russe... Un vrai Russe, c'est vous, c'est moi. *Il y a là-dedans quelque chose d'aveugle et de louche.*

— Certainement.

— Mon ami, la vraie vérité est toujours invraisemblable ; le saviez-vous? Pour rendre la vérité vraisemblable, il faut absolument y ajouter un peu de mensonge. C'est ce que les hommes ont toujours fait. Peut-être y a-t-il dans tout cela quelque chose que nous ne comprenons pas. Qu'en pensez-vous? y aurait-il quelque chose que nous ne comprenions pas dans ces glapissements de triomphe? Je voudrais qu'il en fût ainsi. Oui, je le voudrais beaucoup. »

Je ne répondis pas. Il garda longtemps le silence.

« On dit que c'est l'esprit français, bredouilla-t-il comme s'il avait la fièvre. C'est un mensonge. Nous fûmes toujours ainsi. Pourquoi calomnier l'esprit français? C'est tout simplement notre paresse russe, notre humiliante incapacité à créer une idée, notre répugnant parasitisme. *Ce sont tout simplement des paresseux.* L'esprit français n'y est pour rien. Oh! les Russes devraient être exterminés pour le bien de l'humanité comme des parasites nuisibles. Ce n'était pas à cela que nous aspirions, nous autres, pas à cela du tout! Je ne comprends absolument rien. J'ai cessé de comprendre. Te rends-tu compte, lui dis-je, te rends-tu compte que si vous confiez le premier rôle à la guillotine, et avec tant d'enthousiasme encore, c'est uniquement parce qu'il n'y a rien de plus facile que de trancher les têtes, et rien de plus difficile que d'avoir des idées... *Vous êtes des paresseux! Votre drapeau est une guenille, une impuis-*

sance. Ces charrettes, ou comment disent-ils... « Le roule-
» ment des charrettes qui transportent le pain indispensable à l'humanité » est plus utile que la Madone de la Sixtine... *Une bêtise dans ce genre...* Ne comprends-tu pas, lui criai-je, ne comprends-tu pas que l'homme a besoin non seulement de bonheur, mais aussi de malheur, et de malheur tout autant que de bonheur? *Il rit.* « Tu es là à faire de bons mots voluptueusement
» allongé sur un divan de velours » (il s'exprima plus grossièrement)... Et remarquez ce tutoiement entre père et fils ; cela va encore bien quand on est d'accord, mais si l'on se dispute? »

Nous gardâmes un moment le silence.

« *Cher*, dit-il en se redressant brusquement, savez-vous que cela finira certainement d'une façon ou d'une autre?

— Sans aucun doute, dis-je.

— *Vous ne comprenez pas. Passons.* D'ordinaire, tout se termine en queue de poisson ; mais dans ce cas-ci, il y aura une fin, c'est certain, absolument certain. »

Il se leva, fit quelques pas dans la chambre en proie à une extrême agitation, puis, revenu près du divan, il s'y laissa tomber comme épuisé.

Le vendredi matin, Piotr Stépanovitch se rendit je ne sais où dans le district ; il ne rentra que le lundi suivant. C'est par Lipoutine que je l'appris. Il me raconta aussi que les deux Lébiadkine avaient été installés quelque part sur l'autre rive, faubourg de la Poterie : « C'est moi qui les ai déménagés », ajouta-t-il. Ensuite, abandonnant ce sujet il m'annonça que Lisavéta Nicolaïevna allait épouser Mavriki Nicolaïevitch : la chose n'est pas encore officielle, mais les fiançailles ont eu lieu et c'est une affaire réglée. Le lendemain, je rencontrai la jeune fille à cheval en compagnie de Mavriki Nicolaïévitch ; c'était sa première sortie depuis sa maladie. Ses yeux brillèrent à ma vue, elle me sourit et me fit un signe de tête amical. Je rapportai tout cela à Stépane Trophimovitch, qui ne prêta aucune attention aux nouvelles concernant les Lébiadkine.

Maintenant que j'ai décrit la situation confuse où nous nous débattîmes durant cette semaine, alors que nous ne savions encore rien, je reprends ma chronique en pleine connaissance de cause, c'est-à-dire en exposant les événements tels qu'ils nous apparaissent aujourd'hui, quand tout s'est expliqué et que nous savons enfin à quoi nous en tenir. Je commencerai à partir du huitième jour qui suivit ce dimanche fatidique, autrement dit, à partir du lundi soir, car ce soir-là marque en réalité le début de l' « histoire nouvelle ».

III

Il était sept heures du soir. Nicolaï Vsévolodovitch se trouvait seul dans son cabinet de travail, sa pièce préférée ; très haute de plafond, elle était couverte de tapis et garnie de meubles un peu lourds, de style ancien. Assis sur un divan, il était habillé comme pour sortir, mais rien dans son attitude ne révélait qu'il eût l'intention de quitter la chambre. Sur la table qui se trouvait devant lui était posée une lampe coiffée d'un abat-jour ; les angles et les murs de la vaste pièce restaient plongés dans l'ombre. Le regard du jeune homme était concentré et soucieux ; son visage légèrement amaigri paraissait fatigué. Sa joue était effectivement gonflée, mais l'on avait exagéré en assurant que Chatov lui avait cassé une dent : cette dent n'avait été qu'ébranlée, et elle s'était déjà raffermie ; de même sa lèvre supérieure fendue par le coup de poing de son adversaire, apparaissait complètement cicatrisée. Quant à la fluxion, elle avait persisté toute une semaine parce que le malade avait refusé de recevoir le médecin qui lui aurait incisé à temps l'abcès, préférant attendre qu'il crevât de lui-même. C'est à peine s'il acceptait que sa mère vînt le voir une fois par jour, pour quelques minutes seulement, à la nuit tombante, avant qu'on allumât la lampe. Il refusa également de recevoir Piotr Stépanovitch qui, avant de partir pour la campagne, passait cependant deux ou trois fois par jour chez Varvara Pétrovna. Rentré lundi matin, ce dernier fit de nombreuses visites, dîna chez Julie Mikhaïlovna, et se présenta le soir chez Varvara Pétrovna qui l'attendait avec impatience : la consigne était levée enfin, Nicolaï Vsévolodovitch recevait. Varvara Pétrovna conduisit elle-même le visiteur jusqu'à la porte du cabinet de son fils. Elle tenait beaucoup à leur entrevue, et avait fait promettre à Piotr Stépanovitch de passer chez elle en sortant de chez Nicolas pour lui raconter ce qui s'était passé entre eux. Elle frappa timidement à la porte et ne recevant pas de réponse, se permit de l'entrebâiller légèrement.

« Nicolas, puis-je faire entrer Piotr Stépanovitch ? » demanda-t-elle à mi-voix en s'efforçant de distinguer l'expression du visage de son fils derrière la lampe.

« Mais certainement », s'écria gaîment Piotr Stépanovitch lui-même. Il ouvrit la porte et entra.

Les légers coups frappés à sa porte n'avaient pas attiré l'attention de Nicolaï Vsévolodovitch ; il n'avait entendu que la question de Varvara Pétrovna, mais Piotr Stépanovitch était entré avant qu'il eût eu le temps d'y répondre. Il tenait en ce moment une lettre dont il venait d'achever la lecture et qui l'avait plongé dans de profondes réflexions. Les paroles de Piotr Stépanovitch le firent tressaillir et il s'empressa de cacher la lettre sous un presse-papier ; mais il n'y parvint pas tout à fait : un coin de la lettre et son enveloppe restèrent visibles.

« J'ai fait exprès de crier si fort, afin de vous donner le temps de vous préparer, murmura hâtivement Piotr Stépanovitch avec une candeur surprenante. Il se précipita vers la table et regarda attentivement le coin de la lettre.

— Et, bien entendu, vous avez eu le temps de voir que je cachais une lettre sous le presse-papier, dit calmement Nicolaï Vsévolodovitch sans bouger de sa place.

— Une lettre? Que voulez-vous que cela me fasse? s'écria le visiteur. Mais... le principal, ajouta-t-il en baissant de nouveau la voix et en se tournant vers la porte que Varvara Pétrovna avait déjà refermée.

— Elle n'écoute jamais aux portes, remarqua froidement Nicolaï Vsévolodovitch.

— Du reste, même si elle écoutait, je n'aurais rien contre cela, reprit aussitôt gaîment Piotr Stépanovitch en s'installant dans un fauteuil. Cette fois-ci pourtant, j'accourais pour vous parler en tête à tête... Enfin je vous vois! Mais avant tout, comment vous sentez-vous? Très bien, je vois ; et peut-être que demain vous sortirez, hein?

— Peut-être.

— Tranquillisez-les enfin et délivrez-moi! s'écria-t-il d'un ton comique et en faisant de grands gestes. Si vous saviez tout ce que j'ai dû leur raconter. Vous le savez bien du reste. — Il éclata de rire.

— Non, je ne sais pas grand'chose. J'ai seulement appris de ma mère que vous vous... agitiez beaucoup.

— Oh! je n'ai rien dit de précis, protesta violemment

Piotr Stépanovitch comme s'il se défendait contre quelque terrible accusation. Vous savez, j'ai parlé de la femme de Chatov, c'est-à-dire des bruits qui ont couru au sujet de vos relations à Paris, ce qui pouvait expliquer l'incident de dimanche... Vous n'êtes pas fâché ?

— Je suis convaincu que vous vous êtes donné beaucoup de mal.

— Voilà bien ce que je craignais. Mais que signifie cette phrase : « Vous vous êtes donné beaucoup de mal ? » C'est un reproche cela. Du reste, vous allez droit au fait. Ce que je craignais le plus en venant ici, c'était que vous refusiez d'aller droit au fait.

— Je ne songe nullement à aller droit au fait, répliqua Nicolaï Vsévolodovitch non sans une certaine irritation ; mais aussitôt il eut un léger sourire.

— Je ne parle pas de cela, pas de cela du tout. Ne vous trompez pas, s'écria Piotr Stépanovitch en agitant les bras. — Il parlait de plus en plus vite et paraissait très heureux de l'irritation de son interlocuteur. — Je ne vous ennuierai pas avec *notre* affaire, surtout dans votre situation actuelle. Je suis accouru uniquement pour vous parler de l'incident de dimanche, et pour autant seulement que cela est nécessaire, car il est impossible de laisser les choses en cet état. Je suis venu pour vous donner les explications les plus franches ; ce n'est pas vous qui en avez besoin, c'est moi. Ceci dit pour flatter votre amour-propre, mais du reste, c'est la vérité. Je suis venu pour être désormais tout à fait sincère et franc avec vous.

— Cela signifierait-il que vous n'étiez pas sincère auparavant ?

— Vous le savez bien vous-même. Combien de fois j'ai rusé avec vous !... Mais je vous vois sourire et j'en suis très heureux, car cela me fournit le prétexte d'une explication. C'est exprès que j'ai employé ce mot de « ruse », pour vous fâcher : comment me suis-je permis de croire que je pouvais ruser avec vous! Cela me donne immédiatement la possibilité de m'expliquer. Voyez comme je suis devenu sincère! Eh bien, voulez-vous m'écouter ? »

Malgré l'intention évidente du visiteur d'irriter Stavroguine par son effronterie et ses naïvetés cousues de fil blanc, le visage de Nicolaï Vsévolodovitch restait dédaigneusement calme et même ironique ; mais aux dernières paroles de Piotr Stépanovitch il laissa apparaître une certaine curiosité et même quelque inquiétude.

« Écoutez donc, commença Piotr Stépanovitch se trémoussant de plus en plus. En arrivant ici, je veux dire dans cette ville, il y a une dizaine de jours, j'étais décidé, bien entendu, à jouer le rôle d'un personnage quelconque. Le mieux aurait été peut-être de ne jouer aucun rôle, d'être soi-même, ne pensez-vous pas ? Rien ne vaut votre propre visage parce que personne n'y croit. J'avoue que je songeai à faire le bêta, car il est plus facile de faire le bêta que de montrer son propre visage ; mais comme la bêtise est tout de même une exagération qui provoque aussitôt la curiosité, je me suis finalement décidé pour mon propre visage. Or que suis-je en somme ? *Aurea mediocritas*, ni sot ni intelligent, dépourvu de talent, bref, un homme tombé de la lune comme disent les gens raisonnables d'ici, n'est-il pas vrai ?

— Peut-être bien, répondit Stavroguine avec un léger sourire.

— Ah, vous voilà d'accord! J'en suis fort heureux. Je savais d'avance que vous pensiez de même... Ne vous inquiétez pas, ne vous inquiétez pas, je ne suis pas fâché ; et si je me suis exprimé ainsi sur mon compte, ce n'est nullement dans le but de provoquer vos protestations : « Non, vous êtes un homme de talent, non, vous » êtes intelligent »... Ah, voilà que vous souriez de nouveau!... Me voici attrapé une fois de plus. Vous ne songiez pas à me dire : « Vous êtes intelligent. » Je l'admets, j'admets tout. *Passons !* comme dit mon père. Et j'ajoute entre parenthèses : ne vous irritez pas de ma verbosité. Et, à ce propos, voici un excellent exemple : je parle toujours beaucoup, c'est-à-dire que j'emploie beaucoup de mots et me dépêche toujours, et avec ça je n'arrive pas à dire ce que je veux. Et pourquoi est-ce que j'emploie beaucoup de mots sans parvenir à mes fins ? Parce que je ne sais pas parler. Ceux qui savent bien parler parlent brièvement. Voilà qui prouve que je ne suis pas un homme de talent, n'est-il pas vrai ? Mais comme ce manque de talent est chez moi un don naturel, pourquoi ne l'utiliserais-je pas ? C'est précisément ce que je fais. Il est vrai qu'en arrivant ici j'avais d'abord résolu de me taire. Mais il faut un grand talent pour se taire ; cela ne m'allait donc pas. Et puis, se taire est tout de même dangereux. Je décidai donc que le mieux était de parler, mais de parler sottement, c'est-à-dire beaucoup, beaucoup, d'accumuler, le plus vite possible, tous mes arguments pour finir toujours par m'embrouiller, afin que mon interlocuteur me quitte sans écouter la fin, en haussant les épaules ou, mieux encore, en crachant de dépit. Ainsi, primo, vous serez parvenu à le convaincre de votre sincérité, secundo, il aura assez de vous, et tertio, il ne vous aura pas compris. Tous les avantages à la fois. Qui donc après cela pourrait encore vous soupçonner de nourrir des desseins mystérieux! Chacun se sentirait personnellement offensé si l'on venait lui dire que j'ai des desseins secrets. Et de plus, je les fais rire de temps en temps, ce qui est très précieux. En constatant ainsi que l'homme dangereux qui publiait à l'étranger je ne sais quelles proclamations, se montre ici encore plus bête qu'eux-mêmes, ils me pardonneront tout, rien que pour ça. N'est-ce pas vrai ? A votre sourire je devine que vous êtes d'accord. »

Mais Nicolaï Vsévolodovitch ne souriait nullement, il écoutait, au contraire, d'un air sombre et non sans impatience.

« Hein ? quoi ? Vous avez dit « qu'importe ! » je crois, reprit vivement Piotr Stépanovitch (Nicolaï Vsévolodovitch n'avait pas ouvert la bouche). Je vous assure, oui, je vous assure que je ne dis pas tout cela dans le but de vous compromettre par ma camaraderie. Mais savez-vous que vous êtes terriblement irritable aujourd'hui. Et moi qui accourais auprès de vous le cœur heureux et ouvert ! Or vous soupçonnez chacune de mes paroles. Je vous assure que je ne toucherai aujourd'hui à aucun sujet délicat. Je vous en donne ma parole et souscris d'avance à toutes vos conditions. »

Nicolaï Vsévolodovitch gardait obstinément le silence.

« Hein ? quoi ? Vous avez dit quelque chose ? Je vois que j'ai gaffé une fois de plus : vous ne m'avez posé aucune condition et vous ne m'en poserez pas. Je vous crois, je vous crois, tranquillisez-vous. Je sais moi-même qu'il ne vaut pas la peine de m'en poser ; n'est-ce pas cela ? Vous voyez que je réponds pour vous à mes propres questions. Et, bien entendu, j'agis ainsi parce que je n'ai pas de talent. J'en manque complètement... Vous riez ? comment ?

— Ce n'est rien d'important, dit enfin Nicolaï Vsévolodovitch en souriant. Je viens de me rappeler qu'un jour, en effet, j'ai dit que vous n'aviez aucun talent ; mais c'était en votre absence ; on vous l'a donc rapporté... Je vous prierai d'en venir plus vite au fait.

— M'y voici, m'y voici en plein. Je parle de ce qui

s'est passé dimanche. — Et Piotr Stépanovitch repartit de plus belle. — Comment me suis-je conduit selon vous, dimanche ? précisément comme un brouillon incapable et stupide, et c'est cela qui m'a permis de m'emparer de la conversation. Mais on m'a tout pardonné, d'abord, parce que je suis tombé de la lune (tout le monde ici est d'accord là-dessus, je crois), et ensuite, parce que j'ai raconté une jolie petite histoire et vous ai tous tirés d'embarras. N'est-ce pas ainsi ?

— Oui, mais vous l'avez racontée de façon à laisser subsister quelques doutes et à faire croire à un accord entre nous, cependant qu'il n'y avait aucun accord et que je ne vous avais nullement demandé d'intervenir.

— Justement, justement ! s'écria Piotr Stépanovitch tout à fait ravi. J'ai agi de telle sorte que vous puissiez voir toutes les ficelles ; c'est pour vous principalement que je faisais le bouffon, parce que je voulais vous attraper et vous compromettre. Et surtout, je voulais me rendre compte jusqu'à quel point vous aviez peur.

— Je serais curieux de savoir les raisons de votre franchise actuelle.

— Ne vous fâchez pas, ne vous fâchez pas, ne me regardez pas avec des yeux brillants (du reste, ils ne brillent pas) ! Vous êtes curieux de savoir pourquoi je suis devenu si franc ? Mais justement parce que tout est changé maintenant, le passé est clos, enterré. J'ai brusquement changé d'idée à votre égard. J'en ai fini avec mes anciennes méthodes ; dorénavant, je renonce à vous compromettre selon mes anciennes méthodes ; je m'engage dans une nouvelle voie.

— Vous avez changé de tactique ?

— Il ne s'agit plus de tactique. Maintenant vous êtes libre d'agir comme il vous plaira, de dire *oui* ou de dire *non*. Voilà ma nouvelle tactique. Et pour ce qui est de *notre* affaire, je ne vous en parlerai que lorsque vous-même m'en donnerez l'ordre. Vous riez ? A votre aise. Moi aussi je ris. Mais je parle sérieusement maintenant, sérieusement, sérieusement ; bien que celui qui se dépêche toujours soit un homme dénué de tout talent, n'est-il pas vrai ? Mais qu'importe que j'aie ou non du talent, je parle sérieusement, très sérieusement. »

Et en effet, il parlait sérieusement, d'un ton tout différent, et semblait en proie à une étrange émotion, si bien que Nicolaï Vsévolodovitch l'enveloppa d'un regard curieux.

« Vous dites que vous avez changé d'idée à mon égard?

— Oui, mes idées ont changé au moment même où vous avez croisé vos mains derrière le dos après le soufflet de Chatov. Mais suffit, suffit, je vous en prie ; ne me questionnez pas, je ne dirai plus rien. »

Il se leva en agitant les bras comme pour repousser les questions de son interlocuteur, mais comme celui-ci ne posait aucune question et que Piotr Stépanovitch ne voulait pas encore s'en aller, il se laissa retomber dans son fauteuil, un peu calmé.

« A propos, soit dit entre parenthèses, reprit-il immédiatement, certains prétendent que vous allez le tuer ; on a même conclu des paris à ce sujet, si bien que Lembke songeait à faire intervenir la police, mais Julie Mikhaïlovna le lui a interdit... Mais assez, assez là-dessus. Ce que j'en dis, ce n'est qu'à titre de renseignements. A propos, autre chose encore : j'ai fait déménager les Lébiadkine le jour même ; vous le savez ? Avez-vous reçu mon mot avec leur nouvelle adresse ?

— Oui.

— Et cela, je l'ai fait non par « sottise », mais pour vous être agréable, en toute sincérité. S'il y eut sottise de ma part, l'intention était sincère.

— Peut-être était-ce nécessaire..., remarqua d'un air songeur Nicolaï Vsévolodovitch, mais ne m'adressez plus de billets, je vous en prie.

— Il était impossible de faire autrement, c'est la dernière fois.

— Lipoutine est au courant donc?

— Il a bien fallu le lui dire ; mais vous savez vous-même que Lipoutine n'ose pas... A propos, il faudrait aller chez les *nôtres*, chez *eux*, veux-je dire, pas chez les *nôtres*, car vous allez de nouveau me chercher chicane. Mais soyez tranquille, pas aujourd'hui, plus tard, un jour ou l'autre. Il pleut en ce moment. Je les préviendrai, ils se réuniront et nous irons les voir un soir. Ils sont là, le bec ouvert, comme de jeunes corneilles après leur pitance, à attendre la belle surprise que nous leur avons apportée. Et quelle ardeur! Ils préparent leurs livres, ils s'apprêtent à discuter. Virguinsky est un humanitaire; Lipoutine, un fouriériste avec un fort penchant pour les méthodes policières. Je dois dire que c'est un homme précieux sous certains rapports, mais qu'il faut surveiller. Puis il y a encore l'homme aux longues oreilles : celui-là se prépare à nous développer son propre système. Et vous savez, ils sont froissés que je les traite avec désinvolture et verse de l'eau froide sur leur enthousiasme. Hé! Hé!... Mais il faudra absolument aller les voir.

— Vous leur avez sans doute parlé de moi comme d'un chef? laissa tomber négligemment Nicolaï Vsévolodovitch. Piotr Stépanovitch lui jeta un regard rapide.

— A propos, dit-il feignant de n'avoir pas entendu la question et passant aussitôt à un autre sujet, à propos, vous savez que je suis passé deux ou trois fois chez Varvara Pétrovna et que j'ai été obligé de lui raconter toutes sortes de choses?

— Je me l'imagine.

— Non, n'imaginez rien. J'ai simplement dit que vous ne tueriez pas Chatov, et d'autres choses de ce genre. Mais figurez-vous que dès le lendemain elle savait déjà que j'avais installé Maria Timophéïevna au-delà de la rivière. C'est vous qui le lui avez dit.

— Je n'y ai même pas songé.

— Je le pensais bien. Mais qui donc alors a pu le lui dire ?

— Lipoutine, bien entendu.

— Non, ce n'est pas Lipoutine, murmura Piotr Stépanovitch l'air soudain préoccupé. Mais je saurai qui. Chatov peut-être... Du reste, laissons là ces bêtises... Et cependant, c'est extrêmement important... A propos, j'attendais tout le temps que votre mère me posât soudain la question capitale... Ah oui ! tous ces jours-ci elle paraissait très sombre, et aujourd'hui j'arrive, et que vois-je ! elle rayonne. Que signifie cela ?

— C'est parce que je lui ai promis aujourd'hui de demander la main de Lisavéta Nicolaïevna dans cinq jours, lâcha Nicolaï Vsévolodovitch avec une franchise inattendue.

— Ah oui... en ce cas, certainement..., balbutia Piotr Stépanovitch désarçonné. Vous savez qu'on parle de ses fiançailles ? Mais vous avez raison, à votre premier appel elle quittera l'autre, même si elle se trouvait déjà devant l'autel. Vous n'êtes pas mécontent que je parle ainsi ?

— Non.

— Je remarque qu'il est très difficile de vous fâcher aujourd'hui, et je commence à avoir peur de vous. Je suis très curieux de savoir quelle attitude vous adopterez demain, quand vous vous montrerez. Vous avez sûrement préparé toutes sortes de trucs. Cela vous fâche-t-il que je m'exprime ainsi ? »

Nicolaï Vsévolodovitch ne répondit pas, ce qui porta à son comble l'irritation de Piotr Stépanovitch.

« A propos, est-ce sérieux ce que vous avez dit à votre mère au sujet de Lisavéta Nicolaïevna ? »

Nicolaï Vsévolodovitch le fixa froidement.

« Ah oui, je comprends, ce n'était que pour la tranquilliser.

— Et si je parlais sérieusement ? demanda d'un ton ferme Nicolaï Vsévolodovitch.

— Eh bien, je vous dirais : que Dieu vous soit en aide, selon l'expression consacrée. Cela ne nuira en rien à l'affaire (vous voyez, je n'ai pas dit : « *à notre* affaire », ce mot « notre » ne vous plaît pas)... Quant à moi... eh bien, quant à moi, je suis... je suis à votre disposition, vous le savez bien.

— Vous croyez ?

— Je ne crois rien, absolument rien, se hâta de répondre Piotr Stépanovitch en riant. Parce que je sais que vous prévoyez tous les détails de vos affaires personnelles, et que tout est fixé d'avance chez vous. Je veux simplement vous dire que je suis à votre disposition, sincèrement, partout et toujours, et dans toutes les occasions, dans toutes, vous me comprenez ? »

Nicolaï Vsévolodovitch bâilla.

« Vous avez assez de moi », dit Piotr Stépanovitch en se levant brusquement ; il saisit son chapeau rond tout neuf comme s'il voulait partir ; mais il ne s'en alla pas et continua de parler sans arrêt. De temps à autre il faisait quelques pas dans la chambre en se frappant le genou de son chapeau.

« Je comptais encore vous raconter quelques histoires amusantes sur les Lembke, s'écria-t-il gaîment.

— Non, une autre fois... Mais à propos, comment va Julie Mikhaïlovna ?

— Ce que c'est que les habitudes mondaines! Que vous fait la santé de Julie Mikhaïlovna ? et cependant vous vous en informez. Cela me plaît. Elle se porte bien et a pour vous un respect qui va jusqu'à la superstition ; elle attend de vous de grandes choses. Pour ce qui est des événements de dimanche, elle n'en souffle mot, étant persuadée qu'il vous suffira de paraître pour triompher de vos ennemis. Je vous le jure, elle s'imagine que vous êtes tout-puissant. Du reste, vous êtes devenu un personnage encore plus énigmatique et romanesque qu'autrefois. Situation très avantageuse. Tout le monde attend votre apparition avec une impatience folle. Les esprits étaient déjà très échauffés quand je suis parti ; maintenant, ils le sont encore davantage. A propos, merci encore une fois pour la lettre. Ils ont tous terriblement peur du comte K... Savez-vous qu'ils vous considèrent, je crois, comme un espion ? Je les encourage ; vous ne m'en voulez pas ?

— Non.

— C'est très important pour l'avenir. Ils ont ici leurs petites idées. Je les approuve, bien entendu. Julie Mikhaïlovna est à leur tête ; puis il y a Gaganov... Vous riez ? J'ai ma tactique, vous savez. Je parle, je parle, et soudain je lance une phrase intelligente, et précisément au moment où ils l'attendent. On s'empresse autour de moi, et je recommence à divaguer. Aussi personne ne m'en veut plus maintenant : « C'est un garçon doué, » dit-on, mais il est tombé de la lune. » Lembke me propose d'entrer dans l'administration, afin que je me corrige. Si vous saviez comme je le traite! Je le compromets à tel point qu'il en est tout ahuri ; quant à Julie Mikhaïlovna, elle m'encourage. A propos, Gaganov est très monté contre vous. Hier, à Doukhovo, il m'a parlé de vous en très mauvais termes. Je lui ai raconté immédiatement toute la vérité, c'est-à-dire, bien entendu, une partie seulement de la vérité. J'ai passé toute une journée chez lui. Magnifique propriété, belle maison.

— Comment, il est donc encore à Doukhovo? dit vivement Nicolaï Vsévolodovitch en se redressant sur son divan.

— Non, il m'a ramené ce matin ; nous sommes rentrés ensemble, proféra négligemment Piotr Stépanovitch en feignant de ne pas remarquer la soudaine émotion de Stavroguine. — Tiens, j'ai fait tomber un livre. — Il se baissa et ramassa le volume. — *Les femmes de Balzac*, avec gravures. — Il ouvrit le livre. — Je n'ai pas lu ça. Lembke écrit aussi des romans.

— Vraiment? demanda Nicolaï Vsévolodovitch comme si cela l'intéressait.

— En russe, et, bien entendu, en cachette. Julie Mikhaïlovna le sait d'ailleurs et le lui permet. Quelle ganache! Cependant il a de l'allure : l'habitude de l'autorité. Quelle tenue ont ces gens-là! quelle stricte observation des formes! Voilà ce qui nous manque.

— Vous chantez les louanges de l'administration?

— Et comment donc! C'est la seule chose qui soit au point en Russie... Mais je ne dis plus rien, je ne dis plus rien, s'écria-t-il. Plus un mot sur ces sujets délicats... D'ailleurs, je m'en vais. Quelle mauvaise mine vous avez!

— J'ai la fièvre.

— Vous en avez l'air. Couchez-vous. A propos, il y a des Skoptzy [1] dans le district, des gens bien curieux... Je vous raconterai plus tard. Du reste, une petite anecdote encore. Il y a un régiment d'infanterie non loin d'ici. Vendredi soir, à B..., nous avons bu avec les officiers. Il y a là trois de nos amis, *vous comprenez?* On a parlé athéisme, et Dieu a été liquidé, bien entendu. A propos, Chatov affirme que si l'on veut faire la révolution en Russie, il faut absolument commencer par l'athéisme. Peut-être est-ce vrai. Il y avait là un capitaine à cheveux gris, un vieux briscard, qui ne disait mot, et le voilà soudain qui vint se planter au milieu de la chambre et dit comme s'il se parlait à lui-même : « Si Dieu » n'existe pas, que signifie alors mon grade de capi- » taine ? » Il prit sa casquette, haussa les épaules d'un air perplexe et sortit.

— Il a exprimé là une idée assez juste, remarqua Nicolaï Vsévolodovitch en bâillant pour la troisième fois.

— Vraiment ? Je n'ai pas compris et voulais vous le demander. Que vous raconter encore ?... Ah oui, la fabrique des Chpigouline, c'est très intéressant. Il y a là, comme vous le savez, cinq cents ouvriers. Un foyer de choléra. La fabrique n'a pas été nettoyée depuis quinze ans, les patrons, des millionnaires, rognent sur les salaires des ouvriers. Je vous assure que quelques-uns de ceux-ci ont une certaine idée de l'*Internationale*. Pourquoi souriez-vous ? Vous verrez. Donnez-moi seulement le temps, un peu de temps. Je vous ai déjà demandé un délai ; je vous en demande encore un, et alors... Du reste, excusez-moi. Je me tais, je me tais. Ne froncez pas les sourcils. Je m'en vais d'ailleurs... Mais... — Il revint sur ses pas. — J'ai oublié le principal : on vient de me dire que notre malle est arrivée de Pétersbourg.

— Notre malle ? demanda Nicolaï Vsévolodovitch surpris.

— C'est-à-dire, votre malle, avec vos effets, habits, pantalons, linge. Est-elle arrivée ?

— Oui, on m'a parlé de cela tout à l'heure.

— En ce cas, ne pourrait-on... ?

— Demandez à Alexéï.

— Demain alors, n'est-ce pas ? Il y a là parmi vos

effets un veston, ainsi qu'un habit et trois pantalons que Charmeur [1] m'a faits sur votre recommandation. Vous en souvenez-vous ?

— J'ai entendu dire que vous jouiez ici au dandy, fit en souriant Nicolaï Vsévolodovitch. Est-ce vrai que vous voulez prendre des leçons d'équitation ? »

Piotr Stépanovitch eut un sourire crispé.

« Savez-vous, Nicolaï Vsévolodovitch, bredouilla-t-il d'une voix entrecoupée et frémissante, ne faisons pas de personnalités, convenons-en une fois pour toutes, hein ? Vous pouvez me mépriser tant qu'il vous plaira si cela vous amuse, mais il vaut mieux laisser de côté les personnalités, au moins pour quelque temps, n'est-ce pas ?

— Bien, je ne le ferai plus, répondit Nicolaï Vsévolodovitch. Piotr Stépanovitch eut un petit sourire ; il frappa son genou de son chapeau, fit quelques pas et reprit son air accoutumé.

— Certains me considèrent même comme votre rival auprès de Lisavéta Nicolaïevna. Comment voudriez-vous que je ne m'occupe pas de ma toilette ! fit-il en riant. Mais qui donc vous renseigne-t-il ? Hum !... huit heures juste. Allons, je pars. J'ai promis à Varvara Pétrovna de passer chez elle, mais j'y renonce. Et vous, couchez-vous ; demain cela ira mieux. Il fait noir dehors et il pleut ; mais j'ai un fiacre ; la nuit, les rues ne sont pas sûres. Ah ! à ce propos. Il rôde ici et dans les environs un certain Fédka, un forçat évadé de Sibérie, un de mes anciens serfs, figurez-vous, que mon père, ayant besoin d'argent, vendit comme soldat il y a une quinzaine d'années. Un personnage vraiment remarquable.

— Vous... vous lui avez parlé ? demanda Nicolaï Vsévolodovitch en levant les yeux sur son visiteur.

— Oui. Il ne se cache pas de moi. Il est prêt à tout, à

tout, pour de l'argent cela va de soi ; mais il a aussi des convictions, à sa manière bien entendu. Ah oui, à propos : si vous parliez sérieusement tout à l'heure de vos projets concernant Lisavéta Nicolaïevna, je vous rappelle encore une fois que moi aussi je suis prêt à tout pour vous, dans toutes les occasions, comme vous l'entendrez ; je suis à votre service... Qu'avez-vous ? vous cherchez votre canne ? Ah non, ce n'est pas ça !... Figurez-vous que je croyais que vous cherchiez votre canne. »

Nicolaï Vsévolodovitch ne cherchait rien et ne disait mot, mais il s'était redressé brusquement et une expression étrange avait paru sur son visage.

« Si vous aviez besoin aussi de mon aide dans l'affaire Gaganov, lança Piotr Stépanovitch en désignant sans plus se gêner la lettre et l'enveloppe sous le presse-papier, je vous préviens que je peux arranger les choses et je compte bien que vous aurez recours à moi. »

Sur ces mots il sortit sans attendre la réponse de Stavroguine, mais aussitôt après il passa sa tête par la porte entrouverte.

« Je vous dis cela, cria-t-il précipitamment, parce que Chatov n'avait pas le droit non plus de risquer sa vie dimanche, quand il s'approcha de vous, n'est-ce pas ? Je voudrais que vous en preniez bonne note. »

Il disparut.

IV

Peut-être Verkhovensky s'imaginait-il en sortant que Nicolaï Vsévolodovitch, une fois seul, démolirait tout autour de lui. Il aurait bien voulu sans doute assister à cet accès de fureur. Mais son espoir eût été déçu : Nicolaï Vsévolodovitch demeura calme. Il resta une ou deux minutes debout près de la table, dans la même attitude, l'air songeur ; puis un sourire morne et froid crispa ses lèvres. Il s'assit lentement sur le divan, à la même place, dans le coin, et ferma les yeux comme s'il se sentait fatigué. La lettre apparaissait toujours sous le presse-papier, mais il ne fit pas un geste pour la dissimuler.

Bientôt il s'assoupit. Varvara Pétrovna que tourmentait depuis quelques jours l'inquiétude, ne put résister au désir de voir son fils, et lorsqu'elle apprit que Piotr Stépanovitch était parti malgré la promesse qu'il lui avait faite, elle se décida à aller voir Nicolas en dépit de l'heure indue. Ne lui parlerait-il pas finalement d'une façon claire et définitive ? Elle frappa à sa porte timidement, comme tantôt, et n'obtenant nulle réponse, elle entra. Lorsqu'elle l'aperçut étrangement immobile, le cœur battant elle s'approcha à pas légers du divan. Ce qui la frappait, c'était qu'il se fût endormi si vite après le départ de Piotr Stépanovitch et qu'il pût dormir dans une position incommode, assis bien droit, et en gardant une immobilité complète : à peine si l'on percevait sa respiration. Son visage était pâle et sévère, et comme pétrifié ; les sourcils étaient légèrement froncés. A cette minute il ressemblait réellement à une figure de cire. Elle resta ainsi penchée sur lui quelques instants en retenant son souffle ; et soudain elle eut peur. Elle s'éloigna sur la pointe des pieds, mais s'arrêta sur le seuil, se retourna, traça rapidement le signe de la croix sur le dormeur, et quitta la pièce le cœur lourd d'une nouvelle angoisse.

Nicolaï Vsévolodovitch resta plongé dans le même engourdissement plus d'une heure ; pas un muscle de son visage ne tressaillait, nul mouvement n'animait son corps ; les sourcils froncés il gardait son masque sévère. Si Varvara Pétrovna était restée quelques minutes de plus, elle n'aurait certainement pu supporter l'impression écrasante de cette immobilité léthargique, et aurait réveillé son fils. Soudain, il ouvrit de lui-même les yeux, mais resta immobile une dizaine de minutes encore, fixant obstinément du regard un coin de la chambre comme s'il y distinguait quelque objet étrange, bien qu'il ne s'y trouvât rien de particulier.

Enfin la grosse horloge sonna un coup de son timbre doux et profond. Nicolaï Vsévolodovitch tourna la tête vers le cadran non sans une certaine inquiétude, mais presque au même instant la porte qui donnait sur le corridor s'ouvrit et Alexéï Égorytch, le maître d'hôtel, entra dans la chambre. Il portait sur son bras gauche un manteau, une écharpe et un chapeau, et tenait de la main droite un plateau d'argent sur lequel se trouvait une lettre.

« Neuf heures et demie, annonça-t-il à mi-voix, et ayant déposé les vêtements sur une chaise, il présenta à son maître le billet non cacheté qui ne contenait que deux lignes écrites au crayon. Les ayant lues, Nicolaï Vsévolodovitch prit un crayon sur la table, griffonna quelques mots au bas du billet et le déposa sur le plateau.

— A remettre aussitôt après mon départ, dit-il en se levant du divan. Et maintenant, aide-moi à m'habiller. »

Remarquant qu'il avait sur lui un léger veston de velours, il réfléchit un instant et se fit apporter une redingote de drap qu'il mettait pour sortir le soir en ville. Sa toilette achevée, il mit son chapeau, ferma à clef la porte par laquelle sa mère était entrée, retira de dessous le presse-papier la lettre qu'il avait cachée et sortit en silence dans le corridor, suivi d'Alexéï Égorytch. Par un étroit escalier de pierre, ils parvinrent à une sortie qui débouchait directement dans le jardin, et où l'on avait préparé d'avance une lanterne et un grand parapluie.

« Il a tellement plu que les rues sont devenues presque impraticables, dit timidement Alexéï Égorytch essayant ainsi une dernière fois de détourner son maître du voyage qu'il allait entreprendre. Mais Nicolaï Vsévolodovitch ouvrit son parapluie sans répondre et s'engagea dans le vieux parc humide, noir comme une cave. Le vent sifflait et agitait les cimes des arbres déjà presque complètement dénudés. Les étroits sentiers sablés étaient glissants et détrempés. En frac et nu-tête, tel qu'il était entré tout à l'heure chez son maître, Alexéï Égorytch le précédait de trois pas en éclairant le chemin.

— Ne peut-on nous voir ? demanda Nicolaï Vsévolodovitch.

— Impossible de rien distinguer des fenêtres ; de plus, toutes les précautions ont été prises, répondit le domestique d'un ton calme et mesuré.

— Ma mère est-elle couchée ?

— Elle s'est enfermée chez elle à neuf heures précises, selon son habitude depuis quelques jours. A quelle heure dois-je vous attendre ? ajouta-t-il, s'enhardissant à questionner son maître.

— A une heure, une heure et demie, deux heures au plus tard.

— A vos ordres. »

Ayant parcouru presque tout le parc par des chemins sinueux que tous les deux connaissaient bien, ils atteignirent le mur de pierre et trouvèrent la poterne qui donnait sur une ruelle obscure et étroite, et qui était presque toujours fermée à clef ; mais cette clef se trouvait cette fois entre les mains d'Alexéï Égorytch.

« Pourvu que la porte ne grince pas », dit Nicolaï Vsévolodovitch.

Mais Alexéï Égorytch répondit qu'il l'avait huilée la veille, « ainsi qu'aujourd'hui ». Il était déjà tout trempé. Ayant ouvert la poterne, il en remit la clef à Nicolaï Vsévolodovitch.

« Si Monsieur a l'intention d'aller loin, je me permets de prévenir Monsieur, que les gens d'ici sont peu sûrs, surtout ceux qui rôdent dans les ruelles écartées ; et, en particulier, de l'autre côté de la rivière, ne put-il s'empêcher d'ajouter. C'était un vieux serviteur qui avait autrefois tenu entre ses bras Nicolaï Vsévolodovitch, un homme sérieux, austère même, lecteur assidu des saintes Écritures.

— Ne t'inquiète pas, Alexéï Égorytch.

— Que Dieu vous bénisse, Monsieur, mais seulement si vous entreprenez une bonne action.

— Comment ? » — Nicolaï Vsévolodovitch qui avait déjà passé le seuil s'arrêta brusquement.

Alexéï Égorytch répéta d'une voix ferme son souhait. Jamais auparavant il n'eût osé l'exprimer à son maître en de tels termes.

Nicolaï Vsévolodovitch ferma la porte, glissa la clef dans sa poche et suivit en pataugeant dans la boue une ruelle qui le conduisit jusqu'à une rue longue et déserte, mais pavée. Stavroguine connaissait parfaitement la ville, mais la rue de l'Épiphanie était fort éloignée de son domicile, aussi était-il déjà plus de dix heures quand il s'arrêta enfin devant la porte cochère, fermée à cette heure, de la vieille maison Philippov. Depuis le départ des Lébiadkine, le rez-de-chaussée était inhabité, et l'on en avait condamné les fenêtres avec des planches.

Mais la mansarde de Chatov était éclairée. Comme il n'y avait pas de sonnette, Nicolaï Vsévolodovitch donna quelques coups de poing dans la porte. Une lucarne s'ouvrit et Chatov se pencha pour essayer de reconnaître le visiteur ; mais les ténèbres étaient si épaisses qu'il était bien difficile d'y voir.

« C'est vous? demanda-t-il enfin au bout d'une minute.

— Oui », répondit le visiteur inattendu.

Chatov referma la lucarne, descendit et ouvrit la porte. Nicolaï Vsévolodovitch franchit le seuil, passa en silence devant Chatov et se dirigea droit vers le petit pavillon qu'occupait Kirilov.

V

Tout ici était ouvert au large. L'antichambre et les deux premières pièces étaient obscures, mais la dernière, où habitait Kirilov et où il prenait le thé, était éclairée et il s'en échappait des rires et d'étranges exclamations. Nicolaï Vsévolodovitch alla vers la lumière, mais s'arrêta sur le seuil. Le thé était servi. Au milieu de la chambre se tenait une vieille femme, une parente de Philippov. La tête découverte, les pieds nus dans ses souliers, vêtue simplement d'une jupe et d'un gilet en peau de lapin, elle portait sur les bras un enfant d'environ dix-huit mois, en chemise, les jambes nues ; ses joues vermeilles, ses cheveux blonds ébouriffés laissaient supposer qu'on venait de l'enlever de son berceau. Il avait dû pleurer sans doute, de petites larmes perlaient encore sur ses cils. Mais en ce moment il agitait ses menottes et riait comme rient les bébés, en s'étranglant presque. Debout devant l'enfant, Kirilov jetait contre le plancher une grosse balle rouge ; la balle rebondissait jusqu'au plafond et retombait, l'enfant criait : « Ba... ba! » Kirilov rattrapait la « ba » et la donnait à l'enfant qui la jetait à son tour de ses petites mains maladroites ; Kirilov courait après elle, la ramassait. Enfin la « ba » roula sous l'armoire. « Ba! ba! » criait l'enfant. Kirilov s'allongea par terre à plat ventre pour essayer de saisir la balle. Nicolaï Vsévolodovitch entra dans la chambre ; à sa vue l'enfant éclata en sanglots et se blottit contre la vieille qui se dépêcha de l'emporter.

« Stavroguine? dit Kirilov en se relevant, la balle à la main, et sans paraître le moins du monde étonné de cette visite inattendue. Voulez-vous du thé? »

Il se mit debout.

« Ce n'est pas de refus, surtout s'il est chaud. Je suis trempé.

— Il est chaud, brûlant même, dit Kirilov visiblement heureux. Asseyez-vous. Vous avez apporté de la boue ; ce n'est rien. J'essuierai plus tard le plancher avec un torchon humide. »

Nicolaï Vsévolodovitch s'assit et but presque d'un trait la tasse que lui avait versée Kirilov.

« Encore? demanda Kirilov.

— Merci. »

Kirilov qui jusqu'ici restait debout, s'assit en face du visiteur et demanda :

« Pourquoi êtes-vous venu?

— Pour affaire. Lisez cette lettre ; elle est de Gaganov. Vous vous souvenez? je vous en ai déjà parlé à Pétersbourg. »

Kirilov prit la lettre, la lut, puis la posa sur la table et regarda interrogativement Stavroguine.

« Ainsi que vous le savez, commença Nicolaï Vsévolodovitch, j'ai vu pour la première fois ce Gaganov à

Pétersbourg, il y a un mois de cela. Nous nous sommes rencontrés deux ou trois fois en société. Nous ne fîmes pas connaissance et il ne m'adressa jamais la parole, ce qui ne l'empêcha pas de se montrer insolent à mon égard. Je vous l'ai dit alors. Mais vous ne savez pas la suite. En quittant Pétersbourg peu de temps avant moi, il m'envoya une lettre, moins grossière que celle-ci, mais déjà fort inconvenante et qui me surprit d'autant plus que j'y cherchai en vain les raisons pour lesquelles il me l'avait écrite. Je lui répondis aussitôt et l'assurai en toute sincérité que si, comme je le supposais, il s'agissait de l'incident survenu entre son père et moi quatre ans auparavant, au club, j'étais prêt à lui présenter toutes mes excuses, d'autant plus que mon acte n'avait pas été prémédité et que j'étais malade à cette époque. Je lui demandai donc de tenir compte de ces circonstances. Il ne me répondit pas et partit. Et voilà maintenant que je le retrouve ici fou de rage contre moi. On m'a rapporté à diverses reprises les propos injurieux qu'il tient en public sur mon compte en m'accusant de choses incroyables. Aujourd'hui enfin, on me remet cette lettre ; personne, je crois, n'en a jamais reçu de pareille ; une lettre pleine d'injures et d'expressions comme celle-ci : « votre gueule à gifles ». Je suis venu vous trouver dans l'espoir que vous ne refuseriez pas de me servir de témoin.

— Vous dites : personne n'a jamais reçu de lettre pareille, observa Kirilov. Dans un accès de rage, c'est possible. Cela arrive, maintes fois. Pouchkine a écrit à Hekern. C'est bon, j'irai. Que faut-il dire ? »

Nicolaï Vsévolodovitch demanda à Kirilov de passer le lendemain chez Gaganov. Il devait commencer par renouveler les excuses de Stavroguine qui était même prêt à écrire une seconde lettre d'excuses, mais à condition toutefois que Gaganov promît de son côté de ne plus lui écrire de lettres injurieuses ; quant à la dernière lettre de Gaganov, elle serait en ce cas considérée comme nulle et non avenue.

« Trop de concessions, il n'acceptera pas, observa Kirilov.

— Je voudrais avant tout savoir si vous consentez à lui transmettre de telles conditions.

— Je les lui transmettrai. C'est votre affaire. Mais il n'acceptera pas.

— Je le sais.

— Il veut se battre. Dites-moi vos conditions pour le duel.

— Je voudrais que tout soit terminé demain ; c'est l'essentiel. Vous serez chez lui vers neuf heures. Il vous écoutera, repoussera vos propositions, mais vous mettra en rapport avec son témoin, vers onze heures, admettons. Vous conviendrez avec ce dernier de façon à ce que vers une ou deux heures nous puissions nous trouver tous sur le terrain. Tâchez, je vous en prie, d'arranger les choses comme je vous le demande. L'arme sera le pistolet, bien entendu ; je tiens surtout aux conditions suivantes : les barrières seront à dix pas l'une de l'autre, et vous nous placez, chacun à dix pas de sa barrière. Au signal convenu, nous allons l'un vers l'autre ; chacun doit aller jusqu'à sa barrière, mais peut tirer avant de l'atteindre, en marche. C'est tout, je crois.

— Dix pas entre les barrières, c'est peu, dit Kirilov.

— Disons douze alors, mais pas davantage ; vous comprenez qu'il veut un duel sérieux. Saurez-vous charger les pistolets ?

— Oui. J'ai des pistolets. Je donnerai ma parole que vous ne vous en êtes jamais servi ; son témoin fera de même pour les siens. Cela fait deux paires donc, et nous tirerons au sort.

— Parfait.

— Voulez-vous voir mes pistolets?

— Je veux bien. »

Kirilov s'accroupit devant sa valise qu'il n'avait pas encore défaite et dont il sortait les objets au fur et à mesure qu'il en avait besoin. Il en retira un coffret en bois de palmier garni à l'intérieur de velours rouge ; il contenait une paire d'excellents pistolets qui devaient coûter fort cher.

« J'ai tout ce qu'il faut : de la poudre, des balles, des cartouches. De plus, j'ai encore un revolver. Attendez! »

Il se mit de nouveau à fouiller dans sa valise et en sortit un revolver américain à six coups dans son étui.

« Vous avez beaucoup d'armes, et des armes chères.

— Oui, très chères. »

Pauvre, presque indigent, Kirilov qui, du reste, ne remarquait même pas sa pauvreté, tirait manifestement orgueil de ses belles armes achetées sans doute au prix de lourds sacrifices.

« Vous êtes toujours dans les mêmes dispositions? demanda Stavroguine après un court silence et non sans une certaine hésitation.

— Oui, répondit Kirilov ayant immédiatement compris au ton du visiteur de quoi il s'agissait. Il se mit à ranger ses armes.

— Et quand?... » s'informa après un nouveau silence et avec plus de circonspection encore Stavroguine.

Ayant remis le coffret et l'écrin dans la valise, Kirilov avait repris sa place.

« Cela ne dépend pas de moi, comme vous le savez ; quand on me le dira », balbutia-t-il comme si la question le gênait un peu ; et cependant, il était visiblement prêt à répondre aux questions qui suivraient. Il fixait Stavroguine de ses yeux noirs sans éclat, et son regard était calme, mais doux et bienveillant.

Il y eut long silence.

« Je comprends certainement cela, le suicide, reprit Stavroguine d'un air songeur ; son visage s'était assombri. J'y ai souvent pensé ; mais alors il me venait une nouvelle idée : si l'on commettait un crime, ou plutôt quelque action honteuse, une vilenie, particulièrement lâche et... ridicule, quelque chose dont les hommes se souviendraient pendant des siècles et qui dans mille ans encore provoquerait leur dégoût... Et tout à coup cette pensée : « Une balle dans la tête et plus rien n'existe. » Qu'importe les hommes alors et leurs crachats? n'est-il pas vrai?

— Et vous appelez cela une idée nouvelle? demanda Kirilov après un instant de réflexion.

— Je... ne dis pas qu'elle est nouvelle, mais quand elle m'apparut, je la sentis nouvelle.

— Vous avez « senti » l'idée? insista Kirilov. C'est bien. Il y a ainsi nombre de pensées qui existaient toujours et qui apparaissent soudain nouvelles. C'est exact. Je vois maintenant beaucoup de choses comme pour la première fois.

— Admettons que vous ayez vécu dans la lune, interrompit Stavroguine sans l'écouter et continuant de développer son idée. Vous avez accompli là-bas l'une de ces actions lâches et ridicules. Étant ici maintenant, vous savez très bien qu'on rira de vous là-bas et que l'on vous couvrira de boue pendant des siècles, éternellement, tant que durera la lune. Mais vous êtes sur la terre et c'est d'ici que vous regardez la lune : que vous importe toutes les saletés que vous avez commises là-haut et que les lunaires crachent sur vous pendant des siècles! N'est-il pas vrai?

— Je ne sais pas, répondit Kirilov. Je n'ai pas été dans la lune, ajouta-t-il sans la moindre intention ironique, mais uniquement pour établir un fait.

— A qui est cet enfant?

— A la belle-mère de la vieille ; non, à sa belle-fille... peu importe. Elle est arrivée, il y a trois jours. Elle est malade, au lit. L'enfant crie beaucoup la nuit. Le ventre. Sa mère dort. La vieille me l'apporte. Je jette la balle. Une balle de Hambourg. Je l'ai achetée à Hambourg pour la lancer et la rattraper : cela fortifie le dos. C'est une petite fille.

— Vous aimez les enfants?

— Oui, répondit Kirilov d'un ton assez indifférent du reste.

— Par conséquent, vous aimez aussi la vie?

— Oui, j'aime la vie ; pourquoi?

— Mais vous êtes décidé à vous brûler la cervelle.

— Eh bien? quel rapport y a-t-il? La vie est une chose, la mort en est une autre. La vie existe, et la mort n'existe pas.

— Vous croyez donc maintenant à la vie future éternelle?

— Non, pas à la vie future éternelle, mais à la vie éternelle ici même. Il est des instants, vous arrivez à des instants où le temps s'arrête soudain et le présent devient éternité.

— Vous espérez parvenir à cet instant?

— Oui.

— Je ne pense pas que cela soit possible de notre temps, observa Nicolaï Vsévolodovitch, sans ironie lui non plus. Il parlait lentement, l'air absorbé. — Dans l'Apocalypse, l'Ange jure que le temps ne sera plus.

— Je le sais. Et c'est exact. C'est dit d'une façon nette, précise. Quand l'homme tout entier aura atteint le bonheur, le temps ne sera plus, parce qu'il ne sera plus nécessaire.

— Où disparaîtra-t-il ?

— Nulle part. Le temps n'est pas un objet, mais une idée qui s'éteindra.

— Ce ne sont que de vieux lieux communs philosophiques, toujours les mêmes depuis le commencement des siècles, murmura Stavroguine avec une sorte de regret méprisant.

— Oui, toujours les mêmes, depuis le commencement des siècles, et il n'y en aura jamais d'autres! s'écria Kirilov, et ses yeux s'allumèrent soudain, comme si cette idée était déjà une garantie de victoire.

— Vous paraissez très heureux, Kirilov ?

— Oui, très heureux, répondit celui-ci, comme s'il prononçait des paroles fort ordinaires.

— Cependant, il y a peu de temps encore vous étiez de mauvaise humeur, vous étiez irrité contre Lipoutine...

— Hum... maintenant je ne le suis plus. Alors, je ne savais pas encore que j'étais heureux. Avez-vous vu une feuille, une feuille d'arbre ?

— Certainement.

— J'en vis une dernièrement, jaunie, avec un peu de vert encore, les bords légèrement pourris. Le vent la chassait. Quand j'avais dix ans, l'hiver, je fermais exprès les yeux et me représentais une feuille verte, brillante, avec ses nervures, sous le soleil. J'ouvrais les yeux et ne croyais pas à la réalité. Ce que j'avais vu était trop beau. Et je fermais de nouveau les yeux.

— C'est une allégorie ?

— Non... pourquoi ? Ce n'est pas une allégorie. C'est

une feuille, tout simplement. Une feuille, c'est bien. Tout est bien.

— Tout ?

— Tout. L'homme est malheureux parce qu'il ne sait pas qu'il est heureux. Uniquement pour cela. Tout est là. Absolument tout. Celui qui le saura, deviendra aussitôt heureux, à l'instant même. La belle-fille va mourir, l'enfant vivra, tout est bien. Je l'ai découvert brusquement.

— Et si l'on meurt de faim, si l'on fait du mal à une petite fille, si on la déshonore, est-ce bien aussi ?

— Oui. Et si quelqu'un fend le crâne à celui qui a déshonoré l'enfant, c'est bien. Et si on ne le lui fend pas, c'est bien aussi. Tout est bien, tout. Et ceux-là sont heureux qui savent que tout est bien. S'ils savaient qu'ils sont heureux, ils seraient heureux ; mais tant qu'ils ne savent pas qu'ils sont heureux, ils ne sont pas heureux. Voilà toute l'idée, l'idée tout entière, et il n'y en a pas d'autre.

— Quand avez-vous découvert que vous étiez heureux ?

— La semaine dernière, mardi, non, mercredi, car c'était déjà la nuit.

— A quelle occasion ?

— Je ne m'en souviens pas. Je marchais de long en large dans la chambre... Qu'importe ! J'ai arrêté ma montre : il était deux heures trente-cinq.

— Comme signe que le temps devait s'arrêter ?

Kirilov ne répondit pas.

— Ils ne sont pas bons, reprit-il tout à coup, parce qu'ils ne savent pas qu'ils sont bons. Quand ils le sauront, ils ne violeront pas la petite fille. Il faut qu'ils sachent qu'ils sont bons, et aussitôt ils deviendront tous bons, tous, jusqu'au dernier.

— Eh bien, vous, vous le savez maintenant, vous êtes donc bon ?

— Oui, je suis bon.

— Pour cela, je suis d'accord avec vous, murmura Stavroguine le visage sombre.

— Celui qui enseignera aux hommes qu'ils sont tous bons, celui-là terminera l'histoire du monde.

— Celui qui l'enseigna, on l'a crucifié.

— Il viendra et son nom sera le Dieu-Homme.

— L'Homme-Dieu ?

— Le Dieu-Homme, c'est en cela qu'est la différence.

— Ne serait-ce pas vous, par hasard, qui avez allumé la veilleuse devant l'icône ?

— Oui, c'est moi.

— Vous croyez maintenant ?

— La vieille aime que la veilleuse... et elle n'a pas eu le temps aujourd'hui, balbutia Kirilov.

— Et vous, vous ne priez pas encore ?

— Je prie toujours. Voyez cette araignée qui grimpe au mur ! Je la regarde et je lui suis reconnaissant de ce qu'elle soit là. »

Ses yeux brillaient de nouveau, et il fixait Stavroguine d'un regard fier et inflexible. Stavroguine, l'air sombre, le considérait avec une sorte de dégoût, mais sans la moindre ironie.

« Je parie que la prochaine fois que je viendrai vous croirez déjà en Dieu, dit-il en se levant et en prenant son chapeau.

— Pourquoi ?

— Si vous saviez que vous croyez en Dieu, répondit en ricanant Stavroguine, vous croiriez en lui ; mais comme vous ne savez pas encore que vous croyez en lui, vous ne croyez pas.

— Ce n'est pas cela du tout, répliqua Kirilov après

un moment de réflexion. Vous avez renversé mon idée. Ce n'est qu'une plaisanterie d'homme du monde. Rappelez-vous, Stavroguine, ce que vous avez été pour moi.

— Adieu, Kirilov.

— Revenez me voir la nuit. Quand ?

— Auriez-vous déjà oublié notre affaire de demain ?

— Ah oui, j'ai oublié ; soyez tranquille. Je ne serai pas en retard. A neuf heures. Je puis me réveiller quand je veux. Je me couche et me dis : à sept heures, et je m'éveille à sept heures ; à dix heures, et je m'éveille à dix heures.

— Vous avez là une faculté très précieuse, observa Nicolaï Vsévolodovitch en considérant le visage pâle de Kirilov.

— Je vais vous ouvrir la porte cochère.

— Ne vous dérangez pas ; Chatov me l'ouvrira.

— Ah, Chatov ! Bien. Adieu. »

VI

La porte de la maison déserte où logeait Chatov n'était pas fermée. Mais lorsque Stavroguine entra, il se trouva dans l'obscurité et dut chercher à tâtons l'escalier qui conduisait à la mansarde. Soudain, la porte de celle-ci s'ouvrit au large et l'escalier s'éclaira ; mais Chatov ne sortit pas de sa chambre. Quand Stavroguine atteignit le dernier palier, il aperçut Chatov qui l'attendait, debout dans un coin, près de la table.

« Me recevrez-vous pour affaire ? demanda-t-il en se tenant sur le seuil de la porte.

— Entrez et asseyez-vous, répondit Chatov. Fermez la porte. Non, attendez, je la fermerai. »

Il ferma la porte à clef et s'assit en face de Nicolaï

Vsévolodovitch, derrière la table. Il avait maigri durant cette semaine et semblait avoir la fièvre.

« Comme vous m'avez tourmenté! dit-il d'une voix sourde et en baissant les yeux. Pourquoi ne veniez-vous pas ?

— Vous étiez si sûr que je viendrais ?

— Attendez... j'avais le délire... peut-être est-ce que je délire encore... Attendez. »

Il se leva et prit un objet qui se trouvait sur le bord du troisième rayon de son étagère à livres. C'était un revolver.

« J'ai rêvé une nuit que vous alliez venir me tuer, et le lendemain matin j'ai donné mes derniers sous à cette canaille de Liamchine pour ce revolver. Je voulais me défendre. Ensuite je suis revenu à moi... Je n'avais ni poudre ni balles. Depuis lors, il est resté sur cette planche. Attendez. »

Il ouvrit le vasistas.

« Ne le jetez pas, à quoi bon ? intervint Nicolaï Vsévolodovitch. Il coûte cher, et demain les gens se mettront à raconter qu'on trouve des revolvers sous les fenêtres de Chatov. Remettez-le en place. Voilà. Asseyez-vous. Dites-moi pourquoi vous semblez vous excuser d'avoir eu la pensée que je viendrais vous tuer ? Ne croyez pas que je sois venu pour me réconcilier avec vous ; je suis venu pour vous parler d'une affaire importante. Mais dites-moi d'abord : ce n'est pas à cause de ma liaison avec votre femme que vous m'avez frappé ?

— Vous savez bien que non, répondit Chatov en baissant de nouveau les yeux.

— Et ce n'est pas parce que vous avez cru aux bruits stupides concernant Daria Pavlovna ?

— Non, non, certainement non. Quelle bêtise! Ma sœur m'a dit tout de suite..., s'écria Chatov d'un ton brusque et impatient, et il frappa même le plancher du pied.

— J'ai deviné donc et vous avez deviné aussi, continua Stavroguine d'un ton calme : oui, Maria Timophéïevna Lébiadkine est ma femme légitime ; nous nous sommes mariés à Pétersbourg, il y a quatre ans de cela. C'est bien à cause d'elle que vous m'avez frappé ? »

Chatov, complètement abasourdi, écoutait en silence.

« Je l'avais deviné, et pourtant je ne voulais pas le croire, murmura-t-il enfin en considérant Stavroguine d'un air étrange.

— Et cependant vous m'avez frappé... »

Chatov devint rouge et bredouilla d'une voix entrecoupée :

« A cause de votre abaissement... de votre mensonge. Je ne me suis pas approché de vous pour vous punir... quand je me dirigeai vers vous, je ne savais pas encore que je vous frapperais... Si je vous ai frappé, c'est parce que vous avez joué un trop grand rôle dans ma vie... Je...

— Je comprends, je comprends. Cela suffit. Dommage que vous ayez la fièvre ; j'ai des choses importantes à vous communiquer.

— Il y a trop longtemps que je vous attends, s'exclama en se levant Chatov tout tremblant d'impatience. Dites votre affaire... Je parlerai aussi... après... »

Il se rassit.

« Cette affaire est d'un tout autre genre, commença Nicolaï Vsévolodovitch en l'examinant avec curiosité. Vu certaines circonstances, j'ai été obligé de choisir cette heure pour venir vous voir et vous prévenir que vous pouvez être tué. »

Chatov le regarda d'un air farouche.

« Je savais que je me trouvais peut-être sous la menace d'un danger, prononça-t-il lentement, mais comment pouvez-vous le savoir, vous ?

— Parce que je fais aussi partie de leur groupe, tout comme vous, parce que je suis membre de leur société, tout comme vous.

— Vous... vous êtes membre de leur société ?

— Je vois à vos yeux que vous vous attendiez à tout de ma part excepté à cela, dit avec un léger sourire Nicolaï Vsévolodovitch. Mais permettez, vous saviez donc déjà qu'on en veut à votre vie ?

— Je n'y ai jamais songé et ne puis l'admettre, même maintenant, malgré vos paroles... Bien qu'on ne puisse être sûr de rien avec ces imbéciles ! s'écria dans un brusque accès de fureur Chatov en frappant la table du poing. Je ne les crains pas. J'ai brisé avec eux. L'un d'eux qui est passé chez moi à quatre reprises, m'a dit que je pouvais... — Il s'arrêta et regarda Stavroguine. — Mais que savez-vous au juste ?

— Rassurez-vous, je ne vous trompe pas, reprit froidement Stavroguine de l'air de quelqu'un qui se contente de remplir une obligation. Vous voulez vous rendre compte de ce que je sais ? Je sais que vous êtes entré dans cette société avant sa réorganisation, à l'étranger, il y a deux ans, au moment de partir pour l'Amérique. C'était, je crois, aussitôt après notre dernière conversation au sujet de laquelle vous m'avez longuement écrit d'Amérique. A ce propos, excusez-moi de n'avoir pas répondu à cette lettre ; je me suis borné à...

— M'envoyer de l'argent. Attendez ! — Chatov ouvrit précipitamment un tiroir de sa table et tira de dessous des papiers un billet de cent roubles. — Voici l'argent que vous m'avez envoyé alors ; prenez-le. Sans vous j'eusse péri là-bas. Je n'aurais pu vous le rendre de longtemps sans l'intervention de votre mère : il y a neuf mois, après ma maladie, sachant ma détresse, elle m'a fait cadeau de ces cent roubles. Mais continuez, je vous en prie... »

Il étouffait.

« En Amérique vos idées ont changé et, de retour en Suisse, vous avez voulu quitter la société. Ils ne vous ont pas répondu, mais vous ont chargé de prendre livraison en Russie d'une presse d'imprimerie et de la garder ici jusqu'à ce qu'une certaine personne vienne vous la réclamer de leur part. Je ne suis pas au courant de tous les détails mais je crois que c'est bien cela en somme, n'est-il pas vrai ? Quant à vous, dans l'espoir ou à la condition que ce serait leur dernière exigence et qu'après cela on vous laisserait tranquille, vous avez accepté. Tout cela, ce n'est pas d'eux que je l'ai appris, mais par un simple hasard. Or il y a une chose que vous ne savez pas encore je crois : c'est que ces messieurs n'ont nullement l'intention de se séparer de vous.

— C'est absurde ! hurla Chatov. Je leur ai déclaré honnêtement que nous étions en désaccord sur tous les points. C'est mon droit, le droit de ma conscience, de ma pensée... Je n'admettrai pas... Nulle force ne pourra...

— Ne criez pas, interrompit Stavroguine d'un air grave. Ce Verkhovensky est capable de nous espionner ou de nous faire espionner, en ce moment même, dans votre corridor. Jusqu'à cet ivrogne de Lébiadkine qui est tenu de vous surveiller tandis qu'on vous a chargé d'agir de même envers lui, n'est-il pas vrai ? Dites-moi plutôt si Verkhovensky a admis ou non vos arguments.

— Oui, il les a admis. Il m'a dit que je pouvais les quitter, que j'en avais le droit...

— Eh bien, il vous trompe. Je sais que même Kirilov, qui n'a presque rien de commun avec eux, leur a fourni des renseignements sur vous. Or ils ont beaucoup d'agents ; certains d'entre eux ignorent même qu'ils travaillent pour la société. On n'a jamais cessé de vous surveiller. Piotr Verkhovensky est venu ici, entre autres, pour régler définitivement votre sort ; il a reçu pleins pouvoirs de vous faire disparaître au moment opportun, vu que vous savez trop de choses et pouvez dénoncer la société. Je vous répète que c'est la vérité. Et permettez-moi d'ajouter qu'ils sont, je ne sais pourquoi, absolument convaincus que vous êtes un espion, et que si vous ne les avez pas encore trahis, vous les trahirez. Est-ce vrai ? »

Chatov eut un sourire grimaçant à cette question posée du ton le plus ordinaire.

« Si même j'étais un espion, à qui les dénoncerais-je, dit-il rageusement sans répondre directement. Non, assez parlé de moi, au diable ma personne ! s'écria-t-il revenant à l'une des phrases de son interlocuteur qui l'avait particulièrement frappé, beaucoup plus, visiblement, que la nouvelle du danger qu'il courait. Comment vous, vous, Stavroguine, comment avez-vous pu vous embarquer dans cette stupide compagnie de plats valets ? Vous êtes membre de leur société ! Est-ce là un exploit digne de Nicolaï Stavroguine ? » s'écria-t-il presque avec désespoir.

Il joignit même les mains, comme s'il n'y avait pour lui rien de plus amer, de plus désolant que cette découverte.

« Excusez-moi, dit Stavroguine avec un étonnement non joué, mais il me semble que vous me considérez comme une sorte d'astre auprès duquel vous ne seriez qu'un insecte. Je l'avais déjà remarqué à la lecture de votre lettre d'Amérique.

— Vous... vous savez... Ah ! assez parlé de moi, assez ! coupa court Chatov. Si vous pouvez me donner quelques explications... en réponse à ma question, faites-le...

— Avec plaisir. Vous demandez comment j'ai pu m'embarquer dans cette sale affaire ? Après la communication que je vous ai faite, je me trouve même dans l'obligation d'être franc avec vous, jusqu'à un certain point. A proprement parler, je n'appartiens pas à cette société et je n'y ai jamais appartenu ; j'ai donc plus que vous encore le droit de la quitter puisque je n'en ai jamais fait partie, en somme. Je leur ai même déclaré dès le début, que je ne faisais pas cause commune avec eux ; s'il m'est arrivé de les aider à l'occasion, c'était simplement en amateur, parce que je n'avais rien de mieux à faire. J'ai cependant pris part à la réorganisation de la société sur de nouvelles bases. Ce fut tout. Mais ils ont changé d'idée maintenant, et ont décidé entre eux qu'il serait dangereux de me lâcher : je crois que je suis condamné aussi.

— Oh! ils ne connaissent que ça, eux : la peine de mort... avec jugement dans toutes les formes, sur papier muni de sceaux officiels et signé de trois personnes. Et vous croyez qu'ils sont capables d'agir ?

— Vous avez raison en partie, mais en partie seulement, continua Stavroguine avec la même indifférence, presque apathiquement. Il est hors de doute qu'il y a beaucoup d'imagination dans tout cela : ils s'exagèrent leur force et leur importance. Si vous voulez savoir mon opinion, tout le groupe se réduit au seul et unique Piotr Verkhovensky, et celui-ci est trop modeste lorsqu'il ne se considère que comme l'agent de la société. Du reste, le principe de leur organisation n'est pas plus bête que tant d'autres du même genre. Ils sont en relations avec l'*Internationale*. Ils ont des agents en Russie ; ils ont même découvert certains procédés originaux... en théorie, il va sans dire. Pour ce qui est de leurs intentions ici, le travail des organisations russes de ce genre est si obscur, si plein d'imprévu que tout est possible chez nous. Remarquez que Verkhovensky a de la volonté.

— Cette punaise, cet ignorant, cet imbécile qui ne comprend rien à la Russie! s'écria Chatov avec rage.

— Vous le connaissez mal. Il est vrai qu'en général ils ne comprennent pas grand'chose à la Russie, mais, en somme, ils ne la comprennent qu'un tout petit peu moins que nous. De plus, Verkhovensky est un enthousiaste.

— Verkhovensky, un enthousiaste?

— Oui. Au-delà d'une certaine limite, il cesse d'être bouffon pour devenir... un demi-fou. Rappelez-vous l'une de vos propres expressions : « Savez-vous combien peut être fort un homme seul? » Ne riez pas, je vous prie ; il est parfaitement capable de tirer un coup de revolver. Ils sont convaincus que moi aussi je suis un espion. Comme ils ne savent pas mener leur affaire, ils sont toujours prêts à accuser les autres d'espionnage.

— Cependant vous n'avez pas peur d'eux, vous?

— Non... je n'ai pas très peur... Mais votre situation est tout autre. Je vous ai prévenu afin que vous preniez vos mesures. Selon moi, le fait qu'on se trouve menacé par des imbéciles n'a rien de vexant en ce cas ; il ne s'agit pas de leur intelligence, et il leur est arrivé de lever la main sur d'autres gens que vous et moi. Mais il est déjà onze heures et quart, observa-t-il en regardant sa montre. Il se leva. Je voudrais encore vous poser une question sur un tout autre sujet.

— Au nom du ciel! s'écria Chatov, en se dressant brusquement.

— Que voulez-vous dire? demanda Stavroguine surpris.

— Posez votre question, posez-la, au nom du ciel! répéta Chatov en proie à une émotion indicible. Mais à condition qu'à mon tour je puisse aussi vous poser une question. Je vous supplie... si vous permettez... je n'en puis plus... questionnez! »

Stavroguine attendit un instant.

« J'ai entendu dire, commença-t-il, que vous aviez quelque influence sur Maria Timophéïevna, qu'elle aimait à vous voir et à vous entendre. Est-ce vrai?

— Oui... elle m'écoutait parfois. — Chatov parut troublé.

— J'ai l'intention d'annoncer publiquement notre mariage ces jours-ci.

— Mais c'est impossible! murmura Chatov épouvanté.

— Dans quel sens? Il ne peut y avoir aucune difficulté. Les témoins du mariage sont ici. Tout s'est passé à Pétersbourg d'une manière parfaitement légale et fort paisiblement, et si la chose est restée secrète jusqu'à ce jour, c'est parce que les seuls témoins du mariage, Kirilov et Piotr Verkhovensky, de même que Lébiadkine (que j'ai maintenant le plaisir d'avoir pour parent), ont donné, tous trois, leur parole de se taire.

— Ce n'est pas de cela que je parle... Vous vous exprimez si tranquillement... mais continuez. Écoutez! on ne vous a tout de même pas contraint par la force à ce mariage, dites?

— Non, personne ne m'y a contraint, répondit Nicolaï Vsévolodovitch souriant de la vivacité impatiente de Chatov.

— Et qu'est-ce que c'est que cet enfant dont elle parle? continua fiévreusement Chatov.

— Un enfant? Tiens! C'est la première fois que j'en entends parler. Elle n'a jamais eu d'enfant et ne pouvait en avoir : Maria Timophéïevna est restée vierge.

— Ah! C'est bien ce que je pensais... Écoutez!

— Qu'avez-vous, Chatov? »

Chatov couvrit son visage de ses mains, se détourna, puis, soudain, saisit Stavroguine par les épaules.

« Savez-vous au moins, cria-t-il, oui, savez-vous au moins pourquoi vous avez fait cela et pourquoi vous acceptez ce châtiment maintenant ?

— Voilà une question intelligente et perfide même ; mais je vais vous étonner : oui, je sais à peu près pourquoi je me suis marié et pourquoi maintenant j'ai résolu d'accepter ce « châtiment », comme vous dites.

— Laissons cela... plus tard. Attendez ! Passons à l'essentiel, à l'essentiel : je vous attends depuis deux ans.

— Vraiment ?

— Je vous attends depuis trop longtemps ; je n'ai jamais cessé de penser à vous. Vous êtes le seul qui puissiez... Je vous ai déjà écrit d'Amérique à ce sujet.

— Je me souviens parfaitement de votre longue lettre.

— Trop longue pour être lue ? D'accord. Six grandes feuilles. Taisez-vous ! taisez-vous ! Dites-moi : pouvez-vous me donner encore dix minutes, maintenant, tout de suite... Il y a trop longtemps que je vous attends !

— Bien, je vous donne une demi-heure, mais pas davantage. J'espère que cela vous suffira.

— Mais à la condition, reprit Chatov exaspéré, que vous changiez de ton. Vous entendez, j'exige, alors que je devrais supplier... Savez-vous ce que cela signifie quand on exige alors qu'on devrait supplier ?

— Je comprends que de cette façon vous vous placez en dehors des règles au nom d'un but supérieur, observa Stavroguine avec un léger sourire. Je remarque cependant non sans peine que vous avez la fièvre.

— Je demande le respect, je l'exige ! criait Chatov. Non envers ma personne — au diable ma personne ! — mais au nom d'une autre chose, et pour cet instant seulement, pour ces quelques mots. Nous sommes deux êtres qui nous rencontrons face à face dans l'infini... pour la dernière fois peut-être. Quittez votre ton, prenez un ton humain. Parlez humainement, ne fût-ce qu'une fois dans votre vie. Ce n'est pas pour moi que je dis cela, c'est pour vous. Comprenez-vous que vous devez me pardonner cette gifle pour cela seul que je vous ai fourni l'occasion de connaître votre force immense... Voilà que vous souriez encore de votre sourire dédaigneux, de votre sourire d'homme du monde. Oh! quand finirez-vous par me comprendre! Au diable le grand seigneur! Comprenez donc que je l'exige! oui, je l'exige, autrement je ne parlerai pas, à aucun prix! »

Son exaspération atteignait presque au délire. Nicolaï Vsévolodovitch fronça légèrement les sourcils et devint plus réservé.

« Si je reste encore une demi-heure alors que mon temps est si précieux, déclara-t-il d'un ton grave en pesant chaque mot, c'est donc, croyez-le, que j'ai l'intention de vous écouter tout au moins avec intérêt ; je suis sûr que vous allez m'apprendre beaucoup de choses nouvelles pour moi. »

Il se rassit.

« Asseyez-vous, s'écria Chatov, et il se laissa tomber sur sa chaise.

— Permettez-moi cependant de vous rappeler, reprit Stavroguine, que j'ai commencé à vous parler de Maria Timophéïevna et voulais vous adresser à son sujet une prière très importante, tout au moins pour elle...

— Eh bien? dit Chatov avec impatience, comme un homme qu'on interrompt au beau milieu de son discours et qui, tout en vous regardant, n'a pas encore saisi votre question.

— Mais vous ne m'avez pas laissé le temps d'achever, ajouta en souriant Nicolaï Vsévolodovitch.

— Des bêtises ! plus tard !... » s'écria Chatov en haussant les épaules, ayant enfin compris de quoi il s'agissait, et il revint aussitôt à son idée.

VII

« Savez-vous, commença-t-il d'un ton presque menaçant, en se penchant vers Stavroguine les yeux brillants, l'index de la main droite levé (il ne s'en apercevait pas certainement), savez-vous quel est actuellement sur la terre l'unique peuple « théophore », celui qui rénovera et sauvera l'univers au nom d'un dieu nouveau, l'unique peuple qui détienne les clefs de la vie et du verbe nouveau... ? Savez-vous quel est ce peuple et comment il se nomme ?

— A votre attitude, je dois conclure, et sans tarder, me semble-t-il, que c'est le peuple russe...

— Voilà que vous riez déjà ! Oh, quelle race ! s'écria Chatov en s'agitant sur sa chaise.

— Calmez-vous, je vous en prie. Je m'attendais précisément à quelque chose de ce genre.

— Vous vous attendiez à quelque chose de ce genre ? Mais ces paroles ne vous rappellent-elles rien ?

— Si, et je vois parfaitement à quoi vous voulez en venir. Votre longue phrase et jusqu'à cette expression : le peuple « théophore », n'est que la conclusion de l'entretien que nous avons eu, il y a plus de deux ans, à l'étranger, peu de temps avant votre départ pour l'Amérique... Pour autant du moins que je m'en souvienne maintenant.

— Cette phrase est de vous, elle ne m'appartient pas. Ce sont vos propres paroles et non, comme vous dites, la conclusion de notre entretien. Il n'y eut pas d' « entretien » entre nous : il y avait un maître qui proclamait des choses immenses, et il y avait un élève qui ressuscita d'entre les morts. L'élève, c'était moi, et vous étiez le maître.

— Mais si je me le rappelle bien, c'est précisément après mes paroles que vous êtes entré dans leur société pour partir ensuite en Amérique.

— Oui, et je vous l'ai écrit d'Amérique ; je vous ai parlé de tout dans cette lettre. Oui, je ne pouvais pas m'arracher d'un seul coup à ce qui faisait ma vie depuis mon enfance, à ce qui avait été l'objet de mes espoirs, de mes enthousiasmes, à ce qui m'avait fait verser des larmes de haine... Il est difficile de changer de dieux. Je n'ai pas cru vos paroles alors, parce que je ne voulais pas les croire et me plongeai pour la dernière fois dans cette fosse pleine d'immondices... Mais la semence est restée en moi, elle a germé. Dites-moi, mais sincèrement : avez-vous lu jusqu'au bout ma lettre d'Amérique ? Peut-être ne l'avez-vous pas lue du tout ?

— J'en ai lu trois pages, les deux premières et la dernière, et j'ai parcouru le reste... Mais j'avais toujours l'intention...

— Ah! qu'importe! au diable! dit Chatov avec un geste de mépris. Si vous renoncez à vos paroles de jadis sur le peuple russe, comment avez-vous pu alors les prononcer ? Voilà ce qui me tourmente et m'écrase aujourd'hui.

— Je ne plaisantais pas alors. En m'efforçant de vous persuader, peut-être pensais-je plus à moi qu'à vous, observa énigmatiquement Stavroguine.

— Vous ne plaisantiez pas ? En Amérique, je suis resté étendu trois mois sur la paille à côté d'un malheureux et j'appris de lui que tandis que vous implantiez dans mon cœur Dieu et la patrie, vous empoisonniez en même temps le cœur de ce malheureux, de ce maniaque, Kirilov... Vous avez versé en lui le mensonge et la négation, et avez précipité sa raison dans la folie. Allez le voir maintenant, contemplez votre œuvre!... Du reste, vous l'avez vu.

— Je vous ferai remarquer, tout d'abord, que Kirilov vient lui-même de me dire qu'il est heureux et parfaitement bon. Votre supposition que les conversations que j'ai eues avec lui ont eu lieu à la même époque que notre entretien, cette supposition est à peu près exacte ; mais qu'est-ce que cela prouve ? Je le répète : je ne vous ai trompés ni l'un ni l'autre.

— Vous êtes athée ? actuellement, vous êtes athée ?

— Oui.

— Et alors ?

— Exactement comme aujourd'hui.

— Si j'ai exigé de vous le respect au début de cette conversation, ce n'était pas pour moi ; intelligent comme vous l'êtes vous auriez bien dû le comprendre, murmura Chatov indigné.

— Je ne me suis pas levé dès vos premières paroles, je n'ai pas mis fin à notre conversation, je ne suis pas parti ; je reste assis devant vous et je réponds docilement à vos questions et à vos... cris... Par conséquent, je ne vous ai pas encore manqué de respect. »

Chatov l'interrompit du geste.

« Vous souvenez-vous de vos paroles : « Un athée ne saurait être un Russe » ; « Celui qui devient athée cesse immédiatement d'être Russe ? » vous souvenez-vous de cela ?

— Oui ? prononça Stavroguine d'un ton dubitatif.

— Vous me le demandez ? Vous l'avez oublié ? Cependant vous avez saisi là l'un des caractères essentiels de l'esprit russe. Il est impossible que vous l'ayez oublié. Je vous rappellerai encore autre chose. Vous avez ajouté alors : « Quiconque n'est pas orthodoxe ne » peut être Russe. »

— Je suppose que c'est là une idée de slavophile.

— Non, les slavophiles d'aujourd'hui la repousseront. On est devenu plus intelligent. Mais vous alliez plus loin encore : vous disiez que le catholicisme romain n'était plus le christianisme ; vous affirmiez que le Christ proclamé par Rome avait succombé à la troisième tentation de Satan, et qu'en déclarant à la face du monde entier que le Christ ne peut vaincre sur terre s'il ne possède pas le royaume terrestre, le catholicisme avait proclamé l'Antéchrist et fait périr le monde occidental tout entier. Vous indiquiez que si la France souffrait, c'était uniquement la faute du catholicisme, car ayant renié le puant dieu romain, elle n'avait pu en trouver un nouveau. Voilà ce que vous étiez capable de dire alors. Je me rappelle parfaitement nos conversations.

— Si j'avais la foi, je répéterais certainement ces paroles ; mais je ne mentais pas lorsque je parlais alors en croyant, dit très sérieusement Stavroguine. Mais je vous assure qu'il m'est très désagréable d'entendre répéter mes pensées d'autrefois. Ne pourriez-vous vous arrêter ?

— Si vous aviez la foi? s'écria Chatov sans prêter la moindre attention à la demande qui venait de lui être faite. Mais n'est-ce pas vous qui me disiez que si l'on vous prouvait mathématiquement que la vérité est en dehors du Christ, vous aimeriez mieux être avec le Christ, qu'avec la vérité ? L'avez-vous dit ? Répondez !

— Mais permettez-moi de vous demander enfin à mon tour, fit Stavroguine en élevant la voix, à quoi rime cet examen impatient et... haineux ?

— Cet examen passera à jamais et ne vous sera plus rappelé.

— Vous tenez à votre idée que nous sommes en dehors de l'espace et du temps ?...

— Taisez-vous ! vociféra soudain Chatov. Je suis stupide et maladroit ; mais que m'importe que mon nom soit couvert de ridicule ! Me permettrez-vous de vous rappeler votre idée essentielle... Oh ! ce n'est que dix lignes ! Rien que la conclusion seulement...

— Je veux bien s'il ne s'agit que de la conclusion. »

Stavroguine fit le geste de regarder sa montre, mais il se retint à temps.

Chatov se pencha de nouveau en avant et leva de nouveau son index, mais pour un instant seulement.

« Aucun peuple, dit-il comme s'il lisait dans un livre et en fixant Stavroguine d'un regard menaçant, aucun peuple n'a jamais pu s'organiser sur terre sur des bases scientifiques et rationnelles ; aucun peuple n'y a réussi, sauf peut-être pour la durée d'un instant et par bêtise. Le socialisme en son essence même est athée, car il a proclamé dès le début qu'il se propose d'édifier la société uniquement sur la science et la raison. Partout et toujours, depuis le commencement des temps, la raison et la science n'ont joué dans l'existence des peuples qu'un rôle subalterne, au service de la vie ; et il en sera toujours ainsi, jusqu'à la fin des siècles. Les peuples se constituent et se développent mus par une force toute différente, une force souveraine, dont l'origine reste inconnue et inexplicable. Cette force est le désir inextinguible d'aboutir à une fin et la négation en même temps de cette fin. Cette force est l'affirmation persistante et infatigable de l'être et la négation de la mort. L'esprit de la vie, comme dit l'Écriture, « les sources d'eaux vives » qui, selon l'Apocalypse, menaceront un jour de se tarir. Le principe esthétique, comme s'expriment les philosophes, le principe moral ainsi qu'ils l'appellent aussi. La recherche de Dieu, voilà comment je l'appellerai plus simplement. Le but de tout peuple, à chaque période de son histoire, c'est uniquement la recherche de Dieu, de son Dieu, de son Dieu à lui, en qui il croit comme en l'unique et le seul vrai. Dieu est la personnalité synthétique du peuple tout entier, du début de son existence et jusqu'à sa fin. Toujours et partout chaque peuple eut son propre Dieu, et jamais encore tous les peuples ou plusieurs peuples n'eurent le même Dieu, commun à tous. Quand les peuples commencent à avoir des dieux communs, c'est signe de mort pour ces peuples. Quand les Dieux deviennent communs à plusieurs peuples, les Dieux meurent, ainsi que les peuples et leur foi. Plus un peuple est fort, plus son Dieu diffère des autres Dieux. Jamais encore, il n'y eut de peuple sans religion, c'est-à-dire sans notion du bien et du mal. Chaque peuple possède sa propre notion du bien et du mal, son propre bien et son propre mal. Quand plusieurs peuples mettent en commun leurs notions du bien et du mal, alors ces peuples tombent en décadence, alors la distinction même entre le bien et le mal s'efface et disparaît. Jamais la raison n'a été et ne sera capable de définir le bien et le mal ou même de séparer le mal du bien, ne fût-ce qu'approximativement. Au contraire, elle les a toujours honteusement et lamentablement confondus. Quant à la science, elle n'a fourni que des solutions fondées sur la force brutale ; et tout particulièrement la demi-science, le plus terrible des fléaux qui aient frappé l'humanité, pire encore que la peste, la famine, la guerre, et qui n'est apparue qu'en ce siècle. La demi-science est un despote, et l'on n'en a jamais vu de pareil jusqu'à nos jours. Un despote qui a ses prêtres et ses esclaves, devant qui l'on se prosterne avec amour et superstitieusement, devant qui tremble la science elle-même, mais qu'elle outrage honteusement. Tout cela ce sont vos propres paroles, Stavroguine, sauf ma dernière phrase sur la demi-science : cette phrase est de moi, parce que j'appartiens moi-même à la demi-science ; c'est pour cela que je la hais tout particulièrement. A vos idées, à vos expressions mêmes je n'ai rien changé, pas une syllabe.

— Je ne crois pas que vous n'y ayez rien changé, observa prudemment Stavroguine. Vous avez recueilli mes paroles avec une passion enflammée et votre passion les a altérées, sans que vous vous en soyez aperçu. Ne serait-ce que le fait que vous réduisez Dieu au rang de simple attribut du peuple. »

Il suivait maintenant Chatov avec une attention particulière, non pas tant ses paroles, du reste, que son attitude, ses gestes.

« Je réduis Dieu au rang d'attribut du peuple, moi ? s'écria Chatov. Au contraire, c'est le peuple que j'élève jusqu'à Dieu. En fut-il jamais autrement d'ailleurs ? Le peuple, c'est le corps de Dieu. Tout peuple n'est un peuple que tant qu'il possède son propre Dieu, son Dieu à lui, et nie sans admettre nul compromis tous les autres Dieux, tant qu'il croit que grâce à son Dieu, il triomphera de tous les autres Dieux et les chassera. Telle était précisément la foi de tous les grands peuples, de tous les peuples du moins qui ont joué un certain rôle dans l'histoire et ont marché à la tête de l'humanité. Impossible de lutter contre les faits. Les Juifs n'ont vécu que pour attendre le vrai Dieu, et ont légué au monde le vrai Dieu. Les Grecs ont divinisé la nature et ont légué au monde leur religion, c'est-à-dire la philosophie et la science. Rome a divinisé le peuple dans l'État et a légué aux peuples l'idée de l'État. La France, incarnation du Dieu romain, n'a fait, tout au long de son histoire, que développer l'idée de ce Dieu romain, et si elle a fini par le jeter à bas et s'est précipitée elle-même dans l'athéisme, qui s'intitule là-bas provisoirement socialisme, c'est uniquement parce que l'athéisme est, malgré tout, plus sain encore que le catholicisme romain. Si un grand peuple cesse de croire qu'il est le seul capable, grâce à sa vérité, de rénover et de sauver les autres peuples, il cesse aussitôt d'être un grand peuple et devient une simple matière ethnographique. Un peuple vraiment grand ne se contentera jamais d'un rôle secondaire dans l'humanité, ni même d'un rôle de premier plan : ce qu'il lui faut, c'est la toute première place, le rôle unique. Le peuple qui perd cette foi, n'est plus un peuple. Cependant la vérité est une, et, par conséquent, parmi tous les peuples il n'y en a qu'un qui détienne le vrai Dieu, si puissants que soient les Dieux des autres peuples. Le seul peuple « théophore » est le peuple russe, et... et... est-il possible, Stavroguine, vociféra soudain Chatov, que vous me preniez pour un imbécile, incapable de discerner si ces paroles ne sont que des bavardages de vieilles femmes, qu'ont moulus, pendant des années, les moulins slavophiles de Moscou ou bien des paroles toutes nouvelles, uniques, les seules paroles de salut et de résurrection ? Et... que m'importe votre rire en ce moment ! Que m'importe que vous ne compreniez rien à ce que je viens de dire, pas un mot, pas un son !... Oh ! comme je méprise votre rire orgueilleux et votre regard en cette minute ! »

Il se dressa d'un bond ; il écumait.

« Au contraire, Chatov, au contraire, dit Stavroguine avec un sérieux étrange, sans bouger de place. Au contraire, vos paroles ardentes ont réveillé en moi une multitude de souvenirs. Je retrouve dans vos paroles l'état d'esprit où j'étais, il y a deux ans, et cette fois je ne vous dirai plus comme tout à l'heure que vous avez exagéré mes idées de naguère. Il me semble même qu'elles étaient encore plus intransigeantes, plus exaspérées. Et je vous assure pour la troisième fois que je voudrais beaucoup répéter aujourd'hui ce que vous venez de dire, jusqu'au dernier mot, mais...

— Mais c'est le lièvre qui vous manque ?

— Comment ?

— Cette basse expression est de vous, fit Chatov en riant méchamment ; il se rassit. « Pour faire un civet il faut un lièvre, pour croire en Dieu il faut un Dieu. » C'est vous, assure-t-on, qui disiez cela à Pétersbourg, comme Nozdriov qui voulait attraper un lièvre par les pattes de derrière.

— Nozdriov se vantait, au contraire, de l'avoir déjà attrapé. A propos, permettez-moi de vous poser une question, d'autant plus que j'en ai maintenant le droit, me semble-t-il. Dites-moi : votre lièvre est-il déjà pris ou bien court-il encore ?

— Je vous défends de me poser cette question en de tels termes. Interrogez-moi autrement, autrement! hurla Chatov.

— Je veux bien, reprit Nicolaï Vsévolodovitch en le regardant d'un air sombre. Je voulais simplement savoir si vous croyez ou non en Dieu.

— Je crois à la Russie, je crois à son orthodoxie... Je crois au corps du Christ... Je crois que le second avènement aura lieu en Russie... Je crois..., balbutia Chatov hors de lui.

— Et en Dieu ? en Dieu ?

— Je... je croirai en Dieu. »

Pas un muscle du visage de Stavroguine ne

tressaillit. Chatov le défiait de son regard ardent.

« Je ne vous ai pas dit cependant que je ne croyais pas du tout, s'écria-t-il enfin. Je veux simplement vous faire comprendre que je ne suis qu'un livre triste et ennuyeux, rien de plus, mais pour le moment seulement, pour le moment... Du reste, que périsse mon nom! Il s'agit de vous et non de moi... Je n'ai aucun talent et ne puis offrir que mon sang, et rien d'autre, comme tout homme médiocre. Je donne mon sang. Mais je parle de vous, voilà deux ans que je vous attends. C'est pour vous que depuis une demi-heure je danse ici tout nu. Vous êtes le seul, oui, le seul qui puissiez lever cet étendard... »

Il s'interrompit, appuya ses coudes sur la table, et, comme en proie au désespoir, cacha sa tête entre ses mains.

« Je remarque, — et cela est vraiment curieux, — que tout le monde veut me mettre entre les mains je ne sais quel étendard. Piotr Verkhovensky, lui aussi, est persuadé que je pourrais « lever leur étendard » ; tout au moins on me l'a rapporté. Il a dans l'idée que je pourrais jouer le rôle d'un Stégnka Razine [1], vu mon « extraordinaire aptitude au crime », ce sont ses propres paroles.

— Comment? vu votre extraordinaire aptitude au crime?

— Parfaitement.

— Hum!... Est-il vrai, demanda Chatov avec un sourire mauvais, que vous avez appartenu à Pétersbourg à une société secrète qui se livrait à une débauche bestiale? Est-il vrai que vous auriez pu en remontrer au marquis de Sade? Est-il vrai que vous attiriez chez vous les enfants pour les souiller? Parlez! Ne mentez pas, s'écria-t-il exaspéré. Nicolaï Stavroguine ne peut mentir devant Chatov qui l'a frappé au visage. Dites tout, et si tout cela est vrai, je vous tue à l'instant même, sur place.

— J'ai parlé de ces choses-là, mais je n'ai pas souillé d'enfants, proféra Stavroguine après un trop long silence. Il pâlit, ses yeux brillèrent.

— Mais vous en avez parlé! continua impérieusement Chatov sans le quitter de son regard flamboyant. Est-il vrai que vous avez affirmé ne voir aucune différence entre n'importe quelle farce bestialement sensuelle et une grande action quelconque, comme de sacrifier sa vie pour l'humanité? Est-il vrai que vous goûtiez aux deux pôles la même jouissance et y découvriez la même beauté?

— Il est impossible de répondre à de pareilles questions... je ne veux pas répondre, murmura Stavroguine qui aurait pu fort bien se lever et partir, mais qui restait assis et ne partait pas.

— Moi non plus je ne sais pas pourquoi le mal est laid, pourquoi le bien est beau ; mais je sais pourquoi la sensation de cette distinction s'efface et disparaît chez les Stavroguine, continua Chatov tout frémissant. Savez-vous pourquoi vous vous êtes marié d'une façon aussi inepte, aussi ignominieuse? Précisément parce que la honte et l'ineptie allaient ici jusqu'au génie! Oh! vous n'errez pas sur les bords de l'abîme! vous vous y jetez hardiment, la tête la première. Vous vous êtes marié par passion du martyre, par goût du remords, par besoin de voluptés morales. Il y avait là une sorte d'exaspération nerveuse... Le défi que vous jetiez ainsi au sens commun était trop tentant, et vous n'avez pu y résister. Stavroguine et la petite mendiante boiteuse et à demi idiote! Quand vous avez mordu l'oreille du gouverneur, n'avez-vous pas éprouvé une sensation voluptueuse ? Ne l'avez-vous pas éprouvée, mon petit aristocrate oisif ?

— Vous êtes un psychologue, remarqua Stavroguine de plus en plus pâle. Cependant, en ce qui concerne les raisons de mon mariage, vous vous trompez quelque peu... Mais qui donc a pu vous fournir ces renseignements ? ajouta-t-il avec un sourire forcé. Serait-ce Kirilov ?... Mais il ne prenait pas part...

— Vous pâlissez ?

— Mais que voulez-vous enfin ? — Stavroguine éleva soudain la voix. — Je suis là depuis une demi-heure à supporter vos coups de fouet... Vous pourriez tout au moins me laisser partir poliment, à moins que vous n'ayez quelque motif raisonnable d'en user de la sorte avec moi.

— Quelque motif raisonnable ?

— Sans aucun doute. Il est de votre devoir de m'expliquer tout au moins quel est votre but. J'attendais toujours que vous le fissiez ; mais je n'ai trouvé en vous que rage et que haine. Je vous en prie, ouvrez-moi la porte cochère. »

Il se leva. Chatov se précipita sauvagement sur lui.

« Baisez la terre, abreuvez-la de vos larmes, demandez pardon ! s'écria-t-il en le saisissant par l'épaule.

— Je ne vous ai pourtant pas tué... l'autre jour... j'ai croisé mes mains derrière mon dos, proféra presque douloureusement Stavroguine, les yeux baissés.

— Achevez donc, dites ce que vous avez à dire ! Vous êtes venu m'avertir d'un danger, vous m'avez laissé parler. Demain vous allez rendre public votre mariage !... Ne vois-je pas à votre visage que vous êtes en proie à une pensée nouvelle, terrible et que vous luttez contre elle !... Stavroguine, pourquoi suis-je condamné à croire toujours en vous ? Aurais-je pu parler ainsi avec un autre? J'ai la pudeur de mes sentiments, et cependant je n'ai pas eu honte de ma nudité parce que je parlais avec Stavroguine. Je n'ai pas craint de rendre grotesque une grande idée en y touchant, parce que c'était Stavroguine qui m'écoutait!... Ne baiserai-je pas la trace de vos pas quand vous serez sorti? Je ne puis vous arracher de mon cœur, Nicolaï Stavroguine!

— Je le regrette beaucoup, mais je ne puis vous aimer, Chatov, dit froidement Nicolaï Vsévolodovitch.

— Je le sais, et je sais que vous ne mentez pas. Écoutez, je peux tout arranger encore : je vous procurerai le lièvre. »

Stavroguine garda le silence.

« Vous êtes athée, parce que vous êtes un aristocrate, un seigneur, le dernier des seigneurs. Vous ne savez plus discerner le bien du mal, parce que vous avez cessé de comprendre votre peuple... Mais une nouvelle génération est en marche ; elle sort du cœur même du peuple, et vous ne la reconnaîtrez jamais, ni vous, ni les Verkhovensky, le père et le fils, ni moi, parce que moi aussi je suis un seigneur, oui, moi le fils de votre serf, de votre laquais Pachka... Écoutez! obtenez Dieu par le travail ; tout est là. Sinon vous disparaîtrez comme une moisissure. Obtenez Dieu par le travail!

— Par le travail? quel travail?

— Par le travail du paysan. Allez, abandonnez vos richesses... Ah! vous riez, vous craignez le ridicule? »

Mais Stavroguine ne riait pas.

« Vous croyez qu'on peut obtenir Dieu par le travail et précisément par le travail du paysan? répéta-t-il après un instant de réflexion comme s'il venait d'entendre une parole nouvelle et sérieuse et qui méritait examen. A propos, ajouta-t-il passant brusquement à un autre sujet, savez-vous que je ne suis pas riche du tout, et que je n'ai donc pas grand-chose à abandonner? C'est à peine même si je suis en état d'assurer l'avenir de Maria Timophéïevna... Mais j'ai failli l'oublier : j'étais venu, entre autres, pour vous demander de continuer à veiller sur Maria Timophéïevna si cela vous est possible, car vous êtes le seul qui ayez quelque influence sur sa pauvre raison... Je dis cela à tout hasard.

— Bien, bien, je le ferai, dit Chatov d'un ton impatient, une bougie à la main. Bien entendu... Écoutez, allez voir Tikhone.

— Comment dites-vous?

— Tikhone, un ancien évêque qui a pris sa retraite pour raison de santé ; il habite ici, au monastère de Saint-Euthyme.

— Pourquoi irais-je chez lui?

— Comme ça. Il reçoit beaucoup de gens. Allez-y. Qu'est-ce que cela vous coûte? Allez-y!

— Je n'ai jamais entendu parler de lui, et... n'ai jamais encore vu de personnage de ce genre. Je vous remercie. J'irai.

— Par ici, dit Chatov en éclairant l'escalier. Parvenu en bas, il ouvrit la porte cochère.

— Je ne viendrai plus chez vous, Chatov », murmura Stavroguine en franchissant le seuil.

La nuit était toujours aussi noire et la pluie tombait toujours.

CHAPITRE II

LA NUIT

(suite)

I

Il suivit toute la rue de l'Épiphanie, puis descendit une forte pente ; ses pieds s'enfonçaient dans la boue. Soudain, il aperçut devant lui un vaste espace vide teinté de gris : c'était la rivière. Les maisons avaient fait place à de misérables masures entre lesquelles serpentaient des ruelles, des impasses. Nicolaï Vsévolodovitch marcha de long des clôtures sans s'éloigner de la berge ; il paraissait parfaitement sûr de sa route et semblait même ne pas y prêter grande attention. De tout autres pensées le préoccupaient, et c'est avec surprise qu'il regarda autour de lui quand, sortant brusquement de sa méditation, il se vit presque au milieu de notre pont de bateaux long et humide. Pas une âme aux alentours ; aussi fut-il fort étonné de s'entendre interpeller de tout près par une voix aimablement familière, assez agréable du reste, une de ces voix doucereuses qu'affectent chez nous les petits bourgeois qui veulent se faire passer pour des gens cultivés, ou bien les jeunes commis aux cheveux bouclés.

« Ne me permettrez-vous pas, monsieur, de profiter de votre parapluie ? »

En effet, un personnage se glissa ou fit mine de se glisser sous son parapluie. Le vagabond marchait à côté de lui, en le touchant presque du coude. Ralentissant le pas, Nicolaï Vsévolodovitch se pencha afin de mieux l'examiner pour autant que le lui permettait l'obscurité. Il était de taille moyenne, paraissait fort mal vêtu, et ressemblait assez à un ouvrier en goguette. Une casquette de drap à la visière à demi arrachée était posée de travers sur ses cheveux crépus, qui devaient être très bruns ; maigre, basané, il avait certainement des yeux noirs, très brillants, teintés de jaune, comme ceux des Tziganes ; on le devinait malgré l'obscurité. Il pouvait avoir une quarantaine d'années et n'était pas ivre.

« Tu me connais ? demanda Nicolaï Vsévolodovitch.

— Monsieur Stavroguine, Nicolaï Vsévolodovitch. Vous m'avez été signalé, dimanche dernier, dès l'arrêt du train. De plus, nous avions déjà entendu parler de vous.

— Par Piotr Stépanovitch ? Tu... tu es Fédka le forçat ?

— On nous a baptisé Fiodor Fiodorovitch. Nous avons encore notre mère qui habite dans la région ; une petite vieille du bon Dieu qui descendra bientôt en terre et qui, nuit et jour, prie le Seigneur pour nous, afin que sa vieillesse serve à quelque chose.

— Tu t'es évadé du bagne ?

— C'est-à-dire que j'ai changé de carrière, et me suis débarrassé de tout leur attirail, car j'étais condamné au bagne jusqu'à la fin de mes jours ; c'était un peu long pour moi.

— Que fais-tu ici ?

— Pas grand'chose ; les journées passent vite. Notre oncle est mort ici la semaine dernière en prison, rapport à une affaire de fausse monnaie ; alors j'ai fêté sa mémoire en jetant quelques dizaines de cailloux aux chiens. Et c'est tout. Mais Piotr Stépanovitch me fait espérer un passeport, un passeport de marchand même, pour que je puisse circuler dans toute la Russie. Alors j'attends son bon vouloir. « Mon père t'a perdu aux » cartes au club anglais, qu'il dit, et moi je trouve » ça injuste, inhumain. » Vous devriez bien me donner trois roubles, monsieur, pour boire un coup et me réchauffer.

— Tu guettais mon passage donc ; je n'aime pas cela. Qui t'en a donné l'ordre ?

— Pour ce qui est d'un ordre, je n'en ai reçu de personne ; mais je connais vos bons sentiments ; le monde entier en parle. Vous savez vous-même quels sont nos revenus à nous autres : une botte de foin ou un coup de fourche dans les reins. Vendredi, je me suis bourré de pâté jusque-là, et depuis, un jour je n'ai rien mangé, le second j'ai attendu, et le troisième j'ai serré ma ceinture. Mais il y a autant d'eau qu'on veut dans la rivière, alors je fais l'élevage des poissons... Voilà! Tout mon espoir est donc en vous. J'ai là justement ma commère qui m'attend, mais inutile de se présenter chez elle sans quelque argent.

— Que t'a promis Piotr Stépanovitch de ma part ?

— A vrai dire, il ne m'a rien promis, mais il m'a dit comme ça que je pourrais peut-être rendre service à Votre Grâce, si les circonstances s'y prêtaient ; mais pour ce qui est de ces circonstances, il ne s'est pas expliqué très clairement. Piotr Stépanovitch veut mettre à l'épreuve ma patience, il n'a aucune confiance en moi.

— Pourquoi cela ?

— Piotr Stépanovitch est un astrologue, et connaît toutes les planètes du bon Dieu. Et cependant, lui aussi, n'est pas sans défauts. Je suis là devant vous comme devant le Très-Haut, car votre renommée court les rues. Piotr Stépanovitch, c'est Piotr Stépanovitch, mais vous monsieur, m'est avis que vous êtes autre chose.

Lui, s'il dit d'un homme : canaille, il a tout dit, il ne veut rien savoir d'autre de lui. S'il a dit : imbécile, c'est fini, l'homme n'est qu'un imbécile. Or il se peut, quant à moi, que les mardis et les mercredis je ne sois qu'un imbécile, mais que le jeudi je sois encore plus intelligent que lui. Il sait maintenant que je m'ennuie beaucoup après un passeport — car en Russie on ne peut faire un pas sans passeport — alors il s'imagine qu'il a mis la main sur mon âme. Je vous dirai, monsieur, qu'il lui est très facile de vivre sur terre, parce qu'il s'imagine que l'homme est ceci ou cela, et il vit ensuite avec l'homme qu'il a inventé. Avec cela, il est bien trop avare. Il a dans l'idée que je n'oserai pas vous importuner sans sa permission ; or, je vous le dis comme à Dieu même : voilà déjà la quatrième nuit que je vous attends sur ce pont, pour bien montrer que je puis me passer de lui, et trouver moi-même mon chemin. Mieux vaut, me disais-je, m'incliner devant la botte que devant la savate.

— Et qui donc t'a dit que je traverserais le pont la nuit ?

— Ça, je l'avoue, je l'ai appris par hasard, ou plutôt grâce à la bêtise du capitaine Lébiadkine, car il est absolument incapable de garder pour lui quelque chose... Les trois roubles, ils me reviennent donc pour les trois jours et les trois nuits, pour mon dérangement. Pour ce qui est de mes vêtements trempés, nous n'en parlerons pas, pour ne pas vous offenser.

— Je vais à gauche et tu vas à droite ; nous voici au bout du pont. Écoute, Fiodor, j'aime qu'on me comprenne dès le premier mot, une fois pour toutes : tu n'auras pas un copeck de moi, je n'ai et n'aurai jamais besoin de toi, et ne te trouve jamais sur mon chemin, ni sur ce pont ni ailleurs. Si tu me désobéis, je te ligote et te mène à la police. File !

— Eh! Vous devriez bien me donner quelque chose, ne fût-ce que pour vous avoir tenu compagnie. Il était tout de même plus agréable de faire route ensemble...

— File!

— Mais connaissez-vous seulement le chemin? Il y en a ici des petites ruelles!... Je pourrais vous conduire ; car pour ce qui est de cette ville, on dirait que le diable qui la portait dans un panier percé, l'a toute semée en route.

— Gare à toi!

— Considérez, monsieur, que je suis un orphelin sans défense.

— Tu es bien sûr de toi.

— Non, monsieur, je ne suis pas tellement sûr de moi ; c'est en vous seul que je mets toute ma confiance.

— Je t'ai déjà dit que je n'avais pas besoin de toi.

— Mais moi j'ai besoin de vous, voilà la chose. Je vous attendrai à votre retour, quoi qu'il arrive...

— Je t'en donne ma parole d'honneur : si je te retrouve ici, je te ligote.

— Eh bien, je m'en vais vous préparer une corde. Bon voyage, monsieur, vous avez tout de même abrité sous votre parapluie un pauvre orphelin, et rien que pour cela je vous serai reconnaissant jusqu'à la tombe. »

Il disparut dans la nuit. Nicolaï Vsévolodovitch continua sa route fort soucieux. Cet homme tombé du ciel était pleinement convaincu qu'il lui était indispensable et le déclarait avec une impudence cynique. En général, on ne se gênait plus avec lui. Mais il se pouvait aussi que le vagabond eût menti et offert ses services de sa propre initiative, à l'insu de Piotr Stépanovitch ; en ce cas son attitude était encore plus curieuse.

II

La maison où se rendait Nicolaï Vsévolodovitch était située tout au bout de la ville, dans une impasse déserte entre deux clôtures derrière lesquelles s'étendaient des potagers. C'était une maisonnette isolée, en bois, qui venait d'être construite et dont les murs de rondins n'avaient pas encore été recouverts de planches. Les volets d'une des fenêtres avaient été laissés ouverts à dessein, et l'on avait allumé une bougie qui devait évidemment servir de phare au visiteur tardif attendu cette nuit-là. Stavroguine se trouvait encore à une trentaine de pas de la maisonnette quand il distingua sur le perron un homme de haute taille, le maître du lieu probablement, qui guettait l'arrivée de son visiteur.

« Est-ce vous? demanda l'homme d'une voix à la fois impatiente et craintive.

— Oui, c'est moi, répondit Nicolaï Vsévolodovitch lorsqu'il fut arrivé sur le perron et eut refermé son parapluie.

— Enfin! dit le capitaine Lébiadkine, car c'était lui. Votre parapluie, s'il vous plaît, ajouta-t-il d'un air enjoué et empressé. Quel temps affreux! Je vais l'ouvrir ici, dans un coin. Entrez, je vous prie, entrez... »

La porte de la chambre qu'éclairaient deux bougies était grande ouverte.

« Si vous ne m'aviez pas promis fermement votre visite pour aujourd'hui, j'aurais cessé de vous attendre.

— Une heure moins le quart, dit Nicolaï Vsévolodovitch en regardant sa montre. Il entra dans la chambre.

— Et cette pluie par-dessus le marché, et la distance est si grande... Je n'ai pas de montre et nous ne voyons de nos fenêtres que ces potagers, de sorte que... on ne sait plus ce qui se passe... Ce n'est pas pour me plaindre que je dis cela, car je ne me permets pas, je ne me permets... mais uniquement parce que depuis une semaine je me ronge d'impatience... Je voudrais finalement savoir...

— Quoi donc ?

— Je voudrais connaître mon destin, Nicolaï Vsévolodovitch. Asseyez-vous, je vous en prie. »

Il s'inclina devant son visiteur en lui désignant une place sur le divan derrière la table.

Nicolaï Vsévolodovitch regarda autour de lui. La chambre était petite et basse de plafond et ne contenait que les meubles les plus indispensables : un divan et des chaises en bois nu, sans coussins, deux tables en tilleul, l'une devant le canapé, l'autre, dans un coin ; cette dernière, couverte d'une nappe, était encombrée de divers objets sur lesquels on avait étendu une serviette propre. La chambre, du reste, paraissait fort bien tenue. Il y avait déjà huit jours que le capitaine Lébiadkine ne s'était plus enivré ; son visage bouffi avait pris un teint jaunâtre ; il jetait sur Stavroguine des regards curieux, inquiets et indécis, et l'on voyait qu'il ne savait sur quel ton parler et quelle attitude pouvait lui être la plus avantageuse.

« Voilà, dit-il en montrant les objets qui l'entouraient. Je vis comme un moine. L'abstinence, la solitude, la pauvreté, selon les trois vœux des anciens chevaliers.

— Vous croyez que les anciens chevaliers prononçaient des vœux de ce genre ?

— Je confonds peut-être. Hélas, je manque de culture. J'ai tout gâché. Le croirez-vous, Nicolaï Vsévolodovitch ! c'est ici que j'ai secoué pour la première fois le joug de mes honteuses passions ! Pas même un verre, pas même une goutte. J'ai enfin un coin à moi, et j'éprouve depuis six jours les joies d'une conscience pure. Les murs mêmes sentent la résine et me rappellent la nature. Qu'étais-je jusqu'ici? qu'était ma situation?

La nuit j'erre sans asile,
Le jour je cours tirant la langue.

Selon la géniale expression du poète... Mais... vous êtes tout mouillé... Ne voulez-vous pas un verre de thé?

— Ne vous dérangez pas.

— Le samovar bouillait depuis huit heures, mais... il s'est éteint... comme toutes les choses en ce monde. Le soleil, lui aussi, dit-on, s'éteindra un jour... Du reste, s'il le faut, j'arrangerai ça. Agaphia ne dort pas.

— Dites-moi, Maria Timophéïevna...

— Elle est ici, elle est ici, répondit vivement Lébiadkine à voix basse. Voulez-vous jeter un coup d'œil? — Il indiqua la porte fermée qui menait dans la chambre voisine.

— Elle dort?

— Oh non, pensez donc! Au contraire, elle vous attend depuis ce soir. Et dès qu'elle a su la nouvelle, elle a fait sa toilette. — Il fit mine de sourire, mais se retint.

— Comment se sent-elle en général? demanda Stavroguine en fronçant les sourcils.

— En général? Vous le savez vous-même (il haussa les épaules et prit une expression apitoyée)... En ce moment elle se tire les cartes...

— Bien, nous verrons cela plus tard ; il faut d'abord en finir avec vous. »

Nicolaï Vsévolodovitch s'assit sur une chaise.

Le capitaine, lui, n'osa pas s'asseoir sur le divan ; il prit une autre chaise et se pencha en avant pour mieux écouter, anxieux de ce qu'il allait apprendre.

« Qu'est-ce que vous avez là sous cette serviette? demanda Nicolaï Vsévolodovitch en jetant un regard vers la table.

— Ça? — Lébiadkine se retourna vivement. — Ce sont les effets de vos propres largesses ; c'est pour fêter notre installation ici ; de plus, j'ai pensé que la route était longue et que vous arriveriez certainement fatigué... — Il sourit avec attendrissement, se leva, se dirigea sur la pointe des pieds vers la table et souleva avec respect et précaution la serviette qui la recouvrait. Il y avait là tout un souper froid : du jambon, du veau, des sardines, du fromage, un carafon vert et une bouteille à long col, du bordeaux certainement. Le tout avait fort bonne mine et témoignait d'une main experte en la matière.

— C'est vous qui avez préparé tout cela?

— Moi-même. Tout était prêt depuis hier. Je voulais vous honorer... Vous savez bien que Maria Timophéïevna est indifférente à ces choses-là. Mais le principal, c'est que je tiens cela de votre générosité, tout cela vous appartient, vous êtes le maître ici, et moi, moi je ne suis en somme que votre commis en quelque sorte, car malgré tout, malgré tout, Nicolaï Vsévolodovitch, je garde mon indépendance spirituelle. Ne m'enlevez pas ce dernier bien, conclut-il avec émotion.

— Hum!... rasseyez-vous donc.

— Je vous suis très reconnaissant, mais je garde mon indépendance (il se rassit). Ah! Nicolaï Vsévolodovitch! Tant de choses se sont accumulées dans ce cœur!... Je m'épuisais à vous attendre. Vous allez maintenant décider de mon sort et de celui de... cette malheureuse, et ensuite... ensuite, comme au temps jadis, je déverserai devant vous tout ce que j'ai sur le cœur, comme il y a quatre ans. Car vous daigniez m'écouter alors, vous lisiez mes vers... Qu'importe qu'on m'ait surnommé votre Falstaff! Vous avez joué un si grand rôle dans ma vie!... Or j'éprouve aujourd'hui de fortes craintes, et c'est de vous seul que j'attends secours, car vous êtes ma lumière. Piotr Stépanovitch me traite bien cruellement. »

Nicolaï Vsévolodovitch l'écoutait avec curiosité en fixant sur lui un regard attentif... Bien que le capitaine eût cessé de s'enivrer, il était loin d'avoir retrouvé son harmonie intérieure. Les buveurs invétérés finissent d'ordinaire par ne plus sortir d'un état de trouble, d'incohérence, qui confine à la folie, mais qui ne les empêche pas de tromper et de ruser presque aussi bien que les autres, s'il le faut.

« Je vois, capitaine, que vous n'avez nullement changé depuis quatre ans, dit Nicolaï Vsévolodovitch d'un ton radouci. Ils sont dans le vrai donc ceux qui prétendent que la seconde moitié de la vie humaine est déterminée par les habitudes acquises au cours de la première.

— Paroles sublimes! L'énigme de la vie est résolue! s'écria le capitaine dont l'enthousiasme n'était pas entièrement feint, car il était grand amateur de belles phrases. De tous vos discours, Nicolaï Vsévolodovitch, je conserve particulièrement le souvenir d'une phrase que vous avez lancée à Pétersbourg : « Il faut être véritablement un très grand homme pour savoir résister même au bon sens. » Voilà!

— Ou bien un imbécile.

— Soit, si vous voulez. Vous n'avez jamais cessé de répandre de pareils traits d'esprit, tandis qu'eux... Que Lipoutine, que Piotr Stépanovitch essayent donc d'émettre un aphorisme de ce genre! Oh! comme Piotr Stépanovitch a cruellement agi envers moi!

— Mais vous-même, capitaine, comment vous conduisiez-vous ?

— C'était la faute à mon état d'ivresse et, en outre, à la multitude de mes ennemis. Mais maintenant, tout cela est fini et je vais changer de peau comme un serpent. Nicolaï Vsévolodovitch, savez-vous que j'écris mon testament, que je l'ai déjà écrit même ?

— C'est très curieux. Que léguez-vous et à qui ?

— A ma patrie, à l'humanité, aux étudiants. Nicolaï Vsévolodovitch, j'ai lu dans les journaux la biographie d'un Américain. Il a légué son immense fortune aux fabriques et aux institutions scientifiques, son squelette aux étudiants de l'Académie du lieu, et sa peau pour en faire un tambour sur lequel on battrait nuit et jour l'hymne national américain. Hélas ! nous ne sommes que des pygmées en comparaison des Américains et de l'audace de leur pensée. La Russie est un jeu de la nature et non de l'esprit. Si j'essayais de léguer ma peau pour en faire un tambour, par exemple au régiment d'Akhmolinsk, où j'ai eu l'honneur de servir à mes débuts, afin qu'on jouât sur ce tambour l'hymne national russe devant les soldats assemblés, on m'accuserait de libéralisme et l'on confisquerait ma peau... C'est pourquoi j'ai dû me contenter des étudiants. Je veux léguer mon squelette à l'Académie des sciences, mais à condition que l'on colle sur mon crâne une étiquette avec cette mention : « Un libre penseur repenti. »

Le capitaine s'était animé ; l'idée du millionnaire américain l'emballait sincèrement ; mais comme il était très rusé, il voulait aussi faire rire Stavroguine, auprès de qui il avait longtemps joué le rôle de bouffon. Mais Nicolaï Vsévolodovitch ne sourit pas ; il demanda, au contraire, d'un air soupçonneux :

« Vous avez donc l'intention de publier votre testament de votre vivant et d'obtenir une récompense ?

— Et si cela était, Nicolaï Vsévolodovitch, même si telle était mon intention ? s'enquit prudemment Lébiadkine. Voyez où j'en suis actuellement ! J'ai même cessé d'écrire des vers. Et cependant, vous preniez plaisir à mes petits vers, Nicolaï Vsévolodovitch, en vidant une bonne bouteille... Vous en souvenez-vous ? Mais j'ai déposé ma plume. Je n'ai plus écrit qu'un seul poème, quelque chose dans le genre du *Dernier récit* de Gogol qui annonçait à la Russie qu'il avait arraché cette œuvre de sa poitrine. Moi aussi j'ai chanté mon dernier chant. Fini !

— Qu'est-ce que ce poème ?

— « Au cas où elle se serait cassé la jambe. »

— Comment ? »

Le capitaine n'attendait que cela. Il avait une très haute idée de ses vers et y tenait beaucoup ; mais dans la duplicité de son âme, il était heureux aussi d'amuser Stavroguine qui naguère, effectivement, riait à se tordre en l'écoutant. Ainsi le poète et le bouffon y trouvaient chacun son compte. Cette fois pourtant le capitaine poursuivait encore un autre but, très délicat : la lecture de ses vers devait l'aider à se justifier sur un point qu'il craignait beaucoup, et où il se sentait particulièrement coupable.

« Au cas où elle se serait cassé la jambe », c'est-à-dire en montant à cheval. Ce n'est qu'une fantaisie, Nicolaï Vsévolodovitch, un rêve, mais un rêve de poète : un jour, je rencontrai dans la rue une amazone dont l'aspect me frappa, et je me posai alors la question suivante : « Qu'arriverait-il si... ? », c'est-à-dire au cas où... La réponse est claire. Tous les adorateurs, tous les prétendants battraient en retraite... Bonjour, bonsoir. Seul demeurerait le poète au cœur brisé. Nicolaï Vsévolodovitch, il est permis de tomber amoureux, même à un pou, nulle loi ne peut le lui interdire. Et cependant, la dame fut froissée par ma lettre et mes vers. Il paraît même que vous aussi vous êtes fâché. Si c'est vrai, c'est fort regrettable. Je me refusais même à le croire. A qui mes imaginations pouvaient-elles faire tort? De plus, je le jure, c'est la faute à Lipoutine : « Écris-lui, écris-lui, tout » homme a le droit d'écrire des lettres. » Et voilà, je lui ai envoyé mes vers.

— Je crois même que vous prétendiez l'épouser?

— Ce sont des calomnies de mes ennemis. Je suis entouré d'ennemis.

— Lisez vos vers, interrompit brutalement Stavroguine.

— Ce n'est qu'un rêve, une fantaisie! Rien de plus... »

Pourtant il se redressa, leva la main et commença :

La belle des belles se cassa un membre,
Et du coup devint deux fois plus belle,
Et deux fois devint plus amoureux
Celui qui ne l'était pourtant pas peu.

« Assez! dit Stavroguine avec un geste impatient.

— Je ne fais que rêver de Pétersbourg, reprit Lébiadkine en sautant immédiatement à un autre sujet, comme s'il n'avait jamais été question de ses vers. J'aspire à me régénérer. Mon bienfaiteur! puis-je espérer que vous ne me refuserez pas les moyens d'accomplir ce voyage? Je vous ai attendu toute cette semaine, comme le soleil.

— Ah, non, n'y comptez pas. Je n'ai presque plus d'argent, et d'ailleurs, pourquoi vous en donnerais-je? » dit Stavroguine soudain irrité.

Il énuméra brièvement et sèchement tous les délits commis par le capitaine : ses mensonges, son ivrognerie, le gaspillage de l'argent destiné à Maria Timophéïevna qui avait été emmenée du couvent, les lettres insolentes, les menaces de révéler le mariage, les bruits calomnieux sur le compte de Daria Pavlovna, etc. Le capitaine s'agitait sur sa chaise, faisait de grands gestes, essayait de protester, mais Nicolaï Vsévolodovitch l'arrêtait impérieusement.

« Vous parlez tout le temps, dit-il enfin, de la « honte » qui retombe sur votre famille ». Quelle honte y a-t-il pour vous dans le fait que votre sœur est l'épouse légitime de Stavroguine ?

— Mais le mariage est tenu secret, Nicolaï Vsévolodovitch, il est tenu secret, il y a là un mystère fatal. Je reçois de vous de l'argent et l'on me demande : « Pourquoi recevez-vous cet argent ? » Je suis lié par ma parole et ne puis répondre, faisant ainsi tort à ma sœur, faisant tort à l'honneur de ma famille. »

Le capitaine avait élevé la voix. C'était un sujet qu'il affectionnait particulièrement et qu'il comptait exploiter à son avantage. Le malheureux ne pressentait pas ce qui l'attendait. Sur un ton calme, comme s'il s'agissait de régler quelque question domestique, Nicolaï Vsévolodovitch le prévint que l'un de ces jours, peut-être demain ou après-demain, il rendrait son mariage public et « le porterait à la connaissance de la police et de la société », et que, par conséquent, la question du « déshonneur familial » se trouverait réglée, ainsi que celle des subsides. Le capitaine écarquilla les yeux. Il ne comprenait même pas, et il fallut que Stavroguine lui donnât des précisions.

« Mais elle est... à moitié folle...

— Je prendrai mes dispositions.

— Mais... que dira votre mère ?

— Ce qu'elle voudra.

— Mais il vous faudra introduire votre femme dans votre maison...

— Peut-être. Du reste, cela n'est pas votre affaire et ne vous concerne en aucune façon.

— Comment? s'écria le capitaine, et moi alors?

— Bien entendu, vous n'entrerez pas dans ma maison.

— Mais je suis son frère!

— Des frères comme vous, on les tient à distance. Jugez vous-même, pourquoi vous donnerais-je de l'argent?

— Nicolaï Vsévolodovitch, Nicolaï Vsévolodovitch! cela ne se peut! Vous réfléchirez encore! Vous ne voudrez pas vous perdre... Que pensera-t-on de vous, que dira-t-on dans le monde?

— Voilà qui m'est égal. J'ai bien épousé votre sœur quand la fantaisie m'en a pris après un dîner abondamment arrosé, pour gagner quelques bouteilles de vin qu'on avait pariées contre moi... Et maintenant, j'annoncerai ce mariage... si cela m'amuse. »

Il lança cette dernière phrase sur un ton particulièrement irrité, de sorte que le capitaine, épouvanté, commença à prendre ses paroles au sérieux.

« Mais alors, moi?... que vais-je devenir?... C'est là l'essentiel!... Peut-être plaisantez-vous, Nicolaï Vsévolodovitch?

— Non, je ne plaisante pas.

— Comme vous voudrez, Nicolaï Vsévolodovitch, je ne vous crois pas... Je m'adresserai aux tribunaux.

— Vous êtes extraordinairement bête, capitaine.

— Je veux bien, mais c'est la seule chose qui me reste à faire, bredouilla le capitaine complètement démonté. Autrefois, quand elle travaillait à Pétersbourg, je trouvais encore à me loger ici ou là, mais que deviendrai-je maintenant si vous m'abandonnez?

— Je croyais que vous vouliez aller à Pétersbourg pour y faire peau neuve. A propos, j'ai entendu dire que vous vous prépariez à dénoncer tous les autres dans l'espoir d'obtenir votre grâce. Est-ce vrai ? »

Le capitaine demeura bouche bée, les yeux écarquillés.

« Écoutez-moi, capitaine, commença gravement Stavroguine en se penchant vers son hôte. — Jusqu'ici il s'était exprimé d'une façon quelque peu ambiguë, de sorte que Lébiadkine, habitué à son rôle de bouffon, gardait encore un tout petit doute : son maître était-il réellement fâché ou bien se moquait-il de lui ? pensait-il sérieusement à rendre public son mariage ou s'amusait-il à ses dépens ? Mais l'air dur et sévère de Nicolaï Vsévolodovitch ne paraissait plus laisser de place à aucun doute ; et le capitaine en eut froid dans le dos. — Écoutez-moi bien, capitaine, et dites-moi toute la vérité : avez-vous déjà dénoncé les autres ou non ? Avez-vous déjà entrepris quelque chose ? N'avez-vous pas fait la bêtise d'envoyer quelque lettre ?

— Non, pas encore... je n'y songeais même pas, répondit Lébiadkine le regard fixe.

— Vous mentez. Vous y songez. C'est même uniquement dans ce but que vous voulez aller à Pétersbourg. Si vous n'avez pas encore écrit, n'avez-vous pas bavardé ? Dites la vérité : j'ai déjà entendu certaines choses à ce propos.

— J'ai dit quelques mots à Lipoutine, étant ivre. Lipoutine est un traître. Je lui ai ouvert mon cœur, murmura le malheureux capitaine.

— Il ne s'agit pas de votre cœur, il ne faut pas être un imbécile. Si vous avez eu cette idée, il fallait au moins la garder pour vous. Aujourd'hui les gens intelligents savent qu'il vaut mieux se taire que parler.

— Nicolaï Vsévolodovitch! s'écria tout tremblant le capitaine, mais vous, vous n'avez pas pris part à leurs histoires! je ne vous ai pas...

— Bien entendu, vous n'avez jamais songé à dénoncer votre vache à lait.

— Nicolaï Vsévolodovitch! jugez vous-même!... » — Et, tout en larmes, désespéré, le capitaine se mit à raconter d'une voix haletante l'histoire de sa vie au cours de ces quatre dernières années. C'était la sotte histoire d'un imbécile qui s'était fourvoyé dans une affaire qui ne le concernait nullement, et qui jusqu'au dernier moment n'en avait point compris l'importance, préoccupé qu'il était de boire et de faire la noce. Il raconta qu'étant encore à Pétersbourg, il s'était laissé entraîner au début par amitié, « comme un étudiant, bien qu'il ne fût pas étudiant », et que ne sachant même pas ce qu'il faisait, « en toute innocence », il avait jeté des proclamations dans les escaliers, en avait glissé par dizaines sous les portes, dans les boîtes aux lettres, en avait apporté au théâtre où il parvenait à les introduire dans les chapeaux et dans les poches des spectateurs. Il avait fini par accepter de l'argent, « car vous connaissez mes ressources, vous les connaissez, n'est-ce pas »? Ensuite, il avait distribué toutes sortes de tracts dans deux gouvernements. « Oh! Nicolaï Vsévolodovitch, s'écria-t-il, ce qui me révoltait le plus c'est que tout cela était absolument contraire aux lois civiles et particulièrement à celles de la patrie. Il était dit, par exemple, que les paysans devaient s'armer de fourches et que ceux qui seraient sortis pauvres le matin, rentreraient riches le soir. Pensez donc! Je tremblais d'horreur, et cependant je continuais de distribuer ces papiers. Ou bien c'était un appel, cinq ou six lignes, adressé à toute la Russie : « Fermez au plus vite les églises, anéantissez

» Dieu, annulez les mariages, supprimez le droit d'héri-
» tage, armez-vous de couteaux! » et le diable sait quoi encore! C'est avec ce papier précisément que j'ai failli me faire prendre : des officiers m'ont donné une raclée, puis m'ont laissé partir... que Dieu les bénisse! Ensuite, l'année dernière, j'ai manqué de me faire arrêter en remettant à Karavaïev un billet de cinquante roubles de fabrication française. Mais, grâce à Dieu, Karavaïev étant ivre s'est noyé dans un étang et je m'en suis tiré. Ici, chez Virguinsky, j'ai proclamé les droits de la femme à l'amour. En juin, j'ai de nouveau distribué des proclamations dans le district de X... Et il paraît qu'on veut m'obliger à continuer... Voilà Piotr Stépanovitch qui me fait savoir que je dois obéir : il me menace depuis longtemps. Comme il m'a traité dimanche dernier! Nicolaï Vsévolodovitch, je suis un esclave, je suis un ver de terre, mais je ne suis pas un dieu, et c'est en quoi je diffère de Derjavine [1]. Mais vous connaissez mes ressources! »

Nicolaï Vsévolodovitch l'écoutait avec curiosité.

« J'apprends des choses que je ne savais pas du tout, dit-il ; évidemment, avec un homme comme vous, tout est possible... Écoutez, ajouta-t-il après un instant de réflexion, si vous voulez, dites-lui, à celui d'entre eux que vous connaissez, que Lipoutine a menti et que, supposant que j'étais compromis aussi, vous vouliez m'effrayer et me faire payer... Vous comprenez ?

— Nicolaï Vsévolodovitch, pensez-vous vraiment que je sois menacé d'un danger ? Je vous attendais pour vous demander conseil. »

Nicolaï Vsévolodovitch eut un sourire ironique.

« Même si je vous donne de l'argent, vous ne pourrez aller à Pétersbourg : on ne vous laissera pas partir...

Mais il est temps que j'aille auprès de Maria Timophéïevna. — Il se leva.

— Nicolaï Vsévolodovitch, et qu'adviendra-t-il de Maria Timophéïevna ?

— Je vous l'ai déjà dit.

— Est-il possible que vous parliez sérieusement ?

— Vous continuez à ne pas me croire ?

— Est-il possible que vous me rejetiez comme une vieille botte éculée ?

— Je verrai, dit en riant Nicolaï Vsévolodovitch. Allons, laissez-moi passer.

— Ne voulez-vous pas que je reste sur le perron afin que je ne risque pas d'entendre, malgré moi... Les chambres sont si minuscules.

— C'est une idée. Allez sur le perron, mais prenez mon parapluie.

— Un parapluie... votre parapluie... Suis-je digne de cet honneur, balbutia le capitaine en exagérant son humilité.

— Tout homme est digne d'un parapluie.

— Voilà fixé d'un coup le *minimum* des droits humains... »

Mais il parlait machinalement ; il était trop abattu par les nouvelles qu'il venait d'entendre et ne parvenait pas à se ressaisir. Et cependant, dès qu'il fut sur le perron et eut ouvert le parapluie, une idée apaisante et familière commença à se dessiner dans son esprit étourdi et rusé : il se dit qu'on voulait certainement le tromper et que, par conséquent, on le redoutait ; ce n'était donc pas à lui d'avoir peur.

« S'il ruse et ment, c'est qu'il a quelque chose à cacher », songeait-il. Il ne pouvait croire à la publication du mariage : c'était une absurdité. « Il est vrai qu'on peut s'attendre à tout avec un homme pareil. Il ne vit que pour faire du mal aux gens. Mais peut-être a-t-il peur de moi depuis le scandale de dimanche, plus peur que jamais... Peut-être est-il accouru m'assurer qu'il voulait rendre le mariage public dans la crainte que je ne prenne les devants ? Pas de bêtises, Lébiadkine, attention ! Et s'il n'a pas peur de l'opinion publique pourquoi est-il venu la nuit, en se cachant comme un voleur ? Or s'il a peur, c'est qu'il a peur de ce qui va se passer maintenant, dans les jours qui vont suivre... Tiens-toi sur tes gardes, Lébiadkine...

« Il veut m'effrayer avec Piotr Stépanovitch... J'ai peur... Dieu que j'ai peur!... Imbécile que j'étais de parler à Lipoutine. Le diable sait ce que préparent ces démons. Je n'y ai jamais rien compris. Les voilà de nouveau qui se démènent comme il y a cinq ans. Mais à qui aurais-je pu les dénoncer ? « N'avez-vous pas écrit à quelqu'un par bêtise ? »... Hum ! C'est donc qu'on peut écrire en feignant la bêtise ? Ne serait-ce pas un conseil qu'il me donne ? « C'est pour cela que vous » voulez aller à Pétersbourg. » Canaille, j'y rêvais seulement, et le voilà déjà qui a surpris mon rêve ! On dirait qu'il me pousse lui-même à faire ce voyage. Il y a deux cas à examiner ici ; c'est l'un ou l'autre : ou bien il a peur parce qu'il a commis quelque imprudence, ou bien... ou bien il n'a peur de rien et me pousse à dénoncer les autres !... Oh, Lébiadkine, ne te laisse pas mettre dedans !... »

Il s'abandonna à tel point à ses réflexions qu'il en oublia même de prêter l'oreille à ce qui se passait dans la seconde chambre. Du reste, il lui eût été difficile d'entendre quelque chose : la porte était massive et l'on parlait à mi-voix. N'ayant pu saisir que quelques sons indistincts, le capitaine cracha de dépit et reprit en sifflotant sa faction sous le parapluie.

III

La chambre de Maria Timophéïevna, ornée d'un superbe tapis, était deux fois plus grande que celle du capitaine ; mais les meubles qui s'y trouvaient étaient aussi très simples et grossièrement façonnés. Cependant une nappe aux couleurs vives recouvrait la table placée devant le divan et sur laquelle était posée une lampe allumée. Un rideau vert tendu à travers la chambre dissimulait le lit. Il y avait en outre près de la table un large fauteuil capitonné où Maria Timophéïevna ne s'asseyait jamais d'ailleurs. Une veilleuse brûlait devant une icône dans un coin. Sur la table Maria Timophéïevna avait disposé tout ce dont elle avait besoin : un jeu de cartes, un petit miroir, un recueil de chansons et un petit pain au lait, ainsi que deux livres d'images : l'un contenait des récits de voyage à l'usage de la jeunesse, l'autre, des légendes du Moyen Age. Maria Timophéïevna attendait le visiteur, comme l'avait dit le capitaine. Mais quand Nicolaï Vsévolodovitch entra, il la trouva endormie à demi allongée sur le divan, la tête sur un coussin. Il referma sans bruit la porte et, sans bouger de place, se mit à considérer la dormeuse.

Lébiadkine avait menti : Maria Timophéïevna ne s'était pas mise en frais de toilette ; elle portait la même robe foncée que dimanche dernier, chez Varvara Pétrovna. Comme alors, ses cheveux noués formaient un petit chignon sur sa nuque ; et son cou long et sec était nu. Le châle noir dont Varvara Pétrovna lui avait fait cadeau se trouvait à côté d'elle, soigneusement plié sur le divan. Son visage était comme toujours grossièrement fardé. Nicolaï Vsévolodovitch n'était pas entré depuis une minute, qu'elle s'éveilla brusquement comme si elle avait senti son regard, ouvrit les yeux et se redressa vivement. Mais quelque chose d'étrange, semblait-il, se passait dans l'esprit du visiteur : il continuait de se tenir immobile près de la porte et fixait obstinément le visage de la boiteuse d'un regard pénétrant. Peut-être ce regard lui parut-il étrangement dur, peut-être y lut-elle le dégoût ou bien une joie mauvaise à la vue de sa frayeur, peut-être enfin ne fut-ce qu'une illusion de sa part, mais quoi qu'il en fût, au bout de quelques instants d'attente, une expression d'épouvante convulsa le visage de la pauvre fille, elle leva soudain les bras pour se protéger et fondit en larmes, exactement comme un enfant qui a peur. Encore un instant, et elle se serait mise à crier. Mais le visiteur revint à lui : sa physionomie changea instantanément, et il s'approcha de la table avec un sourire affable et doux.

« Pardonnez-moi, Maria Timophéïevna, je vous ai effrayée en entrant à l'improviste », dit-il en lui tendant la main.

Le son de ces paroles bienveillantes agit aussitôt sur elle ; sa terreur disparut, bien qu'elle continuât de dévisager Stavroguine avec une certaine inquiétude, et qu'elle fît visiblement effort pour comprendre ce qui se passait. Elle lui tendit timidement la main, et un léger sourire parut enfin sur ses lèvres.

« Bonjour, prince, murmura-t-elle en le regardant étrangement.

— Vous avez eu un mauvais rêve, sans doute ? reprit-il en souriant encore plus aimablement.

— Mais comment savez-vous que j'ai rêvé *de cela ?* »

Et soudain elle recommença à trembler et se rejeta en arrière, levant les bras comme pour se défendre ; elle allait, semblait-il, se remettre à pleurer.

« Revenez à vous! de quoi avez-vour peur? est-il

possible que vous ne m'ayez pas reconnu ? insista Stavroguine, mais cette fois elle fut longue à se tranquilliser. Elle le regardait en silence avec une anxiété douloureuse ; on voyait qu'elle s'efforçait d'élucider une pensée qui la tourmentait, et ne pouvait y parvenir. Tantôt elle baissait les yeux, tantôt elle enveloppait Stavroguine d'un regard rapide. Soudain, et malgré qu'elle ne fût pas encore parvenue à retrouver son calme, elle parut prendre une décision.

— Asseyez-vous à côté de moi, je vous en prie, afin que je puisse ensuite vous voir de près, dit-elle d'un ton assez ferme. Elle avait manifestement son idée maintenant. — Je ne vous regarderai pas pour le moment, je baisserai les yeux ; et vous aussi ne me regardez pas jusqu'à ce que je vous en prie. Asseyez-vous donc », insista-t-elle, non sans une certaine impatience.

Elle était en proie visiblement à une pensée nouvelle qui se précisait de plus en plus.

Stavroguine s'assit et attendit. Il y eut un assez long silence.

« Hum! tout cela me paraît bien étrange, murmura-t-elle enfin presque avec dégoût. Je suis poursuivie par de mauvais rêves, mais pourquoi est-ce précisément vous que je viens de voir, et tel que vous êtes maintenant ?

— Laissons les rêves, dit-il avec impatience en se tournant vers elle malgré sa défense ; et la même expression que tout à l'heure passa rapidement sur ses traits. Il voyait que Maria Timophéïevna avait une forte envie de lever les yeux sur lui, mais qu'elle se retenait, continuant obstinément de regarder le plancher.

— Écoutez, prince, reprit-elle en élevant soudain la voix, écoutez, prince...

— Pourquoi vous détournez-vous, pourquoi ne me

regardez-vous pas, qu'est-ce que c'est que cette comédie ? » s'écria-t-il perdant patience.

Mais elle parut ne pas l'entendre.

« Écoutez, prince, répéta-t-elle pour la troisième fois d'un ton ferme, et son visage prit une expression préoccupée et hostile. Lorsque vous m'avez dit dans la voiture que le mariage serait publié, j'ai eu peur en apprenant qu'il n'y aurait plus de secret. Je ne sais que faire ! J'ai beaucoup réfléchi et je vois clairement que je ne vous conviens pas du tout. Je saurais certes me parer et peut-être aussi recevoir : offrir une tasse de thé n'est pas bien difficile, surtout si l'on a des laquais. Mais malgré tout, que diront les étrangers ?... Ce dimanche-là, je me suis rendu compte de beaucoup de choses dans cette maison. La jolie demoiselle ne cessait de me regarder, et surtout après votre entrée. C'est bien vous qui êtes entré alors, n'est-ce pas ? Quant à sa mère, ce n'est qu'une vieille dame du monde, très comique. Mon Lébiadkine a fait des siennes, lui aussi ; pour ne pas rire, je regardais tout le temps le plafond ; il est très joliment peint, ce plafond. Pour ce qui est de sa mère *à lui*, elle était faite pour être abbesse ; j'ai peur d'elle ; et cependant elle m'a donné un châle noir. Sans doute, ont-elles toutes mal parlé de moi. Mais cela ne me fâchait pas ; je me disais : non, je ne conviens pas à ces gens comme parente. Évidemment, on n'exige d'une comtesse que des qualités morales, car elle a suffisamment de laquais pour les besoins de la maison ; tout au plus, faut-il qu'elle soit un peu coquette afin d'être à même de recevoir les voyageurs étrangers. Cependant, ce dimanche, elles me considéraient toutes d'un air désespéré. Seule Dacha est un ange. Je crains fort qu'on ne lui cause de la peine, *à lui*, par quelque remarque imprudente sur mon compte.

— Ne craignez rien, ne vous en préoccupez pas, dit Nicolaï Vsévolodovitch avec irritation.

— Du reste, même s'il a un peu honte de moi, je n'en serai pas fâchée, car en ce cas on a toujours moins honte que pitié. Quoique cela dépende de l'homme évidemment. Il sait que c'est plutôt à moi d'avoir pitié d'eux, qu'à eux de moi.

— Ils vous ont, je crois, profondément blessée, Maria Timophéïevna ?

— Ils m'ont blessée, moi ? pas du tout, dit-elle avec un sourire candide. Je vous regardais tous : vous étiez là à vous fâcher, à vous chamailler ; vous ne savez même pas rire de bon cœur lorsque vous vous trouvez réunis. Tant de richesses et si peu de gaîté !... Tout cela est hideux. Du reste, maintenant je n'ai pitié de personne ; c'est de moi seule que j'ai pitié.

— J'ai entendu que votre frère vous faisait la vie dure en mon absence ?

— Qui vous a dit cela ? Des bêtises !... Au contraire, c'est bien pis maintenant ; maintenant je vois de mauvais rêves, et je vois de mauvais rêves parce que vous êtes arrivé. Je me demande pourquoi vous êtes arrivé ? Pourquoi ? dites-le moi.

— Ne voudriez-vous pas retourner au couvent ?

— Je le pressentais ! les voilà qui me proposent de retourner au couvent ! Je l'ai assez vu, votre couvent ! Qu'irais-je y faire ? Je suis complètement seule maintenant. Il est trop tard pour recommencer une troisième existence.

— Vous avez l'air irritée. Auriez-vous peur que je ne vous aime plus ? »

Elle eut un rire méprisant.

« Je ne me préoccupe nullement de vous. C'est pour moi que je crains, je crains de cesser bientôt d'aimer une certaine personne. Je me suis probablement rendue coupable à *son* égard de quelque faute très importante, ajouta-t-elle soudain comme se parlant à elle-même. Mais j'ignore en quoi je suis coupable, et c'est là tout mon malheur. Toujours, toujours, jour et nuit, depuis cinq ans, cette pensée n'a jamais cessé de me tourmenter, que j'étais coupable à son égard... En quoi ? Je prie Dieu et je pense sans cesse à la grande faute que j'ai commise. Et voilà maintenant qu'il se trouve que c'est vrai ?

— Qu'est-ce qui est vrai ?

— Je me demande cependant si *lui* aussi n'y est pas pour quelque chose, poursuivit-elle sans répondre à la question de Nicolaï Vsévolodovitch, sans l'avoir entendue même. D'autre part, comment aurait-il pu se lier avec ces vilaines petites gens ? La comtesse m'aurait volontiers dévorée, bien qu'elle m'eût dit de m'asseoir dans sa calèche. Tout le monde était du complot ; serait-il possible qu'il en fût aussi ? Serait-il possible qu'il me trahît ? (Son menton et ses lèvres se mirent à trembler.) Écoutez, vous : connaissez-vous l'histoire de ce Grichka Otrépiev qui fut déclaré anathème [1] ? »

Nicolaï Vsévolodovitch ne répondit pas.

« D'ailleurs je vais maintenant me retourner et vous regarder, dit-elle se décidant tout à coup. Tournez-vous aussi de mon côté et regardez-moi, mais attentivement. Je veux me rendre compte pour la dernière fois...

— Je vous regarde depuis longtemps.

— Hum! fit Maria Timophéïevna en le considérant avec attention. Vous avez beaucoup grossi. »

Elle voulut ajouter encore quelque chose, quand soudain la terreur convulsa de nouveau son visage, et elle se rejeta en arrière en levant les bras comme pour se protéger.

« Mais qu'avez-vous donc ? » s'écria Nicolaï Vsévolodovitch presque avec rage.

Mais sa terreur ne dura qu'un instant : un sourire étrange tordit son visage, un sourire méfiant, désagréable.

« Je vous en prie, prince, levez-vous et entrez, dit-elle soudain d'une voix ferme et pressante.

— Entrer ? où entrer ?

— Pendant ces cinq ans je me représentais constamment comment *il* entrerait. Levez-vous et allez dans l'autre chambre. Je resterai là assise comme si je n'attendais personne et je prendrai un livre. Et tout à coup vous entrerez, comme si vous étiez de retour après cinq ans d'absence. Je veux voir comment cela se passera. »

Nicolaï Vsévolodovitch grinça des dents et marmotta quelques paroles inintelligibles.

« Assez ! s'écria-t-il en frappant la table de sa main ouverte. Je vous prie de m'écouter, Maria Timophéïevna. Je vous prie de rassembler, si vous pouvez, toute votre attention. Vous n'êtes pas complètement folle tout de même ! laissa-t-il échapper. Demain je rends public notre mariage. Vous n'habiterez jamais un palais. Chassez cette idée de votre esprit. Voulez-vous passer toute votre vie avec moi, mais très loin d'ici ? Dans les montagnes, en Suisse ; je connais un certain endroit... Ne vous inquiétez pas : je ne vous abandonnerai pas et ne vous mettrai pas dans un asile d'aliénés. J'ai suffisamment d'argent pour vivre sans rien demander à personne. Vous aurez une servante et ne serez tenue à aucun travail dans la maison. Tout ce que vous désirerez vous sera procuré dans la mesure du possible. Vous pourrez prier, aller où bon vous semblera, faire ce que vous voudrez. Je ne vous toucherai pas. Moi aussi je ne bougerai pas de ce lieu. Si vous voulez, je ne vous adresserai jamais la parole, si vous voulez vous me raconterez comme autrefois à Pétersbourg vos petites histoires. Je vous ferai la lecture si cela vous fait plaisir. Mais, par contre, nous passerons toute notre existence au même endroit, or cet endroit est morne et désert. Le voulez-vous ? Y êtes-vous décidée ? Ne vous repentirez-vous pas plus tard ? ne m'accablerez-vous pas de vos larmes, de vos malédictions ? »

Elle l'écouta avec une curiosité extrême ; quand il eut terminé elle réfléchit longuement, puis dit enfin d'un ton ironique et méprisant :

« Tout cela me paraît bien invraisemblable. Il me faudra peut-être vivre ainsi quarante ans dans les montagnes. »

Elle éclata de rire.

« Oui, nous y vivrons quarante ans s'il le faut, répondit Nicolaï Vsévolodovitch ; il fronça les sourcils.

— Hum ! pour rien au monde.

— Même avec moi ?

— Et qu'êtes-vous donc pour que je parte ainsi avec vous ? Voyez un peu ! il veut que je reste pendant quarante ans perchée avec lui sur une montagne ! Ils sont devenus bien patients les gens d'aujourd'hui ! Non, jamais un hibou ne pourra devenir un faucon ! Mon prince n'est pas comme ça, lui ! » s'écria-t-elle triomphante en relevant fièrement la tête.

Soudain Stavroguine vit clair.

« Pourquoi m'appelez-vous prince, et... pour qui me prenez-vous ? demanda-t-il rapidement.

— Comment ? Vous n'êtes donc pas prince ?

— Je ne l'ai jamais été.

— Comment ? c'est vous-même, vous-même qui me l'avouez ainsi en face ?

— Je vous répète que je ne l'ai jamais été.

— Mon Dieu! s'écria-t-elle en joignant les mains, je m'attendais à tout de la part de *ses* ennemis, mais à une telle impudence, jamais! Est-il vivant seulement? s'écria-t-elle hors d'elle-même en se précipitant vers Stavroguine. Tu l'as assassiné? avoue-le!...

— Pour qui me prends-tu? dit-il en se levant brusquement, le visage décomposé. Mais elle n'avait plus peur maintenant, elle triomphait.

— Qui sait qui tu es et d'où tu sors! Mon cœur l'a toujours pressenti depuis cinq ans, il a deviné toute leur intrigue! Et moi qui suis là à me demander : quelle est donc cette chouette aveugle qui s'est introduite chez moi? Non, mon petit ami, tu es un mauvais acteur, pis encore que mon Lébiadkine. Salue bien bas la comtesse de ma part, et dis-lui de m'envoyer quelqu'un d'un peu plus habile que toi. T'a-t-elle payé pour cette besogne, dis? T'entretient-elle par charité à la cuisine? Je perce tous vos mensonges, je vous connais tous, jusqu'au dernier! »

Il l'empoigna avec force par le bras, au-dessus du coude, mais elle lui éclata de rire au visage.

« Pour ce qui est de lui ressembler, tu lui ressembles beaucoup. Peut-être es-tu son parent. Voyez un peu ces gens rusés! Mais le mien est un prince, un noble faucon, et toi tu n'es qu'une chouette et un boutiquier! Le mien se prosternera devant Dieu s'il lui plaît, et si la fantaisie lui en prend il ne se prosternera pas. Et toi, Chatouchka (mon cher, mon bon Chatouchka!) t'a flanqué des gifles. Mon Lébiadkine me l'a raconté. Et de quoi avais-tu peur en entrant? qui t'a effrayé? Dès que j'ai vu ta vilaine face quand je suis tombée et que tu m'as relevée, ce fut comme si un ver eût pénétré dans mon cœur ; aussitôt je me suis dit : ce n'est pas *lui*, non ce n'est pas *lui!* Jamais mon faucon n'aurait eu honte de moi devant une demoiselle du monde! Mon Dieu! cette pensée que mon faucon volait là-bas, au loin, par-delà les montagnes et contemplait le soleil, cette pensée suffisait à mon bonheur pendant ces cinq ans!... Parle, imposteur! t'es-tu fait chèrement payer? As-tu pris une grosse somme pour mentir? Je ne t'aurais pas donné un sou, moi!... Ha, ha, ha!

— Oh! idiote! murmura, les dents serrées, Nicolaï Vsévolodovitch en la tenant toujours fortement par le bras.

— A bas les mains, imposteur! s'écria-t-elle fièrement. Je suis la femme de mon prince et je ne crains pas ton couteau!

— Mon couteau?

— Oui, ton couteau. Tu caches un couteau dans ta poche. Tu croyais que je dormais, mais j'ai tout vu : en entrant tout à l'heure, tu as tiré ton couteau.

— Que dis-tu, malheureuse? Quels rêves vois-tu? » vociféra-t-il, et il la repoussa si violemment qu'elle se cogna la tête et les épaules contre le divan. Il se précipita hors de la chambre ; mais se relevant aussitôt, elle le poursuivit en sautillant et en boitant. Sur le perron, Lébiadkine, épouvanté, la saisit à bras-le-corps, mais elle hurla dans les ténèbres avec un rire de démente :

« Grichka Otrépiev! A-na-thème!.. »

IV

« Un couteau... un couteau! » répétait Stavroguine avec rage ; il marchait à grands pas dans les flaques d'eau et dans la boue sans faire attention à sa route. Par moments, il est vrai, il avait terriblement envie de rire, de rire très haut, comme un fou, mais il se contenait sans savoir lui-même pourquoi. Il ne revint à lui que sur le pont, à l'endroit même où il avait rencontré Fédka. Et Fédka était de nouveau là qui l'attendait. A la vue de Nicolaï Vsévolodovitch il ôta sa casquette, sourit gaîment de toutes ses dents et se mit aussitôt à bavarder. Stavroguine passa devant lui sans s'arrêter et parut même ne prêter aucune attention aux paroles du vagabond qui s'était remis à le suivre. Soudain il remarqua avec surprise qu'il avait complètement oublié la présence de Fédka, bien qu'il n'eût cessé de répéter en lui-même : « Un couteau! un couteau! » Il se retourna brusquement, saisit le vagabond au collet et le précipita à terre avec toute la force qu'avait accumulée en lui la fureur. Fédka songea un instant à se défendre, mais il comprit presque immédiatement qu'en face d'un pareil adversaire il ne pèserait pas lourd, aussi resta-t-il coi et ne lui opposa-t-il aucune résistance. A genoux, la face contre terre, le rusé vagabond attendait tranquillement l'issue de l'aventure, convaincu qu'il ne courait aucun danger.

Il ne se trompait pas. Nicolaï Vsévolodovitch avait déjà délié de sa main gauche le foulard qui lui entourait le cou pour ligoter les mains de son prisonnier, quand soudain il se ravisa et repoussa Fédka qui fut aussitôt sur pied ; un couteau large et court, sorti on ne sait d'où, étincela dans sa main.

« A bas le couteau! cache-le, immédiatement », *ordonna* Nicolaï Vsévolodovitch avec un geste impatient, et le couteau disparut aussi vite qu'il était apparu.

Sans plus se retourner, Nicolaï Vsévolodovitch reprit sa route en silence. Mais l'obstiné personnage le suivit, à la distance respectueuse d'un pas, il est vrai, et sans lui adresser la parole. Ils traversèrent ainsi le pont, puis descendirent sur la berge mais, cette fois, tournèrent à gauche et s'engagèrent dans une ruelle longue et déserte qui devait les conduire vers le centre de la ville plus vite que s'ils avaient pris, comme tout à l'heure, la rue de l'Épiphanie.

« On raconte que tu as cambriolé ces jours-ci une église dans notre district, est-ce vrai ? » demanda Nicolaï Vsévolodovitch.

« A vous dire la vérité, j'y étais entré d'abord pour prier », répondit le vagabond posément et poliment, comme s'il n'était rien arrivé ; non pas posément même, mais avec dignité. Il n'y avait plus trace en lui de la familiarité « amicale » de tout à l'heure. Il parlait maintenant comme un homme sérieux, un homme pratique, injustement offensé il est vrai, mais qui oublie promptement les offenses.

« Quand j'y entrai, continua-t-il, je me dis en moi-même : c'est la grâce divine qui m'a conduit ici... J'ai fait le coup, monsieur, parce que dans notre situation, on s'arrange comme on peut ; nous ne pouvons nous passer de l'aide d'autrui. Eh bien, vous me croirez si vous voulez, monsieur, mais je n'en ai retiré aucun avantage ; Dieu m'a puni pour mes péchés. Pour l'encensoir et la chasuble du diacre, je n'ai obtenu en tout et pour tout que douze roubles. Il y avait encore l'auréole de saint Nicolas, mais on a prétendu qu'elle était en simili et je n'en ai presque rien eu.

— Tu as égorgé le gardien ?

— C'est-à-dire que nous avons nettoyé l'église ensemble, mais au matin, près de la rivière, nous nous sommes disputés pour savoir qui porterait le sac. Et alors, j'ai péché, j'ai allégé mon camarade.

— Continue à égorger, à voler.

— C'est ce que me dit aussi Piotr Stépanovitch, mot pour mot, exactement ; car pour ce qui est de secourir les gens, c'est un homme dur de cœur et avare. Non seulement il ne croit pas pour un sou au Créateur qui nous a tous tirés de la boue terrestre, et dit que c'est la nature qui a fait tout, jusqu'au dernier animal, mais encore il ne veut pas comprendre que nous autres, dans notre situation, nous ne pouvons vivre sans quelque bienfaiteur secourable. Quand on commence à lui expliquer ça, il vous regarde comme un bélier, à tel point qu'on en est tout ahuri. Le croiriez-vous, monsieur! chez ce capitaine Lébiadkine auquel vous venez de rendre visite, au temps où il demeurait chez Philippov, la porte restait toute la nuit au large ouverte ; et avec cela, il dormait ivre mort et l'argent lui sortait de toutes les poches. Je l'ai vu de mes propres yeux, car dans notre situation il nous est absolument impossible de nous passer de l'aide d'autrui...

— Tu l'as vu de tes propres yeux ? Tu es donc entré chez lui la nuit ?

— Peut-être bien, mais personne n'en sait rien.

— Pourquoi ne l'as-tu pas égorgé ?

— Ayant calculé le pour et le contre, j'ai préféré y renoncer. Je savais que je pouvais toujours en tirer cent cinquante roubles, mais à quoi bon me dépêcher, puisque je pouvais en obtenir au moins quinze cents en attendant un peu ? Car le capitaine Lébiadkine a toujours beaucoup compté sur vous lorsqu'il était éméché (je l'ai entendu de mes propres oreilles), et il n'y a pas une auberge, pas un cabaret où il n'ait parlé de cela étant ivre. De sorte qu'ayant entendu raconter ça de différents côtés, moi aussi j'ai placé tous mes espoirs en Votre Excellence. Je m'adresse à vous, monsieur, comme à un père ou à un frère, et Piotr Stépanovitch n'en saura jamais rien, pas une âme ne le saura. Eh bien, Votre Excellence voudra-t-elle me donner trois roubles ? Pour que je sache la vérité vraie, c'est-à-dire à quoi m'en tenir, car dans notre situation, il nous est impossible de vivre sans l'aide d'autrui. »

Nicolaï Vsévolodovitch éclata de rire, et, tirant de sa poche son porte-monnaie où il y avait une cinquantaine de roubles en menus billets, il lui en jeta un, puis un autre, puis un troisième, un quatrième. Les billets tombaient dans la boue. Fédka courait après eux et essayait de les saisir au vol en poussant de petits cris : « Ah! ah! » Nicolaï Vsévolodovitch lui jeta enfin toute la liasse et, toujours riant aux éclats, continua sa route, mais seul cette fois. Le vagabond, à genoux dans la boue, continuait de chercher les billets que le vent avait dispersés et qui étaient tombés dans les flaques. Et ses petits cris : « Ah! ah! » résonnèrent encore longtemps dans les ténèbres.

CHAPITRE III

LE DUEL

I

Le duel eut lieu le lendemain, à deux heures de l'après-midi. Le désir enragé qu'avait Artémi Pavlovitch de se battre coûte que coûte, précipita les événements. Il ne pouvait comprendre la conduite de son adversaire et était hors de lui. Il l'offensait impunément depuis un mois, et ne parvenait pas à lui faire perdre patience. Or il lui fallait absolument que Nicolaï Vsévolodovitch le provoquât en duel, car lui-même n'avait aucun prétexte pour prendre l'initiative de cette rencontre. D'autre part, il avait honte d'avouer les motifs secrets de sa conduite, c'est-à-dire la haine maladive qu'il portait à Stavroguine pour l'offense faite à l'honneur de sa famille. Il comprenait lui-même qu'il lui était impossible d'invoquer ce motif, surtout depuis que Stavroguine lui avait offert deux fois ses plus humbles excuses. Dans son for intérieur, Gaganov avait décidé que Nicolaï Vsévolodovitch n'était qu'un lâche ; il n'arrivait pas à comprendre comment celui-ci n'avait pas tiré vengeance du soufflet de Chatov. C'est alors qu'il s'était résolu enfin à lui écrire cette lettre d'une grossièreté inouïe qui avait obligé Stavroguine à le provoquer en duel. Ayant envoyé sa lettre, Gaganov attendait la réponse avec une impatience fiévreuse, supputant maladivement les chances de succès, passant alternativement de la confiance au désespoir. Pour être prêt à toute éventualité, il avait prié d'avance Mavriki Nicolaïévitch de lui servir de témoin : c'était son camarade d'enfance et il l'estimait beaucoup. C'est ainsi que lorsque Kirilov se rendit le lendemain matin chez Gaganov, il y trouva le terrain, pour ainsi dire, tout préparé.

Toutes les excuses et les concessions incroyables de Stavroguine furent repoussées dès le premier mot et très énergiquement. Mavriki Nicolaïévitch qui ne connaissait les détails de l'affaire que depuis la veille, resta bouche bée en entendant de telles propositions et voulut insister pour terminer la chose à l'amiable, mais il garda le silence à la vue de l'attitude de Gaganov qui, ayant deviné son intention, s'agitait nerveusement sur sa chaise. S'il ne lui avait pas donné sa parole de l'aider dans cette affaire, il serait parti sur-le-champ, et il ne resta que dans l'espoir d'intervenir plus tard d'une façon ou d'une autre pour éviter une issue tragique. Kirilov transmit le cartel de Stavroguine ; toutes les conditions de la rencontre proposées par ce dernier furent acceptées sans la moindre objection. Mais on y ajouta une clause, du reste fort dure : il fut convenu que si les premières balles étaient échangées sans résultat décisif, les adversaires tireraient une seconde et même une troisième fois. Kirilov, très mécontent, insista pour faire cesser le duel après le second échange de balles, mais il dut céder sur ce point tout en spécifiant bien « qu'il ne pourrait en aucun cas être question d'une quatrième rencontre ». Et l'on s'accorda sur ce point. C'est ainsi que le duel put avoir lieu le jour même, à deux heures de l'après-midi, à Brykovo, dans un petit bois situé entre le domaine de Skvoréchniki et la fabrique des Chpigouline. La pluie avait complètement cessé mais il faisait humide, le sol était détrempé et un vent violent chassait les nuages bas, gris et déchiquetés qui glissaient rapidement dans le ciel froid. Courbant leurs cimes sous le vent, les arbres grinçaient et bruissaient. C'était une matinée bien triste.

Gaganov et Mavriki Nicolaïévitch arrivèrent sur les lieux dans un élégant char-à-bancs attelé de deux chevaux que Gaganov conduisait lui-même. Un domestique les accompagnait. Stavroguine et Kirilov les suivirent de près ; ils étaient à cheval et accompagnés, eux aussi, d'un domestique. Kirilov, qui n'avait jamais monté à cheval, se tenait en selle raide comme un piquet mais très crânement. De sa main droite il serrait contre lui le lourd coffret aux pistolets qu'il n'avait pas voulu confier au domestique, tandis que de la gauche, il ne cessait de tirer, par inexpérience, sur les rênes ; aussi son cheval, secouant la tête, manifestait-il l'intention de se cabrer, ce qui du reste ne paraissait nullement effrayer le cavalier. Susceptible et ombrageux comme il l'était, Gaganov considéra cette arrivée à cheval comme une nouvelle offense : son adversaire était donc bien sûr de sa victoire puisqu'il n'avait pas jugé nécessaire de préparer une voiture pour le cas où il aurait été blessé. Gaganov descendit de son char-à-bancs, jaune de rage ; ses mains tremblaient et il le fit aussitôt remarquer à Mavriki Nicolaïévitch. Stavroguine l'ayant salué de loin, il se détourna sans répondre à son salut. Les témoins tirèrent au sort et celui-ci désigna les pistolets de Kirilov. On compta les pas et l'on assigna leurs places aux adversaires.

Il est regrettable que les nécessités du récit m'obligent à passer sur nombre de détails. Certains d'entre eux cependant méritent d'être signalés. Mavriki Nicolaïévitch paraissait triste et préoccupé. En revanche, Kirilov se montrait absolument calme et indifférent ; il accomplissait scrupuleusement les obligations qu'il avait assumées, mais sans la moindre agitation et semblait même peu intéressé par l'issue imminente de la rencontre. Nicolaï Vsévolodovitch était plus pâle qu'à l'ordinaire ; il portait un pardessus léger et un chapeau de castor blanc. Il paraissait fatigué, et fronçait de temps à autre les sourcils, jugeant inutile de dissimuler sa mauvaise humeur. Mais c'était Artémi Pavlovitch qui offrait à cet instant le spectacle le plus curieux ; aussi est-il impossible de ne pas dire quelques mots de ce personnage.

II

Je n'ai pas encore eu l'occasion jusqu'à présent de décrire son extérieur. C'était un homme de grande taille, gras, bien nourri, comme dit le peuple, au teint blanc, à la chevelure blonde, assez rare, au visage plutôt agréable. Il pouvait avoir trente-trois ans. Il avait pris sa retraite avec le grade de colonel ; s'il eût atteint celui de général, il aurait acquis un air encore plus imposant ; il est fort possible, du reste, qu'il eût fait un excellent général.

Il y a lieu d'indiquer ici pour la caractéristique d'Artémi Pavlovitch que le principal motif de sa démission avait été la pensée douloureuse et sans cesse présente de la honte qui avait rejailli sur son nom par suite de l'offense faite à son père quatre ans auparavant par Stavroguine. Il considérait en conscience qu'il eût été malhonnête de sa part de continuer à servir, car il était persuadé que sa présence déshonorait le régiment et ses camarades, dont aucun cependant n'avait entendu parler de cet incident. Il est vrai qu'une fois déjà, bien avant l'insulte de Stavroguine, il avait été sur le point de prendre sa retraite, mais y avait renoncé au dernier moment. Si étrange que cela puisse paraître, ce fut le manifeste du 19 février abolissant le servage qui le poussa alors à quitter l'armée. Artémi Pavlovitch, l'un des plus riches seigneurs de notre province et que le manifeste ne ruinait nullement, qui, de plus, était capable d'apprécier le caractère humanitaire de cette mesure et d'en comprendre presque les avantages économiques, Artémi Pavlovitch ressentit soudain la publication du manifeste presque comme une injure personnelle. Ce n'était qu'une sorte de sentiment inconscient, mais cette inconscience en faisait précisément la force. Tant que son père fut en vie d'ailleurs, il recula toujours devant une démarche décisive ; mais la « noblesse » de ses idées fut appréciée de quelques personnalités importantes avec lesquelles il entretenait d'étroites relations. C'était un homme très renfermé. A noter encore ceci : il appartenai à cette race de gentilshommes que l'on rencontre encore en Russie, et qui sont très férus de l'ancienneté et de la pureté de leur sang et portent à ces questions un intérêt exagéré. D'autre part, il détestait l'histoire russe et, en général, n'éprouvait que du dégoût pour les coutumes et les mœurs russes. Étant encore tout jeune, alors qu'il avait l'honneur de faire ses études dans une école militaire spécialement réservée aux fils des familles nobles et riches, il s'était attaché à certaines idées qui lui paraissaient poétiques : il aimait les châteaux forts, la vie du Moyen âge, son côté décoratif, la chevalerie. Déjà alors, il pleurait presque de honte à la pensée que les anciens tzars moscovites pouvaient infliger aux boyards russes des châtiments corporels, et les comparaisons qui s'imposaient à lui à ce sujet, le faisaient rougir de honte. Cet homme dur et sévère qui connaissait admirablement son service et accomplissait scrupuleusement ses devoirs, avait en somme l'âme d'un rêveur. On assurait qu'il aurait pu jouer un rôle dans les assemblées, car il possédait le don de la parole ; pourtant il était toujours taciturne et gardait une attitude hautaine même dans la haute société pétersbourgeoise qu'il fréquentait ces dernières années. Sa rencontre à Pétersbourg avec Nicolaï Vsévolodovitch rentré de l'étranger, faillit le rendre fou. Et maintenant encore, se trouvant en face de lui de l'autre côté de la barrière, il se sentait en proie à une terrible inquiétude. Il lui semblait tout le temps que quelque événement allait empêcher le duel, et le moindre retard le faisait trembler d'impatience. Aussi son visage se contracta-t-il douloureusement lorsque, au lieu de donner le signal du combat, Kirilov prit soudain la parole, d'ailleurs uniquement pour la forme, ainsi qu'il le déclara lui-même.

« Maintenant que vous voilà armés et qu'il ne me reste plus qu'à donner le signal du combat, je vous propose pour la dernière fois de vous réconcilier. Je ne parle que pour la forme ; c'est mon devoir de témoin. »

Comme par un fait exprès, Mavriki Nicolaïévitch qui avait gardé jusqu'alors le silence, mais qui depuis la veille se reprochait sa faiblesse, intervint aussitôt pour appuyer la proposition de Kirilov.

« Je me joins entièrement aux paroles de M. Kirilov, dit-il. Cette idée qu'on ne peut se réconcilier sur le terrain n'est qu'un préjugé bon tout au plus pour les Français... Et d'ailleurs, comme vous voulez, mais je ne vois pas qu'il y ait eu offense... voilà longtemps que je voulais le dire... puisqu'on est prêt à offrir toutes les excuses possibles, n'est-il pas vrai ? »

Il devint tout rouge. Il lui arrivait rarement de parler si longuement et avec une telle véhémence.

« Je confirme une fois de plus ma proposition de présenter toutes les excuses possibles, intervint avec empressement Nicolaï Vsévolodovitch.

— Mais c'est impossible! s'écria Gaganov hors de lui en se tournant vers Mavriki Nicolaïévitch, et dans sa colère il frappa le sol du pied. Expliquez donc à cet homme, si vous êtes mon témoin et non mon ennemi (il désigna du bout de son pistolet Stavroguine), que ses concessions ne font qu'aggraver l'insulte. Il considère que mes offenses ne sauraient l'atteindre! Il considère qu'il ne peut y avoir nulle honte pour lui à se dérober devant moi!... Pour qui donc me prend-il en ce cas! et cela sous vos yeux! Et dire que vous êtes mon témoin! Vous ne faites que m'irriter, pour que je le manque. — Il frappa de nouveau du pied, il écumait.

— Les pourparlers sont terminés. Je vous prie d'obéir à mon commandement! cria de toutes ses forces Kirilov. Un! deux! trois! »

A ce dernier signal, les adversaires se dirigèrent l'un vers l'autre. Gaganov leva aussitôt son pistolet et ayant fait cinq ou six pas, il tira. Il s'arrêta un instant, puis voyant qu'il avait manqué Stavroguine, il s'avança rapidement vers la barrière. Nicolaï Vsévolodovitch marcha à sa rencontre et leva son pistolet, mais trop haut, sembla-t-il, et tira presque sans viser. Après quoi il sortit son mouchoir et en enveloppa le petit doigt de sa main droite. C'est alors seulement qu'on vit qu'Artémi Pavlovitch n'avait pas tout à fait manqué son adversaire, mais que sa balle avait glissé le long du doigt sans atteindre l'os : tout se réduisait en somme à une simple éraflure. Kirilov déclara immédiatement que si les adversaires ne se tenaient pas pour satisfaits par cette première rencontre, le duel allait continuer.

« Je déclare, fit d'une voix étranglée Gaganov (sa gorge était desséchée) en se tournant de nouveau vers Mavriki Nicolaïévitch, que cet homme (il désigna de nouveau Stavroguine) a tiré exprès en l'air... oui, volontairement... C'est une injure de plus... Il veut rendre le duel impossible.

— J'ai le droit de tirer comme je l'entends, à condition que tout se passe selon les règles, dit fermement Nicolaï Vsévolodovitch.

— Non, il n'en a pas le droit. Expliquez-le-lui! Expliquez donc! criait Gaganov.

— Je partage entièrement l'opinion de Nicolaï Vsévolodovitch, intervint Kirilov.

— Pourquoi me ménage-t-il? continuait de crier Gaganov sans écouter personne. Je méprise sa clémence... Je crache... Je...

— Je vous donne ma parole d'honneur que je n'ai nullement voulu vous offenser, répliqua avec impatience Stavroguine. J'ai tiré en l'air parce que je ne veux plus tuer personne, vous ou un autre ; cela ne vous concerne pas. Il est vrai que je ne me considère pas comme offensé, et je regrette que cela vous mette en colère. Mais je ne permettrai pas qu'on m'empêche de faire usage de mon droit.

— S'il a tellement peur de verser le sang, demandez-lui pourquoi il m'a provoqué en duel, hurlait Gaganov, s'adressant toujours à Mavriki Nicolaïévitch.

— Comment aurait-il pu ne pas vous provoquer? dit Kirilov. Vous ne vouliez rien entendre. Il n'y avait pas d'autre moyen de se débarrasser de vous!

— Je dois faire observer, prononça avec effort Mavriki Nicolaïévitch douloureusement affecté par la tournure que prenait l'affaire, que si l'un des adversaires déclare à l'avance qu'il tirera en l'air, le duel, effectivement, ne peut continuer... pour des raisons délicates... et claires...

— Je n'ai nullement déclaré que je tirerais chaque fois en l'air, s'écria Stavroguine à bout de patience. Vous ne savez pas du tout quelles sont mes intentions, et comment je tirerai la prochaine fois... Je ne mets aucun obstacle au duel.

— Si c'est ainsi, le duel continue, dit Mavriki Nicolaïévitch à Gaganov.

— Messieurs, à vos places! » commanda Kirilov.

Les adversaires se dirigèrent de nouveau l'un vers l'autre, et de nouveau Gaganov manqua Nicolaï Vsévolodovitch qui, cette fois encore, tira en l'air. Cependant ses coups pouvaient prêter à discussion : si Nicolaï Vsévolodovitch n'avait pas avoué lui-même qu'il tirait volontairement trop haut, il aurait pu très bien prétendre qu'il avait visé correctement. En effet, il ne pointait pas son arme vers le ciel ou vers la cime d'un arbre, il la braquait dans la direction de son adversaire, mais un peu au-dessus du chapeau de ce dernier. Cette fois il avait même visé un peu plus bas, comme pour prouver sa bonne volonté. Mais il était impossible maintenant de calmer Gaganov.

« Encore, dit-il les dents serrées. Mais cela m'est égal! J'ai été provoqué et j'use de mon droit. Je veux tirer une troisième fois... à tout prix!

— C'est votre droit », acquiesça d'un ton sec Kirilov. Mavriki Nicolaïévitch garda le silence. Les adversaires reprirent pour la troisième fois leurs places et pour la troisième fois se mirent en marche l'un vers l'autre au commandement de Kirilov. Gaganov s'avança jusqu'à la barrière, et arrivé là, à une distance de douze pas, il visa Stavroguine. Ses mains tremblaient tellement qu'il lui était difficile de viser juste. Nicolaï Vsévolodovitch, son pistolet abaissé, attendait immobile le coup de son ennemi.

« Trop longtemps, vous visez trop longtemps! cria impétueusement Kirilov. Tirez! tirez vite! Le coup partit, et le chapeau de castor blanc de Nicolaï Vsévolodovitch roula à terre : la coiffe avait été percée assez bas ; un centimètre plus bas encore et tout était fini. Kirilov ramassa le chapeau et le tendit à Nicolaï Vsévolodovitch.

— Tirez! Ne faites pas attendre votre adversaire! » cria très ému Mavriki Nicolaïévitch, en voyant que Stavroguine qui paraissait avoir oublié Gaganov, examinait attentivement son chapeau avec Kirilov. Stavroguine tressaillit, regarda Gaganov, se détourna, et sans essayer même de feindre cette fois, déchargea tout simplement son pistolet dans la direction du bois. Le duel était terminé. Gaganov restait là, comme pétrifié. Mavriki Nicolaïévitch s'approcha et lui dit quelques mots ; mais il parut ne pas l'entendre. En s'en allant Kirilov ôta son chapeau et salua Mavriki Nicolaïévitch. Quant à Stavroguine, d'ordinaire si courtois, il ne se tourna même pas vers son adversaire après avoir tiré, mais tendit d'un geste brusque son pistolet à Kirilov et se dirigea rapidement vers l'endroit où l'on avait attaché les chevaux. Sa physionomie avait pris une expression méchante, il se taisait. Kirilov se taisait aussi. Ils montèrent à cheval et partirent au galop.

III

« Pourquoi vous taisez-vous ? cria-t-il avec impatience à Kirilov ; ils étaient déjà non loin de la maison.

— Que voulez-vous que je vous dise ? » répondit celui-ci ; il faillit tomber de son cheval qui s'était cabré.

Stavroguine se contint.

« Je ne voulais pas offenser cet... imbécile, et cependant je l'ai encore offensé, dit-il à mi-voix.

— Oui, vous l'avez encore offensé, repartit Kirilov d'un ton coupant. Et de plus, ce n'est pas un imbécile.

— J'ai cependant fait tout ce que j'ai pu.

— Non.

— Que fallait-il faire ?

— Ne pas le provoquer en duel.

— Me laisser donc souffleter encore une fois ?

— Oui.

— Je commence à n'y rien comprendre, dit avec rage Stavroguine. Pourquoi est-ce que tout le monde attend de moi ce qu'on n'attend de nul autre ? Pourquoi dois-je supporter ce que personne ne supporte et accepter des fardeaux que personne ne pourrait porter ?

— Je croyais que vous les cherchiez vous-même, ces fardeaux.

— Moi ? je cherche un fardeau ?

— Oui.

— Vous... vous en êtes aperçu ?
— Oui.
— Cela se remarque tant que cela ?
— Oui. »
Ils demeurèrent silencieux quelques instants. Stavroguine avait l'air préoccupé, bouleversé même.
« Je n'ai pas tiré sur lui parce que je ne voulais pas tuer, uniquement pour cela, je vous assure, reprit-il avec agitation, comme s'il essayait de se justifier.
— Il ne fallait pas l'offenser.
— Que fallait-il donc faire ?
— Il fallait le tuer.
— Vous regrettez que je ne l'aie pas tué ?
— Je ne regrette rien. Je croyais que vous vouliez vraiment le tuer. Vous ne savez pas vous-même ce que vous cherchez.
— Je cherche un fardeau, dit en riant Stavroguine.
— Si vous ne vouliez pas verser le sang, pourquoi lui avez-vous offert l'occasion de tuer ?
— Si je ne l'avais pas provoqué en duel, il m'aurait tout simplement tué sans duel.
— Ce n'était pas votre affaire ; peut-être ne vous aurait-il pas tué.
— Peut-être se serait-il contenté de me battre ?
— Ce n'est pas votre affaire. Portez votre fardeau. Autrement il n'y a pas de mérite.
— Je crache sur votre mérite, je ne cherche nullement à mériter quoi que ce soit.
— Et moi je croyais que vous le cherchiez », conclut Kirilov avec un sang-froid irritant.
Ils pénétrèrent dans la cour de la maison.
« Voulez-vous entrer chez moi ? proposa Stavroguine.
— Non, je rentre à la maison. Adieu. — Il descendit

de cheval et prit le coffret aux pistolets sous son bras.

— Mais vous au moins, vous ne m'en voulez pas, j'espère? demanda Stavroguine en lui tendant la main.

— Pas du tout, répondit Kirilov en revenant sur ses pas pour lui serrer la main. Mon fardeau est léger parce que telle est ma nature, le vôtre est peut-être plus lourd, et cela dépend de votre nature. Il ne faut pas en être très honteux, mais un peu seulement.

— Je sais que je suis une nature faible, aussi n'ai-je aucune prétention à la force.

— Et vous faites bien. Vous n'êtes pas un homme fort. Venez me voir, nous prendrons le thé. »

Nicolaï Vsévolodovitch rentra chez lui fort troublé.

IV

Il apprit aussitôt par Alexéï Égorytch que Varvara Pétrovna, tout heureuse que son fils fût sorti à cheval — c'était sa première promenade après huit jours de maladie — avait fait atteler la voiture et était partie « comme autrefois, pour respirer un peu d'air frais, car elle avait déjà oublié depuis huit jours ce que c'était que l'air de la rue ».

« Est-elle sortie seule ou avec Daria Pavlovna? » interrompit brusquement Nicolaï Vsévolodovitch, et son visage se rembrunit en apprenant que Daria Pavlovna ne se sentant pas tout à fait bien « avait refusé d'accompagner Varvara Pétrovna, et se trouvait maintenant dans son appartement ».

« Écoute, dit Stavroguine comme s'il avait pris soudain une résolution définitive. Surveille-la aujourd'hui toute la journée, et si tu t'aperçois qu'elle vient chez moi, arrête-la aussitôt et dis-lui que je ne puis la recevoir, du moins pendant quelques jours... que c'est moi qui l'en prie... et que le moment venu je l'appellerai moi-même. Tu entends ?

— Je le lui dirai, répondit Alexéï Égorytch d'une voix troublée en baissant les yeux.

— Mais seulement lorsque tu verras qu'elle veut venir chez moi.

— Soyez tranquille, je ne me tromperai pas. C'est grâce à mon entremise que vous avez pu la voir ; elle s'est toujours adressée à moi.

— Je le sais. Cependant n'interviens qu'au dernier moment. »

Mais à peine le vieux domestique fut-il sorti, que la porte qu'il avait refermée s'ouvrit : Daria Pavlovna apparut sur le seuil. Son regard était calme, mais son visage, plus pâle que d'ordinaire.

« D'où sortez-vous ? s'écria Stavroguine.

— J'attendais derrière la porte qu'il quittât la chambre pour entrer chez vous. J'ai entendu ce que vous lui disiez, et quand il est sorti je me suis cachée dans une encoignure à droite et il ne m'a pas aperçue.

— Il y a déjà longtemps, Dacha, que je voulais interrompre nos relations... pour un temps. Je n'ai pas pu vous recevoir cette nuit malgré votre lettre. Je voulais vous écrire moi-même, mais je ne sais pas écrire, ajouta-t-il avec dépit, presque avec dégoût.

— Moi aussi je trouvais qu'il fallait interrompre nos relations ; Varvara Pétrovna a de sérieux soupçons.

— Qu'elle pense ce que bon lui semble !

— Il ne faut pas qu'elle s'inquiète. Ainsi donc, nous n'avons plus qu'à attendre la fin ?

— Vous êtes toujours sûre qu'il y aura nécessairement une fin quelconque ?

— Oui, j'en suis sûre.

— Rien ne finit en ce monde.

— Mais ici il y aura une fin. Et alors, appelez-moi et je viendrai. Maintenant, adieu.

— Et que sera cette fin? demanda avec un sourire ironique Nicolaï Vsévolodovitch.

— Vous n'êtes pas blessé? et... vous n'avez pas versé le sang? interrogea-t-elle sans répondre à sa question.

— Tout s'est passé stupidement. Je n'ai tué personne, ne craignez rien. Du reste, vous saurez les détails, aujourd'hui même ; tout le monde en parlera. Je ne me sens pas tout à fait bien.

— Je m'en vais. Est-ce aujourd'hui que vous annoncerez le mariage? ajouta-t-elle avec hésitation.

— Non, pas aujourd'hui, ni demain ; après-demain... je ne sais pas ; nous serons peut-être tous morts et ce sera tant mieux. Laissez-moi, laissez-moi à la fin!

— Vous ne consommerez pas la perte de l'autre... de la folle?

— Je ne ferai pas périr les folles, pas plus l'une que l'autre, mais je crois bien que je perdrai la sage : je suis si lâche, si vil, Dacha, que je crois que je vous appellerai effectivement « tout à la fin », comme vous dites, et vous, malgré toute votre sagesse, vous accourrez. Pourquoi vous perdez-vous?

— Je sais qu'à la fin je resterai seule avec vous, et... j'attends ce moment.

— Et si je ne vous appelle pas à la fin? si je prends la fuite?

— Cela ne se peut, vous m'appellerez.

— Il y a beaucoup de mépris dans ce que vous dites là.

— Vous savez vous-même qu'il ne s'agit pas seulement de mépris.

— C'est donc qu'il y en a tout de même un peu?

— Je me suis mal exprimée. Dieu m'est témoin que je voudrais que vous n'ayez jamais besoin de moi.

— Une phrase vaut l'autre. Moi aussi je voudrais bien ne pas vous faire périr.

— Jamais et en aucune façon vous ne pourrez me perdre, et vous le savez vous-même mieux que moi, répliqua vivement et d'un ton ferme Daria Pavlovna. Si je ne viens pas près de vous, je me ferai sœur de charité, infirmière, je garderai les malades, ou bien je deviendrai colporteuse et irai vendre des évangiles dans les villages. Ma décision est prise. Je ne puis me marier et je ne puis vivre dans des maisons comme celle-ci. C'est autre chose que je veux... Vous savez tout.

— Non, je n'ai jamais pu savoir ce que vous vouliez. Il me semble que vous vous intéressez à moi un peu comme certaines vieilles infirmières qui, on ne sait pourquoi, s'intéressent à l'une de leurs malades plus qu'aux autres, ou plutôt à la manière de ces petites vieilles très pieuses qui affectionnent les enterrements et trouvent tel cadavre plus joli que tel autre. Qu'avez-vous à me regarder d'un air si étrange?

— Vous êtes très malade? demanda-t-elle d'un ton compatissant et en le regardant avec une attention particulière. Mon Dieu! et dire que cet homme veut se passer de moi!

— Écoutez, Dacha, j'ai constamment des apparitions maintenant. Un diablotin m'a proposé hier, sur le pont, de couper la gorge à Lébiadkine et à Maria Timophéïevna pour en finir ainsi avec mon mariage légitime et qu'on n'en parle plus. Il m'a demandé trois roubles d'arrhes, mais m'a fait clairement entendre que toute l'opération ne me reviendrait pas à moins de quinze cents roubles. Voilà un diable qui sait compter; un comptable, quoi! Ha, ha, ha!

— Vous êtes sûr que ce n'était qu'une apparition?

— Mais non, ce n'était pas une apparition, c'était tout simplement Fédka le forçat, un bandit évadé du bagne. Mais il ne s'agit pas de cela. Que pensez-vous que j'ai fait? Je lui ai donné tout l'argent que j'avais dans mon porte-monnaie, et il est persuadé maintenant que je lui ai versé des arrhes.

— Vous l'avez rencontré la nuit et il vous a fait une pareille proposition? Mais ne voyez-vous donc pas que vous êtes déjà dans leurs filets?

— Tant pis! Mais je vois à vos yeux que vous avez une question sur le bout de la langue, ajouta-t-il avec un sourire mauvais.

Dacha eut peur.

— Quelle question? Pas du tout. Je n'ai pas le moindre doute. Taisez-vous! s'écria-t-elle, toute troublée, comme si elle eût voulu repousser cette question.

— Vous êtes sûre que je ne m'adresserai pas à Fédka' que je n'irai pas dans son échoppe?

— Mon Dieu! pourquoi me tourmente-t-il ainsi? — Elle joignit les mains.

— Pardonnez-moi cette sotte plaisanterie. J'ai contracté probablement leurs mauvaises manières. Vous savez, depuis la nuit dernière j'ai une envie terrible de rire, de rire sans m'arrêter, longtemps, toujours... On dirait que j'ai la maladie du rire... Attention! ma mère est arrivée, je reconnais le bruit de sa calèche devant le perron. »

Dacha lui saisit la main.

« Que Dieu vous garde de votre démon! et... appelez-moi, appelez-moi au plus vite!

— Mon démon? ce n'est qu'un vilain petit diable scrofuleux, enrhumé, un diable raté. Mais voilà que de nouveau vous n'osez exprimer votre pensée, Dacha! »

Elle posa sur lui un regard chargé de souffrance et de reproche, et se dirigea vers la porte.

« Écoutez, Dacha! s'écria-t-il avec un sourire convulsé, un sourire méchant. Si... bref... *si*... vous me comprenez... si je m'adressais à Fédka, si j'allais dans son échoppe et que plus tard je vous appelais... viendriez-vous, viendriez-vous même après l'échoppe? »

Elle sortit sans se retourner, sans répondre, cachant son visage entre ses mains.

« Oui, elle accourra, même après l'échoppe, murmura-t-il après un instant de réflexion, et une expressoin de mépris et de dégoût passa sur son visage. Une infirmière! Hum...! Du reste, c'est peut-être précisément de cela que j'ai besoin. »

CHAPITRE IV

TOUT LE MONDE EST DANS L'ATTENTE

I

L'histoire du duel se répandit rapidement et produisit une grande impression : tout le monde se hâta de prendre parti pour Nicolaï Vsévolodovitch. Nombre de ceux qui avaient été jusqu'alors ses ennemis, se déclarèrent ses amis. Ce revirement inattendu de l'opinion publique fut dû, pour une grande part, à l'intervention d'une personne qui s'était longtemps tenue sur la réserve mais qui maintenant prononça fort à propos quelques paroles judicieuses et rallia tous les esprits en prêtant à l'événement une signification nouvelle et intéressante. Voici comment cela se produisit.

Le lendemain du duel, toute la société se trouvait réunie chez la femme du maréchal de la noblesse dont c'était l'anniversaire. Julie Mikhaïlovna assistait à cette réunion ; ou, pour mieux dire, la présidait. Elle arriva avec Lisavéta Nicolaïevna dont la beauté rayonnante et la gaîté parurent cette fois à nos dames extrêmement suspectes. Je dois dire, à ce propos, que ses fiançailles avec Mavriki Nicolaïévitch ne faisaient plus aucun doute. A la question enjouée d'un général en retraite, personnage important dont je parlerai plus loin, Lisavéta Nicolaïevna répondit avec franchise qu'elle était fiancée. Et cependant, aucune de ces dames ne voulut croire cette nouvelle. Elles s'obstinaient toutes à bâtir je ne sais quel roman, je ne sais quelle histoire mystérieuse qui se serait déroulée en Suisse et à laquelle aurait été mêlée, on ne sait comment, Julie Mikhaïlovna. Il serait difficile de dire pourquoi ces bruits ou plutôt ces imaginations s'étaient accréditées à un tel point et pourquoi on tenait absolument à y mêler le nom de Julie Mikhaïlovna. Aussitôt qu'elle entra, tout le monde se tourna vers elle avec des regards chargés de curiosité. Il y a lieu de remarquer que comme l'histoire du duel était encore récente, et en raison aussi des circonstances particulières qui l'avaient accompagnée, on n'en parlait à cette soirée qu'avec circonspection et à voix basse. De plus, on ignorait quelle serait l'attitude des autorités. Toutefois l'on savait que les adversaires n'avaient pas encore été inquiétés par la police et que Gaganov avait pu rentrer le matin chez lui, à Doukhovo. Tout le monde, bien entendu, attendait avec impatience qu'il se trouvât enfin quelqu'un pour parler à haute voix de l'événement et ouvrir ainsi la porte à la curiosité générale. Les espoirs de la société reposaient surtout sur le général que j'ai mentionné plus haut, et cette attente ne fut pas déçue.

Ce général, l'un des membres les plus représentatifs de notre club, propriétaire terrien assez peu fortuné et vieux galantin, était connu pour la pureté et la rigueur de ses opinions. Il se plaisait en particulier à parler en société, à voix haute et avec toute l'autorité que lui conférait son grade de général, de sujets que les autres ne se permettaient encore de traiter qu'à voix basse, dans les coins. C'était en cela que consistait en quelque sorte son rôle parmi nous. Il parlait en outre d'une voix mielleuse, en traînant sur les mots, ayant acquis probablement cette habitude auprès des Russes qui voyagent à l'étranger, ou bien auprès des riches seigneurs d'autrefois ruinés par l'émancipation des paysans. Stépane Trophimovitch observa même un jour que plus un propriétaire avait été atteint par la réforme agraire, plus il susurrait et traînait sur les mots. Lui-même, du reste, s'exprimait d'une voix sucrée et traînante, mais ne s'en apercevait nullement.

Le général parla en personne compétente : parent éloigné de Gaganov, il était en mauvais termes et même en procès avec lui ; de plus, il avait eu deux duels autrefois, dont l'un lui avait même valu d'être envoyé au Caucase comme simple soldat. Quelqu'un avait fait allusion à Varvara Pétrovna qui commençait à sortir « après sa maladie », et non pas même à Varvara Pétrovna, mais à son magnifique attelage de quatre chevaux gris provenant du haras des Stavroguine. Le général dit tout à coup qu'il avait rencontré ce matin « le jeune Stavroguine » à cheval. Tout le monde se tut aussitôt. Le général mâchonna ses moustaches et lança en tournant entre ses doigts sa tabatière d'or, présent impérial :

« Je regrette de ne m'être pas trouvé ici, il y a quelques années... j'étais alors à Carlsbad... Hum! Ce jeune homme sur le compte de qui courent tant d'histoires, m'intéresse beaucoup... Hum! Est-il vrai qu'il soit fou ? On l'affirmait autrefois. Et voilà que j'apprends qu'insulté ici en présence de ses cousines il s'est caché sous une table ; et hier Stépane Verkhovensky me dit que Stavroguine s'est battu en duel avec ce... Gaganov. Uniquement dans le but chevaleresque d'offrir son front pour cible à un enragé, uniquement pour s'en débarrasser. Hum...! C'est tout à fait le genre des officiers de la garde 1820. Qui fréquente-t-il ici ? »

Le général se tut comme pour attendre une réponse. Il avait ouvert la porte à l'impatience de notre société.

« Quoi de plus simple! fit soudain la voix de Julie Mikhaïlovna irritée de se sentir tout à coup le point de mire de tous les regards. Qu'y a-t-il d'étonnant à ce que Stavroguine se soit battu en duel avec Gaganov et ait dédaigné l'insulte de l'étudiant ? Il ne pouvait tout de même pas se battre avec son ancien serf! »

Paroles magiques! Cette idée toute simple n'était encore venue à l'esprit de personne. La phrase de Julie Mikhaïlovna devait avoir des conséquences extraordinaires. L'atmosphère de scandale se dissipait ; tous les commérages passaient au second plan. Toute l'affaire acquérait une signification nouvelle. Un nouveau personnage se révélait à nous, sur le compte duquel on s'était trompé, un champion rigide des traditions les plus élevées. Mortellement offensé par un étudiant, c'est-à-dire par un homme instruit et qui n'était plus un serf, il méprisait l'affront parce que l'insulteur avait été autrefois son esclave. Les gens s'agitent, potins et commérages vont leur train, on couvre de boue l'homme qui a été souffleté ; mais lui méprise l'opinion d'un monde qui ne s'est pas encore élevé à une juste compréhension des choses, et juge à tort et à travers.

« Et nous autres, Ivan Alexandrovitch, qui passons notre temps à discuter des vrais principes! s'écria avec une noble ardeur un vieux membre du club en s'adressant à son voisin.

— Oui, Piotr Mikhaïlovitch, oui, acquiesça l'autre avec joie. Que dites-vous de la jeune génération!

— Il ne s'agit pas de la jeune génération, Ivan Alexandrovitch, intervint un troisième. Ne confondons pas : ce Stavroguine est un astre, un cas unique et non pas le représentant de notre jeune génération. Voilà comment il faut considérer les choses.

— Et c'est précisément d'hommes de cette trempe que nous avons besoin ; nous en manquons. »

Mais le principal était que cet « homme nouveau » qui venait de se révéler un « vrai gentilhomme », était en outre le plus riche propriétaire de la province et pouvait, par conséquent, jouer un rôle important dans les affaires publiques et devenir fort utile. J'ai déjà eu l'occasion de signaler en passant l'état d'esprit de nos propriétaires fonciers.

Les têtes s'échauffaient de plus en plus.

« Non seulement il a dédaigné l'offense de l'étudiant, mais il a croisé ses mains derrière le dos, notez-le, faites bien attention à ce geste, disait l'un.

— Et il ne l'a pas traîné devant les nouveaux tribunaux, ajouta un autre.

— Bien que les nouveaux tribunaux lui eussent accordé quinze roubles pour atteinte portée à son honneur de gentilhomme, hi, hi, hi! intervint un troisième.

— Je vous révélerai, moi, le secret des nouveaux tribunaux, cria une voix exaspérée. Si l'on est convaincu de vol ou d'escroquerie, ce qu'il y a de mieux à faire, c'est de courir chez soi pendant qu'il est encore temps et de tuer sa mère. On sera immédiatement acquitté, et les dames des tribunes agiteront leurs mouchoirs de batiste. C'est la pure vérité.

— Oui, c'est parfaitement exact. »

Les conversations allaient leur train. On se souvint des relations que Nicolaï Vsévolodovitch entretenait avec le comte K... On connaissait l'indépendance du comte K... et son attitude hostile aux récentes réformes ; son activité publique qui s'était cependant quelque peu ralentie ces derniers temps, était bien connue aussi. Et voilà que soudain l'on assurait de source certaine, et bien que nul fait ne confirmât ce bruit, que Nicolaï Vsévolodovitch était fiancé à l'une des filles du comte. Quant à ce qui avait pu se passer en Suisse entre Lisavéta Nicolaïevna et Stavroguine, personne n'en parla plus, même les dames. Il faut dire à ce propos que les Drozdov venaient précisément de terminer la tournée des visites qu'elles avaient négligées de faire jusque-là. Et les dames furent d'accord pour trouver que Lisavéta Nicolaïevna était une jeune fille comme les autres, sauf qu'elle posait pour une personne aux nerfs malades. Son évanouissement le jour de l'arrivée de Nicolaï Vsévolodovitch était dû tout simplement disait-on, à la frayeur que lui avait causée l'indigne conduite de l'étudiant. On exagérait même maintenant le côté banal des faits auxquels on prêtait auparavant un coloris fantastique, mystérieux ; la boiteuse était complètement oubliée ; on se sentait même gêné d'en parler. « Et quand bien même il y eût eu cent boiteuses! Qui de nous n'a pas été jeune! » On soulignait l'attitude respectueuse de Nicolaï Vsévolodovitch vis-à-vis de sa mère ; on s'ingéniait à lui trouver toutes les vertus, on vantait les vastes connaissances qu'il avait acquises au cours de ses quatre années d'études dans les universités allemandes. Quant à la conduite de Gaganov, il fut décidé, une fois pour toutes, qu'il avait complètement manqué de tact en attaquant un homme de son bord. Par contre, on s'accorda à reconnaître définitivement la profonde perspicacité de Julie Mikhaïlovna.

Aussi quand Nicolaï Vsévolodovitch fit enfin son apparition, on l'accueillit avec un sérieux candide et en attachant sur lui des regards chargés de curiosité et d'impatience. Il se renferma aussitôt dans un mutisme complet, ce qui, bien entendu, combla l'attente de chacun bien mieux que s'il eût prononcé de grands discours. Bref, tout lui réussissait ; il était à la mode. Une fois que l'on est entré dans la société provinciale, impossible de se tenir à l'écart et d'échapper à ses obligations ; et Nicolaï Vsévolodovitch mit une sorte de coquetterie à les accomplir ponctuellement. On ne le trouvait pas gai : « Il a beaucoup souffert, ce n'est pas un homme ordinaire, il a suffisamment de raisons d'être soucieux. » Son orgueil même et cette attitude hautaine qui avaient indigné les gens quatre ans auparavant, provoquaient actuellement le respect et l'admiration.

Varvara Pétrovna triomphait. Je ne puis dire si elle regretta beaucoup l'effondrement de ses projets concernant Lisavéta Nicolaïevna. En tout cas, elle trouva dans son orgueil la force de se consoler : chose étrange, du jour au lendemain, elle acquit la ferme conviction que Nicolas avait fait choix d'une des filles du comte K... Et le plus étrange, c'est que cette conviction, chez elle aussi, n'était fondée que sur les bruits qui circulaient en ville. Elle aurait bien voulu interroger son fils à ce sujet, mais elle n'osait. Deux ou trois fois cependant, elle ne put se contenir et lui reprocha d'un air enjoué de ne pas être aussi franc qu'auparavant avec elle. Nicolaï Vsévolodovitch souriait, mais gardait le silence, ce qui fut pris pour une marque d'assentiment. Et pourtant, malgré tout cela, elle ne parvenait pas à oublier la boiteuse. Son souvenir lui pesait sur le cœur comme une pierre ; c'était un véritable cauchemar, qui la tourmentait de pressentiments étranges alors même qu'elle croyait fermement aux fiançailles de son fils avec l'une des filles du comte K... Mais nous parlerons encore de tout cela plus loin. Bien entendu, Varvara Pétrovna se vit de nouveau l'objet des prévenances et des marques d'estime de la société, mais elle n'en profitait guère car elle sortait fort rarement.

Elle fit cependant une visite solennelle à Julie Mikhaïlovna. Naturellement personne ne s'était montré plus sensible qu'elle aux paroles significatives prononcées par Julie Mikhaïlovna à la soirée chez la maréchale de la noblesse : elles avaient soulagé son cœur d'un grand poids et dissipé en partie les doutes qui la tourmentaient depuis ce dimanche fatal. « Je ne comprenais pas cette femme », déclara-t-elle franchement ; et avec son impulsivité ordinaire elle dit à Julie Mikhaïlovna qu'elle était venue pour la *remercier*. La femme du gouverneur fut très flattée, mais conserva une attitude digne et indépendante. Elle commençait alors à prendre une très haute idée de son importance ; peut-être même l'exagérait-elle un peu. Au cours de la conversation, elle déclara, par exemple, qu'elle n'avait jamais entendu parler des travaux scientifiques de Stépane Trophimovitch.

« Certes, je reçois le jeune Verkhovensky et je le traite aimablement. Il est étourdi, mais il est encore très jeune ; du reste, il a de l'instruction. C'est bien autre chose en tout cas qu'un ex-critique démodé. »

Varvara Pétrovna se hâta de déclarer que Stépane Trophimovitch n'avait jamais été critique, et qu'il avait au contraire toujours vécu chez elle. Il s'était rendu célèbre par les incidents, « bien connus du monde entier », qui avaient marqué le début de sa carrière, puis, en ces tout derniers temps, par ses travaux sur l'histoire d'Espagne. Il préparait maintenant un ouvrage sur la situation des universités allemandes, ainsi qu'une étude sur la Madone de Dresde, croyait-elle. Bref, Varvara Pétrovna se refusa à abandonner son ami à Julie Mikhaïlovna.

« Sur la Madone de Dresde ? sur la Madone de la Sixtine ? Chère Varvara Pétrovna, j'ai passé deux heures devant ce tableau et je suis partie déçue. Je n'y ai rien compris à ma grande surprise. Karmazinov dit, lui aussi, que c'est difficile à comprendre. Personne aujourd'hui n'y trouve rien d'extraordinaire, pas plus les Russes que les Anglais. Sa gloire a été créée par les vieillards.

— C'est une nouvelle mode alors ?

— Quant à moi, je suis d'avis qu'il ne faut pas traiter de haut nos jeunes gens. On crie partout que ce sont des communistes, mais, à mon avis, nous devons les attirer et les protéger contre eux-mêmes. Je lis tout ce qui paraît maintenant, les revues, les ouvrages sur le communisme, sur les sciences naturelles. Je reçois toutes les nouveautés, car il faut connaître son époque et savoir à qui l'on a affaire. On ne peut tout de même passer sa vie entière sur les cimes de l'imagination. Et ma conclusion, c'est que nous devons attirer à nous la jeunesse pour l'empêcher de tomber dans l'abîme. Telle est ma règle de conduite. Et croyez-moi, Varvara Pétrovna, c'est nous seuls, la société, qui par notre bonne influence et par notre attitude prévenante surtout, pouvons les retenir au bord de l'abîme où les pousse l'intolérance de tous ces vieux bonshommes. Du reste, je suis très heureuse de ce que vous m'avez dit au sujet de Stépane Trophimovitch. Vous venez de me suggérer une idée : il peut nous être utile pour notre matinée littéraire. Vous savez que j'organise une grande fête au profit des institutrices pauvres, originaires de notre province ; six d'entre elles sont nées dans notre district. Elles se trouvent dispersées dans toute la Russie. Parmi elles, il y a deux employées du télégraphe et deux étudiantes. D'autres encore voudraient entrer à l'université, mais elles n'en ont pas les moyens. Le sort des femmes russes est affreux, Varvara Pétrovna. C'est la question des études supérieures qui se pose maintenant pour elles, et le Conseil de l'Empire lui-même a dû dernièrement s'en occuper. Dans notre étrange Russie on peut faire tout ce que l'on veut. Mais, je le répète, la société ne parviendra à diriger cette belle œuvre dans la bonne voie qu'en observant à l'égard de la jeune génération une attitude pleine de bienveillance et de sympathie active. Hélas! les hommes d'élite ne sont pas nombreux! Il y en a certes, mais ils sont dispersés. Unissons-nous, et nous serons forts. Bref, j'aurai d'abord une matinée littéraire, puis un léger déjeuner ; après cela un entracte, et le soir, il y aura bal. Nous avions l'intention de l'inaugurer par des tableaux vivants, mais je crois que les frais seraient trop importants ; on se contentera donc de présenter au public un ou deux quadrilles masqués et travestis figurant les principales tendances littéraires. Cette idée humoristique a été proposée par Karmazinov qui m'aide beaucoup d'ailleurs. Vous savez, il lira à notre matinée sa dernière œuvre, que personne encore ne connaît. Il abandonne la plume et n'écrira plus. Dans ces pages il fait ses adieux au public : c'est une chose exquise qui s'appelle « Merci ». Un titre français ; il trouve cela plus plaisant, plus fin même. Moi aussi ; c'est moi qui le lui ai conseillé d'ailleurs. Je pense que Stépane Trophimovitch pourrait, lui aussi, nous lire quelque chose, pourvu que ce ne soit pas trop long... et trop savant. Je crois que Piotr Stépanovitch passera chez vous et vous communiquera le programme ; ou plutôt, permettez-moi de vous l'apporter moi-même.

— Permettez-moi de votre côté d'inscrire mon nom sur votre liste de souscription. Je transmettrai votre proposition à Stépane Trophimovitch et j'insisterai pour qu'il accepte. »

Varvara Pétrovna rentra chez elle complètement charmée par Julie Mikhaïlovna ; désormais, elle lui donna tout son appui : mais du même coup, on ne sait pourquoi, son irritation contre Stépane Trophimovitch s'accrut encore ; et lui, le pauvre, ne se doutait de rien.

« Je suis véritablement amoureuse d'elle, et je ne comprends pas comment j'ai pu me tromper à tel point sur le compte de cette femme, dit Varvara Pétrovna à Nicolaï Vsévolodovitch et à Piotr Stépanovitch qui étaient passés chez elle dans la soirée.

— Vous devriez tout de même vous réconcilier avec le vieux, observa Piotr Stépanovitch. Il est désespéré. Vous le traitez vraiment avec trop de rigueur. Hier il a croisé votre voiture et vous a saluée, mais vous vous êtes détournée. Nous allons le mettre en avant ; j'ai certaines vues sur lui et il peut encore nous être utile.

— Oh! je suis sûre qu'il lira.

— Il ne s'agit pas de cela seulement. Je voulais passer chez lui aujourd'hui. Faut-il lui dire quelque chose de votre part ?

— Si vous voulez. Je ne sais pas trop, du reste, comment vous arrangerez cela, fit-elle avec une certaine hésitation. J'avais l'intention de m'expliquer personnellement avec lui et de lui fixer un rendez-vous... — Son visage s'assombrit.

— Un rendez-vous ? cela ne vaut pas la peine. Je

lui ferai simplement la commission de votre part.

— Très bien. Mais dites-lui que je le préviendrai du jour et de l'heure de notre entrevue. Ne l'oubliez pas. »

Piotr Stépanovitch sortit, un sourire ironique sur les lèvres. Autant que je m'en souvienne, il était alors particulièrement rageur et s'abandonnait presque avec tout le monde à des mouvements de mauvaise humeur. Le plus étrange, c'est qu'on les lui pardonnait. On avait admis, une fois pour toutes, qu'il avait droit à un traitement de faveur. Je dois noter que le duel de Nicolaï Vsévolodovitch l'avait rendu furieux. L'événement le prit au dépourvu, et il devint vert de rage quand on le lui raconta. Son amour-propre en fut-il blessé ? Il n'apprit la chose que le lendemain, quand toute la ville était déjà au courant de l'incident.

« Savez-vous que vous n'aviez pas le droit de vous battre ? », murmura-t-il à Stavroguine l'ayant rencontré par hasard au club, cinq jours plus tard. Il est à remarquer qu'ils ne s'étaient pas encore revus depuis le duel, bien que Piotr Stépanovitch fût venu chaque jour chez Varvara Pétrovna.

Nicolaï Vsévolodovitch le regarda en silence d'un air distrait comme s'il ne comprenait même pas ce que l'autre lui voulait et passa sans s'arrêter. Se dirigeant vers le buffet, il traversait la grande salle.

« Vous êtes aussi allé chez Chatov... Vous voulez rendre public votre mariage avec Maria Timophéïevna », ajouta Piotr Stépanovitch en courant après lui, et il le saisit par distraction à l'épaule.

Nicolaï Vsévolodovitch se dégagea d'un mouvement brusque et tourna vers lui un visage soudain menaçant. Piotr Stépanovitch le regarda ; un sourire pâle crispa ses lèvres. Tout cela n'avait duré qu'un instant. Nicolaï Vsévolodovitch s'éloigna.

II

De chez Varvara Pétrovna, Piotr Stépanovitch alla directement chez son père. Il se hâtait, étant impatient de décharger sa colère et de se venger d'une offense que j'ignorais encore. Il faut dire que lors de leur dernière entrevue, le jeudi de la semaine précédente, Stépane Trophimovitch avait fini par mettre son fils à la porte en le menaçant de sa canne ; c'était au père d'ailleurs que revenait l'initiative de la dispute. Il m'avait caché cet incident ; mais lorsque Piotr Stépanovitch entra en courant avec son perpétuel sourire naïvement condescendant, avec son regard désagréablement fureteur, Stépane Trophimovitch me fit aussitôt signe de ne pas quitter la chambre. C'est ainsi que je pus me rendre compte de leurs rapports, car cette fois j'assistai à tout leur entretien.

Stépane Trophimovitch était allongé sur son divan. Il avait maigri depuis jeudi dernier et son teint était jaune. Piotr Stépanovitch s'assit à côté de lui de la façon la plus familière et ramena ses jambes sous lui avec un parfait sans-gêne, prenant ainsi sur le divan beaucoup plus de place que ne l'y autorisait le respect filial. Gardant le silence, Stépane Trophimovitch s'écarta d'un air digne.

Un livre était ouvert sur la table, un roman : *Que faire* [1] *?* Hélas ! je dois révéler l'étrange faiblesse de mon ami : l'idée qu'il devait sortir de sa solitude et livrer une dernière bataille prenait de plus en plus corps dans son imagination séduite par des rêves. Je devinai qu'il *étudiait* ce roman uniquement pour se préparer à l'inévitable conflit avec les « criards », afin de connaître leurs armes et leurs arguments d'après leur propre catéchisme, et de les confondre ainsi solennellement sous ses yeux à *elle*. Mais comme ce livre le torturait! Désespéré, il le jetait parfois à terre et se mettait à marcher à travers la chambre comme hors de lui.

« Je concède que l'idée fondamentale de l'auteur est juste, me disait-il d'une voix fébrile, mais ce n'en est que plus affreux. C'est notre idée, c'est précisément notre idée. C'est nous, oui c'est nous les premiers qui l'avons plantée, qui avons veillé sur son développement! Du reste, que pourraient-ils dire de nouveau après nous! Mais, ciel! comme ils l'ont déformée, mutilée, comment tout cela est dit maintenant! s'écriait-il en frappant le livre de son doigt. Sont-ce là les buts que nous cherchions à atteindre? Qui peut reconnaître ici notre idée originale?

— Tu t'instruis? ricana Piotr Stépanovitch en lisant le titre du livre qu'il avait pris sur la table. Il est grand temps. Si tu veux, je t'apporterai bien mieux encore. »

Stépane Trophimovitch continua d'observer un silence plein de dignité. J'étais assis sur le divan.

Piotr Stépanovitch expliqua en quelques mots le motif de sa visite. Bien entendu, Stépane Trophimovitch en fut stupéfait outre mesure ; il écoutait son fils avec une inquiétude mêlée d'indignation.

« Ainsi donc, cette Julie Mikhaïlovna compte que je viendrai lire chez elle.

— Ce n'est pas qu'on ait vraiment besoin de toi. Tout simplement, c'est pour t'être agréable et flatter ainsi Varvara Pétrovna. Il va de soi que tu n'oseras pas refuser. Du reste, je suis sûr que tu as bien envie de lire, ajouta-t-il avec un sourire ironique. Vous autres, les vieux, vous avez tous un amour-propre du diable. Mais écoute, il ne faut pas que ce soit trop ennuyeux. Qu'es-tu encore en train d'écrire? l'histoire de l'Espagne? Tu me passeras ton papier trois jours avant la matinée pour que j'y jette un coup d'œil, car tu serais bien capable de nous endormir tous. »

La grossièreté trop évidente de ces propos offensants et la précipitation même de Piotr Stépanovitch étaient visiblement préméditées. On eût dit à sa façon de parler qu'il était impossible de tenir à Stépane Trophimovitch un langage plus délicat. Mon ami, cependant, persistait à ignorer les insultes. Mais il était bouleversé par les nouvelles qu'il venait d'apprendre.

« Et c'est *elle*, c'est elle-même qui me fait dire cela par... *vous?* demanda-t-il en pâlissant.

— C'est-à-dire... Vois-tu, elle veut te fixer un rendez-vous pour que vous puissiez vous expliquer : dernier vestige de vos grimaces sentimentales. Tu as fait la coquette avec elle pendant vingt ans et tu l'as habituée aux façons les plus ridicules. Mais ne t'inquiète pas : c'est fini maintenant. Elle-même ne cesse de répéter que c'est maintenant seulement qu'elle commence à « voir clair ». Je lui ai dit tout franchement que votre amitié consistait pour chacun de vous à vider devant l'autre ses eaux sales. Elle m'en a raconté de belles, mon vieux! Pouah! quel rôle de laquais tu as rempli auprès d'elle tout ce temps. J'en ai rougi pour toi.

— J'ai rempli un rôle de laquais, moi? s'écria Stépane Trophimovitch incapable de se contenir.

— Pis encore, tu as été un parasite, c'est-à-dire un laquais bénévole. Nous sommes trop fainéants pour travailler, mais nous avons les dents longues. Elle-même s'en rend compte à présent. Mais c'est terrible ce qu'elle m'a raconté sur toi! Ce que j'ai ri, mon vieux, des lettres que tu lui écrivais! C'est honteux, dégoûtant. Mais vous êtes si profondément dépravés! Il y a dans la charité quelque chose qui pervertit pour toujours celui qui l'accepte : tu en es un exemple évident.

— Elle t'a montré mes lettres!

— Toutes. Bien entendu, impossible de lire tout cela! Tu en as noirci du papier! J'ai dans l'idée qu'il y a là plus de deux mille lettres... Mais sais-tu, mon vieux, qu'à un moment, je crois, elle était prête à t'épouser. Tu as bêtement raté là une excellente occasion. Je parle bien entendu en me plaçant à ton point de vue ; de toute façon cela aurait mieux valu que de consentir à se marier pour « couvrir les péchés d'un autre, pour de l'argent », comme un bouffon, à la risée de toute la ville.

— Pour de l'argent! Et c'est elle qui dit cela? s'écria douloureusement Stépane Trophimovitch.

— Mais naturellement! qu'as-tu à te démener? Je t'ai défendu. C'est le seul moyen dont tu disposes pour te justifier. Elle-même a parfaitement compris que tu avais besoin d'argent, comme tout le monde, et que de ce point de vue tu avais probablement raison. Je lui ai démontré mathématiquement que vous tiriez chacun avantage de vos relations : elle était une capitaliste et toi, une sorte de bouffon sentimental. D'ailleurs, pour ce qui est de l'argent, elle ne t'en veut pas, bien qu'elle fût ta vache à lait ; mais ce qui l'enrage, c'est d'avoir eu confiance en toi pendant vingt ans, de s'être laissé prendre à tes beaux sentiments qui l'obligeaient en quelque sorte à mentir. Quant à ses propres mensonges, elle ne consentira jamais à les reconnaître, mais te fera payer double les tiens. Je ne comprends vraiment pas comment tu n'as pas prévu qu'il te faudrait payer un jour ou l'autre. Tu avais un certain bon sens, malgré tout. Je lui ai conseillé hier de te placer dans un hospice, rassure-toi, dans un hospice convenable, ce ne sera nullement humiliant pour toi. C'est ce qu'elle fera, je crois. Te souviens-tu de la dernière lettre que tu m'as envoyée à X..., il y a trois semaines?

— Serait-il possible que tu la lui aies montrée? s'écria Stépane Trophimovitch terrifié.

— Et comment donc! immédiatement! C'est cette même lettre où tu me racontes qu'elle t'exploite et est jalouse de ton talent; ensuite, tu parles des « péchés des autres ». A propos, mon vieux, tu en as un amour-propre! Ce que j'ai ri! En général, tes lettres sont assommantes, tu as un style affreux. Il m'arrivait souvent de ne pas même les lire; l'une de tes lettres traîne chez moi quelque part : je ne l'ai jamais décachetée ; je puis te la renvoyer demain, si tu veux. Mais après celle-là, après la dernière, il ne reste plus qu'à tirer l'échelle. Ce que j'ai ri! Mon Dieu, que j'ai ri!

— Monstre! monstre! vociféra Stépane Trophimovitch.

— Il n'y a pas moyen de causer avec toi. Tu recommences à te mettre en colère comme jeudi dernier.

Stépane Trophimovitch se dressa d'un air menaçant :

— Comment te permets-tu de me parler ainsi?

— Comment? je te parle clairement et simplement.

— Es-tu ou non mon fils, monstre?

— Tu dois le savoir mieux que moi. Naturellement, les pères sont enclins à se faire des illusions à ce sujet...

— Tais-toi! tais-toi! interrompit Stépane Trophimovitch tout frémissant.

— Tu cries et tu m'injuries comme la dernière fois quand tu voulais me battre; or, j'ai mis la main sur le document après avoir passé toute la soirée à fouiller dans ma malle. Mais console-toi, rien de précis. Ce n'est qu'un billet de ma mère adressé à ce petit Polonais; mais à en juger par le ton...

— Encore un mot et je te gifle.

— Voilà bien les gens! dit Piotr Stépanovitch en se

tournant soudain vers moi. Cela continue ainsi depuis jeudi dernier. Je suis heureux que vous soyez ici aujourd'hui et puissiez être notre juge. Avant tout, je souligne un fait : il me reproche de parler de cette façon de ma mère, mais n'est-ce pas lui qui m'a poussé à cela ? Quand j'étais encore enfant, à Pétersbourg, ne me réveillait-il pas deux fois par nuit pour m'embrasser et pleurer sur moi comme une vieille femme ? Et savez-vous ce qu'il me racontait alors ? Ces mêmes histoires piquantes sur le compte de ma mère ; c'est de lui que je les ai apprises.

— Oh ! mes paroles avaient une tout autre signification, une signification élevée ! Tu n'as pas compris. Tu n'as rien compris du tout, absolument rien !

— Et pourtant, dans ta bouche elles étaient encore plus ignobles, reconnais-le ! Vois-tu, en somme tout cela m'est égal. Je me place à ton point de vue. Quant au mien, sois sans inquiétude : je ne blâme pas ma mère. Que m'importe que tu sois ou non mon père ? Je ne suis pas responsable de ce qui s'est passé entre vous à Berlin. Et du reste, étiez-vous capables d'agir raisonnablement ? Ne comprends-tu pas à quel point vous étiez ridicules ? Après tout, qu'est-ce que ça peut bien te faire que je sois ton fils ou celui du Polonais ? Écoutez, ajouta-t-il en se tournant de nouveau vers moi, il n'a jamais dépensé un sou pour moi, il ne m'a vu que lorsque j'avais déjà seize ans, et plus tard, étant ici, il m'a dépouillé. Et le voilà maintenant qui crie qu'il a souffert toute sa vie pour moi et qui fait le pitre. Je ne suis par Varvara Pétrovna, épargne-moi cette comédie ! »

Il se leva et prit son chapeau.

« Je te maudis ! s'écria Stépane Trophimovitch pâle comme un mort et étendant la main vers son fils.

— Est-il possible de proférer de pareilles bêtises ! dit Piotr Stépanovitch surpris. Allons, adieu, mon vieux.

Je ne reviendrai plus. N'oublie pas de m'envoyer ton article, et pas trop de sottises, si possible, hein ? Des faits, des faits et des faits! Mais surtout, sois bref. Adieu. »

III

Piotr Stépanovitch avait ses raisons pour agir comme il le faisait avec son père : selon moi, il comptait réduire le vieillard au désespoir et le pousser ainsi à quelque esclandre qui devait servir à la réalisation de certaines visées lointaines dont il sera parlé plus tard. Une multitude de projets et de plans, presque tous fantastiques d'ailleurs, occupait en ce temps l'esprit du jeune homme qui avait en vue d'autres victimes encore que Stépane Trophimovitch ; mais il y en avait une sur laquelle il comptait tout particulièrement : c'était M. von Lembke lui-même.

Andréï Antonovitch von Lembke appartenait à cette race favorisée (par la nature), dont les représentants en Russie sont au nombre de plusieurs centaines de mille, et qui, à leur insu peut-être, forment une sorte de ligue parfaitement organisée. Cette ligue n'est pas une création artificielle ; elle s'est développée spontanément, naturellement, étant fondée non sur un contrat, mais sur une obligation morale ; son but est de soutenir et d'aider tous les représentants de cette race toujours et partout, en toutes circonstances. Andréï Antonovitch eut l'honneur de faire ses études dans l'une de ces écoles supérieures que ne fréquentent que les jeunes gens de familles riches ou influentes. Leurs études achevées, les élèves de ces établissements sont presque aussitôt nommés à des postes assez importants dans les administrations de l'État. L'un des oncles d'Andréï Antonovitch était lieutenant-colonel du génie, l'autre, boulanger ; mais ayant réussi à s'introduire dans cette école aristocratique, il y retrouva un assez grand nombre de représentants de sa race. Il était d'un caractère gai, et ses camarades l'aimaient beaucoup ; mais il étudiait assez mal. Alors que dans les classes supérieures la plupart des jeunes gens, principalement les Russes, discutaient déjà des grands problèmes du jour, comme si on n'attendait qu'eux pour les résoudre, von Lembke, lui, se livrait encore à d'innocentes farces d'écolier. Ses facéties assez plates, parfois cyniques, faisaient rire tout le monde, et c'était ce qu'il voulait. Tantôt il se mouchait d'une façon si grotesque quand le professeur lui posait une question en classe, que tout le monde, y compris le professeur lui-même, éclatait de rire ; tantôt, à la grande joie de ses camarades il représentait au dortoir quelque tableau vivant d'un caractère cynique ; tantôt il exécutait, rien qu'en pinçant son nez, l'ouverture de *Fra Diavolo.* Il se distinguait également par un certain laisser-aller voulu et qu'il croyait spirituel. Tout à la fin de son séjour à l'École, il se mit à composer des vers russes ; car, à l'exemple de nombre de ses congénères, il connaissait fort imparfaitement sa langue maternelle. Ce penchant à la poésie le rapprocha de l'un de ses camarades, le fils d'un général russe qui avait eu des malheurs. Ce garçon morose et aigri passait aux yeux de ses condisciples pour l'une des futures gloires de notre littérature. Il accorda sa protection à Andréï Antonovitch. Or trois ans plus tard, ce jeune homme morose qui avait abandonné la carrière administrative pour la littérature, et qui portait en conséquence des souliers éculés et tremblait de froid sous un pardessus d'été, rencontra, un jour d'automne, sur le pont Anitchkov, son ancien protégé, « Lembka » comme on l'appelait à l'École. Il ne le reconnut pas au premier abord et s'arrêta stupéfait. Il se trouvait devant un jeune homme impeccablement vêtu, aux favoris bien taillés d'un blond tirant sur le roux, portant lorgnon ; il avait des souliers vernis, des gants frais, un large manteau à la mode et serrait un portefeuille sous son bras. Lembke se montra très aimable, donna son adresse et l'invita à venir le voir. Il se trouva qu'il n'était déjà plus « Lembke » tout court, mais von Lembke. L'ex-camarade lui rendit visite cependant, uniquement peut-être par dépit et pour se moquer de lui. Dans l'escalier nullement luxueux, mais recouvert d'un tapis rouge, il fut accueilli par un suisse qui donna un coup de sonnette à l'étage supérieur. Le visiteur qui s'attendait à un appartement magnifique, trouva son « Lembke » installé dans une petite pièce obscure et délabrée, séparée en deux par un rideau vert sombre ; l'ameublement était assez confortable, mais très vieux ; les fenêtres hautes et étroites étaient garnies de stores vert foncé. Von Lembke habitait chez un de ses parents éloignés, un général, qui lui avait accordé sa protection. Il accueillit le visiteur avec cordialité, tout en gardant un maintien grave. Il parla, entre autres, littérature, mais sans aborder aucune question brûlante. Un domestique à cravate blanche servit un thé pâle et des biscuits secs. Le camarade demanda de l'eau de Seltz uniquement pour ennuyer son hôte ; on lui en apporta après l'avoir fait un peu attendre, et Lembke parut quelque peu gêné de déranger une seconde fois le domestique ; toutefois il proposa au visiteur de rester à souper mais fut manifestement satisfait quand celui-ci refusa et partit.

En ce temps, Andréï Antonovitch était amoureux de la cinquième fille du général, et pouvait se croire payé de retour. Mais peu de temps après, Amalia n'en épousa pas moins un industriel allemand, l'ancien camarade du vieux général. Andréï Antonovitch n'en éprouva pas trop de chagrin et se mit à fabriquer un théâtre en carton ; le rideau se levait, les acteurs sortaient en scène et gesticulaient ; les loges étaient garnies de spectateurs. Les musiciens de l'orchestre, mus par un mécanisme, faisaient glisser leurs archets sur les cordes des violons, tandis que le chef battait la mesure de son bâton aux applaudissements des officiers et des jeunes élégants qui occupaient le parterre. Le tout, jusqu'aux moindres détails, était l'œuvre de von Lembke lui-même qui consacra six mois à ce travail. Quand il fut achevé, le vieux général organisa, tout exprès, une soirée intime : les cinq filles, y compris la nouvelle mariée, ainsi que son époux et de nombreuses dames et demoiselles accompagnées de leurs maris et de leurs pères, examinèrent attentivement le théâtre et l'admirèrent ; puis on dansa. Lembke fut très satisfait, et se consola rapidement.

Les années passaient et von Lembke faisait une excellente carrière : il obtenait toujours des postes en vue, et toujours auprès de chefs d'origine allemande ; il parvint ainsi à un grade fort élevé pour un homme de son âge. Il y avait déjà longtemps qu'il désirait se marier et épiait une occasion favorable. A l'insu de ses supérieurs, il avait envoyé à la rédaction d'une revue une nouvelle qui ne fut jamais publiée. En revanche, il colla et découpa une gare de chemin de fer ; et ce fut un ouvrage très réussi. Les voyageurs sortaient sur le quai de la gare chargés de valises et de sacs, avec leurs chiens et leurs enfants, et montaient dans les wagons autour desquels s'affairaient conducteurs et porteurs ; puis, sur un signal, le train se mettait en marche. Ce chef-d'œuvre demanda un an de travail. Cependant, il lui fallait se marier. Le cercle de ses relations était assez étendu ; il fréquentait surtout chez ses compatriotes ; mais frayait aussi, bien entendu, avec les milieux russes. Finalement, comme il entrait dans sa trente-neuvième année, il lui échut un héritage : son oncle le boulanger lui laissa par testament un capital de treize mille roubles. Il ne s'agissait plus maintenant que d'obtenir quelque bon poste de tout repos. En dépit de son grade important, M. von Lembke était un homme modeste. Il se serait parfaitement contenté d'une situation indépendante qui lui aurait assuré de petits profits supplémentaires ; cela l'eût satisfait pour le reste de ses jours. Mais au lieu de la Minna ou de l'Ernestine qu'il comptait épouser, il tomba sur Julie Mikhaïlovna ; du coup, sa carrière prit une tout autre ampleur. Le modeste et ponctuel von Lembke sentit que lui aussi avait le droit d'être ambitieux.

Julie Mikhaïlovna possédait une propriété de deux cents âmes selon les évaluations anciennes et, en outre, elle apportait à Andréï Antonovitch de puissantes relations. D'autre part, Lembke était joli garçon, tandis qu'elle avait dépassé la quarantaine. Chose étrange, Lembke devenait de plus en plus amoureux d'elle à mesure qu'il prenait davantage conscience de sa situation de fiancé. Le matin du mariage il lui envoya même des vers. Tout cela, y compris les vers, plaisait beaucoup à Julie Mikhaïlovna ; quarante ans, cela compte ! Peu de temps après son mariage, il fut décoré et obtint un grade plus élevé, après quoi on le nomma gouverneur de notre province.

Dès le début, Julie Mikhaïlovna mit tous ses soins à dresser son époux : il ne manquait pas de capacités, selon elle ; il représentait bien, il savait se tenir, écouter d'un air important et garder le silence quand il le fallait ; mais il était capable aussi de prononcer un discours. Il disposait même de quelques bribes d'idées et avait acquis un certain vernis de libéralisme, aujourd'hui indispensable. Ce qui inquiétait cependant Julie Mikhaïlovna, c'était qu'après avoir toute sa vie cherché à percer, son mari se montrait maintenant peu ambitieux et aspirait au repos. Tandis qu'elle s'efforçait de lui infuser son énergie, ne voilà-t-il pas qu'il s'était mis à confectionner un temple protestant : le pasteur montait en chaire et prononçait un sermon, les fidèles l'écoutaient pieusement, les mains jointes ; une dame s'essuyait les yeux avec son mouchoir, un petit vieux se mouchait, puis on entendait un orgue minuscule qui avait été commandé tout exprès en Suisse bien qu'il coûtât assez cher. Épouvantée, Julie Mikhaïlovna confisqua ce bel ouvrage dès qu'elle en apprit l'existence, et l'enferma dans un meuble. En guise de consolation, von Lembke obtint la permission d'écrire un roman, mais à l'insu de tous. A partir de ce moment, Julie Mikhaïlovna ne compta plus que sur elle-même. Par malheur, elle manquait de mesure et se laissait trop guider par son imagination. Ce n'était pas en vain qu'elle était restée si longtemps vieille fille. Les idées se donnaient la chasse dans son esprit ambitieux et quelque peu surexcité. Comme elle nourrissait de grands desseins et voulait gouverner la province, elle fit choix d'une certaine nuance politique, persuadée qu'elle parviendrait à faire l'union de tous et à entraîner les esprits. Von Lembke en conçut même quelque inquiétude au début, mais avec son flair de fonctionnaire, il se rendit vite compte qu'être gouverneur n'avait rien de bien terrible en somme. En effet, les deux ou trois premiers mois les choses marchèrent d'une façon très satisfaisante. Mais ensuite survint Piotr Stépanovitch, et la situation prit une tournure assez étrange.

Il faut dire que dès le premier instant, le jeune Verkhovensky se mit à traiter Andréï Antonovitch avec un complet sans-gêne, et s'arrogea sur lui des droits singuliers. Julie Mikhaïlovna qui veillait toujours si jalousement sur le prestige de son mari, ne voulait pas s'apercevoir de l'attitude de Piotr Stépanovitch, ou tout au moins n'y attachait aucune importance. Elle avait fait du jeune homme son favori ; il prenait ses repas, et, pour ainsi dire, couchait presque chez elle. Von Lembke tenta de se défendre. Il l'appelait en public « jeune homme », lui tapotait l'épaule d'un air protecteur, mais il n'aboutit à rien : Piotr Stépanovitch avait toujours l'air de le narguer, même quand il lui parlait d'un ton très sérieux, et lui tenait en présence de tiers les propos les plus étranges. Un jour, en entrant dans son cabinet de travail, von Lembke trouva Piotr Stépanovitch en train de dormir sur le divan. Le jeune homme expliqua que n'ayant trouvé personne à la maison, il en avait profité pour faire un « petit somme ». Très offensé, le gouverneur se plaignit une fois de plus à sa femme ; mais celle-ci railla sa susceptibilité et lui reprocha de ne pas savoir tenir les gens à distance : avec elle « ce garçon » ne se permettait jamais aucune familiarité ; « il est, du reste, naïf et simple ; ce qui lui manque, c'est l'usage du monde ». Von Lembke bouda un peu, puis, cédant aux instances de sa femme, finit par se réconcilier avec Piotr Stépanovitch ; celui-ci ne s'excusa pas cependant, et s'en tira par une plate plaisanterie qu'à un autre moment on aurait pu prendre pour une nouvelle offense, mais que l'on accepta comme une marque de repentir. Dès le début, par malheur, Andréï Antonovitch avait révélé au jeune homme son point faible en lui faisant connaître son roman. Ayant cru deviner en lui une nature ardente et poétique, et cherchant depuis longtemps un auditeur, il lui avait lu un soir deux chapitres de son manuscrit. Piotr Stépanovitch avait écouté sans dissimuler son ennui, même il bâilla ostensiblement et ne fit aucun compliment à l'auteur ; mais en partant, il demanda le manuscrit pour le relire à la maison, dit-il, et s'en faire une opinion plus nette ; et Andréï Antonovitch le lui remit. Depuis lors, von Lembke ne parvenait plus à le ravoir. Piotr Stépanovitch venait tous les jours, mais chaque fois qu'on lui réclamait le roman, il se bornait à rire, et pour finir il déclara qu'il l'avait perdu le soir même où il l'avait emporté. Ayant appris la chose, Julie Mikhaïlovna adressa de vifs reproches à son mari.

« J'espère au moins que tu ne lui as pas parlé du temple en carton! » s'écria-t-elle très inquiète.

Andréï Antonovitch devint soucieux, ce qui, selon l'avis des médecins, était très mauvais pour sa santé. En plus des ennuis que lui causaient les difficultés administratives sur lesquelles nous reviendrons plus loin, il souffrait dans son cœur, non pas en tant que gouverneur, mais comme un simple particulier. Quand il s'était marié, Andréï Antonovitch n'avait jamais envisagé que la discorde pût éclater dans son ménage. Cette idée ne lui venait même pas à l'esprit tandis qu'il rêvait à Minna ou à Ernestine : il se rendait compte qu'il était absolument incapable de lutter contre les orages domestiques. Finalement, Julie Mikhaïlovna s'expliqua franchement avec lui.

« Tu ne peux pas te fâcher pour si peu, lui dit-elle, d'abord, parce que tu es trois fois plus raisonnable que lui, et ensuite parce que tu es placé infiniment plus haut sur l'échelle sociale. Ce garçon ne s'est pas encore complètement débarrassé de son ancienne mentalité révolutionnaire ; à mon avis, c'est uniquement gaminerie de sa part ; mais on ne peut le changer brusquement, il faut y aller peu à peu. Nous devons essayer de comprendre la jeune génération ; moi, j'agis par la douceur et la retiens ainsi au bord du précipice.

— Mais il dit des choses terribles, répliqua von Lembke. Je ne puis tolérer qu'en ma présence et en public il soutienne que le gouvernement encourage exprès l'ivrognerie pour abrutir le peuple et l'empêcher de se soulever. Représente-toi ma situation quand je dois entendre ces discours! »

Le gouverneur parlait ainsi sous l'impression de la conversation qu'il avait eue dernièrement avec Piotr Stépanovitch. Dans le naïf espoir de le désarmer par son libéralisme, il lui avait montré sa collection de proclamations révolutionnaires parues en Russie et à l'étranger depuis 1859, et qu'il avait rassemblées, non seulement par simple curiosité, mais dans un but utilitaire. Devinant son intention, le jeune homme déclara grossièrement qu'une seule ligne de certaines de ces proclamations avait plus de sens que toutes les paperasses de n'importe quelle chancellerie, « y compris la vôtre, sans doute ».

Lembke fit la grimace.

« Mais c'est trop tôt pour nous, fit-il d'une voix presque suppliante en désignant les proclamations.

— Non, ce n'est pas trop tôt ; vous en avez peur, c'est donc que ce n'est pas trop tôt.

— Cependant, on appelle le peuple à détruire les églises...

— Et pourquoi pas? Vous êtes un homme intelligent, vous, et par conséquent vous ne croyez pas et ne comprenez que trop bien que la religion vous sert seulement à abrutir le peuple.

— Soit, soit, d'accord, et pourtant c'est trop tôt pour nous, insista von Lembke.

— Si vous êtes d'accord pour démolir les églises et marcher sur Pétersbourg avec des épieux, si tout se réduit pour vous à une question de date, comment pouvez-vous être fonctionnaire de l'État après cela ?

— Ce n'est pas ça, pas ça du tout! s'écria d'un ton irrité von Lembke très vexé de s'être laissé prendre à un piège aussi grossier. Vous vous trompez parce que vous êtes encore jeune et ignorez nos desseins. Vous dites que nous sommes des fonctionnaires du gouvernement, des fonctionnaires indépendants. C'est exact. Mais permettez, en quoi consiste notre action ? C'est nous qui sommes responsables, et, en fin de compte, nous servons la même cause que vous. Nous soutenons ce que vous ébranlez, ce qui, sans nous, tomberait en morceaux. Nous ne sommes nullement vos ennemis ; nous vous disons : allez de l'avant, progressez, ébranlez même tout ce qui est vieux et doit être renouvelé ; mais quand il le faudra, nous saurons vous maintenir dans les limites nécessaires, et ainsi nous vous sauverons de vous-mêmes, car si nous n'étions pas là vous bouleverseriez la Russie qui n'aurait plus aspect humain ; notre but consiste précisément à sauvegarder cet aspect humain. Comprenez bien que vous avez besoin de nous, comme nous avons besoin de vous. En Angleterre aussi, les whigs sont indispensables aux tories et vice versa. Nous sommes les tories, vous êtes les whigs ; voilà comment je vois la situation. »

Andréï Antonovitch devenait éloquent. Déjà à Pétersbourg, il aimait à tenir des discours empreints d'un esprit libéral ; cette fois il se laissait d'autant plus aller que personne ne l'espionnait. Piotr Stépanovitch se taisait et conservait une attitude plus sérieuse que d'ordinaire, ce qui stimula encore davantage l'orateur.

« Savez-vous, reprit-il en marchant de long en large dans son cabinet, savez-vous que moi, le « patron » pour ainsi dire de cette province, j'ai tant d'obligations administratives que je n'en puis remplir une seule, mais que, d'autre part, je puis tout aussi bien dire que je n'ai rien à faire. L'explication de ceci, c'est, qu'au fond, tout dépend des vues du gouvernement. Si pour certaines raisons politiques, dans le but d'apaiser les esprits, le gouvernement établissait un régime républicain, mais en renforçant parallèlement les pouvoirs des gouverneurs, je vous affirme que nous autres, gouverneurs, nous avalerions la république, plus même, nous avalerions tout ce que vous voudrez ; en ce qui me concerne personnellement en tout cas, je sens que j'en suis capable... Bref, si le gouvernement me télégraphie : « *Activité dévorante* », je me lance dans une *activité dévorante*. Je l'ai déclaré ici devant tout le monde : « Messieurs, pour l'équilibre et la prospérité des institutions provinciales, il est absolument nécessaire de renforcer les pouvoirs du gouverneur. » Voyez-vous, il faut que ces institutions vivent en quelque sorte d'une double vie ; il faut qu'elles continuent d'exister (j'admets que cela est indispensable), mais, d'autre part, il faut qu'elles n'existent pas. Toujours conformément aux vues du gouvernement. S'il lui apparaît soudain que ces institutions sont nécessaires, il se trouve aussitôt que je les ai ici sous la main. Cessent-elles d'être nécessaires, personne n'en trouvera plus trace. Voilà comment je comprends l'*activité dévorante*, mais impossible de l'obtenir sans renforcer les pouvoirs du gouverneur. Nous parlons ici entre quatre yeux. Vous savez, j'ai déjà déclaré à Pétersbourg qu'il fallait absolument placer un factionnaire devant la porte du gouverneur. J'attends la réponse.

— Il vous en faut deux, observa Piotr Stépanovitch.

— Pourquoi deux ? demanda von Lembke interloqué.

— Il se pourrait qu'un seul ne vous suffît pas pour imposer le respect. Il vous en faut deux.

— Vous... Dieu sait ce que vous vous permettez, Piotr Stépanovitch ! profitant de ma bonté vous me lancez des pointes et faites le *bourru bienfaisant...*

— C'est comme vous l'entendrez, marmotta Piotr Stépanovitch. Quoi qu'il en soit, vous nous frayez la route et vous préparez notre succès.

— Que voulez-vous dire ? quel succès ? Qui sont ces « nous » auxquels nous frayons la route ? » s'exclama von Lembke surpris.

Mise au courant de cette conversation, Julie Mikhaïlovna se montra très mécontente.

« Voyons, tâchait de se justifier Andréï Antonovitch, je ne puis tout de même pas traiter ton favori en inférieur, surtout en tête à tête... Je me suis laissé aller... C'est la faute à mon bon cœur...

— Un peu trop bon même. Je ne savais pas que tu collectionnais des proclamations ; montre-les-moi, je t'en prie.

— Mais... il m'a demandé de les lui prêter pour un jour.

— Et vous les lui avez données ! s'écria Julie Mikhaïlovna furieuse. Quel manque de tact !

— Je vais immédiatement les faire reprendre.

— Il ne les rendra pas.

— Je l'exigerai ! s'écria von Lembke furibond et il se leva. Qu'est-il donc pour qu'on le redoute, et qui suis-je, moi, pour n'oser rien faire ?

— Asseyez-vous et calmez-vous, dit Julie Mikhaïlovna en l'arrêtant du geste. Je vais répondre à votre première question : on me l'a chaudement recommandé ; il a des dons naturels et dit souvent des choses fort intelligentes. Karmazinov m'assure qu'il a des relations dans tous les milieux, et qu'il exerce une grande influence sur la jeunesse de la capitale. Si je parviens à attirer tous ces jeunes gens et à les réunir autour de moi, je leur éviterai la catastrophe, en indiquant un nouveau but à leur ambition. Il m'est dévoué de toute son âme et m'obéit en tout.

— Mais tandis qu'on les flatte, eux ils peuvent... ils peuvent faire Dieu sait quoi. Évidemment, c'est une idée..., balbutiait von Lembke essayant encore de se défendre vaguement. Mais... mais je viens d'apprendre qu'on répand des proclamations dans le district de V...

— Le bruit en avait déjà couru l'été dernier. Il s'agissait de proclamations, de faux billets de banque et autres histoires du même genre ; et pourtant on n'a encore rien trouvé jusqu'ici. Qui vous a dit cela ?

— Von Blumer.

— Au nom du ciel, laissez-moi tranquille avec votre von Blumer et ne m'en parlez jamais ! »

Julie Mikhaïlovna dut se taire un instant pour reprendre son calme ; elle détestait von Blumer, employé à la chancellerie du gouverneur. Nous y reviendrons.

« Je t'en prie, ne te tracasse pas au sujet de Verkhovensky. S'il prenait part à des gamineries de ce genre, il ne parlerait pas comme il le fait à toi et à d'autres. Les grands phraseurs ne sont pas dangereux et je te dirai même que s'il survenait quelque chose, je serais la première à en être informée par lui. Il m'est fanatiquement dévoué, oui, fanatiquement. »

J'observerai à ce propos, en devançant les événements, que sans l'ambition et la suffisance de Julie Mikhaïlovna, il est probable que ces vilains petits personnages n'auraient pu faire chez nous tout le mal qu'ils firent, et dont la responsabilité retombe ainsi en grande partie sur elle.

CHAPITRE V

AVANT LA FÊTE

I

La fête qu'organisait Julie Mikhaïlovna au profit des institutrices de notre province, avait déjà été remise plusieurs fois. Parmi ceux qui s'empressaient autour de la femme du gouverneur et l'aidaient dans ses préparatifs, figuraient, en plus de Piotr Stépanovitch, Liamchine, le petit employé qui fréquentait autrefois Stépane Trophimovitch, et qui s'était attiré maintenant par son talent de pianiste les bonnes grâces de Julie Mikhaïlovna, Lipoutine qu'elle comptait placer à la tête du journal indépendant dont elle voulait doter notre province, et enfin Karmazinov lui-même, qui, moins empressé que les autres, avait cependant annoncé d'un air satisfait qu'il préparait une surprise agréable, et que le « quadrille de la littérature » serait un spectacle charmant. Les souscriptions et les dons affluaient ; toute l'élite de notre société voulait prendre part à la fête ; mais on acceptait aussi les gens du commun à condition que leurs cotisations fussent importantes. Julie Mikhaïlovna déclara qu'il était nécessaire parfois de rapprocher les castes et de les mélanger :

« Si ce n'est nous, qui donc instruira et éclairera ces pauvres gens ! » Elle forma de ses intimes une sorte de comité directeur qui décida que la fête aurait un caractère démocratique. L'importance des souscriptions incitait à la dépense : on voulait faire quelque chose d'extraordinaire ; telle était la raison de ces ajournements. On ne savait pas encore où aurait lieu le bal : serait-ce dans la vaste demeure de la maréchale de la noblesse ou chez Varvara Pétrovna, à Skvoréchniki ? Skvoréchniki était un peu loin, mais certains membres du comité disaient qu'on s'y sentirait « plus libre ». Varvara Pétrovna elle-même avait bien envie que la fête eût lieu chez elle. Il est difficile de comprendre pourquoi cette femme cherchait tellement à obtenir les bonnes grâces de Julie Mikhaïlovna. Elle voyait probablement avec plaisir que celle-ci de son côté était presque en adoration devant Nicolaï Vsévolodovitch, et le traitait comme elle ne traitait personne. Je le répète encore une fois : Piotr Stépanovitch ne cessait de lui chuchoter à l'oreille que Nicolaï Vsévolodovitch disposait de relations puissantes dans un certain monde mystérieux et qu'on l'avait certainement chargé d'une mission spéciale.

Étrange vraiment était alors l'état des esprits chez nous ! Parmi les dames surtout régnait une sorte d'insouciance, de légèreté, surgies soudain on ne sait d'où. Les idées les plus biscornues étaient accueillies avec enthousiasme. On eût dit qu'un vent de folie et de gaîté avait soufflé sur tout le monde ; mais cette gaîté ne présentait pas toujours un spectacle agréable. La mode était à un certain désordre. Plus tard, quand tout fut fini, on accusa Julie Mikhaïlovna, son entourage, son influence. Mais Julie Mikhaïlovna ne fut certainement pas l'unique coupable. Au début, bien des gens chantaient les louanges de la femme du nouveau gouverneur, qui avait réussi à réunir la société et à rendre ainsi la vie provinciale plus agréable. Il se produisit même quelques faits scandaleux dont Julie Mikhaïlovna ne pouvait être en aucune façon rendue responsable. Tout le monde se contenta d'en rire, et il ne se trouva personne pour y mettre le holà. Certains cependant résistèrent à cet entraînement et se tinrent à l'écart, réservant leur opinion ; mais ils ne protestaient pas, ils se contentaient de sourire.

Je me souviens qu'il s'était formé alors une sorte de groupe assez important, ayant pour centre, il faut bien le constater, le salon de Julie Mikhaïlovna. Dans ce cercle intime, il était admis que la jeunesse qui en faisait partie pouvait et devait même se livrer aux farces les plus diverses ; il y en eut même de très osées. Ce cercle comptait parmi ses membres plusieurs dames dont quelques-unes charmantes. Les jeunes gens organisaient des pique-niques, des soirées ; parfois même ils circulaient en cortège à travers les rues à cheval et en voiture. On cherchait les aventures ; on les provoquait et on les inventait même au besoin, rien que pour avoir à raconter des histoires amusantes. Notre ville était traitée un peu à la façon d'une cité conquise. Ces « farceurs », comme on les appelait chez nous, ne reculaient devant rien.

A une soirée, la femme d'un lieutenant, jolie brune encore jeune, mais que l'existence difficile qu'elle menait auprès de son mari avait vieillie avant l'âge, commit l'imprudence de s'asseoir à une table de jeu dans l'espoir de gagner de quoi s'acheter une mantille ; mais au lieu de gagner, elle perdit quinze roubles. N'ayant pas de quoi les payer et craignant les reproches de son mari, elle rassembla tout son courage et se décida à emprunter cette somme au fils de notre maire, un gamin débauché qui non seulement la lui refusa, mais n'eut rien de plus pressé que de raconter l'histoire au mari avec de grands éclats de rire. De retour à la maison, le lieutenant qui n'avait pour vivre que sa maigre solde, battit la jeune femme comme plâtre malgré ses cris, ses pleurs et bien qu'elle implorât à genoux son pardon. Cette histoire révoltante ne suscita chez nous que les rires et les plaisanteries. La malheureuse femme n'appartenait pas à la société de Julie Mikhaïlovna ; mais l'une des dames de ce cercle, personne excentrique et fort délurée qui connaissait l'épouse du lieutenant, passa la voir et l'emmena sans plus de façon chez elle, où la pauvrette fut aussitôt entourée par nos polissons qui lui firent fête et s'en amusèrent pendant quatre jours. Elle passa tout ce temps chez la dame délurée, sortant avec elle en ville, assistant aux parties de plaisir et aux soirées dansantes. On la pressait de poursuivre son mari devant les tribunaux et de soulever ainsi un scandale, en lui promettant de l'aider et de témoigner en sa faveur. Le mari se tenait coi, n'osant pas engager la lutte. La jeune femme s'avisa enfin qu'elle avait fait fausse route, et le soir du quatrième jour, à demi morte de peur elle abandonna sa protectrice et rentra à la maison. On ne sait au juste ce qui se passa entre les époux ; en tout cas les volets du petit pavillon de bois qu'occupait le lieutenant demeurèrent obstinément clos pendant quinze jours. Ayant appris la chose, Julie Mikhaïlovna se montra fort mécontente de l'intervention de la dame excentrique qui cependant lui avait présenté dès les premiers jours la femme du lieutenant. Bientôt d'ailleurs tout cela fut oublié.

Peu de temps après, il y eut un nouveau scandale. Un petit fonctionnaire qui jouissait d'une bonne réputation, maria sa fille de dix-sept ans, une beauté connue dans toute la ville, à un jeune homme, petit fonctionnaire lui aussi. Or, l'on apprit que la nuit même des noces le jeune mari s'était très mal comporté envers son épouse pour se venger de son déshonneur. Liamchine assista, pour ainsi dire, à l'incident, car s'étant enivré au banquet, il avait passé la nuit chez les jeunes mariés. Aussi, dès la pointe du jour courut-il répandre partout cette bonne histoire. Il se forma immédiatement un groupe d'une dizaine de personnes auxquelles ne manquèrent pas de se joindre Piotr Stépanovitch et Lipoutine qui, en dépit de ses cheveux gris, prenait part à toutes les farces qu'organisaient nos polissons. Tout ce monde monta à cheval et, quand les nouveaux mariés partirent en calèche pour faire la tournée de visites que la coutume impose aux jeunes couples au lendemain de leur mariage, nos cavaliers entourèrent la voiture avec des rires joyeux et durant toute la matinée accompagnèrent les époux à travers la ville. Ils n'entrèrent pas à leur suite dans les maisons, il est vrai, et restèrent chaque fois à les attendre à cheval devant la porte ; il faut dire aussi qu'ils s'abstinrent d'insulter le couple, mais ils n'en provoquèrent pas moins un scandale dont toute la ville fit des gorges chaudes. Cette fois pourtant, von Lembke se fâcha et eut une vive explication avec Julie Mikhaïlovna. Fort mécontente également, celle-ci résolut de fermer sa porte aux polissons. Mais dès le lendemain, elle leur pardonna sur les instances de Piotr Stépanovitch que soutenait Karmazinov. Ce dernier trouva la « plaisanterie » assez spirituelle.

« C'est dans les mœurs du pays, dit-il ; et, en tout cas, cela a de la couleur, c'est... audacieux. Et voyez, du reste, tout le monde en rit, vous êtes la seule à vous fâcher. »

Mais il y eut d'autres farces, vraiment intolérables et d'un caractère tout spécial.

Une colporteuse parut dans notre ville : elle vendait des évangiles ; de condition médiocre, c'était néanmoins une femme très respectable. On s'intéressa à elle car les journaux venaient justement de consacrer quelques articles aux marchands ambulants. Aidé d'un séminariste qui battait le pavé en attendant une place d'instituteur, cette canaille de Liamchine, faisant mine de vouloir acheter des livres à la brave femme, réussit à glisser dans son ballot tout un paquet de photographies obscènes que lui avait fourni pour cette occasion (comme on l'apprit plus tard), un vieux monsieur respectable, décoré, dont je tairai le nom, et qui aimait, selon sa propre expression, « le rire sain et la bonne plaisanterie ». Quand, arrivée au marché, la colporteuse se mit en devoir de défaire son ballot, les photographies s'éparpillèrent sur le sol. Les gens commencèrent par rire, puis on murmura ; il y eut un attroupement ; on se mit à injurier la malheureuse, et on lui aurait fait certainement un mauvais parti sans l'intervention de la police qui conduisit la marchande de livres au poste. Elle ne fut relâchée que le soir et grâce aux instances de Mavriki Nicolaïévitch qui avait appris avec indignation tous les détails de cette ignoble histoire. Furieuse, Julie Mikhaïlovna résolut enfin de chasser Liamchine. Mais le soir même nos « farceurs » l'amenèrent chez elle en la suppliant d'écouter rien qu'une fois la nouvelle plaisanterie musicale qu'il venait de composer. Julie Mikhaïlovna céda. Cette fantaisie, intitulée « La guerre franco-allemande », se trouva être, en effet, assez amusante.

Cela commençait par une *Marseillaise* héroïque :

Qu'un sang impur abreuve nos sillons.

Tout le début respirait l'orgueil et l'ivresse des futures victoires. Mais voilà qu'à travers les développements du thème de l'hymne glorieux, se fait entendre soudain quelque part, dans un coin, indistinct encore, mais proche, le vilain petit motif de la chanson *Mein lieber Augustin*. *La Marseillaise* ne fait pas attention à lui, elle s'abandonne à l'exaltation de son prochain triomphe ; mais *Augustin* grandit, se renforce ; *Augustin* devient toujours plus insolente, et voilà que sa mélodie s'est déjà introduite d'une façon inattendue dans *la Marseillaise*. Celle-ci commence à se fâcher : elle s'aperçoit enfin de l'intrusion d'*Augustin*, elle veut s'en débarrasser, la chasser comme une mouche importune ; mais *Mein lieber Augustin* tient ferme ; elle est gaie et pleine d'assurance, elle est joyeuse et impudente. Et *la Marseillaise* perd la tête : elle ne cache plus son irritation, son dépit. Ce sont les cris d'indignation, ce sont les larmes et les serments, les bras levés au ciel :

Pas un pouce de notre territoire, pas une pierre de nos for-
[teresses.

Mais elle est déjà obligée de chanter en mesure avec *Mein lieber Augustin*. Sa mélodie se confond bêtement avec celle d'*Augustin* ; elle décline, elle s'éteint. De-ci de-là cependant on entend encore : « Qu'un sang impur... », mais la phrase tourne court et retombe aussitôt dans la vilaine petite valse. *La Marseillaise* se soumet : c'est Jules Favre pleurant dans le gilet de Bismarck, et qui abandonne tout, absolument tout... Mais alors *Augustin* se gonfle, devient furieuse : ce sont les tonneaux de bière absorbés, c'est le triomphe brutalement étalé, ce sont les milliards de la contribution, les réquisitions de cigares de luxe, de vins fins ; la prise des otages. Ce n'est plus *Augustin*, c'est le rugissement du fauve déchaîné... La guerre franco-allemande est terminée. On applaudit. Julie Mikhaïlovna dit en souriant : « Impossible de le mettre à la porte! » La paix était faite. Le coquin avait, en effet, un certain talent. Stépane Trophimovitch m'affirma un jour que les plus grands artistes pouvaient être d'affreuses canailles, et que l'un n'empêche pas l'autre. Un peu plus tard, le bruit courut que Liamchine avait tout simplement volé cette fantaisie à un jeune homme de talent, mais modeste, qu'il avait connu par hasard et dont on n'entendit plus jamais parler. Ceci dit en passant. Liamchine qui s'empressait dans le temps auprès de Stépane Trophimovitch aux soirées duquel il représentait, pour peu qu'on le lui demandât, de vieux Juifs se querellant entre eux, la confession d'une femme sourde, ou les cris d'une accouchée, Liamchine maintenant, chez Julie Mikhaïlovna, caricaturait parfois Stépane Trophimovitch lui-même ; cela s'appelait : « Un libéral des années quarante. » Son succès était tel qu'on ne pouvait songer à le mettre dehors : il avait su se rendre indispensable. De plus, par ses flatteries il était entré dans les bonnes grâces de Piotr Stépanovitch qui, à ce moment, avait déjà acquis une grande influence sur Julie Mikhaïlovna.

Je ne me serais pas étendu sur ce misérable qui ne mérite même pas qu'on en parle, s'il ne s'était produit un fait révoltant auquel, comme on l'assure, il prit part, et que je ne puis passer sous silence.

Un matin, la nouvelle d'un abominable sacrilège se répandit par toute la ville. A l'entrée de l'immense place du Marché s'élève la vieille église de la Nativité de la Vierge, l'un des plus remarquables monuments historiques de notre ancienne cité. Sous le porche du mur d'enceinte se trouvait en tout temps encastrée et protégée par une vitre et un grillage, une grande icône de la Vierge. Or on découvrit un matin l'icône saccagée : la vitre avait été brisée, le grillage descellé et plusieurs perles ainsi que quelques pierreries (dont j'ignore la valeur) avaient été enlevées de la couronne et de la chape. Mais le plus grave, c'est qu'en plus du vol il y avait eu encore profanation, une profanation stupide, grotesque : derrière la vitre brisée on trouva, dit-on, une souris vivante. Aujourd'hui, quatre mois après l'événement, on a la certitude absolue que ce crime fut commis par Fédka le forçat, mais avec la participation de Liamchine, ajoute-t-on. Sur le moment, personne ne parla de Liamchine, personne ne le soupçonna ; mais à présent tout le monde assure que ce fut précisément lui qui introduisit la souris derrière la vitre. Je me souviens que les autorités perdirent quelque peu la tête. Dès le matin, on ne cessa de stationner sur le lieu du crime ; la foule n'était pas considérable du reste, une centaine de personnes, peut-être. Les uns arrivaient, les autres s'en allaient. Les nouveaux venus se signaient et baisaient l'icône. Un moine parut avec un plateau et se mit à recueillir les offrandes. A trois heures de l'après-midi, les autorités s'avisèrent enfin d'interdire les attroupements et donnèrent l'ordre de circuler aux gens qui avaient déjà baisé l'icône et déposé leur offrande. Ce fâcheux événement produisit, paraît-il, sur von Lembke une impression déprimante. A ce que j'ai entendu dire, Julie Mikhaïlovna déclara plus tard que ce fut précisément à partir de ce moment qu'elle commença à observer chez son époux cet étrange abattement qui ne le quitta plus jusqu'à son départ de chez nous, et qui, affirme-t-on, l'accompagne encore aujourd'hui en Suisse, où il se repose après son bref séjour dans notre province.

Je me souviens que je passai sur la place du Marché

vers une heure ; la foule était silencieuse, les visages étaient graves et sombres. Je vis arriver en drojki un marchand gras et blême qui se prosterna devant l'icône, la baisa, mit un rouble sur le plateau, remonta dans sa voiture en poussant de gros soupirs, et partit. Puis arriva une calèche avec deux dames accompagnées de deux de nos polissons. Les jeunes gens (dont l'un, du reste, était déjà assez âgé) descendirent de voiture et s'approchèrent de l'icône en se frayant assez brutalement un passage à travers la foule. Ni l'un ni l'autre n'enlevèrent leurs chapeaux, et l'un d'eux mit même son lorgnon. Il y eut des murmures, sourds il est vrai, mais nettement désapprobateurs. Le monsieur au lorgnon sortit un porte-monnaie bourré de billets de banque, y prit un copeck et le jeta sur le plateau ; puis, riant tous deux et parlant à haute voix ils retournèrent auprès des dames. A ce moment apparut à cheval Lisavéta Nicolaïevna, escortée comme toujours, de Mavriki Nicolaïévitch. Elle sauta de sa monture, jeta les rênes à son compagnon resté en selle sur son ordre, et s'approcha de l'icône à la minute même où le jeune homme jetait son copeck sur le plateau. Ses joues s'empourprèrent d'indignation ; elle enleva son chapeau rond et ses gants, tomba à genoux devant l'icône sur le trottoir boueux, et s'inclina pieusement trois fois jusqu'à terre ; puis elle sortit son porte-monnaie, mais n'y ayant trouvé que quelques piécettes d'argent, elle détacha aussitôt ses boucles d'oreilles garnies de brillants et les déposa sur le plateau.

« Je peux? Je peux n'est-ce pas ? c'est pour la parure de l'icône, dit-elle au moine, tout émue.

— Oui, c'est permis, répondit celui-ci, toute offrande est bonne. »

Le peuple se taisait, ne manifestant ni blâme ni approbation. Lisavéta Nicolaïevna remonta en selle, tachée de boue, et partit au galop.

II

Deux jours après cet événement, je la rencontrai avec une nombreuse compagnie qui avait pris place dans trois voitures entourées de quelques cavaliers. Elle m'appela du geste, fit arrêter les voitures et insista pour que je me joignisse à eux. On me trouva une petite place dans sa calèche ; elle me présenta en riant aux dames très élégantes qui se trouvaient avec elle, et m'expliqua qu'on partait pour une expédition extrêmement intéressante. Elle riait tout le temps et paraissait même étrangement gaie. Son exubérance en général dépassait presque la mesure ces derniers temps. Il s'agissait, en effet, d'une entreprise fort curieuse : on se rendait de l'autre côté de la rivière, chez le marchand Sévastianov. Celui-ci hébergeait depuis dix ans dans un pavillon de bois un certain Sémione Iakovlévitch, un « innocent » qui possédait, dit-on, le don de prophétie et vivait là dans l'oisiveté, le calme et l'aisance. La renommée de ce saint personnage s'était répandue jusque dans les provinces voisines, et avait même atteint les deux capitales. On venait de fort loin le voir et l'entendre, chacun lui apportant son offrande. Ces dons, parfois considérables, étaient transmis (sauf instructions contraires de Sémione Iakovlévitch) aux églises locales, de préférence au monastère de la Nativité qui avait même délégué tout exprès l'un de ses moines auprès de « l'innocent ». Toute notre compagnie se promettait beaucoup d'amusement ; d'autant plus que personne de nous n'avait encore vu Sémione Iakovlévitch, excepté Liamchine qui était venu le voir une fois et nous assurait maintenant que le saint homme l'avait fait mettre à la porte à coups de balai et en lui jetant de sa propre main deux grosses pommes de terre bouillies. Je remarquai dans notre escorte de cavaliers Piotr Stépanovitch qui avait loué pour cette occasion un cheval de cosaque sur lequel il se tenait fort mal, et Nicolaï Vsévolodovitch. Celui-ci prenait toujours part à ces joyeuses expéditions ; tout en parlant peu selon sa coutume, il montrait alors un visage suffisamment gai et animé. Quand, après avoir dépassé le pont, nous nous trouvâmes en face de l'un des plus importants hôtels de la ville, quelqu'un dit soudain que l'on venait de découvrir dans cet hôtel le corps d'un voyageur qui s'était tiré un coup de revolver. Si l'on allait voir le suicidé ? Cette idée obtint l'approbation générale : nos dames n'en avaient jamais vu. L'une d'elles, je me souviens, déclara à haute voix que « l'on était tellement fatigué des distractions ordinaires qu'il n'y avait pas lieu de se gêner, pourvu que ce fût intéressant ». Quelques-unes seulement restèrent à attendre devant le perron ; les autres, y compris, à mon grand étonnement, Lisavéta Nicolaïevna, s'engouffrèrent dans le corridor malpropre et obscur. La chambre du suicidé était ouverte : on attendait la police, mais, naturellement, on n'osa pas nous interdire d'entrer. C'était un garçon de dix-neuf ans tout au plus, très joli avec son épaisse chevelure blonde, son visage régulier, son front très pur. Le corps était déjà rigide ; la face pâle semblait de marbre. Il avait laissé sur la table un billet écrit de sa main, déclarant qu'il s'était tiré une balle parce qu'il avait « dévoré » quatre cents roubles. Le mot « dévoré » figurait en toutes lettres dans le billet qui contenait trois fautes d'orthographe en quatre lignes. Debout près du corps et poussant de profonds soupirs, se tenait un gros homme, propriétaire terrien du voisinage probablement, et qui était descendu dans le même hôtel. Il nous apprit que le jeune homme avait été expédié en ville par sa mère qui était veuve et par ses tantes, pour procéder sous la conduite d'une parente à l'achat du trousseau d'une sœur aînée qui devait prochainement se marier. Pour ces emplettes on lui avait confié une somme de quatre cents roubles amassée pendant des dizaines d'années au prix de dures privations, et il était parti accompagné de larmes, de signes de croix et de pressantes recommandations. D'ailleurs le garçon avait eu jusque-là une conduite exemplaire. Arrivé en ville, trois jours auparavant, il n'était pas allé chez sa parente mais avait pris une chambre à l'hôtel, puis s'était rendu tout droit au club dans l'espoir d'y tailler une banque dans un coin écarté avec quelque joueur de passage. Mais il ne trouva personne de ce genre. Rentré à l'hôtel vers minuit, il commanda du champagne, des cigares fins et un souper de six ou sept plats. Mais le champagne lui tourna la tête et les cigares lui donnèrent des nausées, si bien qu'il ne put toucher à aucun mets et se coucha presque sans connaissance. Il se réveilla le lendemain frais comme une pomme et se rendit aussitôt dans une sorte de cabaret tenu par des Tziganes, qui se trouvait de l'autre côté de la rivière et dont il avait entendu parler la veille au club. Il ne rentra à l'hôtel que le troisième jour, vers cinq heures de l'après-midi, complètement ivre, se coucha immédiatement et dormit jusqu'à dix heures du soir, quand il se fit apporter une côtelette, une bouteille de château-yquem, du raisin, du papier, de l'encre et sa note. Personne ne remarqua rien de particulier dans son attitude : il paraissait calme et aimable. Il avait dû probablement se tuer vers minuit ; chose étrange, ni les voisins, ni le personnel de l'hôtel n'avaient entendu le bruit de la détonation. Et ce fut à une heure de l'après-midi seulement que le garçon, n'obtenant aucune réponse, enfonça la porte. La bouteille de château-yquem était à moitié vide et il restait encore quelques grappes de raisin. La balle avait été tirée droit au cœur ; le revolver, à trois coups, de petit calibre, était tombé des mains du jeune homme sur le tapis. Le corps qui n'avait perdu que très peu de sang, se trouvait maintenant sur un divan dans un coin de la chambre. La mort avait dû être instantanée. Le visage ne montrait aucune trace de souffrance : son expression était calme, presque heuheuse. On eût dit qu'il allait se ranimer. Tous les nôtres contemplaient ce spectacle avec une curiosité avide. En général, dans tout malheur qui atteint notre prochain, il y a toujours quelque chose de réjouissant pour nous. Nos dames regardaient en silence ; leurs compagnons qui avaient conservé toute leur présence d'esprit, cherchaient à briller par quelque fine remarque. L'un d'eux observa que le jeune homme n'aurait pu imaginer meilleure solution et qu'il avait agi fort intelligemment. Si sa vie a été courte, dit un autre, elle fut en tout cas bien remplie. Un troisième demanda tout à coup pourquoi ces derniers temps les suicides devenaient si fréquents chez nous, comme si les gens se sentaient déracinés, comme s'ils perdaient pied. Le raisonneur ne reçut en réponse que des regards dépourvus d'aménité. En revanche, Liamchine qui tenait à honneur de jouer son rôle de bouffon, saisit sur l'assiette une grappe de raisin ; un autre l'imita en riant, un troisième avançait déjà la main vers la bouteille de vin, quand le commissaire de police entra dans la chambre et fit sortir tout le monde. Comme l'on avait déjà vu ce qu'on voulait voir, on se retira sans la moindre objection, sauf

Liamchine qui essaya de protester. Cet intermède ne fit qu'accroître la gaîté et l'animation générales, et la joyeuse compagnie poursuivit sa route au milieu des rires et des conversations.

Nous arrivâmes chez Sémione Iakovlévitch à une heure sonnant. La porte cochère de la maison du marchand était grande ouverte. Entrait dans le pavillon qui voulait. Nous apprîmes que Sémione Iakovlévitch était en train de dîner, mais recevait tout de même. Nous entrâmes tous à la fois. La pièce où mangeait et recevait l' « innocent » avait trois fenêtres et était assez spacieuse ; un grillage en bois haut d'un mètre à peu près la séparait d'un mur à l'autre en deux parties égales. Les visiteurs ordinaires se tenaient en deçà du grillage, mais quelques privilégiés étaient autorisés, sur l'ordre du saint homme, à pénétrer par un portillon dans l'enceinte qui lui était réservée, et où il les faisait asseoir, s'il en avait la fantaisie, dans de vieux fauteuils de cuir ou sur un divan. Lui-même trônait toujours dans un antique voltaire tout usé. C'était un homme d'une cinquantaine d'années, de haute taille, au visage jaune et bouffi entièrement rasé, aux cheveux rares. Sa joue droite était enflée, sa bouche, légèrement de travers ; il avait une grosse verrue près de la narine gauche et de petits yeux placides. Sa face somnolente respirait le calme et l'assurance. Il était vêtu à l'européenne mais ne portait ni gilet, ni cravate sous sa redingote noire ; sa chemise était de toile grossière, mais très blanche ; ses pieds, malades je crois, étaient chaussés de pantoufles. On disait qu'il avait été dans le temps fonctionnaire. Il venait de terminer une légère soupe au poisson, et commençait son second plat, des pommes de terre en robe de chambre saupoudrées de sel. Il ne mangeait jamais rien d'autre, mais buvait beaucoup de thé dont il était grand amateur. Autour de lui se tenaient trois domestiques payés par le marchand. L'un d'eux était en habit, le second ressemblait à un commis, le troisième à un bedeau. Il y avait aussi un garçon de seize ans, très vif, et un moine à cheveux gris, d'aspect vénérable bien qu'un peu gros, et qui tenait à la main un tronc pour les offrandes. Un énorme samovar bouillait sur une table à côté d'un plateau portant près de deux douzaines de verres. Sur une autre table, en face, on avait disposé les cadeaux : des pains et des paquets de sucre, deux livres de thé, une paire de pantoufles brodées, un foulard, un coupon de drap, une pièce de toile... Quant aux offrandes d'argent, elles allaient presque toujours dans le tronc du moine. Les visiteurs étaient au nombre d'une douzaine ; deux d'entre eux étaient assis près de Sémione Iakovlévitch : l'un, âgé, était un pèlerin « du commun » ; l'autre, petit, maigre, un moine de passage dans notre ville, se tenait modestement assis, les yeux baissés. Tous les autres se trouvaient en deçà de la grille ; c'étaient des gens du peuple pour la plupart, à l'exception d'un gros marchand barbu, arrivé de la ville du district voisin, vêtu à la russe, mais qu'on savait très riche, d'un propriétaire foncier et d'une vieille dame noble et pauvre. Tous attendaient, sans oser prononcer un mot, que le saint homme leur adressât la parole. Quatre d'entre eux se tenaient à genoux ; le propriétaire, un gros homme de quarante-cinq ans, attirait tout particulièrement l'attention : il s'était agenouillé contre le grillage, bien en vue, et attendait pieusement un regard ou une parole bienveillante de Sémione Iakovlévitch. Il était là depuis une heure, mais le bienheureux ne faisait aucune attention à lui.

Nos dames s'entassèrent tout contre la grille avec de petits rires et de joyeux chuchotements, en repoussant et en masquant les autres visiteurs, sauf le propriétaire qui garda obstinément sa place en se cramponnant même des deux mains aux barreaux du grillage. Sémione Iakovlévitch se trouva aussitôt le point de mire de regards amusés et curieux ; nombre d'entre nous s'armèrent de faces-à-main et de lorgnons, et Liamchine dirigea même sur le « bienheureux » une jumelle de théâtre. Sémione Iakovlévitch laissa tomber sur nous le regard calme et paresseux de ses petits yeux.

« Les plaisantins! » dit-il d'une voix de basse légèrement enrouée.

Toute notre compagnie éclata de rire : que signifiait ce mot, « plaisantins »? Cependant Sémione Iakovlévitch se replongea dans son mutisme et acheva son plat de pommes de terre, après quoi il s'essuya les lèvres avec une serviette, et on lui servit le thé. Il ne le prenait pas seul d'ordinaire et en offrait à ses visiteurs, à quelques-uns seulement, désignant ceux qu'il voulait favoriser. Le choix qu'il opérait alors frappait toujours par son imprévu. Tantôt, négligeant les richards et les gens importants, il faisait servir un moujik ou une vieille femme du peuple ; tantôt, dédaignant les pauvres gens il désignait quelque gros marchand à la poche bien garnie. Du reste, les élus n'étaient pas tous traités de la même façon : à l'un on présentait du thé sucré, à l'autre du thé avec un morceau de sucre qu'il devait grignoter en buvant, le troisième ne recevait pas de sucre du tout. Cette fois Sémione Iakovlévitch désigna le petit moine étranger qui reçut du thé et le vieux pèlerin auquel on apporta un verre de thé sans sucre. Quant au moine pansu de notre monastère, on ne lui offrit rien, bien que jusqu'ici il eût toujours eu son verre.

« Sémione Iakovlévitch, dites-moi quelque chose!

il y a si longtemps que je voulais vous connaître, proféra d'une voix chantante et avec une mine coquette la dame élégante qui avait observé tantôt qu'il ne fallait pas se montrer difficile en fait de distractions pourvu que ce fût intéressant. Sémione Iakovlévitch ne la regarda même pas. Le propriétaire agenouillé poussa un bruyant soupir : on aurait dit que l'on avait actionné un puissant soufflet.

— Du thé sucré, ordonna soudain le « bienheureux » en indiquant du doigt le riche marchand ; celui-ci s'approcha et vint se placer à côté du propriétaire.

— Plus de sucre ! » dit Sémione Iakovlévitch quand le thé fut versé. On doubla la portion. « Encore, encore ! » Le domestique ajouta une troisième portion, puis, enfin, une quatrième.

Le marchand se mit à boire docilement son sirop.

« Seigneur ! » chuchotèrent les gens en se signant. Le propriétaire soupira de nouveau.

« Sémione Iakovlévitch, mon père, fit soudain la voix de la dame pauvre que les nôtres avaient repoussée contre le mur, une voix douloureuse, mais si aiguë que tout le monde en fut surpris. Voilà une heure déjà que j'attends que ton regard bienveillant tombe sur moi. Parle-moi, dis-moi ce que je dois faire, pauvre orpheline que je suis !

— Interroge-la », dit Sémione Iakovlévitch au domestique qui ressemblait à un bedeau.

Celui-ci s'approcha de la grille.

« Avez-vous fait ce que Sémione Iakovlévitch vous avait ordonné la dernière fois ? demanda-t-il à la veuve d'une voix douce et lente.

— Comment aurais-je pu le faire, père chéri ! Ce sont de véritables anthropophages ; ils ont porté plainte contre moi devant les tribunaux, ils menacent de me traîner devant le sénat, moi, leur propre mère!

— Donnez-le-lui, dit Sémione Iakovlévitch en désignant un pain de sucre. Le jeune garçon se précipita vers la table, saisit le pain de sucre et le tendit à la veuve.

— Oh! petit père! grande est ta bonté! Que ferais-je de tout cela? s'écria la veuve.

— Encore! encore! » continuait Sémione Iakovlévitch. On apporta un second pain. « Encore! » insistait le « bienheureux ». Un troisième, puis un quatrième suivirent le même chemin. La veuve se trouva entourée de sucre de partout. Le gros moine soupira : tout cela aurait pu être envoyé comme d'ordinaire au couvent.

« Mais que ferais-je de tout cela? soupira humblement la veuve. C'est à vous donner des nausées... Ne serait-ce pas une prophétie?

— Oui, certainement, c'est une prophétie, murmura quelqu'un dans la foule.

— Encore une livre, encore! » continua Sémione Iakovlévitch.

Il restait sur la table un pain entier ; mais le saint homme avait dit de ne donner qu'une livre et on lui obéit.

« Seigneur! Seigneur! soupirait le peuple en se signant. C'est évidemment une prophétie.

— Commencez d'abord par adoucir votre cœur par la bonté et le pardon, voilà ce que signifie probablement ce symbole, commenta avec componction le gros moine vexé de voir qu'on l'oubliait et qu'il devait se passer de thé.

— Que dis-tu là, mon père! s'écria la veuve, soudain furieuse. Ils voulaient me jeter dans le feu quand il y eut un incendie chez les Verkhichine ; ils ont jeté un chat crevé dans ma malle, ils sont prêts à tout...

— Chassez-la! chassez-la! » s'écria Sémione Iakovlévitch en agitant les bras.

Le bedeau et le jeune garçon s'élancèrent de l'autre côté du grillage, et le bedeau prit la veuve sous le bras. Redevenue aussitôt tout humble elle se laissa emmener vers la porte, non sans jeter un coup d'œil sur les pains de sucre que le gamin portait derrière elle.

« Reprends-lui-en un, va! » ordonna Sémione Iakovlévitch au commis qui se tenait près de son fauteuil. Le commis courut après la veuve, et au bout d'un moment les trois domestiques rentrèrent en rapportant le pain de sucre donné puis repris à la veuve qui toutefois en emporta trois.

« Sémione Iakovlévitch, fit une voix tout près de la porte. J'ai vu en rêve un oiseau, une corneille qui s'éleva de l'eau pour aller se jeter dans le feu. Que signifie ce rêve?

— Présage de froid, répondit le « bienheureux ».

— Sémione Iakovlévitch, pourquoi ne me répondez-vous pas? Il y a si longtemps que je m'intéresse à vous! reprit de nouveau la dame élégante.

— Interroge-le », dit sans faire attention à elle Sémione Iakovlévitch en s'adressant au moine de notre couvent et en lui désignant le propriétaire toujours agenouillé.

Le gros moine s'approcha d'un air digne du propriétaire.

« En quoi avez-vous péché? Vous avait-on ordonné quelque chose?

— De ne pas me battre, de me contenir, répondit l'autre d'une voix sourde.

— Avez-vous obéi?

— Je ne peux pas, impossible de me dominer.

— Chasse-le! chasse-le! à coups de balai! cria en agitant de nouveau les bras Sémione Iakovlévitch. Sans attendre l'exécution de cette menace, le propriétaire prit la fuite.

— Il a laissé une pièce d'or, annonça le moine en ramassant sur le plancher une pièce de dix roubles.

— A celui-ci, dit Sémione Iakovlévitch en montrant le riche marchand qui n'osa pas refuser.

— L'or attire l'or, ne put s'empêcher de remarquer le moine.

— Et à celui-ci, du thé sucré. — Sémione Iakovlévitch désigna Mavriki Nicolaïévitch. Un domestique emplit un verre, mais il le présenta par erreur au jeune élégant à lorgnon.

— Non, au long, au long », précisa Sémione Iakovlévitch.

Mavriki Nicolaïévitch prit le verre, esquissa un salut militaire et se mit à boire. Je ne sais pourquoi, tous les nôtres éclatèrent de rire.

« Mavriki Nicolaïévitch, dit soudain Lisa, le monsieur qui se tenait agenouillé est parti, mettez-vous à genoux à sa place. »

Mavriki Nicolaïévitch la regarda, stupéfait.

« Je vous en prie, vous me ferez un grand plaisir. Écoutez, Mavriki Nicolaïévitch, poursuivit-elle rapidement d'un ton pressant, passionné. Il le faut, absolument, je veux vous voir à genoux. Si vous ne vous agenouillez pas, vous ne viendrez plus chez moi. Je le veux, je le veux... »

J'ignore ce que cela signifiait. Mais elle exigeait obstinément, d'un ton implacable, comme en proie à une sorte de crise nerveuse. Ainsi que nous le verrons plus loin, Mavriki Nicolaïévitch attribuait ces caprices étranges, de plus en plus fréquents, à la haine aveugle que la jeune fille nourrissait contre lui; cependant elle avait pour lui de l'estime, du respect, de l'affection, et il le savait bien ; mais elle n'en ressentait pas moins à son égard une animosité inconsciente qu'elle ne parvenait pas toujours à vaincre. Il ne dit mot, remit son verre à une vieille qui se trouvait derrière lui, ouvrit la grille, pénétra, sans attendre l'autorisation, dans la partie réservée à Sémione Iakovlévitch et se mit à genoux au beau milieu de la chambre. Je pense qu'il se sentit bouleversé dans la délicatesse et la simplicité de son cœur par la grossière insulte que lui infligeait Lisa en présence de toute la société. Peut-être se dit-il qu'elle aurait honte d'elle-même en voyant l'humiliation qu'elle le contraignait à subir. Certes, il fallait être lui pour essayer d'agir sur une femme par des moyens aussi naïfs, aussi risqués. Cet homme long et dégingandé, à genoux, le visage imperturbablement grave, était complètement ridicule. Mais personne ne riait plus : cette scène étrange produisait une impression de malaise. Tous les regards se portèrent sur Lisa.

« Douceur, douceur! » marmotta Sémione Iakovlévitch.

Soudain Lisa pâlit, poussa un cri et s'élança de l'autre côté de la grille ; comme hors d'elle-même, elle se mit à tirailler des deux mains Mavriki Nicolaïévitch pour le mettre debout.

« Levez-vous! levez-vous! criait-elle d'un air égaré. Levez-vous immédiatement! Comment avez-vous osé faire cela? »

Mavriki Nicolaïévitch se releva. Elle lui saisit les bras au-dessus du coude et le fixa droit dans les yeux d'un regard épouvanté.

« Plaisantins, plaisantins! » répétait Sémione Iakovlévitch.

Elle ramena enfin Mavriki Nicolaïévitch auprès de nous. Toute notre compagnie était dans la plus grande agitation. Pour faire sans doute diversion, la dame élégante s'adressa pour la troisième fois à Sémione Iakovlévitch.

« Eh bien, Sémione Iakovlévitch, fit-elle de sa voix aiguë en souriant coquettement. Ne daignerez-vous pas me dire quelque chose? Je comptais tant sur vous!...

— Va te faire foutre, va te faire foutre! » lança tout à coup furieusement le saint homme en se tournant vers elle. La phrase avait été articulée avec une netteté effarante. Nos dames prirent la fuite en poussant de petits cris effarouchés tandis que leurs compagnons éclataient d'un rire homérique. C'est ainsi que se termina notre visite à Sémione Iakovlévitch.

Toutefois, il se produisit encore un incident étrange, dit-on, et j'avoue que c'est surtout pour en arriver à cet incident que j'ai donné tant de détails sur notre excursion.

Il paraît que lorsque tout le monde se précipita dehors, Lisa que soutenait Mavriki Nicolaïévitch, se heurta soudain près de la porte à Nicolaï Vsévolodovitch. Il faut dire que depuis la scène de dimanche et l'évanouissement de Lisa, ils ne s'étaient plus abordés ni adressé la parole, bien qu'ils eussent eu souvent l'occasion de se rencontrer dans le monde. Je les vis l'un près de l'autre dans la porte, et il sembla pour un instant qu'ils s'arrêtaient tous deux et se regardaient d'un air étrange. Mais la bousculade était telle que je pouvais me tromper. Mais on a assuré, et le plus sérieusement du monde, que Lisa avait levé la main à la hauteur du visage de Nicolaï Vsévolodovitch et qu'elle l'aurait certainement frappé s'il ne s'était pas écarté à temps. Peut-être s'étaitelle sentie blessée, surtout après la scène avec Mavriki Nicolaïévitch, par l'expression du visage de Stavroguine ou son sourire. J'avoue que pour ma part je n'ai rien remarqué. Mais tout le monde prétendit avoir vu le geste. En tout cas, s'il se passa quelque chose, peu d'entre nous purent s'en rendre compte en raison de la presse et du désordre. Sur le moment, je me refusai à y croire ; et cependant je me rappelle qu'au retour Nicolaï Vsévolodovitch montrait un visage un peu pâle.

III

Le même jour, et presque à la même heure, eut lieu enfin l'entrevue que Varvara Pétrovna avait depuis longtemps résolu d'accorder à Stépane Trophimovitch, mais que je ne sais pourquoi elle avait jusqu'alors différée. Ils se rencontrèrent à Skvoréchniki. Varvara Pétrovna arriva à sa maison de campagne tout affairée : il avait été définitivement convenu la veille que la fête aurait lieu chez la maréchale de la noblesse. Mais avec la promptitude qui la caractérisait, Varvara Pétrovna avait aussitôt décidé que rien ne l'empêchait après cette fête d'en organiser une autre, chez elle, à Skvoréchniki, et d'y inviter toute la ville. On verrait alors si sa maison n'était pas la plus belle, si on n'y savait pas mieux recevoir et donner un bal avec plus de goût. En général, Varvara Pétrovna n'était plus à reconnaître : elle avait subi une métamorphose complète, et l'altière « grande dame » (comme l'appelait Stépane Trophimovitch) s'était transformée en une banale mondaine frivole et capricieuse. Du reste, ce pouvait n'être qu'une apparence.

Aussitôt arrivée dans sa maison vide, elle en avait fait le tour accompagnée de son vieux et fidèle Alexéï Égorytch et de Fomouchka, un homme plein d'expérience, spécialiste en matière de décoration. On se concerta, on discuta : quels objets, quels tableaux, allait-on faire venir de la maison qu'habitait Varvara Pétrovna en ville ? Où les placer ? Comment disposer les fleurs ? Quel parti pouvait-on tirer de l'orangerie ? Où poser des tentures neuves ? Et le buffet, où serait-il installé ? Y en aurait-il un ou deux ? etc. Et voilà qu'au milieu de ces préoccupations l'idée vint tout à coup à Varvara Pétrovna d'envoyer sa voiture chercher Stépane Trophimovitch.

Celui-ci était prêt : ayant été averti depuis longtemps, il s'attendait précisément à une invitation brusquée de ce genre. En montant dans la voiture il se signa : son sort allait enfin se décider. Il trouva son amie dans la grande salle : assise sur un petit canapé devant un guéridon de marbre, elle était en train d'écrire : un mètre à la main, Fomouchka mesurait la hauteur des tribunes et des fenêtres, et Varvara Pétrovna notait sous sa dictée les chiffres qu'elle commentait en marge. Sans interrompre sa besogne elle fit un signe de tête à Stépane Trophimovitch, et lorsque celui-ci lui présenta en balbutiant ses respects, elle lui tendit rapidement la main et, sans le regarder, lui désigna une place à côté d'elle.

« Je m'assis et j'attendis cinq bonnes minutes en comprimant mon cœur, me raconta-t-il plus tard. La femme que je voyais devant moi n'était pas celle que je connaissais depuis vingt ans. Ma conviction absolue que tout était fini entre nous me remplit d'une force dont elle-même fut surprise. Je vous jure qu'elle fut émerveillée de ma fermeté à cette heure dernière. »

Varvara Pétrovna déposa soudain son crayon sur la table et se tourna d'un mouvement brusque vers Stépane Trophimovitch.

« Stépane Trophimovitch, nous avons des affaires à régler. Je suis certaine que vous avez préparé de belles phrases et des exclamations pathétiques, mais ne vaudrait-il pas mieux aller droit au fait ? »

Il sursauta. Si elle se hâtait de prendre un tel ton dès le début, que serait la suite ?

« Attendez, taisez-vous, laissez-moi dire ! vous parlerez après, bien que je ne sache vraiment pas ce que vous pourriez me répondre, poursuivit-elle avec volubilité. En ce qui concerne les douze cents roubles de votre pension, je considère comme un devoir sacré de vous les servir jusqu'à la fin de vos jours. Du reste, pourquoi parler de « devoir sacré » ? C'est tout simplement une convention ; nous voilà plus près de la réalité, n'est-il pas vrai ? Si vous voulez, nous le mettrons par écrit. Pour le cas où je viendrais à mourir, j'ai pris des dispositions particulières. En plus de cela vous recevrez de moi le logement, le service et l'entretien. Convertissons cela en argent. Cela fera bien quinze cents roubles, n'est-ce pas ? J'ajoute encore trois cents roubles pour les dépenses extraordinaires, ce qui fait au total trois mille roubles par an. Cela ne vous suffit-il pas ? Il me semble que ce n'est pas peu. D'ailleurs, dans les occasions tout à fait spéciales j'ajouterai encore quelque chose. Et maintenant prenez votre argent, renvoyez-moi mes domestiques et vivez comme vous l'entendez, où vous voulez, à Pétersbourg, à Moscou, à l'étranger, ou bien ici même, mais pas chez moi. Vous comprenez ?

— Il n'y a pas longtemps, j'entendais de la même bouche une autre exigence, tout aussi catégorique et pressante, proféra lentement et mélancoliquement Stépane Trophimovitch. Je me suis soumis... j'ai dansé la cosaque pour vous être agréable. *Oui, la comparaison peut être permise. C'était comme un petit Cosaque du Don qui dansait sur sa propre tombe... Maintenant...*

— Arrêtez, Stépane Trophimovitch. Vous êtes terriblement bavard. Vous n'avez pas dansé, vous êtes venu chez moi avec une cravate neuve, du linge frais, des gants, pommadé et parfumé. Je vous assure que vous aviez la plus grande envie de vous marier. Cela se lisait sur votre visage ; et croyez-moi, ce n'était pas très joli. Si je ne vous en ai pas fait l'observation alors, ce fut pure délicatesse de ma part. Mais vous désiriez, oui, vous désiriez vous marier, malgré les ignominies que vous écriviez en cachette sur moi et sur votre fiancée. Maintenant, il s'agit de tout autre chose. Que vient faire ici le *Cosaque du Don* et ce tombeau ?... Je ne comprends pas cette comparaison. Au contraire, ne mourez pas, vivez le plus longtemps possible, j'en serai très heureuse.

— Vivre dans un hospice ?

— Dans un hospice ? On ne va pas dans un hospice quand on a trois mille roubles de rentes. Ah oui ! je me rappelle, dit-elle en souriant. En effet, Piotr Stépanovitch avait parlé une fois en plaisantant de vous installer dans un hospice. Du reste, il s'agissait d'un hospice d'un genre tout particulier ; il faudrait y réfléchir. On n'y reçoit que les personnes les plus honorables, des colonels entre autres, et parmi les candidats il y a même un général. Si vous y entrez avec votre argent, vous y trouverez le repos, le confort, un excellent service. Vous pourrez vous y occuper de science et faire votre partie de whist...

— *Passons.*

— *Passons ?* — Varvara Pétrovna eut un geste d'impatience. — En ce cas, c'est tout. Vous êtes prévenu. Dorénavant nous vivons chacun de notre côté.

— Et c'est tout ? C'est tout ce qui nous reste de nos vingt années ? C'est là notre dernier adieu ?

— Vous avez une passion pour les exclamations

pathétiques, Stépane Trophimovitch. Ce n'est pas de mode aujourd'hui. On parle grossièrement, mais simplement. Vous revenez toujours sur ces vingt années. Vingt années d'amour-propre! Les lettres que vous m'adressiez étaient écrites pour la postérité et nullement pour moi. Vous n'êtes pas un ami, vous êtes un styliste. L'amitié, d'ailleurs, ce n'est qu'un grand mot, elle se réduit en somme à un épanchement d'eaux sales.

— Mon Dieu! Rien que des paroles qui ne vous appartiennent pas! Vous répétez une leçon apprise par cœur. Vous aussi ils vous ont affublée de leur uniforme! *Chère, chère!* pour quel plat de lentilles leur avez-vous vendu votre liberté?

— Je ne suis pas un perroquet qui répète les paroles des autres, s'écria Varvara Pétrovna en colère. Soyez certain que j'ai assez de choses sur le cœur pour trouver les mots qui me conviennent. Qu'avez-vous fait pour moi durant ces vingt années? Vous me refusiez même les livres que je faisais venir pour vous et qui n'eussent jamais été coupés si je ne les avais pas fait relier. Que me donniez-vous à lire quand, les premières années, je vous demandais de diriger mes lectures? Capefigue et toujours Capefigue. Vous étiez jaloux de mon développement intellectuel et vous preniez vos mesures. Et cependant, c'est de vous que tout le monde rit maintenant. Je l'avoue, j'ai toujours vu en vous un simple critique, vous êtes un critique littéraire et rien de plus. Quand en partant pour Pétersbourg je vous ai dit que j'avais l'intention de fonder une revue et de lui consacrer toute mon existence, vous m'avez regardée aussitôt d'un air ironique et avez pris soudain une attitude extraordinairement arrogante.

— Ce n'était pas cela, pas cela du tout... nous craignions les poursuites alors...

— Non, c'était bien cela ; et quant aux poursuites, vous ne pouviez les craindre à Pétersbourg. Ensuite, en février, quand coururent certains bruits, vous vous êtes précipité chez moi, affolé, et vous avez exigé que je vous donnasse un certificat, une lettre, attestant que la revue projetée ne vous concernait en rien, que les jeunes gens venaient pour moi et non pour vous et que vous n'étiez qu'un simple précepteur qui vivait dans ma maison parce que je lui devais encore de l'argent. Vous en souvenez-vous ? Vous avez eu toute votre vie une singulière attitude, Stépane Trophimovitch.

— Ce n'était qu'une minute de faiblesse, une minute entre quatre yeux ! s'écria-t-il au désespoir. Mais est-il possible, est-il possible de tout rompre à cause de quelques petits incidents de ce genre ? Est-il possible qu'il ne subsiste rien d'autre entre nous après tant d'années ?

— Vous êtes terriblement calculateur : vous voulez à toute force que je reste votre débitrice. Quand vous êtes rentré de l'étranger vous me regardiez de haut et ne me laissiez pas dire un mot. Et lorsque je partis à mon tour et voulus plus tard vous raconter mes impressions sur la Madone de la Sixtine, vous n'avez même pas daigné m'écouter jusqu'à la fin, vous contentant de sourire d'un air supérieur, comme si je n'étais même pas capable de ressentir quelque chose.

— Ce n'était pas cela ; il s'agissait probablement d'autre chose... *j'ai oublié.*

— Si, c'était bien cela. Et d'ailleurs, il n'y avait pas de quoi faire le fier ; tout ce que vous me racontiez au sujet de ce tableau n'était que sottise et pure imagination de votre part. Personne aujourd'hui ne s'extasie devant cette Madone et ne perd son temps à la contempler, à part quelques vieux bonshommes. C'est démontré.

— C'est démontré ?

— Elle ne sert absolument à rien. Cette cruche est utile parce qu'on peut y verser de l'eau ; ce crayon est utile parce qu'il me donne la possibilité de noter ce que je veux. Tandis que cette toile, ce n'est qu'un visage de femme bien pire que ceux que l'on voit dans la nature. Si je dessine une pomme et que je mette à côté une vraie pomme, laquelle choisirez-vous ? Vous ne vous tromperez pas, j'en suis certaine. Voilà ce qui reste aujourd'hui de toutes vos théories, à peine le premier rayon du libre examen les a-t-il touchées.

— Très bien... très bien...

— Vous souriez ironiquement. Et que me disiez-vous de l'aumône ? Or le plaisir que procure l'aumône est un plaisir orgueilleux, immoral, il permet au riche de jouir de sa richesse, de son pouvoir, en les comparant à la faiblesse du pauvre. L'aumône déprave aussi bien celui qui donne que celui qui reçoit, et de plus, elle n'atteint pas son but, car elle multiplie la misère. Les paresseux qui ne veulent pas travailler se pressent autour de ceux qui donnent, tels des joueurs qui dans l'espoir de gagner s'assemblent autour du tapis vert. Or les misérables sous qu'on leur jette ne parviennent pas à alléger la centième partie de leurs maux. Combien avez-vous distribué d'argent dans votre vie ? Quatre-vingts copecks, tout au plus ; souvenez-vous-en ! Essayez de vous rappeler quand vous avez fait l'aumône pour la dernière fois ; il y a deux ans probablement, peut-être même quatre. Vous ne faites que discourir et gêner l'action des autres. Déjà dans la société actuelle il devrait être interdit par la loi de faire l'aumône. Dans la société nouvelle il n'y aura plus de pauvres du tout.

— Oh ! quel flot de paroles étrangères ! La société

nouvelle! Ainsi donc, vous en êtes déjà là! Malheureuse! que le ciel vous soit en aide!

— Oui, j'en suis déjà là, Stépane Trophimovitch. Vous me cachiez soigneusement toutes les idées nouvelles que tout le monde connaît déjà ; et vous agissiez ainsi par jalousie, afin de conserver votre empire sur moi. Et maintenant, une Julie quelconque me devance de cent verstes. Mais je vois clair enfin. Je vous ai défendu autant qu'il m'était possible, Stépane Trophimovitch, mais tout le monde vous condamne.

— Assez! dit-il en se levant brusquement. Assez! Que puis-je vous souhaiter d'autre que le repentir?

— Rasseyez-vous une minute encore, Stépane Trophimovitch. Je n'ai pas fini. On vous a demandé de lire quelque chose à la matinée littéraire ; c'est moi qui ai arrangé cela. Que comptez-vous lire?

— Précisément quelques pages sur cette reine des reines, sur cet idéal de l'humanité, sur cette Madone qui ne vaut pas un verre ou un crayon selon vous.

— Ce ne sera donc pas un récit historique! s'exclama avec désappointement Varvara Pétrovna. On ne vous écoutera pas. Vous en tenez pour cette Madone! Je ne vois pas le plaisir que vous aurez à endormir votre auditoire. Soyez certain, Stépane Trophimovitch, que c'est uniquement dans votre intérêt que je parle ainsi. Il vaudrait bien mieux choisir quelque petite histoire, quelque anecdote plutôt sur la vie de cour en Espagne, au Moyen Âge, en y ajoutant quelques réflexions spirituelles de votre propre cru. La pompe de la cour, les belles dames, les empoisonnements, tout cela est si curieux! Karmazinov dit qu'il serait bien étrange que vous ne trouviez pas dans l'histoire d'Espagne quelque sujet intéressant.

— Karmazinov, ce sot complètement vidé cherche des thèmes pour moi ?

— Karmazinov a presque l'intelligence d'un homme d'État. Votre langue est trop insolente, Stépane Trophimovitch.

— Votre Karmazinov est une vieille commère méchante et stupide! Chère, chère! Vous êtes complètement sous sa coupe! Mon Dieu!

— Je le déteste pour ses airs importants, mais je rends justice à son intelligence. Je le répète, je vous ai défendu de toutes mes forces, autant que j'ai pu. A quoi bon se montrer sous un aspect ridicule et ennuyeux? Au contraire, montez sur l'estrade en souriant, comme le représentant d'une époque finie, et racontez-leur deux ou trois anecdotes, comme vous seul savez parfois le faire, avec l'esprit qui vous caractérise... Qu'importe que vous soyez un vieillard, un représentant d'une autre époque et que vous soyez resté en arrière! vous en conviendrez vous-même en souriant dans votre exorde, et tout le monde verra que vous êtes un débris, mais un débris charmant, aimable, spirituel... Bref, un homme du vieux temps, mais suffisamment intelligent pour se rendre compte de la stupidité des idées auxquelles il était demeuré attaché jusqu'ici. Allons, faites-moi ce plaisir, je vous en prie!

— *Chère*, assez! N'insistez pas. Cela m'est impossible. Je parlerai de la Madone et soulèverai une tempête qui les écrasera ou bien qui n'atteindra que moi seul.

— C'est vous seul qui en pâtirez certainement, Stépane Trophimovitch.

— C'est mon destin. Je parlerai de ce lâche esclave, de ce vil et puant laquais qui le premier montera sur une échelle, des ciseaux à la main, et déchirera la face divine de l'idéal au nom de l'égalité, de l'envie et... de la digestion. Que ma malédiction retentisse, et ensuite... ensuite...

— Ce sera la maison de fous ?

— Peut-être. Mais vainqueur ou vaincu, je prendrai le même soir ma besace, ma besace de mendiant, j'abandonnerai tous mes effets, tous vos présents, vos pensions et vos promesses et je partirai à pied pour achever ma vie chez quelque marchand comme précepteur ou pour mourir de faim sous une haie. J'ai dit. *Alea jacta est.* »

Il se leva de nouveau.

Varvara Pétrovna se leva aussi, les yeux flamboyants de colère.

« J'en étais sûre! s'écria-t-elle. Je savais depuis des années que vous n'attendiez que le moment de me déshonorer, moi et ma maison, par vos calomnies! Que signifie cette histoire de précepteur et de mort sous une haie ? Pure méchanceté et calomnie!

— Vous m'avez toujours méprisé, mais je finirai ma vie comme un chevalier fidèle à sa dame ; car rien ne m'a jamais été cher que votre opinion. A partir de cette minute, je n'accepte plus rien de vous et vous honore avec un absolu désintéressement.

— Comme c'est bête!

— Vous n'avez jamais eu d'estime pour moi. J'ai pu avoir beaucoup de faiblesses. Oui, j'étais votre parasite ; je parle maintenant la langue du nihilisme. Mais vivre en parasite n'a jamais été le principe suprême de mes actes. Cela se faisait de soi-même, je ne sais trop comment... Je pensais toujours qu'il y avait entre nous quelque chose de supérieur au boire et au manger, et jamais, jamais je n'ai été une canaille. Et maintenant, en route, pour réparer mes fautes! Il est bien tard, l'automne est avancé, la campagne est noyée de brume, le givre glacial de la vieillesse recouvre ma route et dans les hurlements du vent, je distingue l'appel de la tombe... Mais en route, une voie nouvelle s'ouvre devant moi :

Plein d'un pur amour,
Fidèle au doux rêve...

Oh! je vous dis adieu, mes rêves! Vingt ans! *Alea jacta est!* — Sa face fut brusquement baignée de larmes. Il saisit son chapeau.

— Je ne comprends pas le latin », proféra Varvara Pétrovna se raidissant contre son émotion.

Qui sait? elle aussi peut-être avait envie de pleurer; mais la colère, l'orgueil l'emportèrent encore une fois.

« Je ne sais qu'une chose ; ce ne sont que des gamineries de votre part. Jamais vous ne serez capable d'exécuter vos menaces égoïstes. Vous n'irez nulle part, chez aucun marchand et vous me resterez sur les bras, en continuant à toucher votre pension et à recevoir tous les mardis vos insupportables amis. Adieu, Stépane Trophimovitch.

— *Alea jacta est!* » — Il lui fit un profond salut et rentra à la maison plus mort que vif.

Notes

PREMIÈRE PARTIE

Page 32.

1. Piotr Iakovlévitch Tchadaev (1793-1856), philosophe et écrivain politique. On a de lui quatre *Lettres Philosophiques* écrites en français. La première, traduite en russe et publiée par la revue de Moscou, *le Télescope*, fit scandale par ses violentes attaques contre la Russie, ses institutions, ses mœurs, sa religion. « Nous n'existons, dit Tchadaev, que pour donner à l'humanité quelque terrible leçon. » *Le Télescope* fut interdit, son rédacteur en chef, Nadéjdine, exilé. Tchadaev lui-même, déclaré fou, resta soumis jusqu'à sa mort à une étroite surveillance.

Vissarion Grigoriévitch Bélinsky (1811-1848), célèbre publiciste, un des maîtres de la critique russe ; il prépara par ses nombreux écrits le grand mouvement d'idées de 1860.

Timophéï Nicolaïévitch Granovsky (1813-1855), professeur d'histoire à l'Université de Pétersbourg, un des principaux théoriciens du libéralisme russe. Ses cours exercèrent une profonde influence sur la jeunesse des années quarante et cinquante.

Alexandre Ivanovitch Herzen (1812-1870), brillant écrivain, auteur d'un roman et de nombreux essais. Parti de Hegel, il aboutit finalement au socialisme. S'étant retiré à Londres, il publia en russe une revue, *la Cloche*, qui, interdite en Russie, y pénétrait néanmoins clandestinement et agissait puissamment sur les esprits.

Page 48.

1. Nestor Vassiliévitch Koukolnik (1809-1868), poète et dramaturge dont les tragédies patriotiques eurent autrefois un certain succès.

Page 51.

1. Auteur d'un livre, *Voyage de Moscou à Pétersbourg*, où pour la première fois un écrivain russe osait s'élever ouvertement contre le servage. Le livre fut interdit par ordre de Catherine II, et l'auteur déporté en Sibérie.

Page 54.

1. Signe particulier qui se plaçait à la fin de certains mots terminés par une consonne ; il fut supprimé à la révolution.

Page 55.

1. Andréï Alexandrovitch Kraïevsky (1810-1889), éditeur et rédacteur en chef de la revue *les Annales de la Patrie.*

Page 56.

1. Allusion à une phrase célèbre du publiciste radical Pissarev qui avait déclaré que « les bottes étaient supérieures à Shakespeare ».

Page 58.

1. En français dans le texte, comme toutes les phrases en italique au cours du roman.

Page 60.

1. Correspond au dicton français : « Au diable vauvert ».

Page 70.

1. Le 19 février 1861 : abolition du servage.

Page 71.

1. Chanson et danse populaires russes.

Page 72.

1. Nouvelle de D. V. Grigorovitch (1822-1899), qui fut célèbre en son temps : l'auteur y décrit sous une forme à la fois réaliste et sentimentale les souffrances des serfs.

Page 73.

1. Grand-duc de Kiev, mort en 850.

Page 84.

1. Lorsque ce personnage est désigné par son seul prénom, celui-ci est francisé par l'auteur.

2. Gaganov est appelé tantôt Piotr, tantôt Pavel (cf. p. 309). Il semblerait que ce soit Pavel son véritable prénom.

Page 91.

1. Quotidien publié à Pétersbourg.

Page 98.

1. Diminutif caressant de *Daria* (Dorothée).

Page 121.

1. Un des plus anciens monuments de la littérature russe, poème épique dont Borodine tira le sujet de son opéra, *le Prince Igor.*

Page 128.

1. Forme caressante de *Piotr* (Pierre).

Page 162.

1. Bête comme un hongre.

Page 168.

1. *Mavriki*, forme russe de Maurice.

Page 187.

1. Korobotchka, littéralement « petite boîte », personnage des *Ames mortes* de Gogol.

Page 211.

1. Allusion à une phrase de Gogol disant qu'il riait à travers ses larmes.

Page 218.

1. Forme caressante de *Chatov*.

Page 231.

1. Diminutif d'*Ivan* ; anciennement surnom des cochers de fiacre.

Page 260.

1. Célèbre général (1772-1861) ; s'illustra pendant la campagne de 1812 et commanda plus tard l'armée du Caucase.

Page 264.

1. Ivan Andréiévitch Krylov (1768-1844), auteur de nombreuses fables très populaires en Russie, en partie originales, en partie traduites de La Fontaine.

Page 266.

1. Denis Vassiliévitch Davydov (1781-1839), célèbre officier de cavalerie, qui prit en 1812 l'initiative de cette guerre de partisans dont eut tant à souffrir la Grande Armée en retraite. Il est également l'auteur de nombreuses poésies bachiques.

Page 302.

1. On appelle « décembristes » les membres des sociétés secrètes qui s'organisèrent en Russie à la fin du règne d'Alexandre Ier et, à la mort de celui-ci, tentèrent le 14 décembre 1825 de soulever la garnison de Pétersbourg. Le nouveau tzar, Nicolas Ier, écrasa la révolte ; cinq des décembristes furent pendus ; les autres déportés en Sibérie.

DEUXIÈME PARTIE

Page 309.

1. Assemblées instituées sous le règne d'Alexandre II ; elles étaient élues par la population et géraient les affaires locales.

Page 314.

1. Bazarov, principal personnage du roman de Tourguéniev, *Pères et Enfants*, type de l'homme nouveau, du nihiliste.

2. Nozdriov, personnage des *Ames mortes* de Gogol, menteur et hâbleur.

Page 330.

1. Secte mystique qui pratiquait la castration.

Page 332.

1. Tailleur renommé à Pétersbourg.

Page 368.

1. Stéphane Razine, chef de bandes cosaques, qui souleva les populations du midi et de l'est de la Russie et réussit pendant quatre ans à tenir tête aux troupes du tzar Alexis ; trahi par ses partisans, il fut mis à mort en 1671.

Page 390.

1. Poète russe (1750-1822), auteur de nombreuses odes, dont la plus célèbre est *Dieu.*

Page 398.

1. Grigory Otrépiev, moine qui réussit à se faire passer pour le tsarévitch Dimitri, fils d'Ivan le Terrible assassiné par Boris Godounov.

Page 435.

1. Roman du publiciste radical Tchernychevsky, qui exerça une forte influence sur la jeunesse russe.

DU MÊME AUTEUR

DANS LA MÊME COLLECTION

Déjà parus :

L'ÉTERNEL MARI.
L'IDIOT, tome I.
L'IDIOT, tome II.
LE JOUEUR.
LES FRÈRES KARAMAZOV, tome I.
LES FRÈRES KARAMAZOV, tome II.

COLLECTION FOLIO

Dernières parutions

261.	Henry Miller	*Tropique du Cancer.*
262.	Lanza del Vasto	*Le pèlerinage aux sources.*
263.	Rudyard Kipling	*Le livre de la jungle.*
264.	Violette Leduc	*Thérèse et Isabelle.*
265.	Emmanuel Berl	*Sylvia.*
266.	Hemingway	*En avoir ou pas.*
267.	Renée Massip	*La Régente.*
268.	J. de Bourbon Busset	*Les aveux infidèles.*
269.	Montherlant	*Les bestiaires.*
270.	Aragon	*Les cloches de Bâle.*
271.	Dostoïevski	*L'Idiot*, tome I.
272.	Dostoïevski	*L'Idiot*, tome II.
273.	Paul Claudel	*Le soulier de satin.*
274.	Jean Giono	*Le Moulin de Pologne.*
275.	Armand Salacrou	*Boulevard Durand.*
276.	Jorge Semprun	*Le grand voyage.*
277.	Philippe Hériat	*Les grilles d'or.*
278.	Jacques Perret	*Bande à part.*
279.	Michel Déon	*Les trompeuses espérances.*
280.	Hemingway	*Cinquante mille dollars.*
281.	Montherlant	*La relève du matin.*
282.	Garcia Lorca	*La maison de Bernarda Alba*, suivi de *Noces de sang.*
283.	Paul Morand	*L'homme pressé.*

315. Paul Guimard — *Les choses de la vie.*
316. Jean Anouilh — *Fables.*
317. Mérimée — *Colomba* et dix autres nouvelles.
318. José Giovanni — *Le trou.*
319. Georges Duhamel — *Tel qu'en lui-même...*
320. Claire Etcherelli — *A propos de Clémence.*
321. Marcel Aymé — *Le moulin de la Sourdine.*
322. Armand Salacrou — *Histoire de rire.*
323. Montherlant — *Les Olympiques.*
324. Dostoïevski — *Le joueur.*
325. Rudyard Kipling — *Le second livre de la jungle.*
326. Boileau/Narcejac — *Les diaboliques.*
327. Jacques Lanzmann — *Le rat d'Amérique.*
328. Jean Cocteau — *L'aigle à deux têtes.*
329. Alain Gheerbrant — *L'expédition Orénoque-Amazone 1948-1950.*
330. Jean Giono — *Solitude de la pitié.*
331. Blaise Cendrars — *L'or.*
332. Molière — *Le Tartuffe, Dom Juan, Le Misanthrope.*
333. Molière — *Amphitryon, George Dandin, L'Avare.*
334. Molière — *Le Bourgeois gentilhomme, Les femmes savantes, Le Malade imaginaire.*
335. Willy et Colette — *Claudine en ménage.*
336. Jean Anouilh — *L'alouette.*
337. Henri Bosco — *L'Ane Culotte.*
338. Paul Morand — *Fouquet ou le Soleil offusqué.*
339. André Gide — *L'école des femmes* suivi de *Robert* et de *Geneviève.*
340. Félicien Marceau — *Les élans du cœur.*
341. Albert Simonin — *Du mouron pour les petits oiseaux.*
342. Barbey d'Aurevilly — *Les Diaboliques.*
343. Marcel Aymé — *Les contes du chat perché.*
344. Maurice Genevoix — *Tendre bestiaire.*

345. Jean Giono	*Rondeur des jours.*
346. M. de Saint-Pierre	*Dieu vous garde des femmes!*
347. Roger Grenier	*Le Palais d'Hiver.*
348. Victor Hugo	*Les Misérables*, tome I.
349. Victor Hugo	*Les Misérables*, tome II.
350. Victor Hugo	*Les Misérables*, tome III.
351. Malcolm Lowry	*Au-dessous du volcan.*
352. Hemingway	*Les vertes collines d'Afrique.*
353. Le Clézio	*Le procès-verbal.*
354. Rudyard Kipling	*Capitaines courageux.*
355. Nabokov	*La méprise.*
356. Louis Pauwels et Jacques Bergier	*L'homme éternel.*
357. Jules Supervielle	*Le voleur d'enfants.*
358. Elsa Triolet	*Luna-Park.*
359. Antoine Blondin	*Un singe en hiver.*
360. Sophocle	*Tragédies.*
361. Eugène Ionesco	*Le Roi se meurt.*
362. Marie Susini	*C'était cela notre amour.*
363. S. de Beauvoir	*Le sang des autres.*
364. Truman Capote	*Petit déjeuner chez Tiffany.*
365. Jean Giono	*Noé.*
366. Boileau/Narcejac	*Sueurs froides.*
367. José Cabanis	*Les jardins de la nuit.*
368. Jean Freustié	*Isabelle ou l'arrière-saison.*
369. Mirabeau	*Discours.*
370. Montherlant	*La petite infante de Castille.*
371. Elsa Triolet	*Le premier accroc coûte deux cents francs.*
372. Henri Queffélec	*Tempête sur Douarnenez.*
373. Romain Gary	*La promesse de l'aube.*
374. Boris Vian	*Vercoquin et le plancton.*
375. Jean Anouilh	*Le rendez-vous de Senlis* suivi de *Léocadia.*
376. J.-J. Rousseau	*Les Confessions*, tome I.
377. J.-J. Rousseau	*Les Confessions*, tome II.
378. Mikhaïl Boulgakov	*Le roman de monsieur de Molière.*

379. Marcel Proust — *Les plaisirs et les jours.*
380. Honoré de Balzac — *Le Cousin Pons.*
381. René Fallet — *Comment fais-tu l'amour, Cerise ?*
382. Vitia Hessel — *Le temps des parents.*
383. Paul Morand — *Fermé la nuit.*
384. Armand Salacrou — *L'Inconnue d'Arras.*
385. Boileau/Narcejac — *Les louves.*
386. Charles Dickens — *Les Aventures d'Olivier Twist.*
387. Rabelais — *Pantagruel.*
388. Claude Simon — *Histoire.*
389. L.-F. Céline — *D'un château l'autre...*
390. Nathalie Sarraute — *Les Fruits d'Or.*
391. P. Schœndœrffer — *La 317e section.*
392. Stendhal — *Chroniques italiennes.*
393. Tchekhov — *La Mouette, Ce fou de Platonov, Ivanov, Les Trois Sœurs.*
394. A. Burgess — *Un agent qui vous veut du bien.*
395. Roald Dahl — *Bizarre! Bizarre!*
396. Théophile Gautier — *Mademoiselle de Maupin.*
397. Henri Bosco — *Malicroix.*
398. Jean Anouilh — *Colombe.*
399. Günter Grass — *Les années de chien.*
400. W. Gombrowicz — *Cosmos.*
401. Eugène Ionesco — *Les chaises* suivi de *L'impromptu de l'Alma.*
402. George Sand — *La Mare au Diable.*
403. Alphonse Boudard — *La cerise.*
404. Georges Duhamel — *Vue de la Terre promise.*
405. Honoré de Balzac — *Splendeurs et Misères des courtisanes.*
406. Franz Kafka — *L'Amérique.*
407. Pieyre de Mandiargues — *La motocyclette.*
408. Michel Mohrt — *La prison maritime.*
409. Nathalie Sarraute — *Entre la vie et la mort.*

410.	Paul Vialar	*La Rose de la Mer.*
411.	Alexandre Dumas	*La Reine Margot.*
412.	A. Robbe-Grillet	*Le voyeur.*
413.	Italo Calvino	*La journée d'un scrutateur.*
414.	John Le Carré	*L'espion qui venait du froid.*
415.	Longus	*Daphnis et Chloé.*
416.	Joseph Conrad	*Typhon.*
417.	Jacques de Lacretelle	*Silbermann.*
418.	Luc Dietrich	*L'apprentissage de la ville.*
419.	Erskine Caldwell	*Le petit arpent du Bon Dieu.*
420.	William Faulkner	*L'intrus.*
421.	Francis Iles	*Préméditation.*
422.	Montherlant	*Le Chaos et la Nuit.*
423.	Sempé-Goscinny	*Le petit Nicolas.*
424.	Gustave Flaubert	*Trois Contes.*
425.	Nicolas Gogol	*Les Ames mortes.*
426.	Louise de Vilmorin	*La lettre dans un taxi.*
427.	J. de Bourbon-Busset	*L'amour durable.*
428.	John Steinbeck	*La perle.*
429.	Philippe Hériat	*La foire aux garçons.*
430.	Diderot	*Jacques le Fataliste.*
431.	Jean-Paul Sartre	*Nekrassov.*
432.	Marcel Aymé	*Derrière chez Martin.*
433.	André Chamson	*Le chiffre de nos jours.*
434.	Sacha Guitry	*Mémoires d'un tricheur.*
435.	Michel Leiris	*L'âge d'homme.*
436.	André Gide	*Paludes.*
437.	René Fallet	*Les vieux de la vieille.*
438.	Erskine Caldwell	*La route au tabac.*
439.	Italo Svevo	*La conscience de Zeno.*
440.	Georges Duhamel	*La nuit de la Saint-Jean.*
441.	Jules Michelet	*Jeanne d'Arc.*
442.	Raymond Queneau	*Le dimanche de la vie.*
443.	Félicien Marceau	*Bergère légère.*
444.	Jean Anouilh	*La répétition ou l'amour puni.*
445.	Wolinski	*Ils ne pensent qu'à ça.*
446.	Léon Trotsky	*Ma vie.*
447.	Stendhal	*Vie de Henry Brulard.*

448. Julio Cortázar — *Les armes secrètes.*
449. Angelo Rinaldi — *La maison des Atlantes.*
450. John Dos Passos — *Manhattan Transfer.*
451. André Maurois — *Bernard Quesnay.*
452. *** — *Tristan.*
453. François Boyer — *Jeux interdits.*
454. Michel Mohrt — *La campagne d'Italie.*
455. Hemingway — *Pour qui sonne le glas.*
456. Jean Giono — *Ennemonde et autres caractères.*
457. Jack Kerouac — *Les anges vagabonds.*
458. August Strindberg — *Le fils de la servante.*
459. P. Drieu la Rochelle — *Gilles.*
460. Philippe Hériat — *Le temps d'aimer.*
461. Montherlant — *Fils de personne* suivi de *Un incompris.*
462. Rabelais — *Le Tiers Livre.*
463. José Giovanni — *Les grandes gueules.*
464. Cesare Pavese — *Avant que le coq chante.*
465. Hemingway — *Paris est une fête.*
466. Horace Mac Coy — *On achève bien les chevaux*
467. Blaise Cendrars — *L'homme foudroyé.*
468. Honoré de Balzac — *Une ténébreuse affaire.*
469. Félicien Marceau — *Les années courtes.*
470. Philip Roth — *Portnoy et son complexe.*
471. Guy de Maupassant — *Bel-Ami.*
472. Robert Margerit — *Mont-Dragon.*
473. Georges Duhamel — *Le Désert de Bièvres.*
474. Antoine Blondin — *Les enfants du bon Dieu.*
475. Montesquieu — *Lettres Persanes.*
476. Alfred de Musset — *La Confession d'un enfant du siècle.*
477. Albert Camus — *Les justes.*
478. Maurice Genevoix — *Bestiaire enchanté.*
479. Henry James — *Les Bostoniennes.*
480. Jean Cocteau — *Thomas l'imposteur.*
481. L.-F. Céline — *Rigodon.*
482. Paul Léautaud — *Amours.*

483.	Violette Leduc	*La folie en tête.*
484.	P. Drieu la Rochelle	*L'homme à cheval.*
485.	René Barjavel	*Le voyageur imprudent.*
486.	Dostoïevski	*Les Frères Karamazov*, tome I.
487.	Dostoïevski	*Les Frères Karamazov*, tome II.
488.	Robert Musil	*L'Homme sans qualités*, tome I.
489.	Robert Musil	*L'Homme sans qualités*, tome II.
490.	Robert Musil	*L'Homme sans qualités*, tome III.
491.	Robert Musil	*L'Homme sans qualités*, tome IV.
492.	Bernard Pingaud	*L'amour triste.*
493.	Jean Genet	*Journal du voleur.*
494.	Roger Nimier	*Les épées.*
495.	Georges Duhamel	*Confession de minuit.*
496.	Goethe	*Les Souffrances du jeune Werther.*
497.	Armand Salacrou	*La terre est ronde.*
498.	Le Sage	*Histoire de Gil Blas de Santillane*, tome I.
499.	Le Sage	*Histoire de Gil Blas de Santillane*, tome II.
500.	Marcel Aymé	*Travelingue.*
501.	Philippe Hériat	*La main tendue.*
502.	Curzio Malaparte	*La peau.*
503.	Rudyard Kipling	*L'homme qui voulut être roi.*
504.	Guy de Maupassant	*Boule de suif*, *La Maison Tellier*, suivi de *Madame Baptiste* et de *Le Port.*
505.	Roger Vailland	*La fête.*
506.	Jean Dutourd	*Les taxis de la Marne.*
507.	William Irish	*La sirène du Mississipi.*
508.	Alberto Moravia	*La désobéissance.*
509.	Vladimir Nabokov	*Pnine.*

510.	Jean Giono	*L'oiseau bagué.*
511.	Paul Nizan	*La conspiration.*
512.	Marcel Aymé	*Le bœuf clandestin.*
513.	Louis Bromfield	*La Colline aux Cyprès.*
514.	Benjamin Constant	*Adolphe* suivi de *Le Cahier rouge* et *Cécile.*
515.	Stendhal	*Lucien Leuwen*, tome I.
516.	Stendhal	*Lucien Leuwen*, tome II.
517.	Jean Guéhenno	*Journal des années noires (1940-1944).*
518.	Benoîte et Flora Groult	*Journal à quatre mains.*
519.	Jules Vallès	*L'Enfant.*
520.	Marcel Achard	*Jean de la Lune.*
521.	Tcheckhov	*La Cerisaie, Le Sauvage, Oncle Vania* et neuf pièces en un acte.
522.	Prévert/Pozner	*Hebdromadaires.*
523.	Armand Salacrou	*Un homme comme les autres.*
524.	Thérèse de Saint Phalle	*La mendigote.*
525.	Georges Duhamel	*Les maîtres.*
526.	Alexandre Dumas	*Les Trois Mousquetaires*, tome I.
527.	Alexandre Dumas	*Les Trois Mousquetaires*, tome II.
528.	Reiser	*Ils sont moches.*
529.	Cabu	*Le journal de Catherine.*
530.	Alan Sillitoe	*La solitude du coureur de fond.*
531.	André Chamson	*La neige et la fleur.*
532.	Ovide	*L'Art d'aimer.*
533.	S. de Beauvoir	*Tous les hommes sont mortels.*
534.	Marcel Arland	*Zélie dans le désert.*
535.	Maurice Genevoix	*Bestiaire sans oubli.*
536.	Paul Guimard	*L'ironie du sort.*
537.	Chrétien de Troyes	*Perceval ou le Roman du Graal.*
538.	Léon Daudet	*Le voyage de Shakespeare.*
539.	Ernst Jünger	*Orages d'acier.*

540. R. Martin du Gard *Vieille France.*
541. Henri Queffélec *Un homme d'Ouessant.*
542. Pouchkine *La Dame de pique* et autres récits.
543. Philippe Hériat *L'innocent.*
544. Guy de Maupassant *Une Vie.*
545. Jean Anouilh *Ornifle ou le courant d'air.*
546. John Steinbeck *Rue de la Sardine.*
547. Félicien Marceau *Chair et cuir.*
548. René Fallet *Banlieue sud-est.*
549. Victor Hugo *Notre-Dame de Paris.*
550. Raymond Roussel *Locus Solus.*
551. Jean Cayrol *Le froid du soleil.*
552. Philippe Erlanger *Diane de Poitiers.*
553. Georges Duhamel *Cécile parmi nous.*
554. Cavanna *Le saviez-vous ?*
555. Honoré de Balzac *La Peau de chagrin.*
556. Jean Cau *La pitié de Dieu.*
557. Michel Déon *Les gens de la nuit.*
558. Roger Vrigny *La nuit de Mougins.*
559. Rudyard Kipling *Kim.*
560. Mérimée *Carmen* et treize autres nouvelles.
561. Albert Cohen *Le livre de ma mère.*
562. Pieyre de Mandiargues *Le Musée noir.*
563. Sébastien Japrisot *Compartiment tueurs.*
564. Edgar Poe *Nouvelles histoires extraordinaires.*
565. Jack Kerouac *Les clochards célestes.*
566. François Mauriac *Nouveaux Mémoires intérieurs.*
567. Alexandre Dumas *Georges.*
568. Louise de Vilmorin *Le lit à colonnes.*
569. Frederick Forsyth *Chacal.*
570. James Joyce *Dedalus.*
571. Marcel Proust *Un amour de Swann.*
572. Alphonse Boudard *L'hôpital.*
573. Jean Giono *L'Iris de Suse.*

Cet ouvrage
a été achevé d'imprimer
sur les presses de l'Imprimerie Bussière
à Saint-Amand (Cher), le 15 avril 1974.
Dépôt légal : 2e trimestre 1974.
N° d'édition : 18954.
Imprimé en France.
(1941)